D1030052

НИНА ЛУГОВСКАЯ

ДНЕВНИК СОВЕТСКОЙ ШКОЛЬНИЦЫ

ПРЕОДОЛЕНИЕ

Издательство АСТ

Москва

УДК 821.161.1-31
ББК 84(2Рос=Рус)6-44
   Л83

Составители выражают благодарность за помощь
в предоставлении архивных материалов
сотрудников Государственного архива Российской Федерации:
С.В. Мироненко, О. В. Маринина и Д.Ч. Нодия.
А также Френсису ГРИНУ, без постоянной поддержки которого
была бы невозможна многолетняя работа в архивах.
Особая признательность коллегам: Л. А. Должанской и Я. В. Леонтьеву
за помощь в подготовке до-лагерных дневников Луговской.
После-лагерный архив Луговской был обработан
и систематизирован искусствоведом Александром Ковзуном.
Текст второй части составлен на основании этого архива.

Нина Луговская

Л83   Дневник советской школьницы. Преодоление. / Луговская Н.С. — авт.-сост. Перова Н.А. и Осипова И.И. —
Москва: Издательство АСТ, 2017. — 512 с. — (Портрет
эпохи).

ISBN 978-5-17-101167-3

Дневник Нины Луговской — прекрасное противоядие для тех, кому
«советский проект» все еще кажется привлекательным. Великая утопия
обернулась кровавой историей. Об этом свидетельствует Нина Луговская.

УДК 821.161.1-31
ББК 84(2Рос=Рус)6-44

Часть 1.
ДНЕВНИК
СОВЕТСКОЙ ШКОЛЬНИЦЫ
1932—1937

ТРУДНЫЙ ПОДРОСТОК
ПРОТИВ ВЕЛИКОГО МИФА

Дневники Анны Франк и Нины Луговской могут рассматриваться как родственные документы. Прежде всего, они принадлежат тому новому разделу общей истории, который выделился в самостоятельную дисциплину, называемую микро-историей. Большая история, рассматриваемая через судьбу отдельного, частного человека — не вождя, полководца, философа или писателя, а одинокой незначительной песчинки. Это люди, истории не делающие, но в ней пребывающие. Они — свидетели случайные, ненамеренные и, в силу ненамеренности, потрясающе правдивые.

Обе девочки, Анна Франк и Нина Луговская — эгоцентрические подростки, сосредоточенные на своей внутренней жизни, поглощенные переживаниями, сопровождающими половое созревание. У обеих — сложные отношения с родителями: у Анны Франк глубокий конфликт с матерью, у Нины Луговской — негативная реакция на отца. Довольно типичная черта подросткового возраста. Обе они находятся в экстремальных ситуациях, обе уже в западне, уже обречены, и сила воздействия их дневников именно в том, что мы, читатели, это понимаем, а они еще не рассталась со своими надеждами выжить.

Экстремальность жизненной ситуации Нины Луговской разделена с миллионами ей подобных девочек, мальчиков и их родителей. Обреченность общая, но неосознанная. В советских лагерях тоже погибнет много миллионов людей. Но Анна Франк — еврейка в оккупированной фашистами Голландии, а Нина Луговская — русская среди соотечественников, подавленных тоталитарным режимом, который уничтожает не по принципу национальному, а беспринципно: всякой твари по паре, чтоб все боялись.

В сохранившемся в архивах НКВД дневниках Нины есть два рода отметок: во-первых, вымаранные самой Ниной строки. Она прошлась по своему дневнику задолго до ареста, когда ее мать, заглянув к ней в дневник, предостерегла ее от излишнего доверия к бумаге. Второй род отметок — красный карандаш следователя, читавшего ее дневники с той самой целью, которую когда-то предвидела ее мать... Впрочем, если бы никаких дневников Нина вообще не вела, она все равно получила бы свой срок: из общества изымали неблагонадежных, к числу которых, вне всякого сомнения, относился отец Нины, левый эсер. Изъятию подлежали и члены семьи. Таким образом, дневник Нины оказался лишь лакомым куском для следователей, которые смогли на основании дневника предъявить молодой девушке особое обвинение в «подготовке террористического акта против Сталина».

В сущности, речь идет о грандиозном процессе «Государство против частного человека», о том процессе, который идет всегда и повсеместно, но в условиях тоталитаризма приобретает невиданные масштабы. К счастью, кроме памятников искусства, выражающих идеологию государства, сохраняются и свидетельства, подобные этому дневнику. Именно этим он и интересен.

Что же, собственно, представляет собой этот документ? Три общие тетради, заполненные чувствами и переживаниями. Довольно банальными. Лучше сказать, типичными для всех чувствительных девочек: пафос, страдания по поводу собственной внешности, смесь тщеславия с уничижением, страдания в ожидании любви, крайние эмоциональные реакции — вплоть до мысли о самоубийстве, и даже с попыткой отравиться бабушкиными каплями с опиумом.

Фрагменты дневника могут быть с успехом вставлены в учебник по психологии подростка. Здесь нет ни примет времени, ни признаков личности. Зато он с медицинской точностью фиксирует характерное состояние ребенка переходного возраста.

Нина, миловидная, вполне привлекательная девочка, страдает косоглазием. Этот недостаток — идеальная пища для глубоких страданий.

Множество дневниковых страниц посвящено отношениям с мальчиками — гормональная биография молодого организма: он вошел — я посмотрела, я вошла — он посмотрел... я засмеялась иронически — он покраснел, он засмеялся — я вздрогнула...

Тоска о любви, жажда ее, ревность и зависть, влюбленность и разочарование, новая влюбленность, новое разочарование — трудное взросление, мучительное состояние юности, общее место в биографии почти каждого молодого человека.

Но одновременно с этими обыкновенными для девочек переживаниями в дневниках представлен тот исторический фон, на котором происходит действие ее жизни, и он-то оказывается замечательным комментарием к выставке «Коммунизм — фабрика мечты». Нина Луговская рассказывает о том, что не попадает в поле зрения искусства — о реальной жизни современников. Оказывается, не все шагают в ногу. И Нина из числа тех, у кого особенно острое зрение. Удивительно, почему она пишет то, что другие люди боятся прошептать кому-то на ухо. Это не только смелость высказывания, это смелость мышления — большая редкость во все времена.

Скорее всего, остро-негативное отношение Нины к власти и к самому Сталину связано с политическими воззрениями ее родителей, но, несомненно, что трезвость и наблюдательность ее собственные. В дневниках Нины много определенных и недвусмысленных высказываний, связанных с политическими событиями. Как будто походя, как само собой разумеющееся, она бросает страшные обвинения и власти, и самому народу, подстелившемуся под власть. Но эти дневниковые высказывания особенно ценны для нас сегодня. Именно они представляют собой тот комментарий к прошедшему времени, в котором нуждается время настоящее.

Кости политзаключенных еще не истлели, еще не все заборы и бараки архипелага ГУЛАГ поросли травой, и в архивах НКВД-КГБ-ФСБ хранятся горы еще не прочитанных документов.

И в этом смысле дневник Нины Луговской — прекрасное противоядие для тех, кому «советский проект» все еще кажется привлекательным. Великая утопия обернулась

кровавой историей. Об этом свидетельствует Нина
Луговская.

В книге представлены тюремные фотографии Нины, ее
сестер и матери: анфас, профиль, номер. У Нины детское
растерянное лицо. Миллионы таких фотографий хранятся
в архивах. Но все уже умерли: кто от пули, кто в лагере,
кто в ссылке. Нине Луговской повезло. Она вышла из
ГУЛАГа. Мечта ее детства осуществилась — она стала
художником, дожила до старости и мало кто из ее окружения знал о ее прошлом. Наверное, она и сама не помнила
о тех изъятых во время обыска дневниках. Но они сохранились. Они здесь. Они для нас.

Людмила Улицкая

ОБЗОР
СЛЕДСТВЕННОГО ДЕЛА ЛУГОВСКИХ

Чтобы понять причины ареста всей семьи Луговских, разделивших судьбы многих и многих тысяч невинно репрессированных в период 1937-1938 годов, нужно рассказать историю семьи Луговских с самого начала.

Мать Нины, Любовь Васильевна Самойлова, родилась в 1887 году в Малом Архангельске Курской губернии, в семье сельского учителя. Окончив Ливенскую гимназию, в 1909 году поступила на Высшие женские курсы в Москве и получила профессию педагога. С 1914 года преподавала математику в школе села Дедилово (Луговская слобода) Дедиловского уезда Московской губернии. Здесь она познакомилась с 29-летним Сергеем Федоровичем Рыбиным, активным членом партии эсеров, который в 1910-х годах вернулся на родину после многолетних полицейских преследований, тюрем и сибирских ссылок.

В 1914-м году они вступили в брак без официальной регистрации и 25 октября 1915 года в семье родилась двойня — девочки Ольга[1] и Евгения. В 1917 году они решили взять общую фамилию Луговских, выбрав ее по месту рождения Рыбина — Луговская слобода.

С началом Февральской революции Сергей Федорович активно включился в политическую деятельность, был избран членом Исполкома Всероссийского Совета КД[2], был избран в Предпарламент.

С победой Октябрьской революции на съезде Советов Северной области был избран в Областной комитет, на 2-м Всероссийском съезде Советов КД переизбран в Исполком, затем стал членом объединенного ВЦИК, исполнял также

---

[1] В семье ее звали Ляля.

[2] КД — крестьянских депутатов.

обязанности одного из редакторов газеты «Голос Трудового Крестьянства».

С конца ноября 1917 года[3] стал активным членом партии левых эсеров, был делегирован левоэсеровской фракцией в ВСНХ[4], а после 4-го съезда партии избран в члены ЦК. В конце 1918 года принимал участие в работе Экономического отдела при ЦК, был избран в президиум 2-го Совета партии; вел партийную работу в Ленинграде.

Весной 1918 года в связи с переездом правительства семья переехала в Москву и здесь 25 декабря 1918 года родилась младшая дочь Нина. В феврале 1919 года Сергей Федорович в числе других руководителей и активистов партии левых эсеров был арестован и заключен в Бутырскую тюрьму. После освобождения из-под стражи уехал с семьей в Сибирь, в Омский район, и вернулся в Москву лишь в 1922 году.

Сергей Федорович принадлежал к большинству членов ЦК партии, занявших лояльную позицию по отношению к большевикам и примкнувших к легалисткому крылу партии. Как экономист, активно поддержал политику перехода к НЭПу и вскоре принял участие в создании артели булочников «Вольность труда», основанной на кооперативно-синдикалистских принципах.

В апреле 1923 года артель по суду была закрыта, и Сергей Федорович с группой эсеров-единомышленников принял активное участие в открытии пекарни «Трудовая вольность», на базе которой к середине 20-х в Москве было открыто уже 40 пекарен[5], вошедших в артель «Муравейник», в которой Сергей Федорович был избран председателем правления. При артели работала бесплатная столовая, парикмахерская, школа, библиотека, театральный кружок, для участников которого в театрах покупались билеты в ложи, а также постоянно отчислялись деньги в поддержку политзаключенных в тюрьмах, лагерях и ссылках.

С сентября 1925 года, когда дочери подросли и пошли в школу, Любовь Васильевна стала работать счетоводом в артели «Муравейник», позднее там же стала библиотека-

---

[3] 19-28 ноября прошел учредительный съезд партии левых эсеров.

[4] Всесоюзный Совет народного хозяйства.

[5] В них работало до 400 человек.

рем и членом культкомиссии. В семье серьезно относились к воспитанию дочерей, которые занимались с преподавателями музыкой и живописью, спорт был также обязателен.

7 января 1929 года Сергей Федорович вместе с большой группой артельщиков был арестован и заключен в Бутырскую тюрьму. 9 марта 1929 года он был приговорен к 3 годам ссылки в Коми и отправлен в Усть-Сысольск. Любовь Васильевна была исключена из членов артели, как жена высланного, но позднее добилась по суду восстановления, после чего уволилась из артели по собственному желанию и поступила на работу в школу для взрослых при типографии «Рабочая Москва» заведующей учебной части с окладом в 100 руб.

Семья жила очень трудно: зарплаты Любови Васильевне не хватало, чтобы даже прокормить семью, да и выдавали ее с опозданиями; приходилось постоянно залезать в долги; брать ссуды в кассе взаимопомощи, занимать деньги у родных и знакомых. И хотя с августа 1930 года Сергей Федорович смог устроиться в Усть-Сысольске на работу, при всем желании он мог посылать семье лишь небольшие суммы — от 25 до 50 руб.

Все свободное от работы время Любовь Васильевна посвящала бесконечному поиску продуктов и очередям, чтобы отоварить талоны на продукты и как-то прокормить семью. С возмущением сообщала она мужу о том, что и сама, и позднее старшие дочери получили талоны по самой низкой категории:

«Мы, служащие, получили 4-ую категорию, учащиеся, дети служащих до 18 лет, тоже 4-ую, а учащиеся, дети рабочих, II категорию. Додумались молодцы, вероятно, пришли к научному заключению, что дети, родители которых несут умственный труд, нуждаются в уменьшенном питании по наследству».

С начала 30-х годов ухудшилось положение и с товарами первой необходимости, все выдавалось только по талонам: одежда, обувь, мануфактура, — причем, ежемесячные талоны отоваривались сначала для рабочих-ударников труда, потом для простых рабочих и только в последнюю очередь, если что-то оставалось, их могли получить служащие, у которых практически всегда талоны пропадали.

Большую часть писем Любови Васильевне к мужу занимает описание быта, бесконечных ежедневных проблем добывания продуктов и товаров, их возрастающей дороговизны. Приведем примеры:

«С питанием у нас сейчас дело плохо: нет мяса, нет масла, и решили заговеть на молоке, т<ак> к<ак> кружка уже поднялась до 50 коп<еек>, масло по 10 руб<лей>, тоже не покупаем, а мясо в этом месяце выдали только за 2 дня»; «Купили сегодня конины — цена доступная 1 руб<ль> за кило. Завтра сделаем тушеное мясо. Дети протестуют: «Не будем есть». Ничего, с голоду поедят».

В январе 1931 года Любови Васильевне пришлось взять на дом договорную сдельную работу, чтобы расплатиться с долгами, о чем она писала в письмах мужу:

«Работаю по-прежнему много, иногда до помутнения мозгов»; «Мой добавочный заработок пойдет главным образом на покрытие долгов; на мое жалованье 175 р<ублей>[6] прожить трудно, невозможно просто».

События же, происходящие в стране, отношение к школе и институту девочки комментировали в своих дневниках, особенно младшая дочь Нина.

Осенью 1931 года Любови Васильевне стали помогать старшие дочери, взяв надомную работу, о чем мать с гордостью сообщала мужу в декабре 1931 года: *«Итак, папа, мы дождались помощников. Ляля и Женя вместе зарабатывают 90 руб<лей>, почти мой заработок».*

Больше всего Любовь Васильевну волновало то, что ее работа до позднего вечера в будние дни и бесконечные поездки по городу в поисках продуктов и одежды в выходные отнимают все свободное время, что дети ее совсем заброшены:

«И моего влияния за последние месяцы не было, т<ак> к<ак> сдельная работа меня совершенно оторвала от дома и детей. А этот возраст особенно требует разумного влияния»; «Мне иной раз кажется, что они совсем стали чужие».

По возвращению в Москву, благодаря помощи знакомому члену Моссовета[7], Сергею Федоровичу удалось

---

[6] В это время Любовь Васильевна работала завучем и также заменяла заболевшего бухгалтера, выдавая деньги.

[7] Носкова, подруга Софьи Васильевны Келлер, сестры Любови Васильевны, у нее были знакомства в милиции.

остаться в Москве, и вскоре он стал работать экономистом в столовой № 23, а позднее экономистом на строительстве домов для метростроевцев.

2 ноября 1932 года на квартиру Луговских неожиданно пришли с ордером на обыск. Любовь Васильевна при этом вела себя достаточно агрессивно, а девочки насмешливо следили за сотрудниками органов ОГПУ, проводивших обыск, на каждое замечание отвечали какой-нибудь колкостью, все время посмеивались над ними, но при этом страшно нервничали из-за дневников, особенно Нина, судя по ее записям: *«Как вспоминала, что у меня там написано, так жутко становилось».*

Весной 1933 года, с началом паспортизации в стране, Сергею Федоровичу отказали в московской прописке, в десятидневный срок он должен был выехать из Москвы. Здоровье его к тому времени ухудшилось: он сильно осунулся, пожелтел, морщины стали резче вырисовываться на хмуром суровом лице, при этом он еще стал слепнуть, что очень волновало жену.

Взаимоотношения с дочерьми у Сергея Федоровича были очень сложные: их неорганизованность, равнодушие к политической жизни, увлечение мальчиками его сильно раздражали, он постоянно ссорился с ними, и больше всего столкновений у него было с младшей дочерью. Многие записи в ее дневнике об отце очень резки, есть даже записи о ненависти к отцу, но при этом она и восхищалась его твердостью: *«Я люблю его, когда он революционер, люблю его человеком идеи, человеком дела, человеком, стойко держащимся своих взглядов, не променявших их ни на какие блага жизни».*

Сергей Федорович, выехав из Москвы, поселился в деревне Марьин Брод Можайского района, где работал на строительстве, но через год был вынужден выйти на пенсию по здоровью, став инвалидом 2-й группы. С лета 1934 года он нелегально прибыл в Москву и тайно проживал на разных квартирах: жены, своей сестры Дарьи Федоровны и двоюродного брата, Никиты Рыбина. По инициативе Любови Васильевны с 1934 года, когда муж стал нелегально проживать в Москве, в семье было условлено о пароле, что позднее, при аресте, было использовано следствием в обвинении. Сергей Федорович должен был определенным стуком в дверь сообщать о своем прибытии.

Летом 1935 года Нина активно помогала Любови Васильевне, она принимала экзамены у рабочих, поступающих в новую вечернюю семилетку. Первое в жизни столкновение с простыми людьми в этой обстановке сильно поразило ее, и в дневнике она отметила, какими покорными и робкими детьми становились рабочие, очутившись в школе, как у них от волнения дрожали руки, как они краснели, запинались и как-то дружелюбно и ласково обращались к ней.

В ночь с 14 на 15 октября 1935 года Сергей Федорович вместе с Никитой Рыбиным был арестован на квартире последнего и отправлен в Бутырскую тюрьму. 20 декабря дело по обвинению его в антисоветской агитации было прекращено за недоказанностью обвинений, но 22 февраля 1936 года он был приговорен за контрреволюционную агитацию к трем годам ссылки в Казахстан. 22 марта он был отправлен в Алма-Ату, позднее в Семипалатинск, где он не мог устроиться на работу, поэтому каждые три недели Любовь Васильевна посылала ему на продукты по 50 руб.

Уже в декабре того же года Сергей Федорович был вновь арестован, вывезен для дальнейшего следствия в Москву и заключен в Бутырскую тюрьму. А 4 января 1937 года на квартире Луговских был проведен тщательный обыск, во время которого были изъяты вся переписка с Рыбиным и дневники дочерей Нины и Ольги Луговских.

9 января была вызвана на допрос в органы НКВД Любовь Васильевна, а 11 января она вместе с дочерью Ниной посетила приемную Бутырской тюрьмы, где получила разрешение на свидание с мужем. В тот же день была вызвана на допрос старшая дочь Ольга Луговская, которая отказалась сотрудничать со следствием и рассказала обо всем своему другу и сокурснику Георгию Шарафаненко, который во время обыска в квартире Луговских был в гостях у сестер[8].

17 января Нина Луговская посетила Политический Красный Крест и подала там заявление о заключении отца в Бутырской тюрьме и предстоящем в ближайшее время

---

[8] Позднее он был исключен из комсомола «за недонесение» комитету комсомола института об аресте сестер Луговских.

приговоре, хотя иллюзий относительно их помощи после разговора с сотрудниками у нее не осталось[9].

7 марта Любовь Васильевна вновь была вызвана на допрос, где отказалась отвечать на вопросы следователя. А 10 марта на квартиру Луговских прибыла группа сотрудников НКВД с ордером на ее арест. В рапорте сотрудника, проводившего арест, сообщалось, что, **когда ее вывели на улицу, то дочери открыли окна квартиры и стали** *«демонстративно прощаться с последней, обращая внимание посторонних, громко кричали нам вслед: «Мама, до свидания, не бойся». В свою очередь арестованная Луговская также начала громко кричать, прощаясь: «До свидания, прощайте, детки», — пытаясь своим криком обратить внимание прохожих».*

На допросах 13 и 15 марта, 21 мая и 5 июня она категорически отрицала как свои *«контрреволюционные настроения»,* так и дочерей с мужем, утверждая, что *«Рыбин — советский человек».* В предъявленной ей переписке с мужем отрицала, что в них возводила *«контрреволюционную клевету на советское государство»,* что освещала *«в антисоветском духе жизнь и быт трудящихся».*

На допросе 7 июня следователю все-таки удалось, предъявив ей письма Рыбина, добиться ее вынужденного признания, что *«контрреволюционные настроения у него были в вопросах воспитания детей»,* но подписать этот протокол она категорически отказалась. Невозможно ей было также отрицать после очных ставок с арестованными по этому же делу левыми эсерами и того факта, что товарищи мужа и ее знакомые посещали их квартиру, передавали ей деньги и продукты для отправки ссыльным в Великий Устюг, Усть-Сысольск, в Среднюю Азию.

А 16 марта была арестована Нина Луговская, которая признала на допросах, что была *«резко враждебно настроена против руководителей ВКП(б) и в первую очередь против Сталина»,* что имела *«террористические намерения против Сталина»,* подтвердив версию следствия, что причиной такого отношения послужили *«репрессии со стороны Советской власти по отношению к моему отцу».*

---

[9] Сотрудник ПКК, принимавший посетителей, заявил ей: *«Мы постараемся, но вряд ли из этого что-либо получится».*

Похоже, под диктовку следователя был ею написан совершенно наивный вариант, как она собиралась осуществить это покушение на Сталина, причем никаких вопросов о возможности приобрести оружие ей задано не было: *«Я думала только встретить Сталина у Кремля и совершить покушение выстрелом из револьвера, предварительно узнав, когда он выходит из Кремля».*

Позднее в письме Хрущеву она объясняла свои признательные показания тем, что допросы велись грубо, с угрозами, вплоть до расстрела, с требованием отречения от своих родителей, что из отроческого дневника выдергивались отдельные фразы и слова, которые и послужили обвинением. Все это довело ее до такого состояния, когда уже *«не имело значение, что подписываешь, — лишь бы поскорее все кончилось».*

31 марта была арестована студентка 5-го курса Женя Луговская-Тупикова[10], а ее сестра Ольга лишь 14 апреля. Серьезным обвинением против сестер стало показание одной из сокурсниц, которую они презирали, об организации ими сбора подписей под протестом против исключения из института нескольких студенток.

Как показала далее эта сокурсница, сестры *«противопоставили группку студентов студенческой и советской общественности, вернее, партийным и общественным организациям вуза»,* а после осуждения их поступка «общественностью» начали демонстрировать *«свою аполитичность в той группе студентов, которая поддерживала антиобщественные настроения»,* мало этого, они также не желали вести общественную работу и отказались вступать в комсомол.

27 марта врачебная комиссия Бутырской тюрьмы дала заключение о том, что мать и ее дочери по состоянию здоровья годны *«к тяжелому физическому труду».* 2 июня изъятые при обыске дневники дочерей, их переписка с отцом и переписка жены с мужем были приобщены к делу как *«документальное подтверждение контрреволюционных взглядов всех обвиняемых членов семьи Луговских к советской власти».*

9 июня Любовь Васильевна, уже знавшая об аресте дочерей и вызванная для подписания протокола об окончании следствия, сорвалась. Об этом следователем был

---

[10] Муж — Тупиков Юрий Анатольевич, ее сокурсник.

составлен акт: «*Сего числа около 15 часов обвиняемая Луговская Л.В., войдя в следственную комнату, вызывающе заявила: «Вы вызвали меня, чтобы опять копаться в моей жизни. Прекратите, я учиню вам скандал». Следователь заявил в ответ: «Никакие провокации Вам не помогут». Луговская на это ответила неистовым криком: «Вы издеваетесь! Позор для НКВД издеваться над женщиной».*

А 13 июня матери и трем дочерям было предъявлено «Обвинительное заключение», в котором говорилось, что дети целиком восприняли «*контрреволюционную идеологию*» своего отца, Рыбина Сергея Федоровича, и в своих письмах к отцу «*в резкой контрреволюционной форме*» описывали общественную и экономическую жизнь в столице, в институте и в деревне. Их квартира была представлена следствием как «*место явок эсеров, возвращавшихся из ссылок*» и как нелегального проживания в Москве отца, для чего ими был установлен пароль в виде определенного стука.

Любовь Васильевна обвинялась еще и в том, что «*будучи контрреволюционно настроена, хранила у себя контрреволюционную эсеровскую литературу и другие эсеровские документы, вела переписку с Рыбиным (бывшим членом ЦК ЛСР), в которых информировала о местонахождении отдельных кадровиков-эсеров*».

Ее дочери Ольга, Евгения и Нина Луговские обвинялись еще и в том, что «*принимали активное участие в нелегальной деятельности контрреволюционной эсеровской организации, оказывали помощь эсерам, находящимся в ссылках, по месту жительства укрывали эсеров, нелегально проживающих в Москве*». Нина дополнительно обвинялась в том, что «*имела террористические намерения против вождей партии и правительства*».

Виновной себя Любовь Васильевна не признала, что было отмечено следствием, дочери Ольга и Евгения признали себя виновными только в части переписки с отцом, которая, по мнению следствия, носила «*контрреволюционный характер*», а дочь Нина признала себя виновной по всем пунктам обвинения. 20 июня 1937 года мать и дочери были приговорены к пяти годам лагерей, а 28 июня отправлены в Севвостоклаг.

Сергей Федорович Рыбин во время следствия отвечать категорически отказался по всем вопросам, «*касающимся партийной жизни левых эсеров»*. В начале июля ему было предъявлено «Обвинительное заключение», в котором говорилось: *«Оставаясь резко враждебно настроенным к советскому государству, являлся организатором и руководителем контрреволюционной террористической и повстанческой эсеровской организации в Московской области, именовавшей себя «Крестьянский союз», готовившей в 1936 году террористические акты против руководителей ВКП(б) и советского правительства. Воспитывал своих дочерей в контрреволюционном террористическом духе, в результате чего его дочь Луговская Нина была намерена совершить террористическое покушение на т. Сталина».*

Рыбин был приговорен к 10 годам заключения и отправлен в Севвостоклаг.

Ирина Осипова

ПЕРВАЯ ТЕТРАДЬ

<8 октября 1932>

<...> Сейчас половина одиннадцатого вечера. Женя[11] играет на рояле, а я спешу записать то чувство, которое у меня появляется при музыке. Я невообразимо люблю ее, но как-то болезненно и горько. Мне кажется, что невозможно выразить словами того сильного и сложного чувства, которое наполняет меня, что-то хрупкое и нежное болезненно начинает шевелиться в моей душе, приятно и больно щекочет нервы, что-то просится наружу. О, как мне хочется в такие минуты присоединиться к пению сестер, вылить все, наполнявшее меня в одном звучном и прекрасном звуке, но получается дрожащее жидкое хрипение, и я замолкаю, оставляя умирать в душе непонятный порыв. Какая-то непонятная и жгучая прелесть сквозит в разнообразных мелодиях: то шаловливых и игривых, то наполненных тяжелыми переживаниями.

<11 октября 1932>

Сегодня у меня выходной. С утра пошла за хлебом, на улице холодно и неприветливо. Чертовски дрянное настроение, ничего не хочется делать, с досадой вспоминаю вчерашний день. Мои поступки в школе! Когда я научусь сдерживать себя? Что это — обещала не садиться близко от Левки, а села рядом, божилась не ждать его около школы, а наоборот, смотрела во все глаза. Как не сходятся разумные думы с взбалмошной действительностью.

Вчера вечером у нас был Юрка, друг Ляли[12], длинный и худой парень с некрасивым лицом. Разговор у них зашел о том, кто в кого втрескался, и откровенно сознавались

---

[11] Старшая сестра Нины.

[12] Старшая сестра Нины.

все, а мне было немного странно и неприятно слышать, как они рассказывали об этом. Вообще, чертовски плохо жить, на меня опять находит хандра, минутное возрождение кончилось, и уже не тянет в школу, а голубые глаза почти не волнуют. Как я могла так неожиданно влюбиться и так скоро разлюбить. Я раньше осуждала тех, кто быстро влюбляется и охлаждается. Сейчас же странно и немножко смешно вспоминать об этом.

Зачем жить? Живи, ответят тебе, пока не умрешь. Легко сказать! Так вот в юности влюбиться, потом выйти замуж, народить детей, а к старости готовить обеды, окутывая себя беспросветным ворчанием, — и это жизнь? А разве такой хочется жизни? Хочется стать великой, необыкновенной. Мечты, мечты! Мечты — это то самое, что дает мне возможность хоть иногда бывать счастливой. О, как я люблю писать. Вот написала и успокоилась, как будто чья-то рука сложила в определенный порядок все в моей душе, так что не осталось ни одной частички, которая бы тревожила меня.

<13 октября 1932>

Первый урок была биология. Мы пришли в кабинет, когда уже прозвенел звонок, и учительница была в классе. Алька[13] дал мне клочок бумаги и проговорил, смеясь: «Прочти объявление», — и сел на место. Я развернула и прочла: «Пятая группа сошла с ума потому, что шимпанзе втюрился в Луговскую». Как же не смеяться? Я оглянулась на мальчишек, Левка, разевая и без того большой рот, кричал: «Ну что, Луга?» Урок прошел весело и оживленно. Второй урок был физкультура, но учитель не пришел. Ребята вели себя не особенно хорошо, и скоро в класс пришла учительница из соседнего класса, по виду рабочая выдвиженка. Задав нам составить рассказ из слов: «империалисты, капитализм, оппортунисты, энтузиасты, ударники, новое общество», — она ушла, но в течение урока навещала нас. А после уроков я, Ира и Ксюша пошли к другому переулку, свернули в него и, примостившись на низком заборе, стали ждать Ю.И.[14] и Левку. На улице было особен-

---

[13] Одноклассник Нины.

[14] Юлия Ивановна, учительница математики и классный руководитель. Левка был ее сыном от первого брака.

но темно и тепло, кругом было пустынно. Мы и раньше нередко ожидали их, но подходить так близко к улице, по которой они должны были проходить, мы еще не решались.

<14 октября 1932>

В школу я шла одна, так как опоздала, и девочки уже ушли, но я не особенно жалела об этом. На первом уроке был русский, и учительница вызвала Левку. Он вышел к доске со спокойным видом, взял мел и остановился в выжидательной позе (его изящная фигура напоминала фигурку Ю.И.) По его ответам видно было, что он совсем не занимался, и весь класс хором подсказывал ему, а я многозначительно спросила Иру: «Ты знаешь, почему ему все подсказывают?»

На немецком Левка так разбаловался, что учительница вынуждена была пересадить его на другое место, но и там он не успокоился и стал перебрасываться фуражкой с ребятами, причем раза два кинул ее на нашу парту. На следующем уроке по труду творилось что-то невообразимое. Учитель собрал всех у одного станка, чтобы объяснить его строение, но сам за чем-то вышел из мастерской. Ребята начали подставлять друг другу ножки, и нужно было видеть всю комичность их маневров. Левка вскочил на стол и хохотал от всей души, смотря, как Стаська немилосердно кривлялся и беспрестанно падал на скользкий каменный пол. Кстати о Стаське, что-то особенное подмечаю я в отношении его ко мне. Увы, как редко я вижу голубые глаза, так часто вижу карие, смотрящие на меня! Это вызывает у меня одновременно приятное и неприятное чувство, как будто кто-то слегка щекочет.

<17 октября 1932>

Сейчас пришла мама и велела сестрам идти за продуктами. По обыкновению не обошлось без ссоры, все трое ругались, кричали, а я сидела в своей комнате и молила бога, чтобы не вспомнили обо мне. Сейчас Женя и Ляля продолжают ругаться. О боже! Право, смешно и жалко на них смотреть и подумать, до чего мы не дружны между собой. И папа с мамой нередко ворчат, а уж мы и подавно.

Мы сошли с ума! Но кто же мог подумать, что сегодня в школе случится такая вещь? Итак, день начался самым обыкновенным образом, после второго урока мы с Ирой ходили по залу, разговаривая, вдруг перед нами очутился Левка с устремленными куда-то вперед глазами. Неожиданно он перевел их на нас, причем, мне особенно ясно бросилась в глаза их мутноватая густая голубизна. «Несите книги в класс». «Какие книги?» «Да, в класс». «Мы не библиотечная комиссия». И он, и мы засмеялись и смутились. Я неожиданно поняла, в чем дело, круто повернулась и, давясь от неудержимого смеха, бросилась в класс, произнося нечленораздельные звуки: «Левка определенно заигрывает с нами».

На русском я почти ничего не слушала, какая-то магнитная сила тянула мои глаза к первой парте у окна, к светлому профилю Левки, и я, быстро перебегая с предмета на предмет, вдруг неожиданно вскидывала на него глаза. Он все чаще смотрел в окно, иногда на учителя и редко в нашу сторону. Я взглянула на Левку, он смотрел на нас и шептался со Стаськой. Каждой из нас, то есть Ире, мне, Зине и Ксюшке казалось, что он смотрит на нее, я-то, вообще, об этом распространяюсь немного, а остальные, особенно Ксюшка, трубят об этом во все рога, поэтому меня всегда охватывало болезненное чувство неизвестности, тайной надежды и разочарования. На кого же он смотрит, когда поворачивается к нам? Сегодня неизвестности не было, я встретилась с ним взглядом, и мы довольно долго, улыбаясь, смотрели друг на друга, пока он медленно не отвел глаза.

Не знаю, каким образом, но мы с Ирой решили сегодня найти дом Левки (адрес мы знали), и решение возникло как-то само собой, втайне от Ксюши и Зины. После уроков мы вышли из школы, вокруг никого, кроме нас, не было. Было поразительно тепло. «Идем», — тихо сказала Ира, и мы свернули на Девичку[15]. Вдруг по улице пронеся знакомый крик: «Луга! Подождите». «О, скотина!» — не оборачиваясь, шептала я, увлекая подругу в темную аллейку. Ксюша не унималась, но, наконец, как-то отвязавшись от нее, мы свернули в переулок и пошли прямо к цели.

Было немножко жутко, и приятное возбуждение разливалось по всему телу. На улице было грязно и темно.

---

[15] Девичье Поле, сквер близ Плющихи.

Мы свернули в какой-то переулок, узкий и извилистый, с многочисленными заборами и темными проемами дворов. Но вот и наш переулок, очень небольшой с двух- и трехэтажными домами. Вот и его дом, трехэтажный, каменный, с большими светлыми окнами. Мы раза два прошли мимо него, и я не могу передать того напряжения и возбуждения, охватившего меня там. На обратном пути на Пироговской улице мы встретили Альку, который, увидев нас, удивился: «Луга!» — и засмеялся. Отойдя на порядочное расстояние, я с досадой воскликнула: «Вляпаться так глупо!»

<21 октября 1932>

Каждый раз я создаю в своем воображении что-то благородное и простое, и каждый раз этот образ разбивается о действительность, мерзкую, но яркую действительность. Насколько чисты в моем воображении мужчины и мальчики, настолько они пошлы и развратно-распущенны в действительности. О, жестокая действительность, как она грубо и бесцеремонно касается сердца. А все-таки мне Левка порядком нравится, с его поразительно тонкой и упругой фигурой.

Вчера нас вернули в класс за плохое поведение. Левка подбежал к моей парте и, схватив со стола ручку, воскликнул: «Луга ручку забыла!» Я схватила его крепко за руку и, отняв ручку, как-то иронично и насмешливо сказала: «Спасибо». Он молча сел на место, а я еще долго ощущала его тонкую и упругую руку. Теперь меня интересует один вопрос: обращает ли на меня Левка хоть немного внимания? Конечно, это трудно заметить, но все же у меня теплится в душе искра надежды...

<22 октября 1932>

Попробую описать этот день с мельчайшими подробностями, не упуская ничего. Итак, из дому я вышла без трех минут час. На улице было холодно и сыро. Мелкий холодный дождик моросил с самого утра. Я подошла к автобусной остановке (обычному месту наших свиданий) и решила немного подождать Иру и Ксюшу. Одной не хотелось идти, но они не шли. Дождик все шел и шел, и, казалось, нет конца этой беспросветной осенней серой мгле.

В раздевалке было мало народу и почти не было пальто. Около нашей вешалки стояли ребята из класса и несколько девочек. Я молча прошла к другому концу вешалки, медленно разделась, вложила в рукав шапку. Не хотелось одной идти в класс, но делать было нечего. Около двери на столах стояли с одной стороны Стаська и Алька, с другой — Левка. Они одной рукой брались за провод, другие соединяли между собой. «Луга, попробуй, возьмись. Давай руку». Я положила портфель и, усевшись на кончик парты, подала одну руку Альке, другую Левке. Не странно ли? Ток легкой дрожью пробежал по телу, Левка тихонько пожал мою руку. Вдруг кто-то крикнул: «Шухер», — и все, как воробьи, быстро и шумно разбежались по своим местам. Водворилась выжидательная тишина. В двери показался мужчина, оглядел нас и, проворчав что-то, ушел.

«Левка! — закричал Стаська. — Садись здесь». «Сейчас». Он взял со стола свои тетради и пересел в наш ряд, наполняя меня счастьем и потребностью открыться перед кем-нибудь. Я выскочила в зал и пошла к раздевалке, в нее вливался поток учеников. Заметив среди них красную шапку Иры, я быстро подошла к ней и радостно шепнула: «Левка сидит сзади нас». «Как?». «Раздевайся скорее». «Ты знаешь, — заявила Ира, — я предчувствовала, что сегодня случится что-нибудь необыкновенное». Я молча улыбнулась.

Но вот начался урок. Стаська сел сзади нас с Алькой. Левки в это время не было. Позднее он сел в четвертый ряд и тоже сзади нас, приходилось, чтобы взглянуть на него, оборачиваться назад. Первый и второй урок была география, учитель делал опрос, а мы весь урок географии перекидывались с мальчишками записками, хотя легко сказать, а как трудно сделать. Мы видели, что девчонки смотрят на нас и смеются, но было поздно, мы пришли в такое состояние, когда ничто уже не может остановить от глупости, которую вы делаете, зная, что это глупость. Правда, я сама не помню, знала я или нет, что это глупость, в ту минуту, вообще, я ни о чем не думала, кроме Левки и нашего веселья.

Вечер.

Дома, когда уже пришла мама, Мария Федоровна[16] рассказала одну историю, что в каком-то переулке убили в

---

[16] Тетя Нины со стороны отца.

шесть часов утра отца, мать и девочку. На меня мало впечатления произвел этот рассказ, и я час спустя за своим дневником забыла о нем.

Часов в 10 в дверь кто-то сильно стукнул. «Спроси», — предупредила я маму, которая пошла открывать. «Кто?» — спросила она. «Мы», — отозвались девочки. Она отперла, Женя и Ляля вошли с суровыми лицами. «Девочки, пойдите к бабушке[17], там мы оставили вам поесть». «Нет», — глухо ответила, не глядя на маму, Ляля. «В чем дело? Что вы такие печальные?» Девочки вошли в свою комнату, я и мама за ними. «Что случилось?». «Сейчас... Не могу сказать», — проговорила, морщась, Женя, а Ляля облокотилась на стол и заплакала.

«Да в чем же дело? Папу зарезали?» «Нет». «Так что же?» «Говорите же, ведь я волнуюсь», — настаивала мама. «Маму... Шурину... убили!» «Что? Клебанскую[18]?» — с болью воскликнула мама. «Да, сегодня утром, они еще были в постели. Отцу отрубили голову, мать ранили топором в голову до мозга, а Шура жива, но она наверно...» «Да, кто же убил?» «Какой-то сумасшедший, он в их квартире живет. Шура проснулась, закричала, бросилась к окну, но он ударил ее по лицу топором».

Я стояла со спокойным лицом, какое-то непонятное тяжелое чувство охватило меня, и злость, отчаянная безнадежная злость против этого мерзавца охватила меня. О, жизнь! На память мне пришел рассказ Куприна «Искушение». Как ужасно и отвратительно! Надо вникнуть в смысл этого рассказа, представить себе Шуру, ошеломленную при виде раненной матери и борющуюся с ним. Она вчера была у нас, веселая, хорошенькая, пятнадцатилетняя девушка с громадными карими глазами и такой мягкой нежной кожей на лице и руках, такая веселая и немножко легкомысленная. Мне припомнился их разговор с Женей. О, ужас! Что с ней теперь, она в больнице.

Меня как-то оскорбляла мысль, что жизнь пойдет после этой трагедии своим чередом. Женя собиралась рисовать, Ляля легла спать, мама еще что-то, как будто ничего и не

---

[17] Анна Петровна Самойлова.

[18] Приятельница матери Нины. Ее дочь Шура была дружна с Ниной, Женей и Лялей.

было. Как ужасно, как будто ничего не случилось. Меня охватило острое желание убить этого мерзавца, которого, наверно, не убьют, потому что он сумасшедший. Даже не верится! Сейчас мне кажется такой ничтожной и мелкой моя радость и все события этого дня по сравнению со случившимся, ужасным, но ясным и важным.

‹24 октября 1932›

Как скучно, бесконечно скучно и пусто кругом. Левка, по обыкновению, ноль внимания, фунт презрения, глаза его устремлены куда-то мимо. Я несколько раз разговаривала с ним, это меня несказанно смешит и (зачем же врать) порядком радует, меня как-то приятно волнует, когда его глаза смотрят на меня. На уроках я все время дралась с ребятами и, вообще, очень хорошо себя чувствовала. На немецком Левка немилосердно мне подсказывал, и я, обернувшись к доске, еле сдерживалась от смеха.

Но когда мы пошли в мастерскую, я чувствовала себя уже неважно. Напевая арию Кармен и глядя перед собой, вяло пилила, боль и досада сжимала мое сердце. Ксюша, обняла и, чуть улыбаясь, смотрела на меня. Я всматривалась в ее ясные голубые глаза, вся отдавшись какому-то щемящему чувству, и тихо напевала: «Меня не любишь, но люблю я и берегись любви моей». Ксюша, слегка подняв свои тонкие брови и смеясь, говорила: «Нина, плакать хочется». Я понимала ее, и было нестерпимо приятно чувствовать, что есть человек, который видит, что творится в твоей душе, и пытается помочь.

Когда мы возвращались домой, нас всю дорогу занимал вопрос семейных отношений Ю.И. Так хотелось представить ее в домашней обстановке, да и не только ее, но и Левку. Когда мы расстались с Ирой, Ксюша спросила меня: «Что мы, с ума сошли?» «Да, совсем сошли, Ксюша. Ах, этот Левка, хоть бы его не было». «А что он чувствует? Наверно, ничего или же то же, что и мы?» «А он смотрит на нас». «Разве он так смотрит, как мы». На одной из перемен в драке с мальчишками Левка ушиб глаз, и мне было нестерпимо жаль видеть, как он, прикрывая его рукой и покраснев, шел в класс. Какая-то нежность зашевелилась в душе при виде этого тоненького миниатюрного мальчика со светлыми волосами и раздосадованным лицом.

<27 октября 1932>

Ничего особенного в моей школьной жизни нет. Левка? Но у меня, кажется, все кончилось. Сегодня, не раз поймав его взгляд, я ничего не чувствовала, кроме легкого удовольствия, и, заметив его взгляд на других девочках, я почти не обращала внимания. В общем, довольно скучно. На последний урок пришла Ю.И. с Кирюшей (брат Левки). Ира рассказала мне, что Левка, увидев малыша, бросился к нему, поднял на руки и поцеловал. Я не могла этого видеть, но, когда я, уже одевшись, шла из раздевалки, то увидела Левку, стоящего около двери с Кирюшей. И опять назойливый вопрос всплыл в голове: «Каковы их семейные отношения?» По крайней мере теперь я знаю, что Левка любит Кирюшу.

Вчера я была в театре на «Сверчок на печи». Вначале мне эта вещь не очень понравилась, но оригинальная разведка дополнила картину. В антракте мы с Ирой пошли в фойе, смешиваясь с толпой шелковых и ярких платьев, и на меня неприятное впечатление производили эти тряпки, в которые с таким удовольствием облекались женщины.

<31 октября 1932>

На четвертом уроке было пение. Мы, по обыкновению, сели так, чтоб видеть Левку. Он сидел рядом с пианино и посередине урока начал писать мелом на крышке: «Луга!» И так без конца писал, смотрел на меня и смеялся, показывая симпатичные продолговатые ямочки на щеках. Когда мы шли на четвертый этаж, Левка очутился впереди нас, но подождал, когда мы пройдем, и пошел за нами.

<1 ноября 1932>

У меня сейчас появилось новое желание — это учиться играть на рояле. Недурная, конечно, идея, но невыполнимая. А как хочется! Сегодня вечером Женя и Ляля, придя из института, играли на пианино и пели, я присоединилась к ним. На душе было как-то легко и спокойно, я люблю такое состояние наплыва необузданной доброты. В общем, меня частенько тревожит мысль о том, что без умения играть я буду плохо чувствовать себя на будущих вечеринках. Да, я совсем не представляю, что буду там делать, и мне немного страшно и любопытно.

Тянет ли меня эта веселая жизнь? Да, тянет определенно. Под звуки фокстрота и тому подобной музыки мне невольно рисуется картина с оживленной молодежью, веселой, но не легкомысленной, и я мечтаю быть душою общества, но только мечтаю. Разум же мне говорит твердо и настойчиво, что я не гожусь, да, не гожусь в эту компанию остроумных людей с живым умом и высокими побуждениями. И, твердо веря в одно, я продолжаю думать о другом и рисовать блестящие перспективы в будущем. Мечты, мечты! О, неужели каждая девочка в моем возрасте мечтает также? Если да, то последние надежды гибнут, если нет, то, может быть, я еще буду жить, как мне хочется, познаю счастье жизни и молодости.

<2 ноября 1932>

Только что написала три первых слова, как меня мама позвала пить чай. Оставив дневник на столе, я пошла к ним в комнату, была половина двенадцатого. Я маме весело рассказывала о школе. Мы вместе смеялись и шутили. Вдруг в дверь раздался резкий сильный стук. Бетька[19] неистово залаяла, я быстро вскочила, меня всю передернула нервная судорога, как это иногда бывает при неожиданном шуме. «Кто?» — спросила я, подходя к двери и беря одной рукой Бетьку за шиворот.

Грубый мужской голос крикнул: «Дворник». Я поняла, хотя в душе еще шевелилось сомнение и, отпустив Бетьку, с легким колебанием открыла дверь. В коридоре свет не горел, на лестнице тоже было темно, и я рассмотрела лишь неясные очертания мужской фигуры в потрепанном пиджаке, в фуражке и с большими усами. Дальше мелькнуло другое мужское лицо. Я, может быть, на секунду только приостановилась, размышляя: «Да или нет», — но потом отступила в сторону, пропуская мимо себя дворника, двух военных и двух простых красноармейцев.

В это время в дверях комнаты показалась мама. «Кто здесь живет?» — спросил первый мужчина (русский), в новой, с иголочки шинели. «Луговская». «А Рыбин живет?» «Да», — мама указала на папу. После ряда формальностей этот же военный вытащил из шинели два листа бумаги,

---

[19] Пудель.

развернул их и, передавая один папе, а другой маме, проговорил: «Это вам, а это вам». «Сколько вы комнат занимаете?» — спросил он маму. «Да всю квартиру». «Значит, все комнаты ваши?» «Вестимо, — вмешался дворник, — раз говорят вся квартира, уж значит вся ихняя».

В это время военный спрашивал у папы: «Есть ли у вас какая-нибудь переписка?» «Переписка? Нет, пожалуй, ничего нет», — отвечал папа спокойным голосом со слегка презрительным видом. «Ну, а литература?» «Вот вся, — он открыл небольшой желтый шкаф и указал на две нижних полки. — Ищите».

«Ну, а мы пока пойдем в следующую комнату», — заметил другой военный, в кожаной рыжей куртке, в такой же фуражке и в широких синих штанах. «Пожалуйста». Он прошел в Женину и Лялину комнату, снял куртку и, положив ее на стол, принялся ворошить книги и тетради. Я стояла в коридоре, грызла ногти и спокойно смотрела, как производился обыск, скрывая в душе злость и ненависть к этим двум людям.

Меня поразила в их лицах поразительная несимпатичность. Первый в шинели был блондин с серыми проницательными глазами, тонкими губами, при улыбке слегка растягивающимися вниз, что делало его лицо очень неприятным; второй невысокий, в куртке, оказался евреем невысокого роста с коротко постриженными черными волосами, типично еврейским носом и маленькими карими глазами, цвет лица его был ярко розовый, а на совсем гладкой коже неприятно обозначалась сбритая борода.

Я прошла в комнату и села на постель, продолжая грызть ногти и стараясь унять дрожь в ногах. Вдруг я услышала голоса девочек, быстро вскочив, я бросилась в коридор: «Девочки пришли». Они со спокойными лицами вошли в помещение и разделись. Мама взглянула на них и сделала многозначительную мину: «Хотите поешьте, хлеб в кухне». Мы прошли туда, и пока Женя и Ляля ели и пили чай, я рассказывала о происшедшем. Волнение тихонько закралось мне в душу, и дрожь в ногах усилилась. В комнате продолжался обыск. Ляля села и начала рисовать карикатуры, Женя принялась за какую-то книгу, а я, сидя рядом с ней, посматривала то на этого еврейчика, то на дворника, то на Лялю, то на маму, которая сидела на стуле с бледным лицом.

На каждое замечание военного мы отвечали какой-нибудь колкостью и посмеивались. Например, он достал копилку и, улыбаясь, заметил: «Большие, наверное, здесь сбережения?» «Очень», — поспешила ответить мама. «Можно ножичком вынуть», — выпалила Женя, и в ее голосе чувствовалось легкое презрение и насмешка. Или он слазил на шкаф и порылся там в пыльных бумагах. «Запылились, наверное». «Да, есть немножко. Надо предупреждать перед приходом». «Хорошо, в следующий раз предупредим». «Еще больше подсыпем», — заметила вполголоса мама.

Время шло довольно медленно. Ляля боялась за свой дневник, а я еще больше за свой — как вспомнила, что у меня там написано, так жутко становилось. Когда он перешел в мою комнату, напряжение дошло до последней степени. Мы остались втроем в комнате, дверь была открыта. Проходивший по коридору красноармеец посмотрел на нас и улыбнулся. Вскоре в мою комнату пришел и второй следователь. Папа ходил по коридору.

Покончив с комнатой, блондин перешел в коридор, он был без фуражки, и я заметила на его голове шапку густых волнистых волос. Он открыл шкаф для белья и расталкивал ногой грязную старую обувь, не нагибаясь. Потом перешел к сундуку и открыл крышку. Содержимое ящика оказалось не особенно чистым, и следователь, обернувшись к маме, сказал: «Переберите, пожалуйста». «Это не входит в мои обязанности», — отрезала мама. И дворник принялся выкладывать грязные валенки. Мы все собрались в коридоре и с усмешкой следили за действиями сыщиков. Но вот обыск окончен, и все собрались в маминой комнате (кроме нас троих). Я ходила мимо открытой двери и из отрывков слов составляла себе понятие о теме разговора.

Перед самым концом, около 3-х часов, мы, усевшись на кровати, напряженно ждали: «Возьмут или нет». Минуты проходили долго, в папиной комнате было совсем тихо. И вот послышались шаги, все пятеро гостей вышли в коридор. «До свидания!» «Заходите почаще». Они засмеялись и хлопнули дверью. «Ура! Все в порядке». Утром в школе мне нестерпимо хотелось рассказать о происшедшем Ире и только перед концом уроков я забылась.

<5 ноября 1932>

Сегодня нас погнали маршировать по улицам, что меня разозлило донельзя, и еще больше раздражало бессилие, в котором я находилась. Идти по грязной холодной земле, в сыром тусклом свете осеннего дня, постукивать на остановках замерзшими ногами и ругать советскую власть про себя со всеми ее выдумками и хвастовством перед иностранцами... и морщиться от разноголосого и нестройного пения. Я твердо решила не идти на демонстрацию, и это отчасти немного успокаивало мое оскорбленное самолюбие.

<8 ноября 1932>

Поразительное событие. Сейчас ко мне пришла Ира и никак не могла попросить меня, чтобы я рассказала ей о том, что случилось у нас 2-го ноября. О, ребенок! Я отвечала на ее вопросы, пока она не догадалась, и тогда случилось что-то невообразимое — какое-то другое выражение появилось на ее лице. Она боялась произнести это слово, хотя для меня оно не представляло ничего особенного. Да, она была мала еще, чтобы слушать такие вещи.

О, как мне было смешно смотреть на эту девочку, которая считает чем-то неприличным говорить об обыске. О бог мой, как могут быть наивны люди, Ха-ха! Она не ожидала этого, и, вероятно, с содроганием думает теперь, что ее папу возьмут за то, что она бывает у меня. У меня! У которой был обыск. Ха-ха!

<12 ноября 1932>

За последнее время все вошло в свою колею и совсем нечего писать. Вчерашний день отличался только похоронами Сталинской жены Аллилуевой. Народу было масса, и немного неприятно становилось, глядя на веселую, оживленную толпу любопытных, с веселыми лицами толкающихся вперед, чтобы взглянуть на гроб. Мальчишки с криками «Ура!» носились по мостовой, топая ногами. Я ходила взад и вперед, прислушиваясь к разговору прохожих, и мне удавалось уловить несколько слов, в которых звучали удивление и немного ехидная ирония. Мне как-то не жаль было эту женщину — ведь жена Сталина не может быть хоть мало-мальски хорошей, тем более, что она большевичка. И зачем такой отчет, объявление в газете — это еще больше восстанавливало против нее. Подумаешь, царица какая!

Вообще, странно слышать, что у Сталина есть сын и была жена, я никогда не представляла его личной жизни и их семейных отношений. Вечером, когда пришли Женя и Ляля, я почему-то на всех немилосердно злилась, так действовали на нервы их оживленная болтовня, смех и нескончаемые восхищения катафалком Аллилуевой. Они начали рассказывать про свой институт, про рисование, и опять во мне заговорила зависть к ним, возможно, не зависть, а что-то в этом роде. Они умеют и рисовать, и петь, играть на рояле, танцевать, мало ли еще других вещей, которых я не умею и, знаю, никогда не сумею сделать. А чем я хуже их? Остается одно это несчастное писание, от которого ни пользы, ни проку нет, кроме пустой траты времени. А время так нужно, на все, за что ни возьмись, нужно время.

⟨14 ноября 1932⟩

Вчера вечером я ждала маму, которая пошла в театр. Было уже половина первого, а она не шла. Наши все легли спать. Я поставила на керосинку чайник и, одевшись, влезла на окно и стала смотреть в открытую форточку. На улице было пустынно и тихо, редко когда по промерзшей земле начинали стучать чьи-нибудь ноги. Я прислушивалась к этому стуку, но мамы все не было. Замерзнув, я слезла с окна и села в коридоре на пол, укутавшись в пальто. Бетька была тут же, сидела рядом со мной и внимательно прислушивалась. В уголках ее карих глаз по временам вспыхивал и переливался красный огонек.

Я была почти уверена, что мама не придет, что она попала под трамвай. Я предполагала, что я буду делать без нее и стоит ли вообще жить. Стук парадной двери, гулко раздавшийся на лесенке, заставил меня вздрогнуть. Бетька приподняла уши, понюхала под дверью и кончик ее опущенного хвоста неуверенно закачался. Я подошла к двери и, приложив ухо к замочной скважине, напряженно слушала. До меня долетели чьи-то тяжелые шаги. Бетти села и тихо заскулила. Это была мама!

<16 ноября 1932>

Вчера мне пришлось сидеть с Левкой почти рядом. Я уже, кажется, писала, что он в своих симпатиях очень непостоянен (как с девочками, так и с мальчиками), и это совершенная правда. Он, к величайшему смеху с нашей стороны, о чем-то заговаривал со мной и вообще дурил порядком.

Сегодня я маме сказала про вечеринку и, как я и думала, она не имеет ничего против и даже, кажется, одобряет. Я рассказала ей все откровенно, что относилось к делу. Сейчас выстирала платье, в котором пойду, оно у меня единственное, сушу его над керосинкой. Потом, одевшись, пошла сначала к бабушке, чтобы поесть, а там была Ляля, и она, слегка лукаво прищурившись, заметила: «Что, Нина, на вечеринку идешь?» «Да», — преувеличенно холодно и небрежно ответила я.

К Ире я пошла в половине шестого; она была, конечно, еще дома и, к моей радости, совсем не наряжалась. Проходили минуты, а Ксюша все не шла; я уже начала волноваться, но вскоре она пришла, и мы все тронулись в путь. На улице было приятно прохладно, тускло светили фонари, и я старалась не думать о вечеринке, наполняющей меня каким-то неясным волнением. Ксюша тоже боялась. Но вот мы у цели, подошли к дому Наташи, где должна быть вечеринка. Поднялись на пятый этаж, за нашей дверью чудился шум и смех. Ира позвонила, мы вошли в переднюю и огляделись.

В комнатах еще никого не было. «Неужели же мы первые?» Да, нет, были еще девочки. В большой комнате, куда нас пригласили, стоял рояль, а по стенам висели многочисленные зеркала. Мы сели, не зная, что делать и о чем говорить. Ксюша очень стеснялась и даже немного раздражала меня этим. К счастью, все скоро пришли, кто-то сел играть на рояле, а мы начали играть в лото, и я удивлялась, как развязно Алька себя вел среди девочек. Скоро пришли Ю.И. и Левка. Я, искоса оглянувшись, увидала обращенное на нас его лицо в модной фуражке с длинным козырьком. «Он опять в галифе», — шепнула мне Ира. «А, Левка! Я бить тебя буду», — закричал Алька, а когда тот разделся и сел рядом со мной, то он спросил Левку: «Что ты не приходил, я ждал тебя». «Я мать ждал, она меня одного не пускала».

Через некоторое время к нам подошла Ю.И.: «Бросьте эту игру, давайте бегать и смеяться». Она сложила карточки и погнала нас в другую комнату. Там, встав в круг, мы стали играть в «щетку». Сколько смеха! Я была не очень оживленная, сначала просто не освоилась, потом уже намеренно. Потом мы играли в шарады и в фанты, и мне досталось быть оракулом. Пришлось подчиниться, и когда ко мне подводили ребят с вопросом: «Что этому?» — то я старалась ответить с юмором, например: «Отрежет ноги трамвай». Все смеялись.

Сначала я отвечала ничего, потом пошло все хуже и хуже, я уже не знала, что придумать и что отвечать, чувствуя, что невыносимо краснею под шалью. Ю.И. пыталась подсказывать мне, и я так была ей благодарна. Ксюше досталось подойти к кому-либо и поцеловать, а она выбрала меня. Поставили ряд стульев друг против друга, посадили ребят и завязали Ксюше глаза. «Луга, давай поменяемся», — предложил мне Алька. «Давай». Я посадила его на свое место, накрыла его шалью, а сама села на его место. Вот подошла Ксюша, обняла его сильно и искренне, намереваясь поцеловать. Я с силой потянула ее назад, оттащила его и быстро села на свое место, но она Альку заметила. Боже! Сколько же хохота было! Алька слегка покраснел и, садясь на место, заметил: «А она обнимается».

За чаем мы сидели недалеко от Левки и Альки, и мне не было скучно. Я, как всегда, молча наблюдала за всеми, чувствуя себя вполне хорошо. Ира старалась острить, и эта разговорчивость с ее стороны оставляла во мне какой-то неприятный осадок. Потом были танцы, и как же я жалела, что ничего не умею: ни играть на рояле, ни танцевать. Левка тоже не танцевал и все время стоял около рояля, облокотившись рукой о крышку в артистической позе. Когда опять стали играть в лото, он встал рядом со мной, и я слегка касалась его колен. В общем, мы прекрасно провели время, и хотя я не люблю всякие игры, это не помешало мне хорошо повеселиться.

‹17 ноября 1932›

Ужасно сегодня в школе было скучно, совсем неинтересно. Это, кажется, первый день, когда я осталась недовольна школой. Сидя в солнечной комнате, мне вдруг вспомнилось летнее время, когда еще был перед ее окнами ресторан. Я вспоминала ряд ярких огней вдали и неясные силуэты людей, темный сад с узкими аллеями, молодые, так ласково трепещущие тополя, гирлянду синих и красных огоньков и фонтан, жемчугом разлетающийся в бассейне, в котором так очаровательно отражались фонарики и парочки. Какой-то неведомой, беспечной и заманчивой жизнью веяло на меня из этого сада, когда я стояла в темной комнате у открытого окна и вдыхала теплый ночной воздух с опьяняющим ароматом душистого табака. Тогда мое сердце неспокойно билось и волновалось.

В те дни, когда ночи были так прекрасны, я не раз, сидя в темноте на окне, начинала думать о Левке. Тогда этот образ вызывал во мне жгучую боль и краску на лице, тогда эта миниатюрная фигурка в смешных коротких брючках так ласкала воображение, и кажущиеся громадными голубые глаза переворачивали все внутри. Но это прошло. Ночи стали холодные, глаза поблекли, и сердце оставалось спокойно, когда они смотрели на меня. Я теперь равнодушна. И боже мой! Какое счастье было и что осталось. Поневоле поверишь, что любовь — великая вещь.

<24 ноября 1932>

Любовь прошла, в душе осталась лишь слабая тень, отголосок этой любви. Меня уже не тянет в школу, и я не раз подумывала остаться дома. Зачем мне теперь школа? Как ни странно, она нужна мне была только для одного, а «это» прошло почти бесследно. Левка производит на меня впечатление только тогда, когда он рядом бегает, смеется, бузит. Но стоит скрыться этой фигурке, и обаяние проходит. Левка между тем вел себя сегодня немного странно, он не раз глядел в нашу сторону, чему-то смеялся и шептался с ребятами. Я все замечала, но так, что он этого не видел, чаще всего обо всем сообщала мне Ира, которая постоянно глядит на него. Ей, кажется, нечем рисковать, она и Зина думают, что он глядит только на меня, я иногда тоже так думаю, но не уверена. Может, с его стороны это просто шутка, насмешливая шутка! Я, как мне кажется, хорошо разыгрывала равнодушие, когда он отпускал всевозможные остроты, чтобы привлечь внимание (кажется, мое). Ира шептала мне: «Он все делает, чтоб ты на него

посмотрела». Я или молча кивала головой, или коротко
отвечала: «Знаю».

‹25 ноября 1932›

Сегодня в школе на втором уроке Гиря[20] начал бросать-
ся хлебом, я в это время рылась в книжках, и вдруг сильный
удар в висок заставил меня поднять голову. Мне не было
больно, но как-то ошеломляюще подействовал на меня этот
удар. Я, кажется, даже слегка выругалась и сердито осмо-
трела класс. Гиря стоял у доски со слегка поднятой рукой,
его наглое лицо не смеялось, а было как будто удивленно.
Левка сидел на скамейке около окна и смотрел на меня
серьезно и даже с участием. «Гиря, ты очумел?» — тихо
сказал он, и в его словах выражалось все то, что было написано на его лице. Я слегка столкнула большой кусок черного хлеба, который, отскочив от моей головы, упал к ногам,
потом спокойно начала рыться в тетрадях. В голове пробегали обрывки мыслей, все внимание мое было устремле-
но на то, чтобы сохранить наружное спокойствие, но вместе
с оскорбленным чувством в душу мою вливалась искорка
радости и легкого, приятно ласкающего удовольствия от
заступничества Левки, от его серьезного взгляда.

На уроках я почти не смотрела на него, лишь мельком
или урывками, хотя один раз мы встретились с ним глазами. Раньше я не понимала выражения — встретились
глазами, но теперь понимаю это чувство, будто сталкива-
ешься взглядами, и эта встреча легким толчком отдается
в сердце. Как-то сильно и всем своим существом чувствуешь, что эта пара темных сероватых глаз смотрит именно
на тебя. Когда мы пошли домой, шел сильный снег. Мокрые
белые хлопья липли к одежде и кололи лицо. В воздухе
стоял сырой туман, сквозь покров снега проглядывали
черные следы ног и лужи, наполовину заваленные. Девичье
Поле было все белое, лишь кое-где тонко вырисовывались
на снегу силуэты березок и голые сучья кустов.

‹27 ноября 1932›

Зима, зима. Я, кажется, никогда так не наслаждалась
зимой. Какая чудесная картина: снег-снег, белые рыхлые

---

[20] Одноклассник Нины.

кучи стоят по бокам дороги, и светло-желтой дорожкой вьются тротуары. Небо серое и печально спокойное. И деревья, и дома, и земля — все находится под покровом снега. Идешь, разговариваешь и вдруг видишь группу деревьев, стоящих как-то особенно неподвижно, с растопыренными ветвями. Толстый белый слой на этих ветвях, сквозь их сетку просвечивает дом, большей частью такой же неподвижно спокойный, освещенное красноватое окно и эта паутина серебряных переплетающихся нитей деревьев, сквозь которые немного туманно очерчиваются здания. Поглядишь на синеватый сумрак, плавающий кругом в застывшем воздухе, на белую легкую пелену, и как-то особенно щемящее весело и радостно станет на душе.

Коньки, лыжи. Быстро представляешь себе блестящий гладкий лед, оживленную толпу, тихое поскрипывание коньков; или безразличное белое поле, лес, заваленный снегом, неподвижные деревья и легко скользящие по волнообразной горе тонкие лыжи. Странная вещь жизнь. Одно время я как-то свободно отдавала себе отчет во всем, а сейчас при всем желании не могу. Вот понимаешь, что это любовь, а вот это радость, а это еще что-то, но ко всему примешивается какое-то странное чувство, которое таится в самой глубине души. И не показывается вполне, а так, какой-то неясной тенью. И объяснить его я не могу, хотя не раз старалась заглушить его.

‹5 декабря 1932›

Боже мой! За последние дни я, наверно, раз десять успела проклясть школу. Ни минуты свободного времени. Как ни обидно, приходится отступать даже от намеченных мною правил и учить биологию. Ну, думаешь, все, а глянь, завтра география, потом математика. А так хочется писать, читать, играть на рояле, да и нередко и помечтать, и ни минуты свободного времени.

Сегодня я проснулась в восемь часов, надо было учить биологию. На улице еще не рассвело, я лежала в легкой полудремоте, уткнувшись в прохладную подушку и наслаждалась этими минутами покоя, которые так нестерпимо хотелось продлить, чего нельзя было делать. «А может быть остаться?!» — мелькнула в голове предательская мысль. Она росла. Я перебрала в уме уроки, которые должны были быть и сонно соображала, что мне делать? Один голос настойчиво говорил, что надо идти, что один день уже имеет значение, а другой, хотя и слабо, но так соблазнительно шептал: «Останься, останься». И в голове рисовались неясные картины покоя, ничегонеделания целый день или, вернее, занятия своими делами. Некоторое время я была целиком во власти второго голоса, но разум победил желание. Я встала и засела за учебу, но что-то все утро говорило мне, что опроса не будет, и хотя я учила, но как-то спокойно, не волнуясь и не торопясь.

В школе меня также не покидало спокойствие, хотя девочки и твердили, что опрос будет, но я как-то не верила в это и была совершенно спокойна и уверена, что со мной ничего не случится. Предчувствие оправдалось, и я в душе ликовала. Да, что-то случилось с Левкой, он стал такой хулиган, что даже мне, смотрящей на его выходки сквозь розовое покрывало личного расположения, становилось неприятно. Я как-то не смогла привыкнуть к тому, чтобы видеть его в куче хулиганов, не могла равнодушно смотреть, с каким дерзким и нахальным видом обращается он с учителями. Немного огорчало и обижало, что мой кумир начинал падать с той высоты, на которую его поставило мое воображение и благопристойный внешний вид.

<8 декабря 1932>

Вот уже два дня сижу дома. Скучно, вернее не скучно, а как-то немного странно, как будто чего-то не достает... Прервана связь между прошлым и будущим, образовалась пустота, которую уже не заполнишь. Читаешь, а где-то в глубине мозга стучит и ползет нескончаемой нитью мысль о школе: «Вот не пошла в школу, а там занимаются, идут объяснения, совершаются события, которые я уже не увижу». В душе шевелится легкое сожаление и досада, и так целый день.

Я не особенно скучаю по школе, но как-то длинно идет время. Вчера я утешала себя тем, что пропускаю школу, мол, из-за болезни, но сегодня температуры у меня уже нет. Вечером, правда, сестры, попробовав мою голову, уверяли, что у меня жар, и я как-то смущалась в их присутствии, чувствовала на себе их взгляды и неожиданно невпопад начинала смеяться, краснела, вскакивала и ходила по комнате, невольно возбуждая их подозрения. «Ты что, влюблена, Нина?» — спрашивала Ляля, я отвечала шуткой, а в душе говорила себе, смеясь: «Ведь совесть моя чиста?» Сама все-таки не знала, чиста ли.

<15 декабря 1932>

13-го Левки в школе не было, а без него так скучно и пусто; вчера же, когда я входила в класс и по обыкновению взглянула на парту у окна, я с удовольствием увидела его. Что ни говори, но я соскучилась, а может, просто привыкла, глядя на парту у окна, видеть светлый затылок, или сияющее хорошенькое лицо с хитрыми серыми глазами, или, гуляя по залу, следить за мелькающей фигурой в коротких смешных брюках, что вдруг не увидеть его в толпе ребят или не услышать его разбитного голоса кажется просто невозможно. На уроке физкультуры мы столкнулись с Зиной так, что я выбила себе зуб и сильно ушибла нос. В начале следующего урока, когда мы уже сидели, я заметила, что около нашей парты вертится Левка, который неуверенно топтался, потом медленно отходил, поглядывая на нас. Наконец, он подошел и спросил, показывая черную ручку Иры: «Чья это ручка?» Я не могла удержаться и, уткнувшись в парту, неудержимо смеялась, говоря себе: «Выдал, он себя выдал с ног до головы».

<21 декабря 1932>

Командир взвода у нас Левка, в его обязанности входит приводить группу на четвертый этаж, построить ее и, отдав ряд приказаний, принимать рапорты командиров отделений. Я была командиром второго отделения, он подошел ко мне и, пока я говорила, смотрел в сторону, потом немного смущенно и растерянно спросил: «А где рапорт, ты мне должна письменный рапорт». «А у меня нет, я не успела еще». Он прошел мимо, а я, смеясь, смотрела ему вслед. Когда нам говорили отметки, Левка что-то сказал мне, но я по обыкновению не расслышала вопроса (я редко слышу, что говорит мне Левка) и, бессмысленно улыбнувшись, отвернулась. Меня постоянно интересуют его глаза: когда не видишь их, он мальчик, как мальчик, но стоит посмотреть ему в глаза на довольно близком расстоянии, то создается такое впечатление, будто они мерцают, и там в глубине загораются и гаснут огоньки. На немецком Левка сидел на первой парте, и я зорко следила, стараясь подметить в его поведении что-то особенное. Я теперь больше, чем всегда, боюсь смотреть на него; скорее, не боюсь, а не могу, стоит мне лишь на минуту взглянуть на него, как тотчас какая-то сила заставляет отворачиваться. Весьма любопытно и забавно — сижу на уроке и верчу глазами то на него, то от него.

<*30 декабря 1932*>

Вчера распустили нас на каникулы. Желание, которое за последнее время целиком овладело мной, исполнилось. Какое блаженство не думать некоторое время о школе, не рыться в тетрадях, не зубрить древнюю Вавилонию или физические свойства почв, не откладывать больше писания дневника, за который я не бралась последнюю неделю. До чего приятно ощущение полной свободы: захочешь, будешь рисовать, захочешь — писать или читать, а то, подхватив коньки, уехать на каток, куда так манит матово прозрачный лед и мчащиеся стрелой фигуры. 9-го опять будет вечеринка у Ю.И., мне немного жутко, хотя я и стараюсь прогнать страх, но все же при воспоминании об этом в глубине души начинает что-то слегка покалывать.

Ровно с 24-го я не бралась за дневник, откладывая все на каникулы. Это был странный день, какого я не помню в своей жизни. Во-первых, был день моего рождения, и мне было неприятно больно мое равнодушие, с которым я отнеслась к подаркам, было немного стыдно перед мамой, и все это от того, что Ю.И. вздумала устроить вечеринку. Еще раньше я решила не идти, но когда появилась возможность сделать это, и я очутилась в положении добровольного заточения, чувства мои начали двоиться. К концу занятий мне уже так нестерпимо хотелось на вечеринку, что я еле сдерживала себя, старалась заглушить голос, который уговаривал остаться.

Я решила пойти, но мама оказалась против, и я должна была остаться дома. Весь день я была сама не своя, ничего не делала, ходила по комнатам и чуть не плакала от досады. К вечеру я все-таки вырвалась на несколько минут к Ире, и когда вернулась домой, настроение было веселое и спокойное — все как рукой сняло. Хотела написать много, но нет уже настроения. Хочется написать какой-нибудь рассказ, но нет сюжета. Порой проносится что-то в голове, но неясное и туманно-бесформенное.

<4 января 1933>

Новый год прошел для меня совершенно обыденно. Как всегда, читала книгу и ждала маму, а около 12 часов ночи мы пошли домой. В двенадцать играли «Интернационал» и мощно пел хор. Ох, люблю я эту песню! Вот и начался новый год. Я два раза была на катке, и сейчас сильно болят ноги, по обыкновению занимаюсь ничегонеделанием и страданием о пропавших зря часах — к сожалению, это у меня бывает всегда и отделаться трудно.

Так жаль, например, сегодня было покончить со своим воображением, и я не покончила. Читала у бабушки Чехова только потому, что в комнате все время кто-нибудь находится, но и читая, ухитрялась думать о другом. У каждого есть свои недостатки. Например, как хочется сделать сразу и прекрасный рисунок, и написать что-нибудь хорошее, и хорошо играть на рояле, и много читать. Попробуй ухитрись. Мудрено! Кроме того, еще ходьба за картошкой в магазин, занятия немецким языком, поход на каток.

Скоро вечеринка у Ю.И., Ирина не идет, я тоже хотела не пойти, но заговорило вдруг самолюбие, мне стало стыдно, что без нее я не могу, так что решила идти, хотя и страшно. О Левке я почти не думаю, а думая, представляю его очень смутно и туманно, хотя это еще не значит, что я к нему равнодушна. Хорошие глаза у него и у Ю.И., люблю их и сама не знаю, у кого больше.

<10 января 1933>

Вчера около пяти часов вечера я шла с замиранием сердца к Ирине: «Пойдет или не пойдет?» Сумерки незаметно сгущались, но что мне было до этого. Я вошла во двор, поднялась по лестнице, вошла в сени и постучала в дверь. Через минуту мне открыли. «Ирина дома?» «Дома, дома». Я прошла в столовую. Ирина была одета в белую блузку и красный джемпер, на груди она приколола изящную брошку. Я, уже не сомневаясь, спросила: «Идешь?» «Иду». Я была счастлива. Мы выскочили из дома и пошли к трамваю. На остановке по требованию мы слезли и пошли по улице к дому Ю.И. «Ой, страшно!» Но делать нечего, не стоять же все время на лестнице, я собралась с духом и постучала.

У дверей раздался голос Ю.И., она открыла, и мы вошли в длинный коридор. «Раздевайтесь, девочки», — сказала она, после чего провела нас в свою комнату. Какое-то время чувствовалась неловкость, и общий разговор как-то не вязался, но вскоре пришли другие девочки, с ними же появился Левка, впрочем, он вскоре скрылся, но нам стало уже как-то веселее (на меня удручающее впечатление произвела квартира Ю.И.; может быть, потому, что вокруг шныряли чужие люди или же виной была скука, которая сначала овладела всеми нами). Потом мы перешли в столовую, а оттуда в небольшую комнату. Постепенно мы разыгрались, а когда стали пить чай, настроение почти у всех было приподнятое и веселое, все ели с аппетитом. Перед уходом Ю.И. собрала нас в комнате и начала разговаривать о школе и о наших ребятах. Я, почти не моргая, смотрела в голубые глаза Ю.И. и внимательно слушала ее, а потом вышла на улицу с чувством тихого счастья.

‹18 января 1933›

Перед концом каникул, дня за два до начала занятий, мною овладело вдруг ужасное отвращение к учебе и школе. Так не хотелось идти туда, заниматься зубрежкой уроков, в то время как эти часы можно употребить на чтение интересных книг, которыми я за каникулы начала увлекаться. Теперь придется отрываться от этой жизни и заменить ее скучными уроками. Последнее время я живу, придерживаясь двух правил, до того улучшающих мое положение, что я нередко просто бываю довольна. Первое правило образовалось из пословицы, что «ученье горько, но плоды его сладки». Когда мне становится особенно невыносимо, моментально в голове где-то в глубине промелькнет эта фраза, и я успокаиваюсь. Другое правило заключается в том, что я живу сейчас будущим, например, захочется вдруг есть, сразу говоришь себе: «Ничего, в будущем будет лучше». Или нестерпимо захочется пить так, что начинает жечь в желудке, но, подавляя желание, скажешь себе: «Скоро появятся много конфет, тогда можно будет пить сколько хочешь чаю». Иногда мне так хочется читать, а надо делать уроки. Как быть? В душе поднимается досада, но... ничего, говоришь себе: «Ученье горько, но плоды его сладки, настанет время, когда можно будет делать только то, что самой хочется, не думая о школе».

В школу я пошла в новом платье. Сначала было неприятно, но я заставила себя думать по-иному и, отбросив предрассудки в сторону, не обращала ни на что внимания. Оба эти дня, которые я проучилась, в школе был невыносимый холод, такой, что ручка вываливается из посиневших рук и по телу пробегает мелкая лихорадочная дрожь. Левка постригся и стал такой смешной и нехороший. Глядя на него, я невольно вспоминала Женю и Лялю года три-четыре тому назад, когда они, смеясь, говорили мне, что ребята раз в месяц у них в школе становились страшными из-за того, что стриглись. Левка страшно изменился, обычно волнистая голова его и густо поросший затылок были теперь коротко пострижены, затылок обострился, а уши как будто выросли, и от этого лицо его как будто переменилось. Несмотря на холод, мне было очень весело эти дни, тем более что мы на третьем или на втором уроке надевали пальто и немного согревались, уткнувшись в воротник и прижавшись друг к другу.

А вчера нас распустили после четвертого урока. На улице еще не совсем стемнело, были голубые зимние сумерки. Ясное небо наверху было светло-синее и только к горизонту как-то серело как будто от неподвижных туч или застывших клубов дыма, и на фоне этой серой пелены, как извержение вулкана, ярко выделялась темная клубообразная громадина-туча, неподвижно застывшая в морозном воздухе. Фонари светлыми чистыми пятнами тянулись прямой линией вдоль улицы. Я с Ирой шла впереди, а Ксюша плелась сзади. Ира что-то трещала мне всю дорогу, и мне оставалось всю дорогу только молча удивляться, как это она ухитряется болтать, не переставая, и ведь это каждый день. Меня злила и раздражала глупая болтовня то о каких-то платьях, то о разведенных муже и жене, в общем, на любую тему, а ей всего двенадцать лет, что же будет в четырнадцать? Остается только пожимать плечами.

Вечер.

Часов в девять-десятом пришла мама и принесла мою шубу. Я надела ее и просидела так с час, пока папа о чем-то разглагольствовал, мама тоже говорила. Я молча слушала. Несколько раз (еще раньше) я начинала возражать, и папа часто осекал меня, заставляя помолчать. Уже позднее перед тем, как что-либо вставить, я долго думала, а когда вдруг забывалась и опять попадалась на удочку, уже не злилась на папу, а только смеялась в душе над собой и злорадно говорила: «А, попалась! Ну, в другой раз будешь умнее». Все-таки какая трудная штука — умение владеть собой, и я давно борюсь с собой, но достигла совсем незначительных результатов, правда, что умею — так это молчать. Но то, что обычно меня мучает, я никому не говорю. С какой стати? У некоторых людей дурная привычка выбалтывать все, что знаешь.

<19 января 1933>

Вчера или позавчера на уроке обществоведения, когда учитель говорил что-то о кадрах и о том, что сейчас открываются новые институты, <u>я начала подумывать, что неплохо было бы спросить его, а почему старые институты сейчас целиком распускаются</u>. Пока я только собиралась спросить и сообщила об этом Ирине, я оставалась совершенно спокойной, но когда я уже решила, что спрошу обязательно, сердце так сильно забилось... Я сидела и ждала, когда кончит учитель говорить, и твердила своему сердцу: «Ну, замолчи же». Но оно не только не замолкало, а, наоборот, начинало биться еще сильнее... <u>Конечно, после моего вопроса учитель меня засыпал, а возражать мне уже совсем не хотелось</u>.

<21 января 1933>

27 °С ниже нуля. На окнах появились узоры и пушистый иней. Я собралась идти на урок к немке. Оделась и вышла на лесенку, в голове вертелись обрывки немецких фраз из стихотворений, которые весь вечер и утро зубрила. Спускаясь по ступенькам, я мысленно твердила их себе, напрягая всю память. Я повернула на лестницу первого этажа и вдруг остановилась. Немецкие слова мигом выскочили. Внизу, куда только слабо достигал дневной свет из окна и где царил легкий полумрак, я различила белые клубы пара, медленно поднимающиеся с пола и ползущие вверх по ступеням лестницы. Слышно было буль-

канье и как будто журчанье. «Ах, да это труба лопнула», — догадалась вдруг я и пошла дальше. В углублении между ступенями и дверью, ведущей на улицу, образовалась лужа теплой воды, через которую было бы трудно пройти, если б не батарея, которая лежала на полу, образуя мостик, и трубы которой обледенели. Кое-как открыв примерзшую дверь, я вышла на улицу.

Светло-розовое матовое небо было ясно; всюду, куда ни глянь, был размыт розовый свет — воздух был густо пропитан им, придавая всем предметам туманную неясность, заволакивая их розовой пленкой. Лицо охватил 27-градусный мороз и приятным холодком прошел по телу. Твердый снег звонко скрипел под ногами. Я спрятала руки в рукава и бодро зашагала по улице, опять начиная бормотать стихотворение. Мороз сильно хватал за нос, перехватывая дыхание. Вот и Ирин дом (я всегда заходила за ней).

Я вошла во двор и закрыла за собой калитку. Справа возвышалась глухая стена большого серого дома, слева стоял маленький одноэтажный домик с замороженными окнами. Солнце, поднимающееся розовым шаром, неясно освещало блестящий снег. Я вошла в теплые сени и, дернув за закрытую дверь, три раза сильно ударила по обитой кожей двери. Некоторое время никто не подходил, но вот послышались шаги. Отперла Луша[21]. «Дома Ира?» «Дома». Я пошла по коридору. «Нина?» — крикнула из комнаты Ирина мама. «Да, — отозвалась я и, войдя в комнату, громко воскликнула. — Здравствуйте!» Ира сидела за столом боком ко мне и что-то внимательно перебирала. «Что это ты делаешь?» Она не отвечала. Аленушка[22] молча покосилась на меня своими большими голубыми глазами.

«Слушай, Нина, — начала О.А.[23], — Ирина сегодня не пойдет... У нас арестовали папу...» Голос ее прервался, и некоторое время мы все молчали. Я тихо протянула: «А–а», — и стояла в нерешительности, не зная, что делать дальше. «Никому не говори и не объясняй учительнице немецкого языка, почему не пришла Ира». «Хорошо, хорошо», — твердо и уверенно ответила я. Я знала, что от меня

---

[21] Домработница в семье Ирины.

[22] Младшая сестра Ирины.

[23] Ольга Александровна, мама Ирины.

никто ничего не узнает. Мысли вихрем носились у меня в голове. Эта безмолвно сидящая семья поразила меня: молчаливая Аленушка, Ирина и плачущая мать. «Пускай страдает и она, я ведь тоже страдала».

Мне вспомнилось и то, что было с нами четыре года назад, у нас тоже отняли папу. Я тогда проснулась утром, ничего не зная. Бабушка вошла и спросила: «Пойдешь в школу — папу арестовали?» «Нет». Когда она ушла, я сначала заплакала. В душе вдруг поднялась вся злость и досада на того, кто смел отнять папу.

И теперь у Иры отняли его, нарушили счастье и спокойствие, грубо разбили весь образ жизни, все привычки, все, что дорого сердцу. Мы тоже хорошо жили до папиного ареста, но... потом, как с неба свалились в омут лишений и волнений. И они, евшие по утрам сливочное масло, пившие кофе — потеряют все, если вдруг его сошлют куда-нибудь в Усть-Сысольск, в маленький северный городишко... Ира будет учиться и копить в душе злобу на них. О, сволочи! Мерзавцы! Как смеете вы делать это! Ходила по комнате, скрежетала зубами и, иногда останавливаясь, шептала: «А мать Иры не будет работать». Моя мама работала, а она не будет и за какие-нибудь года три постареет на десять лет, но работать не сможет. А Ира? Неужели после трехгодовой разлуки она разлюбит отца? Я разлюбила, долгое время не могла освоиться с ним и даже называла его на «вы».

О, большевики, большевики! До чего вы дошли, что вы делаете? Вчера Ю.И. делала нашей группе доклад о Ленине и коснулась, конечно, нашего строительства. Как мне больно было слышать это бессовестное вранье из уст боготворимой женщины. Пусть врет учитель обществоведения, но она, со своей манерой искренне увлекаться, и так врать. И кому врать? Детям, которые не верят, которые про себя молча улыбаются и говорят: «Врешь, врешь!»

<21 января 1933>

Главное место во всех происшествиях занимает все-таки Левка. Я не преследую его своим взглядом, как раньше, а лишь втихомолку слежу за ним так, чтобы никто не заметил. Три дня назад мне показалось, что Левка бегает за Зиной. Меня неприятно кольнуло от подобного вывода, но что же делать? Я ругала себя, удивлялась, как я еще могу надеяться на то, что Левка ко мне неравнодушен, когда все ясно, но все-таки надеялась. Всегда влюбленному во всем мерещится что-то необыкновенное, и каждый поступок любимого вызывает у него надежду. Это странно, глупо, но что поделаешь.

<6 февраля 1933>

В классе мой интерес давно уже вызывает Димка, маленький мальчик лет двенадцати, хотя по развитию можно дать и больше, с черными, тщательно расчесанными на косой пробор и приглаженными волосами, с дугообразными бровями, небольшими черными глазами и тонкими, почти всегда презрительно улыбающимися губами. Я следила за ним обычно исподтишка, в какие-либо отношения не входила, так как он с девчонками обращался особенно презрительно. Я давно заметила, что он развитой и очень умный парень, и это кололо мое самолюбие, в общем, я считала его за чудака, но на последнем собрании он высказался до того удачно, что просто удивил меня. А сейчас порылась в дневнике и до того мне теперь кажется глупым то, что раньше всю меня захватывало с головой. И почему так быстро летит время? Это просто непостижимо.

<13 февраля 1933>

О, время, время! Что бы я дала, лишь бы оно замедлило свой бег. Иногда, лежа еще в постели, смотришь на черную стрелку часов, безжалостно поворачивающуюся, и думаешь: «Чтобы ей остановиться». Но нет, время идет, идет без остановок, без перебоя... Месяц или два тому назад, когда я была очень неравнодушна к Левке, я не замечала бега стрелки. Я носилась в каком-то вихре без времени и без часов, дни проносились стремительно, и от них оставалось лишь приятное смутное воспоминание.

А теперь я вошла в обычную колею и чертовски досадно, что уже не могу с трепетом душевным встречаться с Левкой и по целым урокам смотреть на него, не сводя глаз. Хотя я, правда, иногда посматриваю туда, но почему-то не могу долго смотреть, и только он повернет голову в мою сторону, сразу отворачиваюсь. В общем, у меня сейчас довольно сносное душевное состояние, я даже, кажется, начинаю иногда увлекаться занятиями. Не преувеличивая, у меня сейчас нет ни одной свободной минуты, учусь и учусь, редко читаю и совершенно не гуляю. Я стала в последнее время до смешного равнодушной ко всему окружающему.

Иногда мне очень хочется уйти в бесконечное снежное поле, затеряться среди белых легких снежинок и гулять, наслаждаться природой. Но времени нет. Последнее время я даже перестала надеяться на будущее, я ни на что не надеюсь и решительно ни о чем не думаю, лишь иногда мечтаю. Это совсем особенное чувство: я переношусь совсем в другой мир, конечно, в будущее, но без надежды, как будто начинаю читать книгу. Раньше, когда я была меньше, я называла это «игрой».

<15 февраля 1933>

Сейчас я читаю биографию Лермонтова... Вообще, я, прочитывая биографию какого-либо писателя, ищу в первую очередь чего-нибудь одинакового между ним и мной. Это желание появилось у меня уже довольно давно и, когда я нахожу общие черты (что бывает весьма редко), бываю всегда рада, как будто это дает мне большие надежды стать писателем. Но все-таки я не умею писать. Разве это талант? Когда не могу, как следует, написать хотя бы одной страницы и приходится сидеть над каждой фразой и соображать, как написать ее. С этим далеко не уедешь, иногда думаешь, что с годами все это придет, плюс еще и то, что я начала писать с малых лет, хотя Лермонтов начал писать с тринадцати лет, причем сразу же писал очень хорошо.

Ну, в общем, о будущем загадывать трудно, ведь раньше, с год тому назад, сомнение в себе сильно отражалось у меня в душе, а теперь как будто чувства притупились, и всякие неприятности действуют на меня в два, а то и в три раза меньше прежнего, отчасти это и хорошо...

Странно, даже дневник я пишу как будто не для себя, а для кого-то другого, и нередко боюсь написать чего-нибудь не так. Я стараюсь задавить это чувство, но не тут-то было, чувства, вообще, очень непослушная штука: ты говоришь им одно, а они тебе совсем другое.

В школе особенных новостей нет. Я продолжаю следить за Левкой, ничего, конечно, нет особенного и необычного.

Сегодня мне пришла в голову интересная мысль: насколько различны мои отношения с Левкой и с Алькой. Алька мой друг, а Левка... как сказать, любовник что ли? Это, конечно, не точно, но суть в том, что к двум ребятам у меня совершенно разное отношение. Вчера я стояла на перемене у батареи одна, из класса вышел Левка и, проходя мимо, посмотрел на меня и спросил: «Что, Луга, тепло?» Я ответила: «Тепло». А когда он отошел, не без удивления и радости подумала, что по отношению к нему попала в совершенно такое же положение, и в этом ничего особенного, но... И как скверно, что Левка младше меня, хотя это, конечно, глупое самолюбие, но на самом деле, не обидно ли? Равнять этого мальчика со мной, ведь я уже не совсем ребенок.

<24 февраля 1933>

Много я за это время передумала и перечувствовала. Иногда ужасно хотелось все это записать, но паршивое время... ни одной минуты. А что теперь писать! Я становлюсь все замкнутей и молчаливей. Хорошо это или плохо? Иногда я начинаю искать различные доводы, опровергаю их, опять нахожу, чтобы сделать себе все ясным и понятным, и все-таки перевес остается на последнем моем решении — быть как можно скрытней. Я уже не смеюсь и не шучу с родными и постепенно удаляюсь от них.

Но у меня, кажется, нет и внутреннего мира, в котором я могла что-либо созерцать. Я живу как во сне, спокойно, тихо, без всяких событий. Событий нет, конечно, никаких, но есть внутренние переживания и подчас довольно сильные. Что такое внутренний мир? Возможно, я и ошибаюсь, говоря, что у меня его нет, но не все ли равно, внешний мир или мои переживания? Странная человеческая душа — она способна надеяться в любом положении. Кажется, уже все кончено, но где-то робко начинает шевелиться надежда, постепенно увеличиваясь, нарастая и в конце концов захватывая все сердце. В последнее время мне несколько раз пришлось испытать на себе это умерщвление и возрождение надежд, а как мучительно и больно чувствовать, что надежда (особенно долго лелеянная) вдруг пропадает, и в сердце становится пусто и тяжело.

Первый случай произошел в школе по отношению к Левке — меня вдруг оставила всякая надежда, что он меня

любит (как странно и смешно произносить это слово).
Случилось это на уроке рисования, я, вероятно, показалась смешной мальчишкам, они заржали, потом начали
кричать «дура», и мне даже показалось, что Левка кричит
«косая». Я вспыхнула и, продолжая спокойно рисовать,
почувствовала вдруг, как что-то рушится в душе моей и,
смешиваясь с оскорблением, исчезает надежда. Как непри-
ятны такие минуты... Теперь я, конечно, нашла ряд дово-
дов и восстановила мир в душе, хотя, рассуждая здраво, то
все это самообман. Но самое сильное разочарование,
постигшее меня в эти дни, так это конец веры в мой лите-
ратурный талант, веры, которую я грела в своем сердце в
течение нескольких лет. Я бездарна, так что теперь в душе
нет ничего, кроме непередаваемой тоски и пустоты. <u>Эти
обстоятельства заставляют меня не раз шептать с горечью:
«Жизнь, если взглянешь с холодным вниманием кругом,
такая пустая и глупая шутка».</u>

‹12 марта 1933›

Веет весной. В каждом порыве ветра чувствуется запах
весны. В каждой струе воздуха есть что-то новое, свежее
и молодое. Весна... Незаметно и неслышно подкрадывает-
ся она, и лишь изредка долетает ее теплое дыхание. Вчера
таяло, солнце уже довольно сильно припекает, и на мостовой образуются мокрые черные полосы. Весна проникла
мне в душу, и так нестерпимо тянет куда-то, «туда», ближе
к ней, в лес и поля.

В прошлом году в конце апреля я ходила с Лялей на
Воробьевы горы. О, как я наслаждалась весной. Шла и как
будто старалась захватить как можно больше весеннего
воздуха в свои легкие; глядела на светлое голубое небо с
легкими весенними облаками, на холодную веселую темную речку, по которой проносились тонкие льдинки, на
чуть зеленеющие деревья, и в каждом звуке ударяющейся
о берег льдины, в каждом крике веселых воробьев, в каждом возгласе ребят, копошившихся на том берегу, в каждом
дуновении ветра мне чудились тысячеголосные крики:
«Весна!» Природа ликовала и приветствовала приход дол-
гожданной красавицы. И я стремилась в чащу кустов, на
высокие крутизны, в сырые болота, чтобы слиться в одно
целое с природой и присоединиться к громкому крику... И

помню, когда мы возвращались домой в десятом часу вечера, и я с восторгом вспоминала прошедший день, к моему наслаждению присоединялось еще какое-то чувство, от которого я старалась освободиться, которое не понимала и не могла высказать... и которое давило на меня. Чувство какой-то неудовлетворенности, тоски о чем-то.

В прошлый выходной я перебирала свои бумаги и наткнулась на рукопись о моей прогулке на Воробьевых горах и другие. И опять вдруг так нестерпимо захотелось писать. Неужели же это все самообман? Неужели у меня нет таланта? Неужели каждый в моем возрасте может при желании написать кучу рукописей разного содержания и довольно ничего? Недавно задумала написать вещь под названием «В погоне за счастьем», в голове нет ничего определенного, и я не стараюсь сейчас вывести яркие образы, нарочно оставляю все в тумане до каникул. Иногда в голове под каким-либо впечатлением проносятся быстрые и яркие, как молния, сюжеты, но нет возможности записать их вовремя. А день спустя они тают, тускнеют и бесследно пропадают, как облака в голубом небе.

‹15 марта 1933›

Сегодня не пошла ни в школу, ни на немецкий язык, потому что плохо себя чувствую, а, вернее, такое дурацкое настроение, что ничего не хочется делать, даже за чтение не принималась. Недавно Женя и Ляля посоветовали мне записывать книги, которые я прочитываю. Довольно интересная идея и главное, это, вероятно, развивает, так как я стараюсь книги критиковать.

Димка начинает меня порядком злить. Смешной парень, если бы он был немного попроще, ведь на него нельзя смотреть без смеха: маленький джентльмен (он любит употреблять это слово), всегда в чистом, аккуратном костюме, с презрительной и немного надменной улыбкой, с умными, часто насмешливыми темно-карими глазами. И главное, с большим запасом знаний и сообразительной головой. Дурачится ли он? Или это у него совершенно естественно? Вот что меня занимает, ведь вместе со смешным в нем есть и хорошие черты. Иногда он так по-детски и заразительно хохочет, что, глядя на него, остается только удивляться.

Вчера он принес в школу свою стенную газету, в которой высмеивал некоторых ребят, газета получилась очень смешной и веселой. Когда все сбежались читать ее и кругом слышался смех, он прохаживал рядом, изредка косясь на свое произведение. К несчастью, я все чаще и чаще начинаю думать, что я — простая смертная, и виной этому отчасти наш Дима, ведь именно в нем я увидела не совсем обыкновенного мальчишку и ярче поняла себя. Однако, трудно примириться с тем, что я обыкновенная, досадно думать, что у каждого есть такой же сложный внутренний мир, что каждый так же глубоко переживает, как и я. В общем, это скорее всего, но все же, читая про подростков в книгах, я ни разу не встречала моих черт, хотя у взрослых я их встречаю — это придает мне некоторую гордость.

<24 марта 1933>

Вот уж прошла половина каникул... Скучно, глупо и неинтересно. Хожу с каким-то неприятным осадком в душе и через каждые пять минут спрашиваю: «Что такое жизнь? Есть ответ, ответ достаточно верный и простой: «Жизнь — это пустая и глупая шутка». Легко сказать, но не хочется верить, что на самом деле жизнь — это шутка, да вдобавок глупая. Вчера вечером я шла по улице, смотрела в голубые сумерки, прислушивалась, как на бульваре крикливые няньки громко окликали своих детей, смотрела на высокие большие дома, на темные мелькающие фигуры людей и думала: «Ну, что такое жизнь?» Ходить в лавки, кричать на детей. Зачем построены эти дома, эта мостовая, так хорошо вымощенная? Сегодня утром ходила к Ксюше, спрашивала, пойдет ли она со мной в театр, а сама думала с какой-то щемящей тоской: «Ну зачем это все, и театр, и все, все... Что такое жизнь?»

Женя и Ляля сидели в своей комнате и пели, я долго ходила по коридору, слушая их, потом вошла в комнату и села у окна. Из открытой форточки до меня иногда долетал свежий ветер, комната была освещена солнцем, и на Жениной спине колыхались темные трепетные тени цветов. Я стояла, слушала, смотрела на коричневый джемпер Жени, на легкие тени и думала уже как-то с досадой — что такое жизнь? Недавно пришла из театра, где был концерт, и выступали ученики музыкальной школы. Вначале я слушала внимательно и немного завидовала всем этим девочкам и мальчикам, но потом... Потом устала, слушать стала рассеяно. Как удручает меня всякая забота о школе, хочется совершенно забыться и провести хоть несколько дней, ничего не делая и ни о чем не думая. Усталость это что ли сказывается? Не знаю.

А тут папе отказали в паспорте[24]. Какая буря шумела у меня в душе. Я не знала, что делать. Злость, бессильная злость наполнила меня. Я начинала плакать. Бегала по комнате, ругалась, *приходила к решению, что надо убивать сволочей*. Как это смешно звучит, но это не шутка. Несколько дней я подолгу мечтала, лежа в постели о том, *как я убью его. Его обещания, диктатора, мерзавца и сволочи, подлого грузина, калечащего Русь.* Как? *Великая Русь и великий русский народ всецело попал в руки какого-то подлеца.* Возможно ли это! Чтобы Русь, которая столько столетий боролась за свободу, которая, наконец, добилась ее — эта Русь *вдруг закабалила себя.* Я в бешенстве сжимала кулаки. Убить его, *как можно скорее! Отомстить за себя и за отца.*

В тот день, когда решалась папина судьба, я не могла сидеть дома, оделась и вышла на улицу. Было сыро, холодный туман стелился по темным улицам, иногда прорывались отдельные клочки серой живой пелены, и на минуту можно было отчетливо различать предметы, а потом опять все заволакивалось туманом. В его сырой мгле то и дело скользили неясные человеческие серые фигуры и пропадали во тьме. Я с омерзением смотрела в серый тусклый туман, и тогда мне впервые пришла в голову мысль: «Что такое жизнь?» И как судьба жестоко смеется и издевается над людьми.

<29 марта 1933>

Конец. Папы нет. Он ушел сегодня утром. Куда? Это страшно писать: стены увидят и донесут. Но его нет больше с нами. Не все ли равно, куда он пошел?[25] Папа уехал — больной, слепой на один глаз, а я здесь сижу и пишу дневник.

---

[24] Имеется в виду московская прописка в паспорта отца. Не получив ее, он должен был в десятидневный срок выехать из столицы.

[25] После этого вопроса тщательно зачеркнуто в дневнике двенадцать строчек, которые невозможно расшифровать.

Вечер.

Событий произошло как будто совсем немного, но все это пролетело с такой невероятной быстротой, так ярко и живо, что кажется, будто их было очень много. Как вихрь... неудержимым потоком хлынули в меня новые мысли, новые чувства и переживания. Если я начну описывать все по порядку, то не получится того полного и верного впечатления, которое бы мне хотелось дать. Очень плохо, что я уже остываю, и что то чувство, чего-то высшего, не обыденного, которое доставляло мне такие странные минуты мучительной тоски, уже пропадает. Я чувствую, что опять въезжаю в обыкновенную жизненную колею. Фи, как становится все гадко и глупо!

Я жажду переживаний, сильных нравственных переживаний, от которых в душе может происходить какая-то работа и борьба. Я начинаю жить нравственно. Эти душевные переживания я черпаю во многих и разнообразных вещах: в музыке, в красоте как природы, так и людей, в жизни — но не в той, которой я живу и многие другие, а в деятельной, полной смысла, борьбы и страданий жизни, опять-таки основанных на переживаниях. Таким образом, создается неразрешимый круговорот, может быть, тот круг событий и переживаний и называют жизненным водоворотом. Возможно, я еще не начинала жить. Если детство лишь приятное предисловие к жизни, то я могу надеяться на будущее, в котором для моей ненасытной на переживания душе найдется много пищи. Но я, кажется, совсем заболталась, и все это вздор. «Человеку свойственно надеяться». И я считаю, что это правда, нет человека, который бы жил, не надеясь, ведь надежда не покидает нас даже в самые безнадежные минуты жизни.

Часов в пять, когда я сидела у бабушки и читала книгу, пришел папа. Я, как и всегда за последнее время, посмотрела вопросительно на него: «Ну, что?» Дальше этого вопроса я редко заходила. Да и зачем? За последние дни я сильно полюбила папу. Раньше ведь я немного питала к нему чувств, но теперь, после того, как ему отказали в паспорте, то есть, другими словами, велели убраться в десятидневный срок из Москвы, совсем другое дело. Я люблю его, когда он революционер, люблю его человеком идеи, человеком дела, человеком, стойко держащимся своих взглядов, не променявших их ни на какие блага жизни. За последнее время он сильно осунулся, пожелтел, морщины стали резче вырисовываться на хмуром суровом лице.

<*30 марта 1933*>

Вчера не хватило терпения написать все, что я хотела, скажу только вкратце, что папа пошел в милицию узнать, позволят ли ему по бюллетеню от врача пробыть в Москве лишних два дня. Мы с нетерпением ждали его возвращения. Прошел час, его не было, потом еще полчаса. Между нами был уговор, что в случае отказа он пойдет прямо к маме на работу. Тетя смотрела в окно, взволнованно ходила, что-то говорила, а бабушка лежала и лишь иногда посматривала на часы. Думать было нечего уже о его возвращении, но... человеку свойственно надеяться, и я надеялась, как надеялись и остальные. Около восьми часов кто-то открыл дверь, я подняла голову от книги и стала прислушиваться. Он или не он? На этот раз надежда не обманула, и я опять принялась за чтение, чутко прислушиваясь к его шагам. Но когда дверь, не спеша, отворилась, щеки мои горели, и я чувствовала, что медленно краснею, радуясь этой незначительной отсрочке на два дня.

Папа сел, весело улыбаясь, и начались незначительные расспросы. «Наконец-то пришли — говорила бабушка, — а я думала, что у меня сердце разорвется. Раньше хоть заснуть могла, а теперь...». Голос ее дрогнул, задрожал и оборвался на высоких нотах. Она заплакала и с судорожными рыданиями упала на постель. Папа начал оправдываться, а Соня достала какие-то капли. Я взглянула на отца, лицо его не было мрачно, и на нем остановилась как будто немного растерянная улыбка. Он был смущен и, как мне показалось, в глазах его блеснуло что-то похожее на слезы. Я сказала ему что-то в осуждение и сама удивилась своему звонкому голосу, слегка неуверенно прерывавшемуся на каждом слове, как будто мне что-то мешало в горле и приходилось с усилием выдавливать слова.

Бабушка скоро успокоилась. А я сидела, нагнувшись над книгой и думала: «Что за человек. Это ангел, а не женщина. Какая же она была в молодости, если сейчас в шестьдесят семь лет имеет такое чудесное сердце. Обычно люди к старости приобретают привычку ворчать, вздыхать, вечно жаловаться, но от нее я за всю вместе с ней прожитую жизнь не слыхала ничего подобного. Как я, да и другие мало ценили ее раньше, да и сейчас мало ценят! Я испытывала к бабушке сильную любовь и нежность, смешанную с жалостью...

Сейчас я читаю «Анну Каренину», и какое сильное впечатление производит на меня эта вещь. Истинно Толстой был художником, если мог так живо и мастерски, а главное, верно описывать людей и их переживания. Года два-три назад я начала читать «Анну Каренину» и, не дочитав, бросила, я тогда еще не понимала того, что так ясно и понятно мне сейчас, некоторые места в ней я даже перечитываю по два, по три раза.

<31 марта 1933>

Завтра в школу. Чувствую, как будет трудно учиться эту последнюю четверть, хочется впасть в усыпление, чтобы не отвлекаться, ходить, как заведенная машина, делать уроки и хоть на время не желать ничего. И кажется, так скоро пронесутся эти два месяца, а там! Там открывается широкая и счастливая жизнь, полностью забудется школа и ученье.

Эх! Надо блестяще выдержать эту последнюю решительную борьбу, и сейчас все кажется таким легким и даже интересным. Но я чувствую, что пройдут первые две недели, наступит весна, и так невыносимо потянет в поле, куда-нибудь дальше от обыденной жизни. Интересно, как будет после начала занятий. Я уже составила в голове план проведения последней четверти. Неужели нет у меня настолько силы воли, чтобы прожить каких-нибудь два месяца так, как я должна, как говорит мне мой рассудок? Надо заставить себя руководить желаниями.

Сегодня папа опять пойдет в милицию, что-то ему скажут там. С ним собирались идти Соня[26] и Носкова, очень симпатичная простая женщина, хорошая Сонина товарка и член Московского Совета. Они, как в шутку говорит папа, взяли его на свое попечение. В милиции есть у них какой-то знакомый, при помощи которого они надеются

---

[26] Софья Васильевна, тетя Нины.

выхлопотать отцу хотя бы незначительную отсрочку. Все относительно успокоились после первого взрыва негодования и отчаяния.

В доме почти все пошло по-старому, по крайней мере, с внешней стороны: папа вечерами занимался, утром читал газету, шагал по комнате и куда-то уходил; мы перестали нападать на него, и те незначительные ссоры, которые происходили между нами, совершенно прекратились. От этого ли или от чего-то другого я стала почти с удовольствием исполнять домашнюю работу, изредка морщась, когда уж очень надоест. Сейчас папа опять ушел. «Ну, прощай, Нина, может быть, не увидимся!» Он сделал мне последние незначительные наставления насчет цветов и ушел, но сказал, что отсрочку дней на пять ему, возможно, дадут. Если отец надеется, то это уже много значит. А всетаки я его люблю, и мне самой приятно чувствовать эту любовь, в которой я однажды сомневалась, и эти сомнения заставляли меня мучиться и страдать.

<1 мая 1933>

Сегодня я не ходила на демонстрацию. Не было ни одного года, когда на первое мая я оставалась бы дома. Но... нет ничего вечного, и я изменила своему обычаю. Обычно я всегда ходила с мамой, но она уехала на эти праздники к папе в Можайск, и я осталась одна. Какая тоска! Как пусто и пасмурно кажется все кругом в отсутствии мамы. Как тоскливо и грустно на сердце.

Когда я вышла сегодня на улицу, то меня поразило одно явление. Кругом было совершенно пусто, как будто все вымерло. Лишь изредка проходили медленно и вперевалочку празднично одетые молодые парни. Одиноко стучали мои башмаки, и гулко отдавался их стук в пустой улице. Странно было видеть в солнечный теплый день, полный невидимой жизни, мертвую освещенную улицу. Я на минуту зашла к Ире. Во дворе у нее всюду начинались распускаться деревья, и из открывающихся почек робко вылезали молоденькие светло-зеленые листья, такие нежные и ласковые. Когда я пришла домой, по радио передавали Красную Площадь. Слышался оркестр, играющий марш, где-то вдали кричали «ура», и такими милыми и знакомыми показались мне эти звуки.

<2 мая 1933>

Завтра в школу. Я даже немного рада этому, слишком уж все тошно и гадко дома. Если б не уроки, я бы не пожелала идти в школу, я бы нашла себе развлечение и удовольствие, но теперь... теперь хочется куда-нибудь убежать от этого свободного времени, которое необходимо занять учебой. В школе время пройдет не так заметно. <u>Эх, хоть бы скорей приезжала мама! Мама! Как пусто и дико кругом без тебя, как сердце сжимается сильно и больно! И жить расхотелось. Что удерживает меня от смерти? Почему я сейчас же не отравлюсь? Почему? «Жизнь! Зачем ты собой обольщаешь меня, если б силы дал бог, я разбил бы тебя».</u> Но я почему-то не могу разбить свою жизнь. Или еще не так гадко жить, или правда бог не дает силы. Хочется скинуть с себя эту ипохондрию, и я скину ее, но не совсем, освободиться от нее совсем я не властна.

Вечер.

Как не хочется заниматься. Боже мой! <u>Хочется все бросить, все оставить и жить. Ведь я хочу жить. Жить! Я не заводная машина, которая может работать без перерыва и отдыха, я человек. Я хочу жить! Хорошо, что завтра школа, немного отдохну от себя, но зато, правда, не буду знать общество. Да черт с ним в конце концов! Это только Генка[27] может увлекаться им и часами читать, что сказал Ленин и Сталин, и какие достижения сделал наш Советский Союз. Эх, жизнь, жизнь! Подрали бы тебя собаки.</u> И опять задаю себе вопрос: «Кем стал для меня Левка?»

<5 мая 1933>

Сегодня весь вечер читала «Дым» Тургенева. Давно я не читала его произведений. Сколько новых достоинств нахожу я в том, что год тому назад казалось мне скучным и гадким. Я с наслаждением прислушивалась к красивым мягким переливам его звучной речи и, восторгаясь красотой и плавностью его слога, я все больше уверялась в совершенном отсутствии у меня таланта. Но странное впечатление осталось у меня в целом о прочитанном, каким-то тяжелым темным комком легло на меня воспоминание

---

27 Одноклассник Нины.

о нем. Я никак не могу понять этого отсутствия воли у влюбленных. Или я еще сама не была влюблена или это особенный уж такой склад людей. Не знаю, но я не могу прямо переносить равнодушно собачью покорность, которая появляется у героя после того, как он влюбился в Ирину. А как у меня плохо еще развита речь, ведь я не могу даже передать самые простые впечатления и чувства.

<13 мая 1933>

Как будто совсем недавно был январь, и я с ужасом думала, что осталось учиться еще так много, а теперь? Теперь осталось только полмесяца. Только полмесяца! И я буду свободна. Иногда меня начинают разбирать сомнения: буду ли я счастлива, когда кончу учиться? Прекратятся ли эти страдания, которые измучили меня? Не останется ли все по-старому? Но это было бы ужасно!

Последние два-три дня я совсем гадко себя чувствую, ощущение того, что я страшная, мучает меня, как никогда. За сегодняшнее утро я столько раз подходила к зеркалу и не могла смотреть без отвращения на свое лицо. Я не могу выйти на улицу, так противна кажусь самой себе, так ужасно больно ходить со всеми этими простыми, обыкновенными людьми, дышать с ними одним воздухом, смотреть на них и чувствовать, что не одна пара глаз глядит на меня, может быть, с затаенным отвращением. Года два назад я начала уже удивляться, как могут Женя, Ляля, мама и папа, все наши знакомые и мои подруги смотреть на меня, разговаривать и смеяться со мной, как и с другими; как могут выносить мой взгляд, уродливый и гадкий; ведь я сама не могу смотреть без отвращения на косых. Всякое уродство плохо, но это, по-моему, одно из худших.

Когда я была поменьше, лет одиннадцати или двенадцати, я особенно сильно чувствовала насмешки мальчишек и обижалась на их крики. Одно время это начало сглаживаться, да и сейчас я на них обращаю меньше внимания, но само ощущение ужасно. Хочется иногда не думать об этом, забыть и не обращать внимания, но последнее время я почти никогда не забываю об этом. А с этим счастье невозможно... Юность со своим весельем закрыла для меня дверь. Я же не могу находиться среди веселой, счастливой молодежи и чувствовать, что порчу их настроение своим присутствием. Сижу, бывало, в школе, как будто ничего, весело и хорошо смотришь, наплевав на все, в глаза девчонкам, но вдруг вспомнишь про себя и с болью отвернешься.

Вчера я почти весь день думала, что удерживает меня от того, чтобы отравиться. Есть выход простой и легкий. И кончатся все мои мучения. Что удерживает меня? Что заставляет меня ходить по этим улицам, украдкой взглядывая на прохожих, что заставляет учить ненавистные, постылые уроки, что заставляет молча с горькой болью в душе слушать, как Левка, который все-таки нравится мне, проходя мимо, нет-нет да и крикнет сквозь смех вполголоса: «Луга косая». Есть средство избавиться от всего этого, есть возможность покончить со всеми страданиями. Неужели же серьезно обольщает меня эта противная, переполненная мучениями жизнь? Неужели может привлечь меня «пустая и глупая шутка»? И я еще мечтаю о чудесной юности, двери которой закрыты для меня навсегда. И я еще мечтаю быть хорошенькой девушкой со своими косыми глазами. Ну, разве это не глупо?

‹18 мая 1933›

А жизнь... эта пустая и глупая шутка! Но она, кроме того, еще злая шутка. Последняя моя надежда погибла. Еще так недавно я с наслаждением думала о лете, о том, что я была счастлива. Но теперь я не жду его. Как я могу успокоиться, когда знаю, что через три месяца начнется опять совершенно та же глупая и скучная жизнь. Опять, как и теперь, буду я дрожать перед опросом по биологии и часами зубрить совершенно мне ненужные вещи. Опять, неизвестно зачем, буду стремиться догнать кого-то и, чувствуя, что это на недосягаемой высоте, опять страдать и злиться. И зачем все это? Для чего? Вероятно, просто так, потому что надо же что-то делать, вот и решили пичкать нас разными науками. И вот со всем этим хламом в голове попробуй-ка провести спокойно лето. Я не могу.

Как бы я была счастлива, если бы меня оставили совершенно одну, дали бы книги, позволили бы уйти совершенно в себя и забыть, что делается на свете, тогда, может быть, я была бы совершенно спокойна и счастлива. Позавчера вечером пропали мои очки, пропали в нашей квартире и пропали совершенно. Как нестерпимо раздражает меня это, ищешь, ищешь, а их нет — не знаю, на кого и думать. Как будто все сговорились ухудшать мое настроение: кто-то очки взял, кто-то мячик спрятал, или Ксюшка взяла, не знаю.

А тут еще подвернулся заем «Первый год второй пятилетки», который просто бесит меня. Вчера я не вытерпела и сорвала с двери плакат с лозунгами. В школе вчера биологичка задавала нам уроки на лето и велела всем их выполнить, потому что, мол, правительство приказало. Правительство! Да как оно смеет приказывать! Собралась какая-то кучка подлецов и вертят всем народом, как будто бы мы обязаны им подчиняться, как будто бы мы должны слушаться всякую сволочь и благоговеть перед Сталиным. Сегодня Женя заявила, что идет на демонстрацию по поводу выпуска займа. «Ты идешь?» — удивленно воскликнула я. «Велят. Я не стала спорить, не стала, потому что это бесполезно». «Идите, требуйте займа. Я бы ни за что не пошла». «И мы такие же были в школе», — спокойно возразила Женя, как будто даже с легкой иронией. О, подлецы! И они еще могут спокойно, равнодушно говорить: «Велят». Какая гадость и низость!

Эх, русский народ, что уж говорить о темных крестьянах и рабочих массах, когда вполне образованные люди, студенты, делают такие подлости и совершенно спокойно. И даже, наверное, назвали бы того человека дураком, который воспротивился бы правительству. «Иду, чтобы косо не смотрели», — заметила между прочим Женя. Ха-ха! Испугаться потери расположения со стороны начальства. И это говорят студенты, что же думать о народных массах. Нет, русские не могут завоевать свободу и не могут жить свободно. С самого того момента, когда славяне позвали править варягов, они находятся под чьей-нибудь властью. *И всегда будут под властью.* Приходится согласиться со словами Тургенева, что «русскому народу свобода нужна меньше всего», и не нужна потому, что он не может ее удержать.

<21 мая 1933>

Настроение меняется часто и очень резко... Я теперь решила не загадывать на будущее, решила не думать о том, что будет через три месяца, не думать, как мы будем жить без Ю.И. Не надо, глупо и неразумно думать об этом — все равно это ни к чему не приведет, я хочу сейчас только одного — кончить школу. Не все ли равно, как я проведу лето, буду ли счастлива? Я хочу закончить все отношения с людьми, за исключением, конечно, своих, от которых нетрудно отделиться и от которых я уже отделилась.

Последнее время меня раздражает и злит решительно все: и оживленные беседы Жени и Ляли, и их ссоры, и отношения наших к политике, и весь теперешний невыносимый строй. До чего я дошла, даже не могу хладнокровно отвечать на расспросы домашних о школе и о том, как я сдаю экзамены. Моя замкнутость дошла до последней степени. Мне больно и трудно переносить даже малейшие попытки посторонних проникнуть в мой внутренний мир. Чувствую, что обижаю всех, так заботящихся обо мне, но не могу по-другому. Не то, что не могу, мне сказать не трудно, но позднее боюсь почувствовать такой разлад и неразбериху в себе... боюсь, что мир, построенный мною, рухнет.

Я этого боюсь ужасно, потому что разрушь мой мирок, и я разрушу то относительное спокойствие, которое, несмотря на все страдания, все-таки больше по душе мне. И, кроме того, я так привыкла ко всему этому, что просто не могу представить себе, как можно жить по-другому. Мне бы совсем хорошо было, если бы не эти надоедливые, несносные люди, точно мухи жужжат, лезут, невыносимо раздражают, ползая по тем местам, которые я стараюсь уберечь от всякого неаккуратного прикосновения.

<24 мая 1933>

Вчера вечером мы долго сидели с мамой у бабушки, дожидаясь приезда папы[28]. Я, к удивлению своему, заметила, что в глубине души не хочу, чтобы он приезжал, и была неприятно удивлена этим. Как гадко, как нехорошо! Теперь я просто не могу понять, почему ко мне забралось такое чувство. Я спокойно сидела в кресле за столом, читала и знала, что если приедет папа, я уже лишусь этого спокойствия. Придется оторваться от книги, заставлять

---

[28] Отец Нины проживал под Москвой, в деревне Марфин Брод Можайского района.

себя улыбаться и, что еще хуже, пожалуй, рассказывать про себя. <u>Папа приехал около двенадцати часов, когда мы уже почти не ждали его.</u> Я, стараясь заглушить в себе досаду, встала и пошла в переднюю. Начались разговоры, расспросы. Он рассказал, как там хорошо и звал меня прямо после окончания школы к себе. Я, конечно, согласилась, но... мои планы на лето — неужели мне так и не суждено будет исполнить свои мечты?

По папиным рассказам, там у него была черемуха, сирень, рядом река, а кругом небольшие лесочки, где береза, орешник, кустарники, а в них — сотни соловьев. Я гоню от себя эти мысли о природе у папы, потому что боюсь, что воображение мое представит мне слишком все хорошо, так что стараюсь совершенно не думать об этом. Уже на опыте я узнала, как легко обманывает воображение, и как потом больно разочаровываться и расставаться с чудесными картинами, созданными воображением, заменив их скудной действительностью. Я это слишком хорошо знаю. Но и теперь уже перед моими глазами мелькают кусты сирени, белые прозрачные легкие цветы черемухи, молодые кудрявые березки и маленькие серенькие поющие птички, которых я, кажется, никогда не слыхала.

<25 мая 1933>

Вчера, только я поднялась с постели, даже не успела слезть на пол, в глаза мне бросился нижний ящик моего стола, где обычно лежал дневник и белье. Ящик был не совсем плотно вдвинут и из него торчали белые клочья материи, вероятно, всунутые впопыхах. Я бросилась к нему и открыла. Дневник лежал с самого краю и почти не был прикрыт бельем. «Однако, это подозрительно. Неужели кто-то брал его?» При мысли, что все вокруг узнают мою внутреннюю жизнь, мои желания и стремления, узнают мои сокровенные мысли и чувства, в душе поднялась буря негодования. «Неужели они могли это сделать?» Через некоторое время Женя принесла мне шелковую небольшую красную наволочку, на которую была надета еще вязаная. «На, Нина, это, кажется, твоя?» «Да», — проговорила я и спокойно взяла ее.

Но стоило только ей уйти, я с остервенением бросила наволочку на стол и, схватившись за голову, воскликнула:

«О, мерзавцы! О, подлецы!» Наволочка эта лежала как раз в нижнем ящике, так что теперь не было сомнения, все ясно. Я присела на пол, не зная, что предпринять, но потом вспомнила, что на окне уже несколько лет валялся старый ржавый ключ. «Вдруг подойдет?» Я схватила его и после некоторых усилий мне удалось повернуть его, ящик был закрыт.

Я уже почти не злилась на того, кто взял дневник: «Теперь уже не возьмут, теперь я в совершенной безопасности». Однако, когда я вечером пришла в свою комнату, то опять заметила следы покушения, видно было, что ящик пытались открыть, но ключ меня спас. Я решила разузнать, кто и зачем лез ко мне в ящик, и спросила у Ляли: «Ты не лазила ко мне в ящик, там все перерыто?» «Перерыто-не перерыто, но я хотела открыть. Ты чего, закрываешь его?» «Да». «Зачем? Мне надо было взять гербарий». Против этого я ничего не могла сказать.

Тоска грызет и гложет мое сердце. Что мне делать? Так скучно и неинтересно жить. Целый год я не бралась за рисование, за музыку и за перо, с радостью ждала лета, когда я смогу и рисовать, и играть, и писать. Ха, ха! Я решила, что я какой-то гений, и вот ни с того, ни с сего возьмусь за карандаши и начну чудесно рисовать. Сегодня вечером мне пришлось расстаться и с этой мечтой. Я совершенно разучилась рисовать.

И вообще, все надежды мои гибнут. Все, чем я жила весь этот год, все, что возбуждало и поддерживало меня, вдруг рухнуло, и остались какие-то убогие развалины. Скверно! А тут еще Женя и Ляля играют и поют, и весело болтают. Сердце ноет, что-то подходит к самому горлу и сосет. Ужасная жизнь! Хочется иногда сказать кому-нибудь все, все, что давит меня, хочется прижаться к маме или к девочкам и расплакаться по-детски горько и навзрыд. И облегчить себя немного. Что же, что делать? Не могу я так жить. <u>Если б был под рукой яд</u>...

<27 мая 1933>

Пыл мой и оживление, в котором я находилась, постепенно стал спадать, я опять стала чувствовать себя плохо. Невольно начала разбирать все чувства свои и мысли, все оживление мое в последние дни казалось мне глупым и ненужным, главное же меня злило то, что в эти минуты я забывала контролировать свои поступки. Минуты, когда я ухожу от себя, я считаю лучшими и счастливыми минутами своей жизни, но, к сожалению, они бывают очень редко, и после них я отвратительно себя чувствую. Замолкнувший на некоторое время рассудок начинает действовать с новой силой и неумолимо и жестоко начинает рассуждать, овладевая всем моим существом, а в душе чувствуется унылая пустота. Начинается даже что-то вроде головной боли, и так скверно все становится, поднимается злобная досада на себя и других и напрягаются нервы...

<2 июня 1933>

Вот я опять в Москве. Я приехала вчера к вечеру, а уехала 30-го утром. Разочаровалась ли я в природе, которую увидела у папы? О, нет! Я была потрясена и поражена. Выехали мы с мамой из Москвы девятичасовым поездом. Народу в вагоне было довольно много, поезд ехал раздражающе медленно, тяжело громыхая колесами. В окно дул холодный порывистый ветер, небо, покрытое сплошными низкими тучами, было серо и пасмурно. Мимо пробегали поля, леса и небольшие деревушки, у самого полотна бесконечной вереницей тянулись низкорослые, густо насаженные елки. Их темная зелень странно перемешивались с небольшими кустами светло-зеленой нежной акации.

Я смотрела в открытое окно, на мелькающие березы, ели, иногда буроватые тонкие осины. Разве можно изобразить словами природу, описать ее так, чтобы можно было представить ее в ярких и естественных красках. О, нет, это «нечто», недосягаемое и недостижимое, не изображается словами, лишь гениальный художник сможет изобразить это. С того времени, когда я начала писать, моей целью было изображение природы, я много билась с этим, но... не добилась ничего. Решила попробовать писать не ручкой, не карандашом, а кисточкой, ведь я умела когда-то рисовать. А после школы можно было бы пойти в Текстильный институт на художественное отделение. Конечно, придется много работать и трудиться, ну так что же? Когда есть цель, тогда легче жить, и я твердо решила добиваться этого.

После «Голицыно» поезд поехал немного быстрее и иногда так разгонялся, что я не могла даже разглядеть версты на быстро мелькающих столбах. Между прочим, в поезде мне в голову пришла оригинальная мысль: «Почему бы мне не перевоспитать себя? Почему бы не сделать себя счастливой?» На опыте я уже знала, что сделаться счастливой, оставаясь такой, какая я есть, теперь нельзя, поэтому надо перемениться. В своих мечтах я представляю себя веселой и жизнерадостной девушкой, полной веселья и огня, полной жаждой жизни и счастья, а главное, хорошенькой (не смейтесь, пожалуйста).

Как видите, я нарисовала полную противоположность себе. Но это ничего, это еще полбеды, если я перестану думать о бесполезности своей жизни, если я забуду ряд неразрешимых вопросов-загадок, я могу стать такой, какой хочу быть. Но как же не думать обо всем этом? Правда, я смогу забыть все это на два-три дня, может быть, на неделю, но не более. Как бы то ни было, а в вагоне я твердо решила переродиться. «Если ты, — говорила я себе, — могла заставить себя сделаться несчастной, то заставь теперь себя сделаться счастливой».

Ведь я не всегда была такой молчаливой и суровой букой, было время, когда я была, как и большинство детей, довольно веселой, самолюбивой и немного болтливой девочкой. Как-то осенью (я хорошо помню этот день) я разговаривала с Лялей. Мы сидели на окне, и осеннее теплое солнце заметно склонялось к горизонту — помню, было так тепло и приятно, так легко и весело на душе. Речь шла о том, что все люди в минуты горя с кем-нибудь да поделятся им, да и не только в минуты горя... Каждую, иной раз и незначительную новость они стремятся скорей рассказать другому, и я тогда много этому удивлялась и решила для себя, что я никогда не буду такой.

Первое время я сильно страдала, многое хотелось иногда рассказать и время от времени я все же позволяла себе это, но меня не слушали внимательно, часто я замечала, что то, что интересует меня, ни капельки не занимает других. Научившись молчать путем стольких страданий, я в редкие откровенные минуты требовала напряженного внимания от своих слушателей, но, не получая его, еще больше замыкалась в себе, ведь болезненно обостренное самолюбие не допускало этого невнимания. Итак, к нашей станции я подъехала с твердым намерением измениться.

<3 июня 1933>

Пройдя несколько шагов по многочисленным железнодорожным путям, мы увидали папу. Он медленно шел нам навстречу, опираясь на толстую белую палку. Во всей его, слегка сгорбленной исхудалой фигуре, в загоревшем и обросшем бородой лице проскальзывала сильная усталость. Время брало свое. Мы вошли с ним в одно из отделений вокзала, где висела табличка «зал» и «буфет». Справа у самого входа продавались газеты и журналы, здесь собралась небольшая очередь, и папа встал в конце. Я и мама подошли к одному из столиков, положили на стулья вещи и стали ждать. Через несколько минут подошел папа с газетой, и мы тронулись в путь. Пройдя через весь город, мы пошли по глинистой сырой дороге среди бесконечных зеленых полей и бурых пашен.

Серое небо угрюмо нависло над холмистой землей, ветер сильными порывами налетал и несся дальше. Я постепенно начинала разочаровываться в своем решении стать веселой и счастливой, пришлось удовольствоваться только самим решением, не злиться и не раздражаться по пустому. За небольшим холмом мы увидели блестевший изгиб небольшой реки. На одном берегу тянулись небольшие березовые лесочки и перелески, покрытые кустарником. Спустившись с холма, мы увидели небольшой поселок, окруженный деревьями, у ног вилась быстрая и извилистая река, перерезаемая небольшими островками, покрытыми кустарником и травой, между которыми желтел песок.

По небольшому мостику мы перешли на другую сторону и стали подниматься по скользкой дороге. Перед нами стояли два одноэтажных каменных домика, соединенных полукруглой аркой с обвалившейся кое-где штукатуркой, под которой проходила дорога. Войдя во двор, мы поднялись по шатким и прогнившим ступенькам и вошли в коридор. Папа открыл крайнюю дверь, и мы вошли в комнату. Первое впечатление, несмотря на немного затхлый воздух, было очень приятным. В комнате царил приятный полумрак от небольшого окна, в бутылках стояли пушистые ветки черемухи с белыми свисающими цветами.

У окна стоял стол, покрытый белой бумагой, вдоль стены — простая железная кровать, покрытая темно-

синим стеганым одеялом, за ней в углу висела широкая
полка с мелкими вещами, другая такая же полка висела
против окна. Здесь же стояла тумбочка, покрытая белой
бумагой. Целая куча ореховых удочек лежала в углу.
Справа у двери была небольшая кирпичная плита. Эта
убогая маленькая комнатушка со своей бедной обстанов-
кой была на самом деле грязна и непривлекательна, если
бы не белые листы бумаги на столе и тумбочке, не душистые грозди черемухи, не голубой полумрак, в мягкой
синеве которого все предметы становились красивей и
изящней.

<4 июня 1933>

Я еще никогда не проводила так хорошо время, как в
этот приезд к папе, чем-то особенным, необыденным и
поэтическим пахнуло на меня из этой глуши. Как было
приятно, вернувшись с реки, промерзшей, промокшей и
голодной, растопить печь, согреться и, бросившись на
постель, отдыхать: и физически, и нравственно. Как хорошо и легко было на душе, как спокойно билось сердце,
когда я вечером со смыкающимися от сна глазами сидела
за столом рядом с дремлющей мамой, дожидаясь папу. Как
приятно было читать рассказы Тургенева и прислушиваться к однообразному плачу гитары за стеной, слушать
легкое равномерное постукивание фабричной машины и
дробный глухой звук падающих капель. С каким наслаждением я ложилась на жесткий сенник и, укрывшись
теплым ватным одеялом, засыпала крепким здоровым
сном без сновидений.

К вечеру следующего дня мы опять, несмотря на дождь,
решили пойти на рыбалку. Быстро несла свои прозрачные
воды Москва-река, светлой извивающейся лентой бежала
она по полям в кустах плакучие ивы. В этих кустах мы и
расположились на ловлю, за спиной нашей сквозь ветки
деревьев белела фабрика, а впереди расстилалась река,
когда же путь ей преграждали небольшие острова, она, как
бы сердясь и негодуя, с шумом несла свои воды, плескаясь
в узких рукавах. Я сидела на небольшой корзинке, укутавшись в кожух. Дождь сердито барабанил по брезенту,
ветер, холодный и резкий, порывами налетал на деревья.
Я смотрела, как он широкой волной катился по кудрявым

верхушкам берез, тонкие стволы которых покорно сгибались и жалобно шумели листвой. Домой мы возвращались, когда было уже совсем темно. Мелкий холодный дождик сменился крупным летним ливнем, и было приятно идти под его бодрящими ударами.

На другое утро мы с мамой начали собираться к отъезду. Ветер несколько стих, дождь не шел больше, и вместо тяжелых темных туч небо было покрыто желто-серой, плотной, неподвижно висящей в вышине пленкой. От реки поднимался густой белый туман. Часов в десять мы вышли из дома, и я особенно горячо поцеловала папу на прощанье, так как мне было немного стыдно перед ним за то, что я не остаюсь. Желтая грязная дорога бесконечной лентой потянулась перед нами. Через несколько часов мы увидели Можайск. Через задворки и огороды мы выбрались на дорогу в предместье города, где малые ветхие домишки стояли по сторонам улицы. По очень грязной и ухабистой дороге мы поднялись на крутой холм, там находилась центральная часть города. Мы прошли площадь и по небольшому бульвару направились к вокзалу. Тощие деревца, редко торчащие среди травы, да одинокая клумба близ памятника Ленину украшали его.

Этот памятник был, вероятно, одним из достопримечательностей города Можайска. Строивший его стремился, вероятно, изобразить карикатуру и никак не ожидал, что его произведение попадет на такое почетное место. На разрисованной в виде мрамора подставке стоял маленький человек-карлик с непомерно короткими ногами и большой лысой головой. По этой голове, по небольшой торчащей бородке и еще по позе оратора можно было догадаться, что человечек, похожий сзади на плохо обтесанную глыбу камней, был не кто иной, как Ленин. Еще не было двенадцати часов, когда мы пришли на вокзал, порядком уставшие, и сели в поезд на Москву.

\<10 июня 1933\>

Дни идут однообразно, скучно, но непомерно быстро, так быстро, что я чувствую, что эти три летних месяца пройдут бесследно, что я не успею освоиться с новым своим положением и войти в новую колею. Я чуть ли не жду с нетерпением начала занятий, чтобы уйти от себя, забыться и не думать ни о чем. Вчера вечером, когда я уже собиралась ложиться спать, пришла ко мне Ляля. «Ах, ты профессор! — с притворной важностью сказала она. — Все мы поражаемся, какой ты профессор». «Кто это все?» — спросила я, немного заинтересованная. Я была несколько удивлена, что обо мне так говорят и приятно удивлена, что ни говори, а у меня чертовски большое самолюбие. «Что это из тебя выйдет? — продолжала Ляля, не отвечая на мой вопрос. — Растешь ты, такая серьезная, молчаливая». «Не знаете вы, наверно — думала я, уже лежа в постели, — что профессор ваш страдает день и ночь». Смешно кому-нибудь постороннему прочесть это слово: «Страдает», — после чего он полуудивленно и полупрезрительно спросит: «Какое там страдает, притворяется». Притворяюсь ли я? Я сама не знаю. Знаю только, что мне тяжело, что камень на сердце нестерпимо и постоянно давит. Что мне мечтать о будущем? В нем не видно ничего хорошего, никто ведь не снимет с сердца тяжелый камень, а с этим камнем я не могу быть счастливой. Можно стать веселой, живой, это все можно, но нельзя ведь стать счастливой.

<20 июня 1933>

Целых девять дней не бралась я за дневник — не потому, что не было происшествий, просто было лень браться за него и все время я чем-то отговаривалась. «Как ты скучно проводишь свой отдых», — сказала мне сегодня Ляля. И она совершенно права, такого скучного лета и такого однообразия у меня не было никогда, никогда не жила я такой серой, будничной и неинтересной жизнью. С каждым годом и каждым месяцем мне становится все хуже жить, желания мои, чувства и даже ощущения притупляются и я, кажется, впадаю в безысходную тупую апатию. Как иначе назвать отсутствие всякого интереса к окружающему? Апатия ли это? Я не колеблясь бы ответила «да», если бы... по временам в моей душе не поднималось жгучее стремление жить, вырваться из своей клетки, улететь на волю и... жить! Что я подразумеваю под этим? Я и сама хорошо не знаю, но что-то прекрасное. Как иногда бывает трудно быть одной, совсем одной, непонятой, отверженной и нелюбимой. Как тяжело быть среди людей совсем другого склада души и мыслей, зависеть от их резких, уверенных и оскорбляюще ошибочных суждений. Иногда мне хочется иметь друзей истинных и любящих, я мечтаю о них.

<4 июля 1933>

Можайск — Марфин Брод

Погода сегодня отвратительная, и признаться, мне порядком скучно. Совершенно нечего делать. Женя и Ляля рисуют, а я бы сейчас с удовольствием почитала, да нету книг: все осталось в том злополучном свертке. Хорошо еще, что мы теперь переехали в другую большую комнату, она кажется раза в три больше прежней и имеет прекрасный вид: стены и потолок побелены, два больших итальянских окна выходят в поле и из них виден парк, а по вечерам заходящее солнце бросает сквозь стекла теплые лучи на пол и белые стены.

Несколько раз мы (я и Женя, Ляля) начинали спорить о настоящем времени, о теперешнем состоянии рабочих, о культуре и о многом другом в том же духе. Они всеми силами старались защищать настоящее, а я, наоборот, опровергала его, даже тогда, когда, не имея больше аргументов, переставала спорить, неизменно оставалась при своем мнении. Я никогда не могу согласиться с ними, признающими в настоящем строе социализм и считающими теперешние ужасы в порядке вещей.

<8 июля 1933>

5-го вечером уехали в Москву папа и мама. Как тоскливо мне, как странно смотреть на опустевшую мамину постель, и, слушая жуткий безумный совиный хохот, или протяжный ее крик, думать, что моя дорогая мама далеко-далеко. Последние два дня идет почти непрерывно дождь, делая лишь небольшие передышки. Мы вчера и сегодня шныряли по мокрому лесу в поисках грибов, мокрые и продрогшие в почерневших от воды юбках пробирались между березками под ярко-зелеными ветвями, с которых при малейшем ветре сыпались тысячи холодных капель. Выглянувшее вдруг солнце яркими снопами разбросало по лесу свои лучи, тысячами огней загорелись дождевые капли, повисшие на листьях и сочной зеленой траве. Все вокруг осветилось и из глубины чащи, из мохнатых от мха стволов смотрели на меня десятки маленьких и ярких солнышек.

Как-то я назвала всю теперешнюю молодежь, Женю и Лялю, в частности, тряпками. Разве можно сравнить бывшее студенчество с теперешним. Есть ли какое-нибудь сходство между грубыми, в большинстве случаев совершенно неразвитыми людьми, способными из-за малейшей выгоды на всякую подлость, с полными жизни, умными и серьезными (за небольшими исключениями), готовыми в любую минуту пострадать за идею, молодыми людьми прошлого века. Я решила вести себя теперь по-другому, во-первых, быть жизнерадостной, всегда оживленной и веселой, и, во-вторых, хоть отчасти быть похожей на последних. О, я смогу быть такой! Я знаю. Надо только маленькое усилие и... я совсем другая.

<12 июля 1933>

Вот уже два дня я мучаюсь в нерешительности: ехать ли мне в Москву 15-го вместе с мамой или оставаться жить до 17-го здесь у папы. И то, и другое так заманчиво, что право не знаешь, на что решиться. Вчера вечером сестра Женя, находясь в отчаянно ворчливом расположении духа, что, признаться, с ней бывает очень часто, со всеми ругалась, на всех злилась и особенно была невыносима со мной. Брань, едкие замечания так и сыпались на мою голову. О, как я злилась! Как клокотало у меня в груди и просилось наружу накипевшее за время житья здесь негодование, оскорбленная гордость и самолюбие. Но я молчала, и, затаив обиду, с нетерпением ждала того времени, когда можно будет не промолвить ни одного слова с Женей и почти не видеться с ней. «Буду стараться с ней быть как можно холодней и сдержанней, — думала я, — ни о чем не спорить, поменьше иметь общих дел».

Однако, это только одни мысли, как можно было исполнить все это, живя в одной комнате, проводя ночи на одной постели и находясь в тесном соприкосновении между собой во всех домашних обязанностях. Все это лето прошло в бесконечных ссорах. Мы доходили до такой мелочности, что не подавали друг другу чашки и на малейшую просьбу отвечали только: «Сделай сама». Признаться, я особенно преуспевала в этом, но сестры сводили меня просто с ума, постоянно требуя: «Подай», «Принеси», «Закрой» и т.д. В конце концов, мы стали просто на ножах друг с другом, и особенно плохо стало без мамы, когда мы жили все вместе. В эти дни было что-то невероятное, мы ругались с утра до вечера, в воздухе висело: «Скотина», «Дура», «Идиотка».

До чего можно огрубеть! Даже теперь, когда стычки все-таки продолжаются, я не могу без ужаса вспоминать наше житье-бытье там без мамы. Чему приписать эту распущенность, это неумение себя сдерживать и эти ужасы мелочности? Как жизнь коверкает людей! Разве мама в наши годы была такой? Да мы сами раньше неужели такими были? Конечно, нет. Да и не мудрено, как быть не мелочными, когда приходится считаться из-за куска хлеба, как не ругаться и не злиться, когда невыносимый голод сосет и точит что-то в желудке. Передумав все это вчера, я решила уехать 15-го в Москву. «Пора отдохнуть, довольно я мучилась летом», — говорила я себе. И так потянуло в Москву, в привычную старую обстановку, в свою комнату, к старому и милому времяпрепровождению.

<13 августа 1933>

Да, вчера вечером я почти решила ехать в Москву. Холодная августовская ночь нисколько не тянула к себе, а наоборот, пугала и отталкивала, возможность бессонной ночи не покидала меня. Но сегодня природа опять начала брать верх, о, как она притягивала меня, не покидала бы вовек! Что за проклятущая жизнь! Вероятно, ни разу мне не придется делать то, что хочу сама я, а лишь всегда исполнять чужую волю. Ехать в Москву, когда хочется жить здесь; жить здесь, когда хочется в Москву; сидеть дома, когда тянет куда-нибудь в лес, под густые тенистые ели; ходить в школу и зубрить немецкий, когда так хочется забыть все это, наплевать на науку. <u>На что мне наука, когда я не стану от нее ни лучше, ни счастливей</u>. Я, кажется, все же прихожу к убеждению, что лучше ехать в Москву. Однако, если будет хорошая погода, и Женя останется, то и я сделаю то же. Впрочем, трудно решить, что я сделаю завтра, но постараюсь быть готовой к отъезду. Сегодня с мамой решили ловить рыбу. Как можно отказаться от этого, если на улице так хорошо, ветра нет, солнце тепло греет, река не шелохнется, застыв в созерцании? Видеть, как рыба медленно прогуливается по дну реки, шевеля плавниками, и не ловить ее — это свыше моих сил.

<20 августа 1933>

Вот уже третий день я в Москве. Кончились мои сомнения и нерешительность. И что же? Неужели я рада этому переезду? Четыре дня тому назад мне так хотелось попасть в свою комнату, уединиться и отдохнуть от людей и передряг житейских. Собираясь сюда, я забывала, что не найду и здесь покоя, я стремилась уйти от жизни, запереться в себе, но что я нашла? Я нашла тех же людей, те же ссоры, те же разговоры, ту же ужасную мучительную жизнь... Что бы я сейчас дала, чтобы прожить хоть лишний денек там, в чудной глуши у папы.

Встали в то утро мы с Женей довольно рано и принялись за основательную уборку. На улице светило холодное утреннее солнце, длинные синие тени лежали на мокрой росистой траве и влажной дороге. Я тогда не чувствовала ни сожаления, ни радости, но, когда мы с Женей пошли в парк, легли на теплую зеленую травку среди кустов и яркой зелени листьев с пестрыми солнечными пятнами, когда солнце пригрело мне лицо и руки, я вдруг с особой остротой поняла, чего лишаюсь и что теряю. С горечью смотрела я на луг, красивую белую лошадь, что паслась там, на противоположный берег реки.

На станцию мы с Женей вышли в первом часу дня. Хорошо помню широкую извилистую дорогу, тонкий слой пыли, бесконечный прямой ряд столбов, убегающих вдаль. Кругом были необъятные желтые поля, на горизонте синели полоски лесов, а между холмами виднелся изгиб реки и высокий овраг, розовой каймой огибающий ее. Вдали виднелись неясные очертания деревень, окруженных полями, и стога сжатой ржи выделялись на светло-желтом фоне...

В Москву мы приехали часов в шесть. Жара уже спала, не было ни духоты, ни пыли. И город не произвел на меня никакого удручающего впечатления. Нас встретила мама и, взяв часть вещей, поехала на трамвае, а мы с Бетькой пошли пешком. Темнота сгущалась и розовая полоска на западе медленно тускнела и постепенно сливалась с темным небом. Как эта ночь была непохожа на ночи в деревне.

<21 августа 1933>

60 коп. — кило белого хлеба! 50 коп. — литр керосина! Москва ворчит. В очередях злые, голодные, усталые люди ругают власть и проклинают жизнь. Нигде не слышно ни одного слова в защиту ненавистных большевиков. Скачут вверх рыночные цены, от повышения цены на хлеб и на другие предметы широкого потребления захватывает дух. И невольно в голову приходит мысль: что же будет дальше, когда сейчас вдвое подорожал хлеб, и картошка на рынке стоит 5 рублей осьмушка[29], в то время как в государственном магазине ее вовсе нет? Что же рабочие будут есть зимой, когда сейчас нет ни овощей, ничего?

Все магазины Москвы делятся на несколько разрядов: коммерческие магазины, в которых есть очень много всяких продуктов, отпускающиеся всем желающим. В этих магазинах всегда чувствуется оживление: у прилавков толпятся разукрашенные и намазанные, нарядно одетые барыни, так называемая советская аристократия (по секрету, конечно), состоящая в большинстве случаев из евреек, жен коммунистов и ответственных работников. Здесь совсем нет простого люда и большие помещения магазинов пропитаны запахом разнообразных духов.

Коммерческие магазины находятся на шумных центральных улицах Москвы. Большие их витрины богато разукрашены, и никому с первого взгляда не придет в голову мысль, что все это стоит сумасшедших денег и что по этой-то очень простой причине в них не видно рабочих. Уже около двух лет государство занимается подобной спекуляцией и, безжалостно уничтожая частников-нэпманов, создает государственного нэпмана.

Рядом с этими шикарными магазинами почти незаметны маленькие скромные лавочки с небольшими, но полными всяких продуктов витринами, и не раз соблазнившийся прохожий пытался заходить во внутрь, но неизменно останавливался у входа, прочтя вывеску «закрытый распределитель». Не все могут получать оттуда продукты.

---

[29] Имеется в виду ведро, в котором было 8 кг картофеля.

Вдоль Тверской и особенно Петровки среди пестрых разнообразных вывесок можно встретить крупное объявление над входной дверью «Торгсин»[30]. Это своего рода музеи и выставки довоенных времен. Здесь есть решительно все, и коммерческие магазины покажутся против этих совсем низшими. Торговля с иностранцами идет очень бойко, так как в сущности торгуют прекрасно и с советскими гражданами: тащи только золото и серебро. Эти «Торгсины» наглядно показали, насколько упали наши деньги и что наш рубль равен одной копейке золотом.

И, наконец, четвертый и самый многочисленный разряд магазинов — это государственные кооперативы, палатки и т.д. Они рассыпаны на обширных московских окраинах вдали от шикарных городских улиц. Большую часть времени в них совсем не видно людей, за исключением тех дней, когда рабочим и служащим выдают их жалкие пайки. Тогда здесь толпятся громадные очереди, слышатся брань и крики.

Вечер

Какое ужасное настроение было у меня в первые два-три дня. Я с ужасом спрашивала себя: «Что же будет дальше, если сейчас я дошла до этого». Целыми вечерами, полными бездействия и тоски, я слонялась из угла в угол, из комнаты в комнату и временами думала, что схожу с ума. Каким отчаянием и безнадежной щемящей тоской наполнялось сердце! Звуки рояля и заунывные песни раздавались в комнате. «Господи! Да что со мной? — спрашивала я в тоске. — Неужели так будет каждый день?» И мысль об опиуме вновь и вновь приходили мне в голову. Негодование и злость душили меня, казалось нервы каждую минуту собираются лопнуть. Я задыхалась в этой ужасной и тягостной атмосфере, грызла пальцы, хватаясь за голову, мне хотелось плакать, рыдать... Но я терпела, со спокойным лицом разговаривала с мамой, а отвернувшись, мучительно кусала губы, еле сдерживая слезы. Появилось непреодолимое желание броситься кому-нибудь на шею, прильнуть к чьей-либо любящей, все понимающей груди и расплакаться, не сдерживаясь и по-детски. О, какой оди-

---

[30] «Торгсин» расшифровывалось как торговля с иностранцами.

нокой чувствовала я себя в эти минуты, какой покинутой и ненужной.

<28 августа 1933>

Жизнь — это вереница сплошных разочарований. Что встречало меня с самых пеленок? Разочарования, разочарования, разочарования. С тех пор, как я помню себя, они сопровождали мою жизнь. Сначала разочарование в людях, а потом горькое и мучительное разочарование в жизни. Я помню то время, когда мир казался мне прекрасным. В те дни я не задумывалась о всей странной несправедливости жизни, не знала, как подлы люди, я видела только красивую лицевую сторону жизни и не заглядывала за кулисы. И это было такое счастливое время! То было детство с его быстрыми радостями и горестями, веселое и беззаботное детство. Но оно прошло...

Я продолжаю разочаровываться решительно во всем. В маме, в папе, в сестрах... Я все уже вижу в настоящем свете. И с горечью убеждаюсь, что нет ничего прекрасного на этом свете. В одном еще не разочаровалась — это в себе. Ха-ха! Не странно ли? Но верю еще в себя, верю в возможность своего счастья. Но придет время, когда и эта вера растает, придут дни еще более мучительного разочарования, разочарования в себе.

<31 августа 1933>

Странные дела творятся в России. Голод, людоедство... Многое рассказывают приезжие из провинции. Рассказывают, что не успевают трупы убирать по улицам, что провинциальные города полны голодающими, оборванными крестьянами. Всюду ужасное воровство и бандитизм. А Украина? Хлебная раздольная Украина... Что сталось с ней? Ее не узнаешь теперь. Это вымершая, безмолвная степь. Не видно золотой высокой ржи и волосатой пшеницы, не колышатся от ветра их тяжелеющие колосья. Степь поросла бурьяном. Не видно на ней обширных и веселых деревень с их беленькими украинскими хатками, не слышно звучных украинских песен. Там и сям виднеются вымершие, пустые деревни. Украина разбежалась.

Упорно и безостановочно стекаются беженцы в крупные города. Не раз их гнали обратно, целыми длинными составами туда — на верную смерть. Но борьба за существование брала верх, люди умирали на железнодорожных вокзалах, поездах и все же добирались до Москвы. Но как же Украина? О, большевики предупредили и это несчастье. Те незначительные участки земли, засеянные весною, убираются Красной Армией, посланной туда специально для этой цели.

<4 сентября 1933>

Вот и опять учение. Я пока с радостью принимаю его. Новые надежды, новые планы роятся в голове. Этот летний отдых много значит для школьников: обновленной и бодрой приходишь учиться, с новой жаждой борьбы и завоеваний. Я вспоминаю сейчас мое настроение к концу прошлого года. И… улыбаюсь. Не слишком ли далеко я зашла тогда? Не попробовать ли мне соединить учение с развлечением? О, эти счастливые мечты, но вряд ли удастся их осуществить. Пройдет несколько месяцев и опять наступит разочарование, ничто не будет мило, в душе будет одна горечь, злость и бесконечное отчаяние. Но сейчас хорошо! На душе спокойно и весело. Разнообразие, наступившее со школой, затянуло меня, меня интересуют и новые педагоги, и сами ученики. Да, я люблю школу. Бегать, бузить! Вот школьный девиз. И никто из моих домашних не предполагает, как преображаюсь я в школе. С каким удовольствием выскочишь в сад после занятий, как приятно стучит сердце от беготни.

<5 сентября 1933>

Первый приступ пессимизма с начала учения. Не очень сильный и быстро минувший, но не в этом дело, это доказательство того, что я не выдержу и месяца. Скорей бы кончить школу. Как это Жене и Ляле удается все делать? И прекрасно учиться, и играть на рояле, и петь, и танцевать, и рисовать. Без сомнения, они родились под более счастливой звездой, им все удается, их все любят, ими нередко восхищаются. А я? Что такое я? В последнее время я начинаю убеждаться, что я совсем не способная, и если и добивалась иногда первенства, то только своей громадной усидчивостью.

Как природа жестока и как она умеет смеяться! Наградить желанием, усидчивостью, поразительным и

редким терпением и даже немалой силой воли и позабыть
главное — способности. Как я жестоко раньше заблужда-
лась? Как я могла считать себя наравне с сестрами? Как я
могла думать об этом? Не смешно ли? Быть глупенькой и
со своей глупостью быть уверенной, что умна до гениаль-
ности. У меня ведь и лицо глупое, вы только посмотрите
на это тупое, ничего не выражающее лицо, загляните в эти
сердитые глупые глаза, никто же не скажет, что с таким
лицом можно быть умной. Почему создатель так посмеялся надо мной? Зачем я не умерла раньше? А Женя и Ляля!
Они всего за месяц прошли весь девятый класс и сдали
экзамены в институт на «отлично»! И в школе они ничего
не делали, а все-таки шли всегда первыми там. А я? Кто
может поверить, что я только один экзамен по биологии
учила до головокружения, до тошноты? И что все биографии я вызубрила наизусть?

<22 сентября 1933>

Боже мой, что за мука!.. Да будь проклят день моего
рождения, когда я впервые увидала свет. Я теперь понимаю, почему взрослые люди так любят вспоминать свое
детство, так жалеют его, ведь года два назад я не понимала этого. Что хорошего в нем? Мне казалось, все было так
плохо, а теперь что бы я дала, чтобы воротить его. Да
пойди вороти! Его не воротишь, а пройдет еще несколько
лет, я кончу семилетку, поступлю в институт... О, тогда я
буду жалеть еще больше, тогда я буду жалеть по-настоящему
школу, веселье и свободу. Да, свободу, потому что это все-
таки свобода против того, что будет потом.

В школе я забываю про себя, про свои мучительные
безысходные мысли, начинаю жить и действовать. Уроки
не так скучны и невыносимы, как дома, — кругом люди,
свои люди, с которыми живешь одними интересами и мыслями, чувствуешь себя большой и сильной, чувствуешь, что
в тебе живут все «они», а в них ты — все за одного и один
за всех. Лиза[31] вчера на сборе пионеров пустила про наших
девчонок, выписавшихся из пионеров, и про меня гнусную
клевету. Не любимая никем раньше, она стала еще более
противной. Долго и оживленно мы говорили на переменах

---

[31] Одноклассница, самая активная пионерка.

и решили объявить ей бойкот, почти все сегодня согласи-
лись с нами и поддержали нас. О, мы отомстим ей! Мы не
дадим смеяться над нами, мы заставим пожалеть ее о своем
остром язычке. Всеобщий бойкот — не шутка!

<28 сентября 1933>

Уроков, боже мой, как много уроков. Мерзавцы-больше-
вики! Они вовсе не думают о ребятах, не думают о том, что
мы тоже люди. Какой-то Бубнов[32], черт знает что, а не человек, плетет себе, что в голову взбредет. Пишет статьи в газеты о школе, что надо повысить учебу, дисциплину, а никто
из них не понимает самой простой вещи — ведь они только
снижают успеваемость. Я сама чувствую, что стала учиться
куда хуже, сейчас всякий интерес к учебе пропал, все опротивело и надоело. «Скорей бы вырасти и уехать из страны
варваров и дикарей», — думала я сегодня утром.

<17 октября 1933>

Сегодня мы с Ксюшей пошли гулять к Новодевичьему
монастырю. Когда мы подошли туда, то на несколько
минут на повороте нам пришлось остановиться, чтобы
пропустить заворачивающий автомобиль. Это была странного вида машина, издали несколько смахивающая на ско-
рую помощь или перевозку больных, большие окна и ярко
освещенная внутренность... Она медленно и совсем близко
проехала мимо нас, так что я ясно различила сидящих
вдоль стен людей. Их было человек пять-шесть, двое были
в штатском, а остальные — в военном.

Они сидели молча, неподвижно, как-то странно напряженно и пристально всматриваясь в прохожих. Сидящий у
окна ближе к нам военный долго смотрел на нас, проезжая
мимо, и даже повернул голову. Не может быть, да не оши-
блись ли мы? Неужели это он[33]? Я не верила, я и теперь не
вполне верю. Мы ускорили шаги. Скорей, скорей! Надо вовремя прибыть к монастырю, где мы могли бы застать его.

Мы почти бежали, у конечной остановки было много
народу. Редкие фонари тускло светили, покрывая мраком

---

[32] Речь идет об Андрее Сергеевиче Бубнове, наркоме просвещения
и ответственном за школьные реформы 30-х годов.

[33] Имеется в виду Сталин, который, по слухам, посещал могилу
своей жены Аллилуевой, похороненной на Новодевичьем кладбище.

улицы. Мы с Ксюшкой подошли к кладбищенским воротам[34]. Сквозь узкую калитку в чугунных воротах виднелась асфальтовая дорожка входа, по которой редко проходили темные фигуры людей, справа неясно виднелись деревянные бараки для рабочих. Перед нами сплошной чернотой зиял спуск к пруду, вдоль которого тянулась толстая монастырская стена. Черные кривые ивы наклонялись над водой, вдали виднелись широким рядом светлые огоньки, там была набережная.

Безлюдность и темь неприятно бросались в глаза. Мы стояли на мостовой у больших ворот и вполголоса, почти шепотом, разговаривали. «Автомобиль может быть там, за стеной, у пруда, там никого нет». Но там было так темно, что мы не решились углубляться в жуткую темноту и долго стояли, тихо разговаривая и дожидаясь, когда кто-нибудь пойдет по этой дороге. Наконец, какой-то мужчина прошел мимо нас и направился к пруду.

Мы тронулись за ним, спускаясь по крутому спуску. Страшной казалась темная облезлая стена, вода была спокойна и неподвижна, кое-где в ней отражались фонари, да далеко на берегу ютились дома. Сзади слышались звонкие голоса не то женщин, не то детей, и, ободренные этим, мы довольно быстро продвигались вперед, пока не дошли до поворота. Городской свет не проникал сюда, и все тонуло тут в полном мраке. Впереди я услыхала выкрики и мужской говор. «Идем обратно! Все равно ничего не добьемся». Рысцой бежали мы обратно.

Гулко отдавались наши шаги под каменными сводами ворот. Густые елки тесными группами стояли вдоль аллеи, могил и крестов не было видно. Все здесь было разорено. На темном фоне ярко вырисовывались высокие колокольни белой старинной церкви и блестели позолотой своих куполов. Несколько стройных голубых елей окружали небольшой белый склеп с золотым куполом. В сущности, чего мы хотели?

‹18 октября 1933›

Сегодня мы с Ксюшкой часа в три пошли на Воробьевы горы. День был тихий и теплый, подернутый голубой дымкой тумана. У перевоза мы долго сидели на пристани,

---

[34] Зачеркнута одна строка.

закинув головы и смотря в небо. Особенно запомнился мне маленький деревянный мостик, внизу скачущий веселый ручей и звонкие всплески воды, бегущей с крутизны. Слева широкая дорожка, усыпанная листьями, и высокие прозрачные березы с розовато-желтыми листьями за оградой. Всюду этот синий сумрак.

Странная штука жизнь — запутанное сплетение невероятных обстоятельств и противоречий. Но еще более странная вещь человек: он страдает, мучается, изнывает в тоске и злобе, умирает с голода и холода — и все-таки живет. Зачем он живет? Для того чтобы в один прекрасный день на заре осуществления всех своих заветных надежд попасть под поезд или, сделавшись стариком, быть свидетелем смерти дорогих ему существ и умереть потом одиноким и ненужным. Найдите мне человека, который мог бы сказать чистосердечно и откровенно, не вспомнив ни одного темного пятнышка в своей жизни: «Да, я прожил счастливо». Я не понимаю жизни. С какой стати создали людей и дали им способность мыслить лишь для того, чтобы страдать. Я слушаю сейчас музыку, слушаю и наслаждаюсь и... становлюсь еще более несчастной. Тоска, вдруг появляющаяся в сердце, непонятная, глупая и мучительная. Нет счастья, есть только покой. Когда пройдет детство и юность, пора надежд и желаний, то наступит этот покой, но он-то еще хуже, еще ужасней, ведь в нем уже не унесешься в рай на чудесных крыльях фантазии. Как странно — несчастлив бедняк, несчастлив и богач, страдает урод, страдает и красавица, проклинает свою жизнь и молодой, и старик, у каждого свое, непонятное другому, но сильное горе.

‹29 октября 1933›

Плохая у меня особенность — с течением времени обида на кого-либо остывает, и я иду на компромисс. Так теперь я опять разговариваю с Алькой, хотя в прошлом году думала по-другому. Однако сейчас я все-таки стараюсь сдерживать себя и не заводить слишком дружественных отношений. Какие в последнее время ребята наши стали хулиганами, почти все, включая и Левку. У меня все-таки к нему другое чувство, чем к остальным, совсем уже не то, что было год назад, но все же... ведь он красив, подлец!

Как-то на физике он и Алька что-то нарисовали и бросили бумагу на мой стол. Ксюша передала мне, а я, недолго думая, разорвала ее. На переменке Алька подошел ко мне и спросил: «Луга, ты прочла наше произведение?» «Вот еще! Я разорвала ее». «Ну, и хорошо сделала» — вставил Левка, хитро улыбаясь. Черт возьми, а ведь он красивый парень! Надо сознаться, к величайшему стыду моему, что я еще до сих пор краснею, когда разговариваю с Левкой. Не так давно он вдруг на уроке обернулся ко мне, взглянул пристально и долго, и так хитро и лукаво, с таким задором прищурил левый глаз. Я, как будто не обратив внимания, отвернулась, а потом все смеялась про себя да вспоминала пару серых блестящих глаз. Все-таки Левка порядочный подлец и хулиган, а я почти и не замечаю этого.

<30 октября 1933>

Сегодня выходной... Я ждала его, ждала всю пятидневку и вдруг... Этот день мне совсем испортили. Надо идти к девяти часам в школу, через десять минут придет Ксюшка, и я тронусь в путь. Ужасная вещь человеческая жизнь, комок сплошных противоречий. Нет в жизни истины и справедливости, все ложь, все обман. Обман даже в самой правде, во всем, во всем, и всегда он будет существовать. Никогда люди не увидят того времени, когда на свете все будут равны, когда один не будет иметь право принуждать и оскорблять другого, когда не будет сильных, правящих всем, и слабых, не имеющих прав. Жизнь — это борьба. В борьбе всегда выигрывает сильный, и сильный возносится до небес, а слабый пресмыкается у его ног. А что такое женщина? Женщина — это собака, которая стремится подняться до хозяина, занять с ним одинаковое положение и не может достичь этого. Что такое освобождение женщины? Это мираж, просто галлюцинация.

<8 ноября 1933>

Лучше бы не было этого отдыха и перерыва, держали бы уж все время в клетке, а то выпустили, дали расправить крылья и вздохнуть полной грудью, а потом опять засадили. Как странно и смешно мне вспоминалось настроение, с которым я шла в этом году в школу, все казалось так легко и интересно. Сколько было планов и надежд у меня, только подумать, до чего же я была наивна два месяца назад. А теперь? Что со мной делается теперь? За ученье взяться нет сил, а не учиться нельзя. Почему? Почем я знаю, я не знаю, все учатся, ну так и я буду.

Опять на меня находит прошлогодняя хандра, но в этом году мне как будто легче, потому что я не молчу уже целыми днями, морщась от боли, а иногда даже подолгу говорю маме и папе о школе и проклинаю перед ними свою жизнь. Я в последнее время стала страшно несдержанная, постоянно ворчу и ругаюсь. Что же делать? Ведь так тяжело жить молча, да и ни к чему. Ах, как ужасно жить! Хоть бы школа сгорела, и нас бы распустили, право, я была бы рада. Не могу я ничего делать, запустила уроки и продолжаю запускать. Как переменить эту ужасную жизнь? Иногда позавидуешь старине, когда не надо было учиться и целый день можно было делать что хочешь.

Эти Октябрьские праздники странно прошли для меня. Шестого ноября я и Ляля пошли в Малый театр на «Любовь Яровую». Я давно не ходила в театры и в последнее время так отвыкла от них, что просто не тянуло, а теперь так хочется туда. Да, поистине я не видала еще никогда до этого дня настоящих артистов, играли хорошо, но так, как в этот раз — никогда не играли. Просто чудо и прелесть! Жизнь наша обычно пошла, скучна и неинтересна, слишком она переполнена мелочами. Но зато на сцене, там, где нет этих мелочей, она прекрасна, причем прекрасна и в минуты отчаяния, и в минуты безумного счастья. Там ты видишь ее во всех характерных ее проявлениях, не загаженную и испачканную, там сама начинаешь жить и, смотря на чужие человеческие страдания, чувствуешь себя счастливой и действительно живущей. Забываешь обо всем, решительно обо всем и видишь перед собой лишь этих интересных новых людей, полных чего-то неведомого и увлекательного, что называется жизнь.

Только и можно жить чужой жизнью. Уже не принадлежать себе, не быть собой, а чувствовать и переживать то, что чувствует другой. Я никогда не предполагала, что люди могут так играть, ничего неестественного и деланного. Нет, я не могу описать, какое сильное впечатление произвела на меня эта вещь. В антракте сидела безучастная и странная, и все представляла себе Любовь Яровую, ее голос, в котором слышались слезы и страдания. О боже мой! Как хорошо она играла! А поручик Яровой? Как дрожал его голос, когда он, схватившись за голову, говорил: «Люба! Я не могу уйти от тебя».

Я страдала вдвойне, глядя на них, страдала вместе с ними и страдала за них. «За что боролись эти люди? — спрашивала я. — За что портили, губили свою жизнь и умирали?». Нередко так было горько, обидно за них, за этих благородных, идейных людей. Как над ними жестоко надсмеялись наши подлые большевики, превратив их идею и мечты в ужасную карикатуру, построив на их страдании, на их жизнях, которые они клали за великое дело, свое благосостояние, богатство Сталина и страдания народа. А после театра еще отвратительней и гаже показалась мне наша жизнь... Вчера с Женей пошла на «Демон». Мне везло в эти дни, второй раз бесплатно попадаю в театр. Эта вещь была совсем в другом духе, и я даже кое-где не слушала, а вспоминала все ту же «Любовь Яровую».

<9 ноября 1933>

Сегодня я не пошла в школу и целый день сижу дома. На улице снег, и меня тянет погулять, но нельзя, некогда... За что я мучаюсь, за что сижу целыми днями и получаю «отлично», ведь все, что проходили в прошлом году, забыла. Что стоит сейчас плюнуть на все и получать «удочки», и тогда... целый день я свободна: хочу гуляю, хочу играю и рисую, хочу пишу. Как хорошо! Но... я чувствую, что не смогу бросить ученье, не позволю себе стать ниже других. Это слишком вросло в меня — непреодолимое стремление добиваться первенства во всем, я чересчур честолюбива.

При этом все думаю устроиться так, чтобы и заниматься мало, и учиться хорошо. Может попробовать делать все уроки в школе, что возможно, поменьше зубрить и меньше дурачиться. Месяц, другой, а там привыкнешь к этому и втянешься. В прошлом году я хоть спала вволю, а теперь и это не успеваю делать, и с каждым новым днем я все больше ненавижу школу и ученье, мечтаю освободиться от них, но незаметно для себя так сильно втянулась в эту скучную и однообразную жизнь, что не смогу уже бросить ее, если даже и представится возможность.

Иногда так хочется гулять, валяться в снегу, но я знаю, что меня в действительности это даже не обрадует, так отвыкла я от всего этого. В прошлом году я была страшно глупа, записывая про Левку, как это было наивно и в то же время старо; сейчас читаю и удивляюсь, как я могла писать эту чушь. Пройдет года два, и я, пожалуй, перечеркну эти строки. <u>На демонстрацию я не ходила, накануне поздно легла спать и не хотелось рано вставать</u>. Утром слушала радио: крики «ура» и оркестр. И было больно и досадно чувствовать, что ты не принимаешь участия во всеобщей жизни.

Молодость хороша стремлением к борьбе, стремлением к справедливости, она ищет правду, добивается ее, а потом, как наберется опыта и узнает жизнь, охота бороться с ней пропадает. Она смиряется с людьми и с ложью, врастает в них сама, ее уже не удивляет и не коробит подлость, то, что вокруг «все не так». Я теперь уже во многом смирилась с жизнью и то, что раньше возмущало меня, теперь уже не трогает. Я сначала радовалась, что спокойней стала жить, а выходит, ничего хорошего нет.

<11 ноября 1933>

<u>Любить как свою родину, так и любить ее людей, но еще ужасней жить среди дикарей, необразованной, некультурной народной массы. Среди грубого, дикого русского народа, ничего не понимающего, ни в чем не разбирающегося, свирепого, стихийного, как зверь, признающего только жратву и подачки, не знающего ни чести, ни гордости. Жить с нескончаемой злостью на все и на всех, начиная с самых низов, с темных крестьян, ненавидеть глупую, но до смешного покорную, то ужасающе бунтующую толпу, и стремиться всеми силами помочь ей. Нет ни одного государства на свете, равного по своей обширности, даровитости и темноте — нашей бедной и «немытой России».</u>

<12 ноября 1933>

Через полтора месяца мой день рождения, но он уже не радует меня, уже прошло то время, когда я подолгу думала о нем и высчитывала дни и часы до него. Заставляю себя радоваться и не могу, несколько лет тому назад я думала, что 25 декабря будет для меня вечно счастливым днем, но... До прошлого года я любила этот день, ждала его, и вдруг все переменилось, я стала другой, непохожей на прежнюю Нину, у меня появились новые желания и интересы, а все старое, доселе интересное, опостылело.

Старые радости уходят навек, страшно и жутко думать, что с каждым днем и годом они все больше и больше уходят, и грустно станет жить. Счастлив тот, кто любит и кого любят, вернее, счастлив тот, кто родится под счастливой звездой. Такие же, как я, «неудачники», могут только страдать и плакать. «Пусть неудачник плачет». Для меня любовь — это лишние мучения, ведь я люблю, люблю маму, люблю Ю.И., но все же как-то мучительно, порывами.

Проклятье быть уродом и иметь человеческую душу. Если бы у меня были деньги. Деньги, деньги! Что вы можете сделать?.. О, я бы каждый день ходила в театры, пересмотрела бы все вещи там. Мне не нужна была бы тогда моя жизнь, я бы смотрела на чужую и жила бы ей. Я ничего не потеряла бы, ведь несчастной я не стану, а, может быть, стану счастливой... Зачем же я стала читать книги и учиться? Для чего я стремилась научиться думать и понимать? О, если я была необразованной, темной, крестьянской девчонкой, то я была бы счастливой, пусть много работала бы, зато хорошо бы и веселилась. <u>Настанет когда-нибудь день, когда я прокляну минуту своего рождения</u>.

<14 ноября 1933>

Настроение у меня страшно быстро меняется: то безнадежно тоскливое, то вызывающее, полное странных мечтаний и надежд. Эти перемены очень раздражают, злят, заставляют нервничать, хотелось бы всегда быть одинаковой: или радостной и сильной, или ненавидеть жизнь. Но весь ужас в том, что душа моя не слушает разума и воли. Сегодня у меня настроение одно, и я мучаюсь, проклинаю жизнь и готова всех растерзать, а завтра взгляд мой вдруг круто переменится, жизнь покажется не такой уж гадкой. С удовольствием возьмешься за ненавистные уроки и построишь вдобавок блестящий и грандиозный замок желаний о своем будущем. Но цели, определенной и реальной цели у меня нет. Зачем я живу? Во имя чего? Одному богу известно, просто копчу даром небо.

Даже мои писания, о которых так много думалось и говорилось раньше, пошли в отставку, просто нет времени заниматься ими, и постепенно пропадает желание. А было ли по-настоящему у меня когда-нибудь желание? Не иллюзия ли это была, пустая погоня за совершенством? Я любила сочинять только в голове, на бумаге же дело поворачивалось в другую сторону, пыл проходил, и ничего не получалось. Сейчас я и не мечтаю стать гением, ни о чем не мечтаю, даже обычная моя «игра» нейдет на ум.

Интересно иногда рассмотреть мое прошлое, разобрав его по ниточкам. С малых лет у меня появились в характере некоторые слабости: подозрительность, доходящая иногда до нелепости, и мечтательность. О чем думала, что представляла, или, вернее, во что «играла», как я называла это, вероятно, не решусь никому рассказать. А в последние годы я любила по целым часам сидеть в комнате и сочинять различные вещи, разговаривать, изображать и переживать, на разные лады переделывая одно и то же.

Когда мне было семь-восемь лет, подозрительность моя дошла до болезненности, я в каждом слове чувствовала скрытый смысл и заговор против себя, всего боялась и, оставшись одна, осматривала все углы и закоулки — нет ли кого. В те годы мне часто снились поразительно яркие и страшные сны, которых я с ужасом ждала и от которых просыпалась в холодном поту и с сильным сердцебиением. Один сон, часто повторяющийся, сам по себе не представлял ничего особенного, но он внушал чисто физическое и тошнотворное отвращение. Несколько лет это ощущение повторялось уже наяву, и я пыталась понять, внимательно изучая его, что же это такое, но не могла...

<18 ноября 1933>

«Проклятье быть уродом!..» В прошлый выходной я встала очень поздно, хмурая, сердитая и готовая заплакать... Настроение было ужасное. И вдруг, совсем неожиданно, как с неба свалилась, пришла в голову мне обаятельная по своей новизне мысль: «Бросить все и заниматься дома». Мое дурное настроение как рукой сняло — целый день я дома и одна. Я представляла себе всю прелесть этой неожиданно перевернувшей меня жизни: играть на рояле, гулять, писать, рисовать, читать вдоволь и, конечно, учиться. Весь выходной я думала только об этом, эта новая мысль так затянула. А когда потянулись скучные, однообразные и будничные дни мне уже не было тяжело и горько, я ложилась и просыпалась с неизменной мыслью: «Скоро, скоро». По временам приходили сомнения: «А может это невозможно? Что за чушь я придумала?» Невесело тогда становилось на душе, школа мне стала невыносима, до того там было все противно и гадко, опротивели педагоги и ученики, боязнь перед опросом — опротивело все.

<29 ноября 1933>

Как и когда это случилось... Не все ли равно! Только я уже пятидневку не хожу в школу. Сижу дома одна, настроение все дни хорошее и веселое: подолгу смеюсь, сидя одна, или же начинаю бегать по комнатам, улыбаясь, часами играю на рояле и немного читаю. Каждый день приходит Ксюша, принося известия из школы, оттуда, с чем так хотелось бы совсем покончить. Как злит и раздражает эта неволя и связь с тем миром, гадким и противным, который хотелось бы совсем забыть, но хорошо, что хоть часть моих желаний исполнена. Время идет быстро и незаметно, занимаюсь теперь гораздо меньше и с большим удовольствием, сегодня только немного омрачился мой отдых. У Жени ужасное и тяжелое настроение, которое часто бывало у меня, и я вновь им заразилась, опять появилась какая-то неудовлетворенность, какая-то злоба на жизнь.

Папа за обедом мне в шутку сказал: «Пойдем, Нина, путешествовать по России. Паспорт все равно мне не дадут». «Пойдем», — воскликнула я, так и вздрогнув вся от неожиданной радости. И в уме уже рисовались пленительные картины... Леса, поля, новые лица, новые города... Шумные потоки и широкие, спокойные реки. Темная сеть ветвей и листьев, пахучая и душистая трава, влажная хвоя, бесконечно широкое море колыхающейся ржи, ветер, милый летний ветер и над всем этим небо, синее, далекое, то сердитое, то ласковое, покрытое тучами или ясное, чуть смеющееся вечером и бирюзовое по утрам...

Лечь где-нибудь в лесу там, где не ступала нога человека, у мохнатых зеленых стволов берез, прильнуть телом к теплой земле, уткнуться в пахнущую здоровьем и весельем яркую траву и, заложив под голову руки, долго смотреть вверх, где сплетаются, образуя живой трепещущий шатер, гибкие ветки, где бьются зеленые листочки, шумят и блестят на солнце, где плавно раскачиваются стройные верхушки белоснежных берез и виднеется синее небо, вымытое и ликующее, залитое лучами солнца. На что мне книги, ученье? Я не создана для душной комнаты и людской толпы. Свободы! Свободы жаждет сердце... Слиться с природой хочется мне, взлететь высоко над землей вместе с вольным ветром и лететь... в далекие и неведомые страны. А меня держат в тюрьме, мучают, пытают и отравляют мне жизнь.

<5 декабря 1933>

Вторая пятидневка прошла быстро и незаметно. Такой ужасной кажется возможность опять идти в школу, а придется и очень скоро, уже начались четвертные зачеты, и мама говорит, что мне их надо сдать. Больше пяти дней не просижу, пожалуй, школа мне сейчас не кажется такой отвратительной, как прежде, но боюсь, что вскоре все пойдет по-старому. Сейчас я чувствую себя прекрасно, настроение спокойное и веселое, ведь я совсем не вижу людей, ни с кем не общаюсь, все одна и одна, и некому напомнить про мое косое безобразие.

Сама же забываю я про него, но стоит мне только увидеть постороннего человека, промолвить с ним два-три слова, как с мучительной ощутимостью начинаю представлять свой взгляд, противный и неприятный. Стараюсь не глядеть в лицо собеседника, отворачиваюсь и наклоняю голову, и тупая злость против всех и себя появляется в моей душе. Ужасно ощущать свое безобразие, но еще ужаснее находиться с ним среди нормальных людей, чувствовать, что все видят его. Они думают, что я по натуре такая молчаливая, дикая. Да, нет! Никогда не узнает никто, что такой сделало меня мое собственное уродство. И теперь я урод вдвойне: урод физический и урод нравственный. Одно создало другое. Одно — это физическое уродство исковеркало, переделало на свой лад мою душу, сделало из нее какой-то ужасный комок противоречий, неуживчивый, мучительный. Заставило меня молчать, злиться, заставило страдать. А там, в самой глубине души все-таки иногда прорывается пламенное желание быть человеком, таким, как Женя, Ляля, мама, все. А сознание, что это невозможно, так невыносимо.

<15 декабря 1933>

Дни идут и идут... Не то, что быстро, а как-то незаметно. Но 19 декабря мне необходимо идти в школу, и это будет еще ужасней, чем раньше, ведь я так отвыкла от людей, стала такой дикой и странной. Чего я требую? Только одного — жить одной и все, я раньше не думала, что счастье для меня заключается в таком немногом. Мне это временное уединение совсем не принесло пользы, наоборот, я так отвыкла от людей, что даже в присутствии своих родных чувствую себя отвратительно и решительно не знаю, куда девать себя.

Все кажется у меня смешным и безобразным: большие красные руки в непомерно коротких рукавах, сутулая фигура, которую я стараюсь выпрямить и которая от этого становится еще более неестественной и некрасивой. Все время находясь у бабушки, я не забываю об этом — о своем лице, о глазах и фигуре. Может быть, это легкомыслие? Не спорю. Но так тяжело думать, что вещи, которые приносят такую боль и мучение, не что иное, как только легкомыслие. Наверно, это действительно мое болезненное и обостренное самолюбие, хорошо бы мне побольше находиться среди людей, приучая себя не обращать внимание на свое безобразие. А я делаю наоборот.

Мама была права, говоря, что после перерыва мне еще трудней будет среди учеников в школе, но я все-таки не променяю обыденную жизнь среди людей, даже привыкнув к ней, на краткие периоды моего одиночества. Зато как блаженны бывают дни, когда я остаюсь одна, и тогда я бываю счастлива (почти всегда). Папа, смеясь, говорил, что мне самой скоро надоест мое отшельничество, но он глубоко заблуждается: чем больше я нахожусь одна, тем милее мне мое одиночество. Да, не всякому, конечно, понравится такая жизнь: каждый день ничем не отличается от предыдущего и будущего, а в то же время он так хорош.

В эти дни я много играю на рояле, жаль только, что не могу еще разбирать трудные вещи. Но я должна научиться, я серьезно взялась за это. За окном голубое небо, белые неподвижные облачка, а внизу снег и яркое солнечные блики. А у меня на душе тихо и спокойно — словом, рай земной. Ну разве можно променять это на школьный шум и гам, на бесконечные волнения или томительно скучные часы уроков?

Мне очень часто хочется узнать, что думают другие женщины и девочки, тогда бы я окончательно поняла себя. Мы, женщины, не знаем себя, потому что нам не у кого подучиться. Все великие писатели — это мужчины, и, описывая женщин, они смотрят исключительно со своей точки зрения, они нас не знают. А мне так необходимо часто знать мысли женщин, их желания и потребности. Я лично представляю собой бесконечную путаницу и хаос всех желаний и потребностей, как мужчин, так и женщин. И (надо поставить в заслугу) страшно презираю последних за их глупость и бессилие выйти из-под власти мужчин и перестать быть рабынями, за что-то специфически женское.

<16 декабря 1933>

Нынче Ксюша предложила мне вдруг не ходить в школу до каникул. Я сидела и думала, а в душе все громче и смелей звучал голос, говоривший «останься». Я теперь почти уверена, что останусь. Все равно решение зависит только от мамы и папы, хотя перед ними немножко стыдно, что так быстро меняю свои решения, но зато как пленительно манят эти десять дней. А там еще пятнадцать, свободных и беззаботных дней.

Сегодня я взяла свои старые тетради 1928–29 года с сочинениями и, читая их, не могла не смеяться. Как они наивны и по-детски просты. Однако, в 1929–30 годах появляются в рассказах некоторая идейка в связи с коллективизацией и разорением крестьян, я начинаю выступать против большевиков, ругая их от лица своих героев. Вообще, появляется серьезность и кое-что похожее на теперешнее мое писание.

<20 декабря 1933>

Сижу дома... Погода теплая и тихая, тучи сыплют мелким и легким снегом, даже не холодным, а приятно освежающим лицо, подернутое пленкой синее на западе небо, в тумане виднелась неясная даль. А я сижу дома, по временам так тоскливо становится, я скучаю по морозному воздуху, по голубой дали и синеющему светлому небу. Я дала себе слово каждый день на каникулах гулять и гуляла бы, если б Ксюша осталась в Москве, ходили бы вдвоем на каток и бегали по Воробьевым горам. Но она уезжает в деревню, единственный человек, с которым я могла бы гулять. А теперь? Ходить одной, оглядываясь каждую минуту по сторонам — нет ли рядом хулигана. Ну нет, это невозможно.

Я как-то услыхала случайный разговор мамы и папы обо мне и папины слова: «Она настолько ограниченна, что не интересуется ничем, ее не касающимся, и даже разговаривать разучилась». Горько и обидно стало мне от этих слов. Хотела вначале поговорить с папой, а потом раздумала. С какой стати унижать себя лишний раз. Трудно будет мне жить на свете. Куда я гожусь? Быть или конторщицей и корпеть всю жизнь над бесконечными цифрами, или учительницей непокорных, противных учеников, которые издеваются над тобой и дразнят. Незавидная судьба! А большего я не достигну, но может к тому времени меня покинут мечты и угаснут мои надежды. Но жить будет, я знаю, еще тяжелей, недаром же старики с таким волнением и грустной радостью вспоминают молодость. Чем все это кончится? Моя тоска, моя хандра...

‹21 декабря 1933›

В странных ненормальных условиях протекает моя жизнь. Меня можно сравнить с пожизненным заключенным, у которого нет никакой надежды на освобождение и который, не надеясь, все же мечтает об этом освобождении. Все время я думаю об одном. И эта единственная вещь — есть я. И правда, если взглянуть на мой дневник, то нет там ничего, кроме меня. Все я, да я. Правда, я как-то давно ничего не писала, пожалуй, с весны прошлого года, то есть перед этим летом.

Как я кляла школу и ученье в прошлом году! А все-таки тогда было легче, чем теперь. В общем, я теперь знаю, что ни за что не решусь оставить школу. Тогда меня удержала Ю.И. и отчасти в начале года Левка, теперь Ю.И. ушла, а Левка стал просто хулиганом. И я опять ненавижу школу, как и раньше. «И скучно, и грустно!» В душе пусто и нерадостно, тоска в сердце. В начале прошлого года было совсем не то, но лучше или хуже — не знаю.

Сегодня я порылась в дневнике, почитала про Левку и... стыдно стало. Боже мой! Какая я была дура, как я могла быть способна на такую глупость? Вся эта история с Левкой отвратительна, а мы были только в пятой группе. Пожалуй, всю кашу заварила я сама и как вспомню об этом, начинаю презирать себя: и за глупое увлечение, и за то, что не могла скрыть его от девчонок, от Иры и Ксюши. Какой позор! Бегать за ним, краснеть от одного его взгляда и счастливо улыбаться на каждое его слово.

<22 декабря 1933>

Недавно, часа в четыре, вышла из дома с Бетькой гулять. Было еще светло, в поле пусто и тихо. Выйдя на дорогу к реке, пошла, не отставая, за какой-то женщиной. Стыдно сознаться, но мне было страшно своего одиночества, которое я так люблю. Ведь это была моя первая прогулка, самостоятельная и без провожатых, поэтому понятно, что я чувствовала себя странно, не находя рядом знакомого человека.

К счастью, дорога была оживленна, изредка навстречу мне попадались пешеходы, за мной шел какой-то мужчина, раз проехал извозчик на чудном вороном рысаке. Если б почаще устраивать такие прогулки, я, пожалуй, перестану бояться всякого встречного мужчину. Эти мужчины, пожалуй, испортили мне жизнь и в дальнейшем испортят ее еще больше. И кто виноват? Мама. Зачем она мне с ранних лет внушала этот постыдный страх перед ними, не позволяя ходить одной?

Как мучительно было сознавать свое бессилие и ничтожество, невольное и полное подчинение мужчине. Как вырваться из этого подчинения, когда ты всегда находишься в их власти? Из-за этой боязни я теряла прекрасные минуты и даже часы уединения в лесу и поле. Я боялась возможности встретить «мерзавца», который вдруг возьмет и оскорбит. Есть еще время переделать себя, и я буду бороться, как только представится возможность. Я уже не боюсь выходить одна ночью на улицу, ходить по пустым полутемным лестницам, и это уже шаг вперед.

<24 декабря 1933>

Так тянет на улицу гулять, дома скучно и ничего не хочется делать. Последние дни я начинаю запускать уроки, никак не могу собраться, чтобы взяться за них, опять появилась неудовлетворенность, смутные желания. Можно ли вести отшельническую жизнь в пятнадцать лет? В самую лучшую пору жизни, чтоб никаких удовольствий и развлечений, одна бесплодная скучная и ненужная наука, пахнущая мертвечиной и гнилью? А мне всего пятнадцать лет!

Правда, я уже отвыкла от другой жизни и нет мучительных резких порывов к веселию, но однообразие, отсутствие интересов и одиночество долгих дней и месяцев вылились в бесконечную тупую тоску. Интересно, что меня сейчас ничего не интересует: ни живопись, ни музыка, ни какая-то наука, ни писание. Все скучно и неинтересно, все представляет лишь необходимые в жизни и скучные обязанности. Даже спорт, коньки и гимнастические упражнения, не доставляют удовольствия.

С некоторых пор, за что ни возьмусь, твержу себе «так надо», а не говорю, «я так хочу». Излюбленными моими занятиями теперь, да и раньше было лежать по утрам в постели по несколько часов, время от времени дремать и мечтать об одном и том же, но на разные лады. И это удовольствие я старалась доставлять себе как можно больше, хотя и говорила себе, что надо вставать. Как тянет иногда мечтать, хотя невольно и думаешь: «Зачем это только мечты?» Мечтать я могу подолгу, целыми часами, ярко все представлять себе и разговаривать, заменяя несколько лиц. Что мне еще хочется — это читать, читать без конца, но и тут противное слово «надо» не дает покоя, запрещает читать романы и велит копаться в скучных, сухих историях. А как я люблю романы... Забываешь про все, живешь интересной чужой жизнью, переносишься в неизвестный чудный мир.

<26 декабря 1933>

В начале этого месяца я очень просила маму записать меня к глазнику в больнице, мне не давало покоя мое уродство, было еще свежо воспоминание о школе и общении с людьми. Каждый день я напоминала маме, но она не обращала внимания на мои просьбы, отговариваясь, что нет денег, а, в сущности, считая это лишним. Она отчасти права, потому что об операции, конечно, нечего и думать, но я тогда еще надеялась и ждала. Теперь же, находясь все время дома и никого не видя, я забыла о своих глазах и перестала говорить о них с мамой.

Вдруг она сама вчера и сегодня напоминает об этом и просит отца записать меня, и отец, раньше неодобрительно относящийся к моей просьбе, без возражения соглашается. Мне показалось очень странным это их внимание, уж не прочли ли мой дневник? Только из него они могли узнать что-либо, и это вполне возможно, хотя я и не очень огорчилась. Бог с ними! Пускай читают, не все ли равно? Лишь бы не заговаривали, а если заговорят, то я не буду молчать и выругаю их, как следует.

У меня отвратительные отношения с родными. Привыкнув к одиночеству и обособленности, я стала не в меру самостоятельной и не терплю, чтобы мне делали замечания и читали нотации. Я не хочу быть такой, но стоит только кому-нибудь на что-либо мне указать, я начинаю ругаться и резко обрываю. <u>Наиболее обостренные отношения у меня с папой. Почему? Не имею никакого представления. Мы с ним более-менее одного характера и от этого, наверное, все и происходит.</u>

Разговариваю я с ним очень мало, да и вообще я до смешного мало говорю, но уж если мы с ним заговариваем, то обязательно поругаемся. Какое-то непонятное, но неудержимо сильное раздражение появляется у меня против него. И что за чертовщина! Никак не могу с собой сладить. Папа всегда был немножко ворчлив, но к старости (как это большей частью и бывает) эта слабость усилилась. Он ворчит решительно на все: на радио, на маму, на нас и больше всего, пожалуй, на меня, я ведь все время под рукой верчусь. Это для него необходимая вещь, как еда и спанье.

<u>Однако это не мешает мне уважать его и уважать очень сильно. Если у меня есть авторитет, на который я почти во всем могу ссылаться — так это отец. Его слова для меня все (надо сделать оговорку, что только в политике и в науке). Насыщенные злостью и сарказмом слова отца я принимаю за правду, и чем более они резки, тем приятнее мне. Папа — молодец, из простого крестьянина стать обра-</u>

зованным, умным и поразительно развитым человеком нелегко, и мы ему, конечно, не чета.

Мы сами о себе невысокого мнения, но еще более низкого мнения о нас отец. Он, вообще, ругает всю советскую молодежь, а мы для него самые глупые, неразвитые и ограниченные во всем люди. Этому еще способствует и то, что мы женщины, а все женщины для него дрянь, да и не только для него, но и для многих мужчин. Хорошо еще, что у меня нет брата, разница обращения с ним и с нами была бы колоссальной.

<1 января 1934>

Недавно пошла с Ирой на улицу, Мне было неинтересно и чуточку смешно слушать ее совершенно меня не касающиеся и легкомысленные похождения. Возможно и ей было невесело, но она с большим удовольствием описывала свою жизнь и времяпрепровождение в обществе очаровательных друзей пятнадцатилетней хорошенькой своей подружки с ее поклонником, тридцатилетним греком. Целый вечер у них фокстроты и флирты.

Если бы я услыхала это от кого-нибудь другого, то не поверила бы, что Ира в свои тринадцать лет занимается этим, и в этом отношении она кажется куда старше меня. Сейчас уже в ней видна девушка, интересная, тоненькая и веселая, умеющая поговорить с любым кавалером и потанцевать. И хоть она и говорит, что ей сначала было неприятно, зато потом ей понравилось там. Вот какими должны быть девушки! А не такие уроды, как мы, думающие о каком-то равенстве, требующие, чтобы нас считали за людей. Кто внушил нам эти глупые мысли? Почему нам стыдно, когда за нас мужчины платят в трамвае, когда надо ходить на чужие деньги в театр? Что за глупости! Надо, наконец, понять что мы только женщины и ничего более и ждать другого обращения с собой смешно и глупо.

Я уверена, что Ира не удивится, а будет польщена, когда в один прекрасный день грек подаст ей пальто или бросится помогать застегнуть ботики. И она будет права. Ляля и теперь уже считает нормальным, что в трамвае мужчины должны освобождать место женщине, хотя для меня это еще позорно. Как только я пойму, что мужчина неизмеримо выше меня, так брошу стремление встать с ними на одной высоте и буду даже рада подачкам, которые дают нам мужчины.

Словом, стану женщиной и буду замечать особой полунасмешливой и оскорбительной улыбки при разговоре с женщиной, их изысканно преувеличенной вежливости. Сегодня папа сильно дал мне почувствовать себя женщиной, заявив: «Куда вам до ребят. Ребята молодцы, а вы ведь девчонки». И я стояла, чуть-чуть улыбаясь и не сердясь; конечно, он прав, разве можем мы равняться с ребятами. И вспоминались мои мечты и стремления, которым не суждено сбыться.

<7 января 1934>

В квартире я была одна, и это было счастье. Я говорила себе: «Есть два выхода: один — это как-то изменить свою жизнь, но это невозможно; другой — это вообще покончить с жизнью, но он также невозможен. Остается только одно». И я смеялась над невольной нелогичностью выхода: «Остается только продолжать жить, ничего не изменяя. Но ведь это невозможно? У нас три невозможности, и последняя является самой возможной невозможностью». Мне было тяжело, тяжело от своего бессилия. Если б мне кто-нибудь догадался в шутку предложить пузырек опиума, я бы не отказалась и спокойно б выпила. Но... так, чтоб не знал никто... не могу. Как-то странно и страшно, а что подумает мама, что с ней будет, и со всеми другими, но особенно с мамой.

Мучает меня все, что неизбежно, а то, о чем мечтаю, невозможно. Страшно мучает меня мое одиночество, но... почему я не могу расстаться с ним? Да мне некуда, некуда убежать от него! Вчера ходила с Женей и Лялей на Воробьевы горы. И это был за последние дни первый счастливый час забытья, мне было весело и ни разу я не вспомнила о своей роже, меня просто не было со мной. А потом, когда вернулись домой, опять все пошло по-прежнему, все злило и раздражало — и сестры, и отец, а иногда и мама, но больше всех я сама. Ах, если б я могла быть без себя!

Чаще и сильнее меня мучает мое лицо и мой пол. Я — женщина! Есть ли что-либо более унизительное. Но я все же человек, и мне обидно и стыдно ухаживать за папой и

Колей[35], когда они обедают. Какое они имеют право сидеть, разговаривать и смеяться, заставляя меня приносить им ложки, тарелки и отрывая от своей еды? Пускай я хуже их, ниже, ну и что? Я все-таки человек, свободный человек! Я хочу быть свободной! Но нет, они сломят меня, добьются своего, отец и сейчас упорно стремится создать из меня именно такую, униженную рабу. Он хочет, вероятно, чтобы я не задавала себе рокового вопроса, которому сам меня учил: «Почему они имеют это право?» Неужели я сдамся? Нет, никогда!

<11 января 1934>

Сейчас сидела в кухне, рисовала. В квартире никого нет, кроме меня и Бетьки. Вдруг в дверь раздается стук, стук не наш[36], но страшно настойчивый. Некоторое время я продолжала рисовать, не обращая внимания. Я уже привыкла к этому, открывать я не собиралась, знала, что это чужие. Если бы не нелегальное положение папы — бояться было нечего, но так как он живет у нас без паспорта, всего ожидаешь. Вдруг придет милиция. Теперь перед 17-м съездом всюду ищут без паспортов. Чего они боятся? Неизвестно...

Долго звонил и стучал незнакомец. Я отложила в сторону карандаш и бумагу, сняла башмаки и неслышно вышла в коридор. В это время из соседней квартиры вышла женщина и проговорила громко: «Да их, наверное, дома нет». «А что же собака здесь?» — ответил мужской голос. Человек еще некоторое время стучал, Бетька сидела на своем сундуке и звонко лаяла, а я стояла около нее с сильно бьющимся сердцем. Наконец, Бетька перестала лаять, поэтому я решила, что человек ушел. Однако, минут через 25 раздался уже более тихий стук в дверь, постучали, кажется, три раза, но я не уверена в этом.

Опять залаяла собака, а я стояла, боясь пошевелиться, и думала: «Надо удирать, как только можно будет. Но и удирать-то ведь нельзя: каждую минуту может прийти папа, я должна быть дома, чтобы открыть ему дверь.

---

[35] Двоюродный брат.

[36] С лета 1933 года в семье было договорено о специальном стуке, которым должен был предупреждать всех о своем приходе отец Нины, появлявшийся в Москве нелегально.

Впрочем, жду только до четырех часов, а там захвачу Бетьку и тихонько убегу к бабушке. Придет или не придет этот человек опять?» До четырех часов оставалось полчаса, не знала, как заполнить их. Жутко было, не могла ни на чем сосредоточиться. Проклятые большевики, как я ненавижу их! Все лицемеры, лгуны и подлецы...

<17 января 1934>

Вечером в двенадцатом часу, когда мы пили чай, пришел папин знакомый и тихим шепотом сообщил, что домоуправление решило сегодня ночью делать облавы. «Уезжайте сию минуту», — сказал он папе. «Сейчас, сейчас». Папа был спокоен и даже несколько добродушно настроен, вероятно, от необычности своего положения. Он начал допивать чай, закусывая хлебом, но я все же подметила в его действиях некоторую поспешность и сдерживаемое волнение. И невольно подумалось: «Какое надо иметь самообладание и волю, чтобы в подобных случаях оставаться спокойным». Я и то чувствовала себя не по себе, сердце как будто чуть колыхнулось.

<18 января 1934>

Сегодня выходной, а вчера и позавчера я ходила в школу, и как я и ожидала раньше, эти два дня показались мне интересными и веселыми, бузили мы вовсю. Но ведь это было и в начале года, я теперь себя знаю и не ошибусь, что через две недели опять все надоест и опротивеет, и опять я захочу домой. Но пока все ново, с удовольствием рассматриваю педагогов и ребят, с удовольствием слушаю объяснения, так приятно чувствовать себя неотъемлемой частицей большого, сильного организма. Немного обращала внимания на Левку, разумеется, без прошлых глупостей, внимательно всматривалась в него, поскольку с ним был связан ряд забавных воспоминаний. Он красив, теперь я в этом не сомневаюсь, и когда вырастет, будет очень красивым. Уже сейчас его лицо ярко выделяется на фоне разнообразных ребячьих лиц.

<31 января 1934>

Что со мной сделалось? Всего три-четыре дня назад я была весела и довольна, смеялась в школе, много болтала.

И вдруг все перевернулось, опять скука и тоска, но я хочу понять причину этой перемены, хочу и не могу пока. До 28-го все было хорошо, в этот день я в школу не пошла, мне надо было ехать в больницу — папа записал меня к врачу. Странное дело, на каникулах перед школой я страшно страдала из-за своих глаз, боясь, что в школе после такого большого перерыва я буду себя чувствовать свое уродство особенно болезненно. И вдруг... ничего подобного! Ничего не тревожит и не волнует, про глаза совсем забыла, не хотелось даже идти к врачу, ведь меня «это» уже не тревожит.

Врач сказал, что надо делать операцию, и я не удивилась и не испугалась, потому что давно привыкла к мысли о ней, но и не обрадовалась. Вначале меня даже забавляло, что я на несколько дней попаду в больницу, и я была прекрасно настроена: то, что раньше было несбыточной мечтой, воплощалось в жизнь; то, что казалось раньше невероятным и тревожным, теперь стало обыкновенным и естественным. Та мечта была хороша, потому что была мечтой, и я свыклась с ней, любила ее, но... когда появилась возможность ее осуществить, я испугалась, почувствовав, что этого делать не надо.

Я представляла себе, что стану нормальной, но я ведь знаю, что счастливей от этого не стану. Так почему же испортилось настроение? Не могло же на него повлиять собеседование в школе? Нет, дело совсем не в этом. <u>Чувствую всю бесплодность, все безобразие современной жизни и это страшно тяготит. Видеть эту несправедливость, ложь и жестокость и чувствовать, что ты бессильна. Но что делать? Неужели никогда человек не будет совершенно свободен? Неужели свобода — это только иллюзия? Неужели вся та бесконечная многовековая борьба, которую ведет человечество за свободу — погибла даром?</u>

Вчера утром поднялся стратостат в честь XVII партийного съезда. Трое смельчаков[37], невзирая на плохую погоду, с риском для жизни, понеслись к суровым облакам и скрылись в сыром тумане. По сведениям, полученным со стратостата, было известно, что они поднялись на высоту 20,6 км. Последние известия долетели до земли между 3-мя или 4-мя часами дня — стратостат стал спускаться и вошел в

---

[37] Астронавты Васенко, Федосеенко и Усыскин.

полосу сгущающегося тумана. А потом все кончилось; ночь и сегодняшнее утро не принесли ничего нового, и только днем мы узнали, что были найдены щепки от гондолы и ни на что непохожие человеческие трупы. Это были не те трое смельчаков, которых воздушный шар унес накануне в далекую стратосферу. Они были там далеко-далеко, одни в безвоздушном и бесконечном пространстве, потом ощутили в ушах ветер, когда с невероятной быстротой неслись к земле, дыхание захватывало, а там внизу их ждала неминуемая и ужасная смерть.

<10 февраля 1934>

Мне пятнадцать лет, и говорят, что это лучшие годы в жизни. Я это не нахожу. Когда я была ребенком, я была такой счастливой от своей детской глупости и наивности, счастливой, потому что не читала книг и ничего не знала еще. Теперь я поняла, что счастье — вздор, его нет на свете, его не найдешь. Иногда покажется, что оно тут рядом, сидит и дразнит, и только руку протяни и сможешь обладать им. Но это обман, мираж. Что такое счастье? Это солнечный зайчик, видишь, как скачет он по стене, сидит на ладони, стоит только сжать кулак и... он вдруг выскользнет из рук и желтым пятном беззвучно носится по лицу и пальцам.

Как теперь мне жить? Невозможно же жить так, как я живу! Что же мне делать? Если б нашелся такой человек, который помог бы мне найти дорогу. Я похожа на ребенка, заблудившегося в большом незнакомом городе. Он ходит день, ходит два, спрашивает: «Где мой дом?» Но кому какое дело, где его дом, откуда он, кто может знать, где его дом? Каждый занят только своим делом, своей думой, а ребенок может проходить неделю, две и месяц по чужим улицам чужого города, пока кто-то не расшибет ему голову камнем или пока тяжелые колеса трамвая не раздавят его. Но мое положение еще хуже, я запуталась совсем, не могу даже идти наугад, так как зашла в тупик. Кто даст мне руку, кто поможет найти «дом» ребенку. Меня никто не понимает, мной никто не интересуется, меня не хотят учить жить! У каждого так много своего, все так заняты, чтобы интересоваться мной. А сама? Что же, мне стыдно сказать, что я страдаю, мне стыдно открыть свою душу? Но кому я скажу?

Папе, который презирает нас, вечно ворчит, называет каждый день бестолковыми, ничего не понимающими, чуть не дурами. Ему, который, когда я, плача, просила взять меня из школы, хотел успокоить мои слезы тем, что обещал часто ходить в музеи и в кино. Как будто они были вызваны мимолетным детским капризом, как будто я могла из-за пустяков настолько унизиться, чтобы плакать при нем. Мне и так стыдно, что я не смогла удержаться от слез и дала ему повод называть меня легкомысленной, глупой девчонкой. И этому человеку вверить всю свою душу, все свои тревоги, все свои мечты? Он, пожалуй, и теперь предложит сходить в Политехнический музей. Можно рассказать все маме. Но что пользы? Она, может быть, и поймет, как мне тяжело, как я страдаю, но она не поймет из-за чего я страдаю. Она пожалеет меня, но не укажет дороги, а на следующий день забудет весь разговор в хлопотах о хлебе насущном.

Девочкам (сестрам) я не скажу вовсе, они вряд ли пожалеют меня и ничему не научат, им самим только 18 лет. А одна я дорогу не найду, я запуталась в своих мыслях и желаниях, меня мучают сомнения, и я не понимаю себя, чувствую только, что одна, совсем одна во всем мире. А так хочется друга, хочется ласки, хочется любить. Кого любить? Я не говорю о каком-нибудь молодом человеке, этого я не хочу, я просто хочу любить. Почему у меня тоска? Я и сама не знаю. О чем у меня тоска? Она не говорит, она пришла и сосет и рвет душу, и кроме нее нет ничего. И я хочу освободиться от нее, почувствовать в одно прекрасное утро, что у меня внутри легко и светло. Эх, жизнь! Не сбудется это никогда, загубит мою молодость тоска-кручинушка. <u>Папа говорит, что жизнь — борьба, что надо бороться, но как бороться, за что бороться, чего добиваться!</u> Бороться ли с тоской, бороться ли за деньги, я не знаю. Я понимаю только одно: я несчастна, я страшно несчастна, изныло сердце. Если б я имела цель, любила эту цель, жила бы ради нее, тогда б не страшна была бы борьба!

‹17 марта 1934›

Уже с четвертого марта я нахожусь дома, не раз меня тянуло к дневнику, да все не могла собраться. Глаза болят и страшно быстро утомляются, а тут надо еще переписывать мои больничные записи. Как долго я находилась в больнице, целых пятнадцать дней. Странная новая жизнь понравилась и полюбилась мне, помню смутно, как приятный сон, время моего выздоровления, когда я с закрытыми глазами целыми днями лежала в постели, иногда прислушиваясь к тихим разнообразным разговорам больных, а больше находясь в состоянии полусна и дремотной слабости. Я быстро свыклась со всеми, и совершенно чужие люди, на которых вначале смотрела с неприязнью, стали близкими и понятными. Сблизило нас общее горе, общие страхи, общая жизнь в одном помещении, одни и те же желания и интересы. Теперь я даже жалею, что не написала ничего раньше еще в больнице: теперь стало забываться, все превратилось в громоздкую, хаотическую кучу смутных и неясных воспоминаний.

<18 марта 1934>

Не так давно я сказала Жене: «Можешь ли ты подать мне пузырек опиума, зная, что я отравлюсь?» «Почему же нет? Конечно, могу». «А я бы не смогла... Жень, ты серьезно говоришь?» «Конечно». «Так подашь мне?» «Подам, только сама достань опиум». «Идет. Хорошо, но только не обмани». После этого, нет-нет, да и вспомню о нашем разговоре. Надо отравиться, — говорю себе. Глупо жить, когда знаешь, что впереди не будет никаких изменений, что вся эта долгая жизнь будет, как сегодняшние и прошедшие дни, сплошным мучением, безысходной тоской о чем-то. Глупо и смешно так жить.

А как покончить с этой жизнью? Мне еще столько осталось сделать, мне еще так хочется пожить, и все мои желания связаны с этой жизнью. «Кончу ли я эту тетрадь к концу марта?» — думаю я, а через минуту опомнившись, говорю себе — «Ведь для тебя теперь уже не существует конца марта». Да, трудно умирать, когда еще не все счеты покончены в жизнью. А перебороть себя надо, довольно я уже пожила и узнала все, а, не сделав это теперь... как пожалею я потом.

Сейчас мама крикнула мне: «Не пиши много, а то глаза заболят». А что мне, на что они мне нужны теперь. Но зачем же я делала операцию? Ах, да ведь я думала понравиться! Но нет, мне не повезло и тут. Сегодня, когда смотрела на девочек, с трудом старалась сделать глаза прямыми, и особенно невыносимо было чувствовать, что один из них смотрит в сторону. Сейчас подошла к зеркалу и долго смотрела на себя: «Нет, все такая же! Умереть пора... Довольно, довольно». А умирать не хочется. Смогу ли я перебороть себя в последний и решительный раз. <u>Надо сходить за опиумом к бабушке</u>. Пойду-ка сейчас... Эх, как трудно...

<21 марта 1934>

<u>В этот день я не отравилась. Почему? Ведь я пошла за опиумом к бабушке, но спросить у нее не удалось по некоторым обстоятельствам. В сущности, я бы уже не отравилась, если б даже и взяла его, я это чувствовала и шла туда только затем, чтобы оправдать себя в собственных глазах. Все равно я бы не отравилась, я еще слишком хочу жить.</u>

Но собираясь умирать, мне надо подумать об участи моего дневника. Что будет с ним? Понятно, не найдя никакой записки, все бросятся к нему, как к единственной разгадке столь странного поступка, начнут читать его, судить и рядить. И знаю я, сколько улыбок и усмешек вызовет мое самое сокровенное, то, что я прятала ото всех и любила по-своему, то, что доставляло мне так много мук. Не дай бог, если мой дневник попадет под папину критику. И хоть я и умру, а неприятно все же знать, что тебя начнут хулить, называть глупой, ограниченной девчонкой, сентиментальной мечтательницей и хандрой. Все это может и правда, но они не поймут меня, не поймут моей тоски, не поймут, что я хоть и из-за пустяков, но страдала по-настоящему, как не всякий из них страдал. И спустя десять-пятнадцать лет сестры будут рассказывать своим детям с чуть презрительным сожалением о странной своей сестре Нине.

Последние дни мне иногда так хочется высказать кому-нибудь все, открыться полностью, закричать им: «Я жить хочу! Зачем вы меня мучаете, заставляете учиться, учите приличиям? Мне ничего не надо! Я жить хочу, смеяться, петь, быть веселой. Мне ведь только пятнадцать лет, ведь это лучшая пора жизни. Я жить хочу, научите меня жить!» Но я никому правды не скажу, они не поймут и посмеются надо мной. Мне даже не надо, чтобы понимали, но я требую, чтобы к моим мыслям относились серьезно и с некоторым уважением. А то как-то не так давно сказала я отцу, что скучно мне, так он несколько раз так смеялся надо мной и говорил: «Ненавижу таких людей, которые говорят без конца: скучно мне, скучно мне!» «Ну, так знай, никогда не буду тебе говорить это», — зло сказала я. То же самое было и с мамой.

<24 марта 1934>

Начинаю втягиваться в старую привычную жизнь, опять та же неразговорчивость, тоска, мечты... Опять на улице опускаю глаза перед прохожими и болезненно ощущаю всякий, иногда и случайный взгляд, стараюсь быть незаметной, сутулюсь, наклоняю голову. Пока еще и это не очень тяжело, но пройдет полмесяца и как начнет нервировать все это... Как подумаю, что всю жизнь надо мучиться из-за этих глаз, так прямо жутко становится, они погубили половину моей жизни, наверно, и остальную погубят. Чего могу я добиться с ними? Чему посвятить себя? Стать музыкантом... или художником... или писателем?

Я все уже перепробовала. Музыка, признаться, больше всего у меня хромает: во-первых, я не чувствовала к ней влечения и, кроме хорошего слуха и способности быстро запоминать, не имею никаких музыкальных талантов. Так что ее придется бросить. Рисовать я начала очень рано, хорошо помню свой первый рисунок — крестьянская хата, срисованная с пенала и увеличенная в несколько раз. После этого я полюбила рисование, много срисовывала, фантазировала сама и не без успеха, в шутку даже мама говорила, что я буду портретистом. Но мне не удавалось писать красками, с первых шагов я не владела ими и поэтому особенно возненавидела, игнорируя их совершенно.

Стать писателем тоже привлекательная будущность. Стихи я начала писать семь-восемь лет назад, потом постепенно стала переходить на прозу, так как не удавались большие поэмы, а сидеть по часу над каждой строчкой, подбирая рифму, было так скучно. Я с увлечением стала писать повести, рассказы и отрывки. Удавались ли они — трудно сказать. Что могла написать хорошо совсем еще маленькая девочка, мало читавшая и еще менее жившая.

Произведения мои были наивны и подчас глупы, я их не показывала никому и поэтому не слыхала серьезной критики. Надо было, конечно, выбрать что-то одно, если б я хотела, чтоб из меня что-то вышло. Но что? Я не знала. А в последние годы я забросила все, потому что потеряла ко всему интерес.

‹26 марта 1934›

Почему-то мне вспомнилось лето, когда я несколько дней гостила у тети. Как хорошо там было! Узкая извилистая река с небольшими березами по берегам и неизменными ракитными кустами; кое-где раскиданные деревушки. Я все время была там одна, и боялась всего: каждого шороха листьев, каждого поскрипывания сосен. Но все же тянуло на волю, в лес, в глушь, и с жутким страхом я решалась пойти туда. Дом стоял на опушке небольшого леса, поднимающегося на пологий склон. Сосны росли вперемешку с низким и густым кустарником. Вниз к болотцу вела узкая аллея, по бокам которой росли густые молодые елки, уходящие под откос. Я часто бродила в причудливых узких коридорах, застревая в чаще колючих цепких ветвей, переплетенных паутиной и не пропускающих лучи солнца. Иногда со страхом и тайным удовольствием забиралась на высокие сосны и сидела там подолгу, далеко от земли.

Как-то я пошла по дороге, которая пересекала в конце аллею, по бокам ее росли березы и целый день по сочной траве скакали резвые солнечные зайчики. Она постепенно перешла в тропинку, затерявшуюся в болотце, и ноги мои вязли в мокрой траве, а кругом все блестело и искрилось в ярких лучах солнца. Я внимательно глядела в темные тени кустов и на трепещущие листья, стараясь все запомнить. Но больше времени я проводила на кладбище, где пробиралась среди заросших и забытых крестов, рассеянных среди сосен и увитых цепкими, удивительно разросшимися кустами малины, где я часами собирала спелые ягоды. А по вечерам я ходила на косу, глядела на длинные синеватые тени деревьев, освещенные низким бледно-розовым солнцем. Не раз ходила и на широкий пруд и прыгала там через канаву или собирала нежные и влажные незабудки в мокрой траве.

Вот кончается мой дневник... Наконец-то. Я почему-то с большим нетерпением ждала этого. Теперь возникает вопрос, куда спрятать его? Вдруг нагрянет обыск, и его возьмут случайно, наткнувшись на совершенно нецензурные слова о Сталине. И он очутится в руках шпиков. Будут читать его, смеяться над моим любовным бредом. Надо спрятать.

ВТОРАЯ ТЕТРАДЬ

<28 марта 1934>

А! Все-таки начала новую тетрадь в марте! На улице пахнет весной, снег стаял почти весь, даже за городом его почти не встретишь. Огороды залиты вешней водой и на бурых грядах торчат сухими колышками прошлогодние высохшие кочны, а на подсохших буграх и горках чуть зеленеет сухая прошлогодняя трава. Река стала бурлива и широка, вода имеет чуть стальной оттенок от просвечивающего сквозь нее нетронувшегося льда, и она неспокойно колышется и накатывает на мокрый глинистый берег небольшие длинные волны, слегка дыбившиеся на гребнях.

Ветер, сильный и крепкий, налетая на одинокие группки деревьев, шумит в их еще голых ветвях. Воробьевы горы, что видны за рекой, кажутся маленькими и миниатюрными, кое-где на них чернеется вязкая от воды оттаявшая земля. Настоящая весна не наступила еще. Посмотрим, какое она произведет на меня впечатление, но пока она не трогает и не мучает меня, только дышу я бодрее и глубже на этом здоровом молодом ветре, а больше я ничего не чувствую.

Через три дня в школу, и я очень рада, что не думаю о ней, веду себя так, как будто мне еще осталось гулять две недели. Все эти дни увлекаюсь цветами: посеяли с мамой семена и теперь раз по десять в день я заглядываю в банки, ожидая всходов. Строю различные грандиозные планы о будущем моих цветов и представляю дуб до самого потолка и большую пушистую тую. Как бы они украсили комнату! Но это только мечта.

Сейчас читаю запретную для меня книгу «За закрытой дверью», которую один раз уже отобрали у меня, после чего я не видела ее очень долго, теперь же опять наткнулась на нее случайно и, конечно, не упускаю случая почитать. В сущности, если б это был только похабный роман, я не держалась за него так, но в этой книге, составленной из записок врача-венеролога, встречается удивительно много нового для меня, открывающего глаза на жизнь, на которую я все же смотрю сквозь пленку незнания, и во многом мне приходится разочаровываться.

<5 апреля 1934>

Прошла пятидневка. Еще пройдет их четыре, а там будет май, а потом через десять дней конец. Конец! Будут еще экзамены, но это совсем не то. Все ново, все интересно! А теперь учусь, работаю вовсю, но... плодов не видно пока. Так досадно и больно становится, как подумаешь, что не успею подготовиться к экзаменам. А мысли эти часто приходят и мучают. Спрашиваю себя все время: «Успею подготовиться или нет. Я должна успеть!» А вдруг... нет, что тогда?

Сегодня пришла опять моя тоска. В школе казалось скучно и неинтересно. Ира и другие девочки стали какие-то другие, чужие стали, а подделываться под них не хочется, вот и остаюсь одна. Думаю и думаю, спрашиваю себя, зачем я пошла в больницу, зачем пропустила целую четверть, которую нет сил наверстать? Ведь ничего не изменилось, опять, как и прежде, кричат вслед ребята: «Косая».

Уроков, уроков! Просто жутко подумать. С семи часов утра до одиннадцати-двенадцати ночи занимаюсь, и это не преувеличение. Форменным образом не отрываюсь от книги и, несмотря на это, все-таки боюсь не догнать, просто потому, что не хватает моего маленького женского умишка на это. Потрачу силы и время на пустяки.

Первые два-три дня я уверенно говорила своим, что подгоню обязательно, потом стала отмалчиваться, а последние дни говорю, что дела идут плохо и поговариваю об осенних экзаменах.

<11 апреля 1934>

Кончилась вторая шестидневка. Что ж, ничего — жить можно, занимаюсь уже гораздо меньше, решив сделать небольшой перерыв, а с первого мая перед экзаменами опять начну заниматься. Школа затянула и понесла, я забыла о больнице, о чужеглазой, чуть похожей на японочку Заре, о Нюре, тоненькой и миниатюрной, с удивительно приятным и высоким голосом и милым лицом. Изредка приятным видением промелькнут высокие белые палаты, мягкая чистая постель и строгая симпатичная фигура доктора, или операционная, светлая и залитая солнцем. Но эти приятные воспоминания невольно мешаются с горечью и досадой о неудавшейся операции, но я сейчас о глазах думаю очень мало. Так много пришлось провозиться с ними, что надоело, при том что рухнула и последняя моя надежда, а прежняя злость и проклятья сменились глухой покорностью.

Об экзаменах стараюсь не вспоминать. Они еще так нескоро будут и так страшно думать о них. Школа крепко захватила меня, там я отдыхаю от себя, забываю навязчивые мечты о счастье и необходимости еще долгие годы продолжать учить уроки. Там ты не один, там вокруг тебя сидят десятки таких же близких по своему положению людей, там видишь уже знакомых, но все же новых педагогов, то любимых, то неприятных, там можешь услыхать какую-нибудь новость, посмотреть на какое-нибудь происшествие. Движение, иногда беготня по лестницам успокаивают душу и мысли, говоришь на переменах и на уроках, высказываешь свои взгляды и от этого как-то приятно становится. Нет никаких неприятных историй, со всеми девочками я в прекрасных или, по крайней мере, в хороших отношениях, с ребятами же мы не имеем никаких отношений.

<12 апреля 1934>

Когда я собиралась идти в школу, меня интересовали два лица: Левка и Димка. Из-за чего появилось у меня в прошлом году увлечение к Левке? Он, сын Ю.И., голубоглазый красавчик, так неожиданно появился и казался таким необыкновенным, непохожим на других и в то же время таким веселым и простым. Необыкновенный интерес сменился чем-то большим, но вот прошел месяц, два, я лучше всмотрелась в него, увидала, что он самый обыкновенный мальчишка, и хоть некоторое время продолжало по старой привычке биться сердечко, но прежнего увлечения уже не было.

Теперь же этот интерес устремлен на Димку, маленького оригинала, еще более необыкновенного, и если не отличающегося красивой внешностью, то берущего своим умом. Я подолгу внимательно слежу за ним и никак не могу понять, иногда он кажется мне просто неприятным со своей вечно презрительной и надменной улыбкой, особенно часто относящейся к девчонкам. Но именно поэтому и хочется заслужить другую, совсем простую его улыбку, которой редко он улыбается, но еще реже искренне смеется. Улыбка приподнимает его верхнюю губу так, что чуть видны белые блестящие зубы, напоминающие зверька. Я часто спрашиваю себя: «Что он такое? Не то необыкновенный гений, не то необыкновенный дурак». Это-то мне и хочется узнать.

<18 апреля 1934>

Ах, скорей бы лето! Больше уже ничего не хочется. Коля и бабушка называют меня лентяйкой за то, что опять думаю об отдыхе. Но это неверно. Надо же о чем-нибудь мечтать и желать чего-то. Сейчас я одна в квартире. Мама уехала к знакомой, папы тоже нет, а с ним я сейчас в очень дурных отношениях. Иногда просто не выношу его и частенько ненавижу, противно ужасно, когда он начнет вдруг лезть. Вчера мы с ним поругались из-за чего-то, он назвал меня дурой и еще как-то и, вообще, говорил всякие грубости.

И я дала себе слово переменить ставшие несносными отношения. Решила меньше грубить ему и не говорить колкостей, зато уж ни о чем не спрашивать и не ласкаться. Его самодурство бесит меня. И частенько я благодарю Бога за то, что живу не в XVIII-XIX веках, когда отец был полным господином в семье, не сладко жилось бы нам под началом моего почтенного родителя. Моя антипатия к папе дошла до того, что я иногда желала бы, чтоб у нас совсем не было отца, по крайней мере, я представляла бы себе его добрым и хорошим.

Женя и Ляля целыми днями пропадают в институте: рисуют и пишут. У Ляли, кажется, удается, а вот Женя отстает немного, и мне жаль ее. С сестрами отношения стали сравнительно хорошими, вероятно потому, что мы мало видимся. Дня три тому назад нестерпимо хотелось рассказать все Жене, быть вполне откровенной и понятой, но не могу заставить себя, не могу просто назвать себя косою... мучительно стыдно. В тот вечер я даже плакала потихоньку от Жени

Все эти дни происходит во мне борьба. Не то продолжать свою мучительную жизнь, не то как-то перемениться. Спрашиваю себя: «Неужели уродка не может жить, неужели не смогу я найти друзей?» Да, надо перемениться. Пусть я такая, пусть! Что из того? Нельзя же всем быть красавцами, а так мучиться из-за этого не стоит, теперь буду стараться не думать об этом. Надо быть несколько пообщительней и веселей. Скоро конец ученья, скоро лето, а настроение, как и в прошлом году. Стараюсь не думать об экзаменах и мечтаю о лете, опять собираюсь много-много сделать и опять, наверное, ничего не сделаю, но все-таки хорошо мечтать. Так хочется солнца, зелени и воли.

<22 апреля 1934>

С неделю, если не больше, тому назад на литературе произошел интересный случай. Учительница читала Островского. Ребята, стараясь показать, что они слушают, перекидывались записочками, переписка становилась все оживленней и оживленней, и в конце концов они так осмелели, что почти открыто кидали их через парты. Но вдруг как будто ничего не замечавшая учительница оторвалась от чтения и выхватила записочку у Антипки и Тимоши, сидевших на передней парте. Несколько минут она читала ее и, по мере того, как подходила к концу, начинала все более и более улыбаться добродушной хитрой улыбкой. По классу пронесся еле уловимый сдержанный смешок, улыбающимися, полными любопытства глазами смотрели мы на нее. Она, смеясь и качая головой, сложила злополучную записку и обратилась к передней парте: «Это ты писал?» «Нет, не я!» — твердо и смело ответил Тимоша. Напряженное молчание установилось в классе.

Некоторое время учительница молча осматривала хитрыми глазами мальчишек и наконец, совсем рассмеявшись, сказала: «А, теперь знаю, кто такими делами занимается. Стыдно, стыдно, не ожидала я от вас». Мы взглянули туда, куда был устремлен ее взгляд. Там, облокотясь на парту и закрывшись рукой, сидел Димка, напряженно улыбаясь, не смотря ни на кого, лицо его казалось почти малиновым. Как же мы наивно и простодушно смеялись над ним, когда он, уткнувшись в парту, нервно царапал ручкой по столу и кусал пальцы, как весело поддразнивали его все последующие дни.

<6 мая 1934>

Через четыре дня экзамены, а я чувствую себя слабой по всем предметам. Надо заниматься, да не хочется. Окно открыто, и я смотрю на зеленую сеть ветвей, только распускающихся, на дальние, подернутые голубой тенью Воробьевки, на светлое весеннее небо... Весна в этом году ранняя, и так тянет жить. Еще вчера дала себе слово повторить геометрию, половину уже повторила, но хватит ли меня теперь на вторую? Надо чтоб хватило! Я должна смочь, вот сейчас примусь за сухие скучные теоремы. А воздух дышит чем-то прекрасным.

Взялась за учебник, чтоб улучшить чуть настроение и отвязаться от мешающих заниматься мыслей, а мысли-то скверные. Я называю их преступными и нехорошими и боюсь, что, если не бороться с ними, то они примут слишком большие размеры и слишком яркую форму. Что за мысли? О, я не хочу их описывать, ведь на бумаге получится слишком пошло и гадко, намного хуже, чем на самом деле. Димка, подлец, опять сидит в голове, и я сегодня раз пять ловила себя на мысли о нем. Улыбалась невольно, а потом ругалась... Что это значит! Неужели? Нет, что за вздор. Этого быть не может, «это» что-то другое, любопытство, наверно. В сущности, мысли мои не гадкие, не очень гадкие, но тема не подходящая. Зачем я думаю о нем и мечтаю о не существующем и поэтому прекрасном.

Вообще, отношение у меня к ребятам не такое, какому бы следовало быть, далеко не товарищеское, вернее, чувство к ним не товарищеское. Оно сейчас выражается лишь в том, чтобы быть с ними чаще, чтоб они обращали внимание на меня, даже вплоть до того, чтобы я им нравилась. Почему я не испытываю это по отношению к девчонкам? Надо уравнять отношения, но труднее всего прогнать мысли. Почему я стала думать о Димке? Он уже давно не ходит в школу, ребята последние дни распускали о нем всякие небылицы о том, что он «свихнулся» и что его собираются отправить в «желтый дом».

30-го апреля Антипка заходил к Димке, а третьего дня мы с Ирой завязали с ним об этом переписку, говоря в шутку, что пойдем к нему в гости (к Димке). Однако шутка перешла в серьезное дело, и мы, скрепив обещание взаимным рукопожатием, решили, действительно, сходить к нему. И вот вчера мы отправились с Ирой в интересное путешествие.

Долго ходили перед его домом, торчали на лестнице и, наконец, решились. «Дмитрий здесь живет?» — спросила Ира у открывшей дверь женщины. «Дима?» — переспросила та и крикнула в комнату: «Татьяна! Дома Дима? Его девочки спрашивают!» В коридор вышла невысокая женщина в синем коротеньком халатике, с серыми большими глазами и симпатичным лицом. «Диму вам? Его нет дома», — сказала она, и меня поразил недостаток ее произношения. Она, как говорится, была картавая и выговаривала слова хотя и чисто, но с некоторым трудом и сильно выпячивая нижнюю челюсть.

В те немногие минуты разговора с матерью Димки я заметила в квартире черного мужчину, похожего не то на еврея, не то на армянина, называвшего ее Танюшей, а Ира заметила маленькую черненькую девочку. Мамаша сказала нам, что Дима болел от переутомления: сначала спал целые сутки, потом была сильная головная боль и слабость. К величайшему нашему изумлению она сказала, что он был позавчера в школе и, не застав завуча, ушел. «Как? Завуч все время была в школе», — сказала Ира. «Неужели? Неужели он меня обманул?» — воскликнула мать. У нее было странное, растерянно-удивленное лицо, видно Димка не часто врал ей: «Я с ним поговорю об этом. А сегодня он обязательно придет заниматься».

В тот день мы весь первый урок ждали его, но Димка так и не пришел. «Так неужели он лжет своей матери? Может быть, он все время обманывает ее?» — думалось мне, но я не могла поверить и не верю сейчас... Димка и врет, это так не подходит к нему. А от чего он переутомился? Не с простой же учебы.

<18 мая 1934>

Тоска и скука по-прежнему, за географию так не хочется браться, а завтра экзамен. Мама звала гулять, я не пошла, ничего мне не хочется. Ну, что я буду с ней и с папой делать? <u>Да еще папа начнет высказывать свои мучительно-логичные наставления. Последнее время я просто не выношу его, злюсь на каждое его слово, говорю грубости и колкости и, как ни обещаю себе исправиться, все равно ничего не выходит.</u> Отчасти поэтому мне все страшно опротивело, я не могу сидеть дома, куда-то тянет меня. Заниматься стала совсем мало, читать почти не читаю, скучная и злая все время. В жизни мне не повезло, и я часто спрашиваю себя: «А может все люди такие же, может у всех одна и та же тоска?» Но мне вспоминается Пушкинские Ольга и Татьяна, и я становлюсь уверенней, что все-таки бывают счастливей меня.

Недавно была на улице. Жаркий летний день сегодня, пахнет до духоты хорошо. Женя с Лялей за городом, <u>мама с папой на Воробьевых горах, а меня, кажется, никуда не тянет, а дома невыносимо. Здесь сидишь настороженно, прислушиваясь к шагам и голосам на лестнице, и каждую минуту могут прийти из домоуправления или из милиции справляться на счет папы — неприятно.</u> Собралась было пойти к Ире, да потом раздумала. Зачем? Все там теперь как-то чуждо и недружелюбно, а Ксюшки, своего человека, там нет. Почему мне скучно в компании Иры и противны их занятия? Мне не интересно танцевать фокстроты, гадать на мальчиков и проводить время в пустой болтовне. Хочется серьезного общества, интересной беседы, но этого я никогда не найду и о чем так мечтаю. О красивой любви, но это так глупо!

‹1 июня 1934›

Кажется, что совсем недавно я с горечью думала, когда же я доучусь до седьмой группы, когда же я кончу семилетку, это казалось далекой, чуть ли несбыточной мечтой. И вот теперь это действительность, я перешла в восьмой класс, но это уже не волнует, не радует и близкое окончание школы. «Зачем? — спрашиваю себя. — Дальше опять то же самое беспросветное учение, сначала десятилетка, потом институт. И что будет, когда я окончу его? Поступлю работать? И это будет еще худшее время, ведь когда учишься, все-таки на что-то надеешься».

Я не верю своим мечтам, и это хорошо. Я определила свою будущность, она очень обыкновенна и проста, а мечты — это совсем другое, это не жизнь, а отдаление от жизни, это просто отдых... У меня теперь постоянная потребность мечтать время от времени, в моих мечтах нет разнообразия, они всегда одни и те же, лишь с небольшими вариациями и изменениями, Но с каким упоением я переживаю свои мечтания, разговариваю, чувствую все, в них я совсем другая, которой никогда не буду в жизни, но, конечно, лучше. Как же скучно мне! Апатия почти совсем поглотила меня, изредка вырвусь из нее и опять сдаюсь, стараясь не позволять себе думать о чем-либо и создать внутри покой. В душе как-то пусто, и чем заполнить эту пустоту, я не знаю.

Вчера ходила в школу за учетными карточками, отметки мои почти все отличные, однако в ударницы я не попала из-за отсутствия общественной работы, а жаль. В школе нас продержали часа три с лишком, но время прошло весело и быстро, так как групповод пристроила нас к делу, и мы с час работали. Встретила там Левку. Не могу я перебороть к нему своего чувства, какого-то другого, чем к другим ребятам. Нравится он мне? Наверное, но это совсем не похоже на прошлогоднее: тогда все было гораздо сильнее и определеннее, это еще окончательно не изгладилось, а перешло в нынешнюю симпатию, в желании чаще видеть его, говорить с ним, иметь с ним какое-нибудь связывающее нас дело.

Совсем другое чувство сейчас у меня к Димке. Он часто мне просто антипатичен, я не хочу ни разговоров с ним, ни встреч, но при этом мне всегда хочется в его присутствии вести себя так, чтобы он обо мне был высокого мнения, чтоб считал меня выше других девчонок.

Я теперь не ненавижу школу, она ведь заставляет меня забыть о себе и как-то увлечься. Вчера с удовольствием пробыла в ней, смотрела на знакомые лица, которые за год успела переузнать. Ах, как жаль, что я близорукая, ведь сколько времени мне надо, чтоб как следует рассмотреть лицо. А до чего, должно быть, приятно быть красивой! Это ощущение наполняет гордостью душу, заставляет высоко поднимать голову и смело смотреть на людей, зная, что тобою восхищаются, а не прятаться в ожидании насмешки. Помню, мама как-то сказала, что от красоты тоже частенько бывают страдания, но что эти страдания по сравнению с тем счастьем, которое дает красота! Крупинки горя затопляются и растворяются в нем. Я люблю красивых людей, люблю подолгу рассматривать их, изучая каждую черточку лица, каждый отдельный блеск глаз.

И я начинаю теперь в корне меняться, одиночество уже не влечет меня, а тяготит, мне хочется жизни и действия, мечтания уже не удовлетворяют меня. Но в своем новом стремлении я наткнулась на одно препятствие — отсутствие новых знакомых. Ведь у меня совершенно нет знакомых, лишь Ксюша, Ира, и все. Это до смешного мало. Сегодня Ира принесла мне молодого, еще желторотого воробушка, и как я по-детски была рада. Целый час возилась с птенчиком, пробовала кормить его и поить. Он ничего не ест, и положенная ему в рот пища так и остается лежать там, он или еще очень мал, а скорей всего просто ослаб. Все время спит в устроенном для него гнездышке и, наверное, к утру помрет. А мне бы так хотелось воспитать его.

Несколько таких маленьких радостей и забот, и я буду счастлива, я оказалась не какой-то особенной, а самой обыкновенной женщиной. Теперь я понимаю желание женщины иметь детей — это просто стремление создать себе счастье, заполнить как-то гнетущую невыносимую пустоту души.

<4 июня 1934>

2-го июня в школе был выпускной вечер, и нам было страшно весело. Все, начиная с торжественной части, шло очень оживленно и интересно, при объявлении премировавшихся педагогов мы с энтузиазмом хлопали и были очень рады, затем премировали ребят. На этом окончилась торжественная часть, пришел конферансье, неудачно все остривший, потом начались различные художественные номера. В антракте я и Ксюшка купили себе на пару пирожок, а все остальное время шлялись по школе.

Было как-то приятно и легко от ощущения, что все свои, знакомые, с удовольствием всматривалась в лица ребят и девчонок, все казались какими-то хорошими и добрыми... Ю.И. была очаровательна, она постриглась, очень помолодела и в своей белой кофточке и серой юбке на помочах походила больше на молоденькую девушку. Во время представления она стояла вместе с заведующим и смеялась, как девочка, все к нему оборачивалась. Нам было весело от сознания своей молодости, какой-то неясной мощи во всем теле, от страстного желания жить.

Вчера же изгрызла скука, на улице целый день шел дождь и было по-осеннему холодно. Невольно все время вспоминала школьный вечер, и я почти досадовала, что рассталась со школой на целых три месяца.

<9 июня 1934>

Последние месяцы мы с Ксюшкой были очень дружны, но ничего не бывает вечно на земле, пришел конец и нашей дружбе, которой я иногда даже тяготилась. Пишу «пришел конец», потому что уже точно решила порвать с ней и безразлично, каким образом: тихо и благородно путем письма, которое я отослала сегодня утром, или путем ряда объяснений, если она будет приставать. У меня мало злобы лично к ней, но лишь вспомню о происшедшем, такая поднимается досада и обида на всех из-за того, в чем никто не виноват и менее всего я сама.

Произошла наша размолвка вчера у Иры. Мы сидели на скамеечке, я, зажмурив глаза и потирая их рукой, сказала: «Что-то глаза болят, вероятно, от того, что я руками играла». «Почему у тебя все глаза скосило? Наверно, как-нибудь веткой», — смеясь, воскликнула Лена. «Ну, довольно, без лишних шуток» — перебила я ее. «Что без шуток? Косая ты», — как-то нагло и грубо проговорила Ксюша. «Замолчи же, Ксюша!» — нетерпеливо и смеясь крикнула еще одна девочка. «Что же молчать, если она такая?» «Не все же можно говорить, что думаешь», — заметила та же девочка. Я была очень благодарна ей, что хоть отчасти она поняла меня.

Наступило мучительное молчание. Я сидела, согнувшись и все еще прикрывая рукой глаза, и чувствовала, что начинаю краснеть, обида и оскорбленность поднимались во мне. Скоро после этого я с Ирой, которая, к счастью, не слыхала этого разговора, пошли посмотреть время и оттуда, ни с кем не простившись, я удрала домой. Мне было обидно и больно, и я еще тогда твердо решила, что порву с Ксюшей. Сегодня я из-за этого случая обречена сидеть дома, так как боюсь у Иры встретить Ксюшку. Настроение плохое, хочется пойти на улицу, подальше от себя самой...

Небо сейчас ясное, светло-голубое, на западе желтовато-розовое, а над туманными Воробьевыми горами повисли золотисто-прозрачные и светлые облачка...

<10 июня 1934>

Опять тоска... Она меня никогда не оставляла, однако с утра впасть в такой пессимизм — дурной признак. Мне грустно... Что надо сделать, чтоб избавиться от этой грусти? Чего я хочу? Я хочу забыться, не чувствовать, не думать... Быть счастливой невозможно, потому что решительно все увеличивает мою тоску.

Сейчас мама принесла букетик полевых колокольчиков. Нежно-лиловые, с тонкими, до прозрачности, лепестками на стройных высоких стебельках, они красиво рассыпались в бокале, наклоняясь изящными головками, их легкий медово-сладкий запах распространяется по комнате... А мне еще грустней и, смотря на них, я чувствую, что напрасно теряю время, что сейчас мне надо было бы быть где-нибудь на даче и рвать, рвать эти чудно-прекрасные лиловые колокольчики.

Четыре-пять дней тому назад мама сказала мне, что нас с ней приглашает на лето к себе, в Смоленскую губернию наш знакомый. О, как я была рада! Я ликовала. Ничего, что там нет леса и реки, обойдусь и без них, зато вырвусь из города и к знакомым. Я не хотела никаких удовольствий: ни сбора грибов и ягод, ни купанья... Мне только надо забыться, и жгучее желание на минуту заставило забыть логику, появились мечты: я хотела рисовать и писать целыми днями.

А потом пришло раздумье, тяжелое и мучительное. Я скоро перестала обманываться и поняла, что там опять будет тоска и гнетущая пустота. В душе моей сейчас страстное желание жизни и счастья, а там опять загрызет скука и мукой наполнятся долгие дни, опять ничего не буду делать, потому что не люблю и ленюсь. Наплывали мечты, и мне не верилось в плохое, и так все время. Вчера и сегодня было особенно плохое настроение, все не могла забыть Ксюшкины шутки. Как-то грустно и скучно. Эх-хе-хе! Целый век буду хандрить, уж такой я человек. Сегодня вздумала писать букет, и, разумеется, ничего не вышло, колокольчики все время меня мучают.

<20 июня 1934>

Каждый день собиралась взяться за дневник и все-таки до сих пор не взялась. Свободные на первый взгляд дни проходят незаметно и в мелочах, в последнее время начала вязать носки и проводила за этим невеселым занятием целые часы. Долго путала, распускала, вязала снова, но упрямо стремилась кончить дело, однако сегодня плюнула, бросила вязать и сама этому рада, так как сразу же стала свободна. Погода хорошая, и тянет к Ире, но решилась лучше взяться за дневник. Сегодня несколько раз проходили грозы, воздух свеж и чист, небо светлое, а по краям томятся темно-серые, причудливо нагроможденные друг на друга тучи. Подолгу мечтаю о деревне и хоть сама знаю, что мечты мои глупы и несбыточны, но расстаться с ними не хочется.

Вчера встречали челюскинцев, пассажиров парохода «Челюскин», затертого во льдах, людей, проведших на льдине долгие десятки дней в тяжелой работе, с мучительным ожиданием возможной гибели в океане. Весь мир следил за ними... И многие, очень многие уже не надеялись на их возвращение, но они вернулись благодаря группе отважных летчиков, рискнувших в страшно тяжелых условиях совершить полеты на затерянную среди торосов льдину. В Москве челюскинцам и летчикам готовили триумфальный прием, и никогда, ни на одном празднике не кричали все с таким энтузиазмом и воодушевлением «Ура!», как при встрече этих людей.

Меня нестерпимо тянуло на Красную площадь, и, слушая радио, мне почему-то хотелось плакать от счастливого ощущения симпатии к великим героям и от какого-то непонятного чувства, от желания принимать участие в общем торжестве, влиться в сплоченную взволнованную массу, со всеми вместе кричать горячее «Ура!» и от невозможности этого. Весь день по радио только и говорили о челюскинцах. Вечером я решила пойти встречать летчика Слепнева, который живет поблизости. На улице соорудили высокую арку, украсив ее гирляндами красных лент и цветов и повесив портрет Слепнева.

Часов в восемь вечера начал собираться народ, приехал грузовик, на котором установили стол, обтянутый красной материей. Около десяти часов народу набралось страшно много, сплошная масса сжатых тел тянулась по бокам улицы, оставляя посередине широкий проход. Толпа волной то подавалась вперед, то отступала, и не было никаких сил сдержать ее движение. На одном из балконов установили прожектор. Все было готово к приезду летчика, но... он не приехал. С досадой уходила я оттуда, но в то же время с каким-то невольным и радостным чувством. Почему? Мне стало страшно за ту возможную толкучку, которую способны были устроить неорганизованные толпы людей, я почти была уверена, что здесь не обойдется без несчастных случаев. Встречу Слепнева отложили на сегодня.

<21 июня 1934>

Вчера все-таки была на встрече Слепнева, затащив с собой Женю, Лялю и их подругу Нину П., поэтому время ожидания мы провели довольно весело. Опять была страшная толкучка и давка, но до приезда Слепнева все-таки было сносно стоять. Часов в девять с трибуны раздались голоса: «Едет, едет! Тише». Толпа зашелестела и стала умолкать. Между двумя рядами людей проехали две легковых машины и остановились неподалеку от нас, жадная толпа хлынула вперед. Под звуки одной распространенной песни приехавшие летчики вылезли из автомобилей и пошли к трибуне, сопровождаемые криками «Ура!» и аплодисментами. На мостовую летели цветы.

Я заметила летчика Слепнева только тогда, когда он начал говорить. Слов не было слышно, но я жадно тянулась вперед, чтобы увидеть невысокую плотную фигуру в синем костюме и голову летчика. Он изредка поворачивал лицо в нашу сторону, тогда я видела его мужественные твердые черты и белую форменную фуражку. Митинг кончился скоро, и Слепнев уехал к себе. Я не побежала за толпой к его дому, а повернула было к себе, но почему-то страшно не хотелось домой. Не могла я идти и к бабушке, настроение почему-то было ужасное, и я долго не могла понять причину этого, и в неопределенной и раздражающей тоске ходила по улицам. Несколько раз я подходила к воротам его дома, смотрела на «его» портрет, читала на газоне написанные цветами слова «привет тов. Слепневу». Все это как-то трогало и волновало.

Наконец я вошла во двор, у парадного все еще стояли автомобили, украшенные гирляндами листьев и цветов. Здесь толпились ребята и женщины, я потолкалась среди них и пошла обратно, пытаясь разобраться в мыслях: «Почему мне скучно? Почему мне грустно?» Много всего лезло в голову, личные мои ежедневные интересы казались мелкими и глупенькими, а вся моя жизнь до пошлости глупой и противной. Казалось, что так жить уже невозможно, надо делать подвиг, надо все-таки прославиться... Вообще, я сама не знала, что тогда хотелось мне. Славы? Нет, она не нужна была мне. Путешествий, подвигов? Нет. Мне просто хотелось еще разок, вблизи и как следует, взглянуть на Слепнева, ради которого я столько терпела и о котором столько думала. Когда же я немного успокоилась, то стало грустно и обидно.

<23 июня 1934>

Часто вспоминаю челюскинцев и летчиков, и это воспоминание приводит меня в восторг. Останавливаюсь около каждой витрины, чтобы взглянуть на Шмидта, Слепнева и других, внимательно рассматриваю лицо летчика Слепнева, и с каждым разом оно все сильнее нравится мне, это мужественное, красивое лицо с большими светлыми глазами, как-то тревожно расширенными. <u>Как-то вечером слушали по радио передачу фильма «Встреча челюскинцев в Москве». Гудела бесконечным «ура» Красная площадь, неслись речи с трибуны, а мы с Женей, воодушевленные и улыбающиеся, жадно ловили каждое слово героев. А потом вспомнились те трое, которые в туманный день улетели в стратосферу, и о них забыли[38]. Наше правительство не любит говорить о неудачах, оно хвалится лишь, и не скоро, а, может быть, и никогда не вспомнит доблестные имена Васенко, Федосеенко и Усыскина.</u>

27-го уезжаю из Москвы. Радость сменилась сомнениями и опасениями, и что-то все настойчивее говорит мне, что и там я не укроюсь от своей тоски. А ехать все-таки хочется. Недавно с Лялей была в Третьяковке и почти

---

[38] Имеется в виду полет стратостата в честь XVII партийного съезда, закончившийся катастрофой.

разочаровалась в художниках, Шишкин и Левитан не произвели впечатления, и я с тяжелым сердцем гуляла по залам. Однако некоторые картины хороши и врезались в память, например, «Больная» Поленова, у которой мы долго стояли с Лялей, картины Куинджи и немногие другие.

<5 июля 1934>

Хочется так много-много написать, но хватит ли терпения? Сейчас лежу в траве около дома, ветер такой, что может сорвать крышу, так и свистит в ушах. Я нарочно ушла из дома, чтобы наслаждаться природой: кругом дома поле-поле, далеко на горизонте видна деревушка, в полуверсте от нас расположены одинокие дворики и лишь вдали ярко зеленеют молоденькие курчавые березки. Это лесок, с ним рядом еще березки в ложбинах и на бугорках, поля вокруг засеяны рожью и овсом, и ярко зеленеет бурьян, цветущий кое-где нежными лиловатыми цветочками. Я никогда не жила в поле и теперь наслаждаюсь этим привольем и таким широким простором. Сначала я долго не могла привыкнуть к его ослепительному свету, а его синяя полутень по ночам не пугала, а куда-то тянула...

<8 июля 1934>

Как и всегда, записи делать неохота, поэтому они странно отрывочны и почти бессодержательны. Если начать подробно описывать мой приезд в деревню и поездку на поезде, то выйдет, пожалуй, слишком долго и скучно. Ну, а все же попробую. Помню, день нашего отъезда из Москвы, был ужасным по моему мучительному настроению. С утра я поехала с мамой в центр покупать краски и еще кой-чего в магазинах. Одна упорная мысль сверлила мой ум — челюскинцы. Я жадно заглядывала в витрины магазинов, чтобы лишний раз посмотреть на портреты героев и в особенности, надо в этом сознаться, на портрет Слепнева.

Раньше я смеялась над сентиментальными девочками, влюбленными в интересных героев и знаменитостей. Но чем же лучше их оказалась я? Если у меня «это» и не было влюбленностью, то чем-то уж очень близким к этому. Страстное желание видеть его уже не на портретах, а наяву увеличивалось у меня с каждым днем. А в этот последний день пребывания в Москве я с особой и постыдной надеждой пристально оглядывала людей в белых высоких фуражках со значками, разбирать которые я не умела, поэтому моему осмотру подвергались и моряки, и летчики. На шумных улицах Петровки и Кузнецкого моста беспрестанно мелькали белые фуражки, и я пристально вглядывалась в мужские лица своими близорукими, в трех шагах ничего не видящими глазами. Я ругала себя, давала слово не делать больше этого и, краснея от стыда за себя, упорно вертела головой. На Смоленском рынке, когда мы с мамой быстро бежали к трамваю, мимо нас прошел высокий человек в форменном синем пиджаке и знакомой белой фуражке. Меня охватило такое волнение при виде красивого профиля и голубых глаз, что я, забыв все на минуту, резко обернулась. Он шел быстро, и очень скоро я могла видеть только белую яркую фуражку. «Бежать за ним», — промелькнула внезапно мысль, но рядом шла мама, которой просто невозможно было объяснить подобный поступок, да и с остановки уходил наш трамвай. Кто это был? Я до сих пор не знаю, так как знакомое только по портретам лицо Слепнева, в сущности, мне было совсем незнакомо. В начале десятого выехали на вокзал.

Оказалось, поезд должен был отправляться лишь в час ночи. Бесконечное ожидание на протухшей пыльной мостовой... Стоя у высокой каменной стены, я рассматривала людей, проходивших мимо и расположившихся в очереди. Это было жалкое ободранное простонародье, крестьянство, и среди них я чувствовала себя особенно чужой, хотя и любила их. Частенько встречались пьяные субъекты с матерщинной руганью. Ходя по вокзалу и разузнавая, как и что, мама случайно узнала, что дети до 15 лет проходят в детскую очередь. Я была страшно рада этой неожиданно появившейся возможности без толкучки и как следует устроиться в вагоне. В этот день нам впервые повезло.

В вагоне мама заняла верхнюю полку и первую половину пути спала на ней. Я сидела внизу, у открытого окна, и слушала неприхотливые разговоры соседей, а потом, когда вагон заснул, уселась на столике и, высунувшись в окно, смотрела кругом, иногда чуть дремля, почти ни о чем не думая и испытывая какое-то ощущение отдыха и спокойствия. Лишь под утро влезла я на полку, но не заснула совсем, а так валялась, закрыв глаза, и прислушивалась к отдельным голосам. <u>Из всех пассажиров нашего вагона, кажется, одни мы были интеллигентами и ехали «на дачу», и мне было мучительно стыдно перед этими полуголодными людьми, которые не знают ни минуты отдыха.</u>

<13 июля 1934>

<u>Треть месяца прошла... Через полмесяца мы едем в Москву,</u> но об этом еще рано думать. Сейчас живу в настоящем, если не считать обычных моих мечтаний, от которых не могу отвязаться и на которые не стоит обращать внимания. Не особенно весело здесь, но и не так скучно, день наполняется маленькими заботами, которых так много в крестьянском хозяйстве. Я целый день нахожусь дома, в лес мы ходили только раза три-четыре. Здесь кругом поле и простор, и меня никуда не тянет.

<u>Я сначала дичилась крестьян, а теперь это чувство проходит, и я с интересом слушаю заходящих к нам мужиков и баб. Я живу наблюдениями, за всем слежу, все стараюсь запечатлеть в памяти, с жадностью слушаю крестьянские речи об их житье-бытье и, наслушавшись, все больше и больше начинаю ненавидеть большевиков.</u> Хозяева наши стали своими людьми, а о ребятишках и говорить нечего. Их в избе четверо: Катя, одиннадцатилетняя девочка с круглым лицом и задорно-веселыми глазами, Саня, мальчик девяти лет, спокойный и по-хозяйски рассудительный, семилетний упрямый Миша и самый маленький Петя, четырехлетний малыш, толстый, румяный, по-детски своевольный и немного балованный. Из других детей я никого не вижу, кроме соседского мальчишки Егора, очень живого и веселого, с темными глазами. Все крестьянские ребятишки белобрысы и голубоглазы, типичные русские дети, и меня поражает их самостоятельность и раннее развитие. Они очень легко обходятся без взрослых и в большинстве случаев совсем не нуждаются в их помощи. Это и вполне понятно, ведь взрослые с утра до ночи заняты в поле, и дети привыкли быть одни.

Помню, какие глупые мечты невольно лезли мне в голову еще в Москве, когда я думала о деревне.

Действительность, конечно, оказалась далеко не такой, но я так привыкла к постоянной несбыточности моих мечтаний, что просто не обращаю на это внимания. Моя художественная горячка потерпела полный крах, за все время я сделала только три неудачных наброска, но иначе и не могло быть, совершенно нет натуры, а я не настолько хороший рисовальщик, чтоб схватывать на лету.

<30 июля 1934>

Москва приняла до неожиданности плохо; уже с того момента, когда я вышла на перрон, начала подбираться ко мне знакомая тоска. При входе в вокзал нас с мамой задержали из-за больших вещей, и, возможно, пришлось бы платить государству штраф, если б случайно не подоспел носильщик, который и провел нас благополучно на площадь. Мы с мамой только пересмеивались на эту жажду наживы и государства, и носильщиков, но мне было обидно и досадно за свою родину, за то, что приходится жить в такой стране. Мы стояли около вокзала, когда с перрона раздался ужасно хриплый голос пьяницы, молодого парня с ужасно обезображенным и слюнявым лицом. Он материнил и старался вырваться из рук милиционера, кажущимся таким маленьким против него, и в пьяном безумии скинул с себя рубашку и размахивал мускулистыми здоровыми руками. «Вот это советские граждане», — думалось мне.

Каменная яма-Москва жила и волновалась, и жизнь ее, так непохожая на ту, что осталась за 280 верст отсюда, была противна и чужда мне. И люди, городские изящные люди, чисто одетые, с белыми холеными лицами и руками, были также противны мне. Из маленького ресторанчика доносились пьяные песни и звуки фокстрота. Я глядела на женщин в ярких, сильно декольтированных платьях, на их намазанные лица и крашеные волосы, и мне вспоминались другие женщины, которые целыми днями работают из-за куска хлеба, грязные, оборванные, с грубыми, но такими симпатичными лицами.

<31 июля 1934>

Как и следовало ожидать, мучительны и ужасны были первые, проведенные в Москве часы. Во втором часу ночи, приехав домой, я постучалась к нам в дверь, через некоторое время раздался раздраженный голос Ляли: «Кто там?» «Нина», — ответила я. «Нина?!» И в этом восклицании было такое удивление и недовольство, в нем не было ни тени радости. И мне стало так больно, а когда я осталась в комнате одна и легла в постель, то так вдруг тяжело и горько стало на душе...

Жалела ли я о деревне? Нет, пожалуй, но там все-таки чуть-чуть было лучше и лишь последние дни мне стало скучно. А здесь, лежа в темноте, я плакала, и так противна мне казалась Москва, и большие квадраты домов, и моя комната. Вспоминались синие темные деревенские ночи, которыми я так наслаждалась, тишь и приволье вокруг, круглая белая луна в темном небе. Ветер чуть дунет, и в тишине становится слышно, как шуршит он спелыми колосьями ржи, видно, как плавно гнутся они. Ночь живет... И так легко и хорошо.

Вчера я тоже жила воспоминаниями, я уже скучала по полю, по крестьянской жизни, вспоминала, как темными вечерами скакала на серой высокой кобыле в ночное и, возвращаясь домой, с наслаждением вдыхала ночной воздух, смотря на черные елки и мокрую холодную траву. В эти минуты я была так счастлива. Помню красивую и старую собаку Лютку, желтую рогатую корову Марусю, и как мы с ребятишками лазили по хлевам и по крыше. Даже день отъезда был хорош! Я правила кобылкой Стрелкой, била ее сильно, боясь опоздать, а когда она поворачивала ко мне голову, то я видела смотрящий на меня с укором большой, умный и добрый глаз, и мне было мучительно стыдно за себя и жалко ее. Первые дни там мне было вполне хорошо, но... видно, у меня цыганская душа, не могу жить долго на одном месте, тянет меня куда-то дальше.

<11 августа 1934>

Странно проходит для меня это лето, странно по своей необычности; всего несколько дней тому назад я была недалеко от Смоленска и лишь в семи верстах от истоков Днепра, а теперь, неделю спустя, я уехала в совершенно противоположную сторону — на Волгу. Уже неделю мы живем у тети, и ни разу я еще не сделала подробной записи, все некогда, и то, что раньше было живо в памяти, уже изгладилось. Целыми днями мы с сестрами пишем и рисуем, дома же все делаем по хозяйству. Иногда мне эта дача напоминает Можайск, где мы так же хозяйничали на маленькой дымливой даче, так же ругались и ссорились между собой, хотя тогда, пожалуй, было еще хуже. Теперь же мы хоть на год, а все же выросли, и это все-таки сказывается.

Мы живем на горе, в большом доме с тремя, симпатично расположенными крыльцами, около дома растут яблони, а рядом барский запущенный парк. Мы частенько ходим туда, в самую зеленую густую гущу, где так свежо и прекрасно. Между деревьями находится заросший большой пруд, и как приятно на плоту выплыть на середину его, лечь на широкие, покрытые ряской доски и смотреть в небо. Как-то забрели мы туда ночью, и было немножко жутко и интересно. Плот качался, то и дело погружаясь краями в воду, вода жутко чернела, а у берегов под деревьями было темно и пасмурно. Когда мы переставали грести, то в абсолютной тишине ночи слышно было, как перескакивала и шуршала ряска. Мало ли можно еще описать подобных эпизодов, так что жизнь в бывшем имении, несмотря ни на что, останется надолго приятным воспоминанием.

<25 августа 1934>

Считаю дни до отъезда в Москву, их осталось три. Ах, еще целых три дня и, в то же время, только три дня! Я жду терпеливо и сравнительно спокойно, зная, что в Москве недолго будет интересно. Пройдет полмесяца, самое большее месяц и найдет тоска. А может быть и нет? До обеда осталось полчаса, я жду его не столько для того, чтобы поесть, сколько для того, чтобы можно было сказать, что прошло уже полдня. Почему мне так хочется в Москву? Нет, в Москву я не хочу, мне просто надо уйти от моей скуки и тоски, а уйти больше некуда, как только в Москву.

Сижу сейчас в парке на одной из заросших глухих тропинок и наслаждаюсь бесконечно красивой природой. Ветер шумит и тревожно бегут облака. Трава влажная, такая свежая и душистая. Дрожащие тени шевелятся, вздрагивают, и манит лесная и пестрая от солнечных бликов и теней теплая и пахучая даль, и краснеющая в кустах яркая и крупная рябина. А рядом, положив на лапу морду, спит, похрапывая, бездомная голодная собака, такая ласковая и преданная. У нее красивая, черная с рыжим и белым морда, выразительные и веселые навыкате глаза и волнистая желтая шерсть. Она бегает со мной по парку и, играя, хватает ласково зубами, и я ее так люблю и жалею, так хочется никогда с ней не расставаться.

<2 сентября 1934>

Началось то, что так подолгу и мучительно ненавидела и очень редко любила — началось ученье. Вчера с еще более выросшей и похорошевшей, похожей на девушку Ириной пошли в школу, и закружила нас вереница знакомых и незнакомых лиц, симпатичных, приятных и противных, с которыми теперь предстояли долгие месяцы совместной жизни. И прошла повседневная скука, наступила жизнь, хоть какая-то, но все-таки жизнь, живое и тесное общение с людьми. Вот одноклассники, выросшие, веселые и оживленные, так приятно почувствовать себя с ними связанной одной работой. Как и всегда, мальчики, более скромные, держатся особняком и тоже улыбаются загорелыми и симпатичными лицами.

Левка, оливково-смуглый, высокий, весь упруго мускулистый, опять вызывает чувство симпатии и желание беспрерывно смотреть в его голубые сияющие глаза. И остальные, светловолосые и голубоглазые, похожие друг на друга лица, будят в душе что-то теплое и хорошее. Среди них только этот черномазый, вытянувшийся и худой, смугло-желтый вызвал неприятное чувство. Не знаю, чего я ждала от Димки, но найти его настолько подурневшим я никак не ожидала. Он смешной и отталкивающе неприятный, и, прислушиваясь к его басистому напыщенному тону, я чувствую антипатию и почти злобу.

Вчера часы, проведенные в школе, были наполнены оживлением нового положения, и даже наша длинная и злая групповодша, серая и противная, не могла заглушить веселости. В группу к нам привели новых ребят, хулиганов и бузотеров, но все это мало смущало и огорчало. Когда я, сбежав с демонстрации, шла домой, распахнув пальто навстречу ветру, то какие-то неясные надежды копошились в душе, было легко и весело, а домашняя обстановка показалась скучной невыносимо и меня потянуло в школу.

<5 сентября 1934>

Бывают же в жизни необычайные вещи, таким необычайным для меня был сегодняшний день. Начался он, правда, совершенно обыкновенно. Как всегда, чуть ли не за целый час до занятий, я зашла к Ире, и мы вместе пошли в школу по жаркой и душной улице. Как всегда, тяжкая скука перед занятиями, хождение важными парами по двору и наблюдения украдкой за ребятами, невольное почти и постыдное. Первый урок должен был быть русский. Почему-то педагог не пришел, и мы бузили до тех пор, пока к нам не прислали кого-то. Но и эта буза была скукой.

Мы сидели за партой, с тайной завистью и интересом следя за скачущими мальчишками, веселыми и интересными. Они возятся, острят, выбегают из класса, и изредка перехватишь их равнодушный и смеющийся взгляд. Стыдно в этом признаваться... Я все считаю себя серьезней многих, но верно ли это? Верно ли, что я по-другому смотрю на отношения ребят и девчонок? О, я еще почище многих, но я стараюсь быть серьезной, скрываю свое настоящее «я». Правда, мои желания не совсем таковы, как у других, я хочу совсем иного, неясного, но хорошего и почему-то заключающего в себе счастье и спокойствие. Я всегда думаю об этом, рассуждаю про себя и разбираю то безнадежно запутанное, что называется моей душой и чувствами. Так было и в этот совершенно обыкновенный час столь необыкновенного дня.

Второй урок было пение. С нетерпением и веселым интересом ждали мы появление нового учителя, еще неизвестного нам даже по наружности; были у нас предположения, что это тот самый молодой и блондинистый человек, которого мы встречали несколько раз в школе. Ребята сидели впереди около совершенно неиграющего пианино и перебрасывались от скуки хлебом. Нас скоро попросили в класс, и там мы увидали нового нашего учителя пения, невысокого и коротконогого человека с большой и чудной головой, покрытой густой и щетинистой шевелюрой, за что ее владельцу была сразу же дана кличка Дикобраз.

Он очень напоминал собою тип карикатур бывших буржуа и иностранных капиталистов, в изобилии изображенных в наших советских газетах. Хохот на уроке стоял почти несмолкаемый. На этот раз особенно выделялась наша группка, новенький мальчик даже крикнул нам с раздражением: «Ну, вы, девчонки, замолчите!» Смеялись мы всему — и неправильному еврейскому произношению педагога, и перебрасыванию хлеба мальчишками, и раздававшемуся вдруг в разных концах класса пению какой-то современной и преглупой песенки.

Следующим уроком должна была быть география, педагога еще не нашли, и нам опять предстояло гулять целый урок, если его не займет кто-то другой. На одной из дорожек я с Зиной встретили Левку и Альку, важно раскуривающих папиросы. С особой сумасшедшей решимостью сделать что-то сногсшибательное и смешное, я подошла к ним и равнодушно-небрежно спросила, глядя снизу вверх на их самодовольные рожи: «Лишние есть?» Они, кажется, не поняли, а Левка чуть удивленно взглянул на меня. «Папиросы есть еще?» — повторила я. «А, есть, есть», — Алька вытащил из бокового кармашка рубашки одну, подал мне, потом чиркнул спичкой.

Я наклонилась, глядя прищуренными глазами на огонек, закурила и пошла дальше, несколько раз затянувшись. Я знала, что всю эту сцену видят удивленные и качающие головами прохожие, девчонки наши дико хохочут, и сама я, чуть улыбаясь, внутренне содрогалась от неудержимого сумасшедшего смеха. Обратно мы шли веселые и пропахшие дымом, но в класс в таком виде являться было нельзя. Мы забежали в уборную, чтоб перед умывальником прополоскать рты.

Когда оттуда пошли в класс, и я приоткрыла дверь, тишина и сидящие за партами ребята поразили меня. Еще несколько шагов и... я увидала глядящее на меня из-за книги строгое длинное лицо немки: «Нет, нет, я не пущу вас». Сделав налево кругом, я, ничего не отвечая, направилась к двери и, столкнувшись с ошеломленной Зинкой (подругой в несчастье), выкатилась в коридор. Шляясь по школе в поисках завуча или директора, мы наткнулись на нашего Тимошу. Оказалось, он искал Димку, которого только что до нас выгнала немка, а теперь звала обратно.

«А, Димку, значит, тоже прогнали». И от сознания, что мы не одни, сразу стало веселее, и мы, наплевав на все, ушли из школы. Гуляя по широким аллеям, мы смеялись и бузили, как вдруг услышали откуда-то сбоку окликающий нас знакомый Левкин голос. Навстречу нам шли Левка, Алька и сбоку кажущийся совсем маленьким Димка. «А, друзья по несчастью», — крикнула Зинка, мы были в восторге. Да черт с ними со всеми и с этой немкой! Когда тут... ха-ха! «Вас тоже выгнали?» «Да мы и не пошли к ней», — сказал Левка, смеясь низким голосом и с вышины своего громадного роста смотря на нас. Мне было смешно и странно, никак не могу привыкнуть я к тому, что ребята наши не мальчики, а подростки, и между нами с каждым годом увеличивается разница.

<7 сентября 1934>

Чудно! Чуть день пройдет спокойней и обыденней, как сильней и неотвязчивей копошится в душе едкая неудовлетворенность. Ведь было как будто весело, много смеялись, бузили, часто у нас были свободные уроки и все же... Дома я боюсь давать свободу своим чувствам, чем-нибудь стараюсь отвлечься, мечтаю, а за уроки браться совсем не хочется. Я боюсь тоски своей, чувствую, как она нарастает, оживая во мне, и жутко подумать, что будет дальше, ведь уже сейчас начинаются эти легкие, как будто ничего не значащие симптомы. Но я себя слишком хорошо знаю, чтоб не обмануться, и, вообще, начинаю все больше и больше узнавать себя.

Не прошла даром моя все ускоряющаяся привычка обо всем думать и все разбирать, наблюдения над собой привели к тому, что я начинаю понимать, что я сама уже не такая непонятная и странная, как думалось раньше, что много во мне общих черт, странностей и желаний. Теперь уже частенько можно наперед сказать, что я буду чувствовать и делать в том или ином случае, и это доставляет удивительное облегчение и удовлетворение. И вообще, думать мне нравится, всегдашнее ощущение сознания и разума успокаивает, хотя, положим, разума я не очень слушаюсь, все мои поступки в школе, моя буза и лень говорят об этом.

А ведь надо было бы в этом году учиться, ведь в восьмую группу берут только отличников. Но не хочется пока думать о будущем, когда настоящее так хорошо и увлекающе. В школе весело, несмотря на несбыточные и неясные желания. Димка, который показался сначала противным, опять начал интересовать своим небрежением к девчонкам и к ученью. Мне очень понравился и, пожалуй, разжег женское самолюбие его ответ на записку Иры, в которой она спросила, кто ему из девочек нравится. «Деритесь! Кто победит, тому и достанусь», — ответил он. Удивляет все-таки женская натура! Димка мне и нравится лишь только потому, что я ему не нравлюсь, в противном же случае я, наверно, возненавидела бы его. А теперь опять украдкой мои любопытные взгляды на него. Еще меня продолжает интересовать Левка, упругий и гибкий, с красивыми глазами, веселый и простой, а также интересует удивительно симпатичный Толька.

Сегодня получила по математике «хорошо», да и не жалею об этом, потому что больше, пожалуй, готовиться было нельзя, да мне и безразлично теперь. Математик наш, чудной и длинный, на несгибающихся в коленях ногах, старик с лысеющей седой головой и большим, выпирающим немного, морщинистым лицом, преподает хорошо и так уверенно, спокойно и увлекающе звучит его голос. Он одевается в синюю безукоризненную пару и какую-то приятно-желтоватую рубашку с открытым отложным воротником, которые обычно носят молодые парни, поэтому на него как-то странно и смешно смотреть.

<10 сентября 1934>

На пятый урок биологичка не пришла, и ребята, повскакав с мест, носились по классу, выбегали в коридор, поминутно кричали «шухер», ржали заразительно и опять кричали. Девчонки сидели на партах, самые примерные делали домашние уроки, а кто похулиганистей либо болтали, либо с увлечением занимались перепиской с ребятами. Я сидела, уткнувшись лицом в руки, и по своей привычке думала и разбирала, настроение у меня было паршивое. Было завидно смотреть на возню ребят, хотелось самой драться, бузить и шуметь, но удерживало благоразумие девочки и боязнь хулиганской выходки со стороны мальчишек, поэтому твердила себе: «Жди. Ты по желаниям немного переросла окружающих, поэтому тоска и скука иногда».

Все-таки мне хочется каких-то других, серьезных и товарищеских отношений с ребятами. Товарищеских? А интерес мой к ним излишний и глупый, далеко не товарищеский! Я, чтоб рассеяться, начала шляться по классу, заглядывая в тетради девочек. На передней парте наши ребята старались пролить чернила, я и подоспевшая Ксюшка стали вырывать у них тряпки, чтобы вытирать. Кто-то заткнул чернильницу бумагой, а мы, вытащив ее, всю синюю и мокрую, направились к двери и спрятались по бокам, чтобы попугать входящих. С девочками обошлось благополучно, но вот пронесся Левка.

Я слишком сильно вытянула руку, а он так порывисто рванулся вперед, что налетел лицом на эту бумагу так, что левая часть лица и глаз стала в чернильных полосах. «А, Луга, черт, так ты!» — и он, махнув пальцем в синюю чернильницу, мазнул меня по щеке. Что ж мне сдаваться? Никогда! Стараясь преодолеть силу длинных и сильных рук, я еще и еще терла бумагой по лицу и, чувствуя, что он одолевает, злясь и стервенея, преодолевала его напор. Помню, что во время нашей драки в дверях стояли наши ребята, хохоча, а девчонки, когда я подошла к парте, смеялись, указывая на мою рожу и выбившуюся из юбки кофту. Быстро оправив ее, я взяла платок и побежала в умывальник. Было неловко и весело. За мной явился Левка и, старательно растирая лицо, он уже смеялся и не злился: «Никогда так чисто не мылся», — орал он. Мир между нами был налажен.

<12 сентября 1934>

Я начинаю резко меняться, пожалуй, уже изменилась: пропали те интересы, которые только год назад были такими дорогими и необходимыми. Школу люблю, а вот в выходной скучаю, потому что заниматься и даже читать не могу и не хочу, а пойти, чтоб побузить, просто некуда. Весь день сегодня старалась сдержать нарастающую хандру и не сдержала, пришли мысли, пришла и она. Глянула жизнь на меня невеселыми, скупыми глазами. Усталая, больная и вечно работающая мама. Постоянное отсутствие денег и нужда! А еще скуднее, еще беднее моя внутренняя жизнь и мои идеалы. В школе жизнь захватывает и не думаешь, а дома... от однообразия и безделья придут

они, злые черные мысли, сверлят и сверлят. А взяться не
за что, ничего не нравится, все противно и постыло. Хочу
жить, хочу безрассудно веселиться, а этого нельзя! Книги
уже не увлекают, почитаешь что-то и опять... думаешь и
тоскуешь. Я, вероятно, чтоб уйти от моей тоски, запью
когда-нибудь...

<13 сентября 1934>

Вся наша группа давно уже раскололась на две части.
Одна часть состоит из девочек примерных и тихих, другая — из нескольких бузил, девчонок и мальчишек. В прошлом году этот раскол не так был заметен, все-таки объ-
единяли нас общие маленькие забастовки, мы меньше
бузили и хулиганили, слабее была у нас связь с ребятами.
Теперь это стало слишком заметно. Те — Усачевка — совсем
притихли и увязли в зубрежке, мы — Девичка — распустились страшно, перестали заниматься и хулиганим больше
ребят. Появляется вражда между Девичкой и Усачевкой,
эти последние ворчат, косятся (уж не собираются ли жаловаться), ну, и черт с ними, мы хотим веселиться, хотим
жить. Переписка с ребятами идет оживленнее с каждым
днем; я этим, правда, не занимаюсь по какой-то странной
гордости, иногда лишь расспрошу немного девчонок.

Сегодня Ира, Зина и Муся начали разговор о вечеринке.
Злит меня, что ребята так мало обращают внимания на
них, — все же свое племя. Я уверена, что из новой затеи
ничего не удастся, а все-таки на всякий случай согласилась
принять участие, хотя боюсь, что вдруг ребята станут против меня, все же обидно будет. А «мужское население»
нашей группы тоже распалось, уже редко увидишь Левку
или Тольку, хулиганов и простачков, с Димкой, Антипкой
и Тимошей, благовоспитанных и будущих «молодых
людей». И все же в последнее время именно простачки
нравятся мне больше, с ними по-товарищески можно поговорить и побузить. Иногда я любуюсь на Левку, когда он
оживленный и бледный, с темными громадными плошка-
ми глаз поворачивает в мою сторону вихрастую и взлох-
маченную голову. Из другой группки почему-то мне не
интересен никто, кроме Димки, даже Антипка, симпатичный и спокойный с какой-то мечтательной физиономией,
а Димка интересует и, кажется, злит.

Сегодня из школы шли в повышенном и дурацком настроении. Отпускали сальности, поругивались, гоготали. Потом перешли на другую сторону, где шел Димка, отпускали вдогонку ему разные шутки: «Димка, пятками назад идешь!» Он продолжал быстро идти, ускоряя шаг. А дома стало стыдно и противно, представлялось, как он нас в душе ругал и как смеялся над нами, как еще больше уверился в женской глупости и легкомыслии. Обругав себя дурой, я дала себе слово не повторять этого, ведь мне уже пятнадцать лет. Довольно!

<1 октября 1934>

Сегодня я осталась дома. Надо было вымыть окна и погладить... Во мне борются две натуры: одна — это женщина, которая стремится к вечным заботам по хозяйству, к порядку, к чистоте; другая — это человек, желающий посвятить свою жизнь другому, более интересному и высокому. Мучительна бывает эта борьба, надо ведь на что-то решиться, чему-то дать предпочтенье. Я знаю, что должна побороть в себе женщину, но часто это невозможно. Чувство справедливости к маме частенько заставляет меня покоряться. И опять поднимается глупая зависть к мальчишкам. «О, если б я была мальчишкой!» Я была бы свободна решительно от всего, придешь из школы и делай, что хочешь, все домашние заботы проходят мимо. Это простительный эгоизм, но я говорю себе: «Если хочешь достигнуть чего-нибудь, подави в себе эти хорошие чувства, заставляющие тебя хозяйничать. Это гадко, но необходимо!»

Вон Женя, Ляля ходят грязными и неряшливыми, каждый день их мучает упреками мама, но зато... они успевают делать другое. А мне остается только мечтать: «Вот завтра начну играть на рояле, а потом научусь хорошо играть, потом буду рисовать, а потом...» И опять ничего, и опять мечты. Ученье я забросила, «отлично» не получаю уже совсем, сижу на «хорошо», в этом я сдержала свое слово. Ученье в школе — чепуха, за него никогда не поздно взяться, надо пока делать другое. Иногда мне хочется взяться за писание, но из этого, я чувствую, ничего не выйдет. Перебешусь, перемечтаю, а потом... и успокоюсь. Выйду замуж, чтоб только выйти, за какого-нибудь заурядного паршивенького человечка, которому нужна только жена, покорюсь ему и позволю сделать над собой самое естественное и самое противное в жизни. Потом родятся дети, и дальше будет все то, что бывает со всеми. Эх, молодость, счастлив тот, кто может верить ее иллюзиям и мечтам. И это очень горько.

‹*12 октября 1934*›

Вчера были томительно-скучные уроки, непонимание, злость и страх, однообразные перемены в тесном зале, в толкотне и ругани шпаны, сонливость и утомление на последних уроках. И весь день ожидание какой-то перемены, чего-то более ясного и интересного. На последних уроках было скучно и противно. Физик, высокий и страшный старик с желтым, чем-то поросшим и обезьяньим лицом, медленно запинаясь, объяснял что-то, а потом спрашивал, не торопясь, мучая и засыпая учеников. Мне уже надоело бояться, я сидела, облокотившись на парту, и тоскливо слушала, говоря себе: «Вот она, пришла тоска. Хорошо хоть полтора месяца протерпела».

Ира и Рая перекидывались записками и хихикали. Муся, обернувшись, шепнула мне: «Нина, ты придешь завтра к часу американку исполнять?» «Приду». «Я знаю, она не придет», — проговорила Ира. «Приду, если ничего не случится со мной», — я постаралась улыбнуться. «Ну, ты нарочно заболеешь». «Нет, зачем же нарочно?» По дороге домой я, кажется, даже немного оживилась, но не пропадала возникшая мысль как-то отвертеться завтра от школы. Что же сделать? Отравиться? Почему-то не было ни страшно, ни ужасно, и не было жаль жизни, как будто проще ничего нельзя было придумать.

У бабушки я стащила пузырек опиума и, пообедав, пошла домой. «А вдруг я раздумаю?» Накапала в чашку двадцать темных капелек и перед сном выпила. Выпила! Едкой горечью обдало рот, ударило в нос. Я была довольна своей решимостью и, укутавшись в одеяло, приготовилась заснуть. Но не спалось, в полумечтательной форме думала о том, что будет завтра, не верилось, что умру. Было как-то странно — одна часть меня радовалась, что не придется идти в школу, а другая робко и несмело вздрагивала. Неужели умру?

Когда начала охватывать дремотная, головокружительная слабость, мне показалось, что сводит назад голову, я судорожно рванулась и скорчилась. Проснулась, когда мама вошла за чем-то в комнату, хотела открыть глаза и подумала: «Вдруг я чем-то выдала себя?» Сквозь ресницы смотрела на яркий свет, а когда мама потушила лампу, то, успокоившись, сказала ей что-то. Через несколько минут посмотрела на часы, было без двадцати минут час: «Прошло два с половиной часа. Что же это значит?» Не вытерпев, села на постель, обняв колени: «Двадцать капель. А вдруг не опиум? Нет, быть не может. Что ж он не действует?».

Попробовала пульс, он бился часто-часто, и мне было жарко. Запрокинув голову, лежала на спине и думала: «Что же это значит?» Опять проснулась ночью, было темно, на стене сиял яркий лунный свет. «Это жестоко! Неужели обман? Неужели не опиум? Неужели идти в школу? О, нет! Но что же делать? Теперь уже не подействует, но ведь двадцать капель... Что ж это было?» Стараясь заснуть, долго лежала, поджав ноги: «Как же мне не везет! Решилась раз отравиться, да и то не вышло». Утром встала, как всегда, бросилась к бабушке с вопросом: «Что в том пузырьке?» Оказалось, опиум с какими-то каплями.

<22 октября 1934>

Мое недоуменно-напряженное и скучное настроение как будто проходит, а сегодня было довольно весело. Немка наша не пришла, и мы на уроке вздумали переписываться с Левкой. Вначале шло на удивление хорошо, но потом он покрыл нас таким матом, наговорил такие гадости... Вот сволочь! Мы прервали с ним переписку. И все же было весело. Левка сейчас у нас самый хулиган в классе, никто не может с такой откровенностью и простодушным весельем обсыпать матерком, наговорить мерзостей, но никто и не смеется так заразительно и обаятельно.

Я серьезно злилась на него, но когда он после уроков о чем-то говорил с Ирой, то не могла не восхищаться его слегка откинутой головой с пышной золотистой шевелюрой волос над удивительно красивым лбом, этими чуть полузакрытыми глазами и небрежной, часто презрительной, наглой и хулиганской, но такой симпатичной улыбкой. О, он очень хорош и так безгранично весел. Я никак не могу понять, как человек, столько читавший, развитой и живущий в хорошей семье, может быть в то же время таким омерзительным хулиганом.

Муся как-то сказала мне: «Знаешь, Нина, что я тебе скажу. Ты нравишься одному мальчику». «Я?... Это мило... Нет, лучше не говори, кому. Я буду смотреть на него по-другому». «Вот глупости». «Ну, кому?» «Маргоше». «Маргоше? Откуда ты выдумала?» «Он сам сказал». «Да ну, не верю. Когда?» «Мы с Зиной вчера переписывались с ним, спрашивали, кто ему нравится. Он написал: «Луговская». Она еще что-то врала, но я мало верила этому, да и не до того было. Какого черта вздумалось тогда Мусе рассказать мне об их переписке, но я теперь не могу успокоиться. Так раздражает эта неопределенность положения, хочется узнать, действительно ли верно «то» или нет?

Теперь я почти не верю, да и как могла поверить? Все было сделано Маргошей для отвода глаз, да и какой дурак будет рассказывать так откровенно о своих симпатиях. Он соврал, посмеялся, а я... почти поверила, но хорошо, что не полностью. Однако мысль о нем уже не покидала меня, наблюдая и украдкой посматривая на него, я старалась заметить хоть что-нибудь выдающее его, взгляд или слово, но ничего заметить было нельзя. Сейчас обостренное внимание за Маргошей как-то уменьшается, но все же я неотступно и незаметно продолжаю следить за ним. Все новости получаю от Муси, с которой он оживленно беседует на уроках. Когда же я случайно подошла к ним, и он, говоря что-то, смотрел на меня, мне было приятно, хотя я и уверена, что он мне совершенно не нравится.

<26 октября 1934>

Если бы я была влюблена в Маргошу, я не думала бы о нем больше, я все же уверяю себя, что он мне не нравится. Я вспоминаю мое увлечение Левкой, когда я по целым часам смотрела на него, бледнела и дрожала при каждом с ним слове и восхищалась всяким его движением. Но это было совсем не то. Маргоша меня интересует, я его чувствую. Он неуклюж и неповоротлив, как медведь, смешон и некрасив, и я все это сознаю. И все же непонятное удовольствие доставляет следить за ним, видеть его косолапую фигуру в зале, поймать случайный и равнодушный взгляд. Мне надо отвлечься, пересесть на другое место и постараться все забыть, а я... только усиливаю то, что надо пресечь. Но это скоро пройдет, это должно пройти.

Трудно и интересно тщательно скрывать от всех мое состояние, не проявлять к Маргоше лишнего интереса, не посматривать на него чаще принятого. Это мне пока удается, но так жутко нервирует вечная напряженность и ожидание чего-то. Иногда я не сдерживаюсь и взглядываю на него, и тогда нестерпимо, неприятно и стыдно становится перед собой. Но ведь Маргоше нравится Муся, так о чем же я думаю? Я ведь в этом уверена и, несмотря ни на что, каждый день с болезненным нетерпением ожидаю какого-нибудь слова, обращенного ко мне, или улыбки.

Муся так оживленно и просто говорит с ним, так естественно и мило подтрунивает, а ей ведь всего четырнадцать лет. Мне уже шестнадцать, я глупая и страшная девка. Иногда мне бывает на самом дне души тяжело и обидно, что я так неспособна, некрасива и неинтересна как человек, что никто ни минуты не бывает мною заинтересован. И такие тоскливые и невыносимые минуты приходят все чаще, ни с того, ни с сего вдруг нападет что-то, и еле сдерживаешь себя. Боюсь, что в этом году опять придется прогуливать, чтоб как-нибудь спастись от тоски.

<30 октября 1934>

Вечером был папа. И опять подступала к горлу беспощадная едкая злость на большевиков, отчаяние к своему бессилию. Жалость к нему, больному и бездомному бродяге. А потом, начитавшись Лермонтова, вздумала писать стихи, вытащила бумагу и ручку, написала бессмысленную чушь, хотела разорвать, но решила более удачную часть переписать в дневник.

> Я ненавижу свет, но и люблю безмерно,
> Что светом называется у нас.
> Так опротивела текущая так мерно
> Жизнь, в ужас приводящая подчас.
> Моя судьба — тихонько, незаметно
> Жить в тесной, темной скорлупе,
> И никому не знать моей мечты заветной
> О том, что лишь известно мне.

<*12 ноября 1934*>

8-го должны были у сестер собраться ребята, и я с волнением и страхом ждала этого вечера, начав даже побаиваться, что вдруг они не придут, но часам к девяти все стали собираться. Я долго не могла преодолеть своей робости и войти к ним и, пожалуй, так бы и не решилась, если бы сестра не догадалась постучать в стену и крикнуть: «Нина маленькая, иди сюда». Я вошла. Гости сидели на постели и на стульях, Нина играла на рояле, а посреди комнаты, картинно встав в позу, какой-то парень пел громко и с надрывом. Я, мельком осмотрев всех, встала у стены и уже больше не боялась. Так просты и веселы были все и так мало обращали на меня внимания, что я невольно почувствовала себя своей. Все они казались такими хорошими и, пожалуй, добрыми. Я страшно жалела, что не пришел Женька и до одиннадцати часов тайно ждала его. Так же очень огорчена была и Ляля, а когда Жорка сказал, что тот ушел на другую вечеринку, у нее на глазах были слезы. Мне теперь кажется, что он ей нравится больше обыкновенного. Вечером я осталась довольна чуть ли не больше других и чувствовала себя вполне удовлетворенной, потому что не побоялась войти к ним.

Вчера состоялся у Жени и Ляли вечер в общежитии, их группа поставила небольшой водевиль, и девочки звали меня с собой. Около девяти часов я вместе с Ксюшей выехала к ним и как-то случайно мы не доехали одной остановки и, волнуясь и смеясь, бежали по темному пустому переулку. Кое-как добрались до общежития и вошли, растерянно озираясь. Вокруг были чужие, незнакомые и кажущиеся враждебными лица! Наконец, у дверей в зал я встретила Жорку, который по поручению Ляли встречал нас, он-то и привел нас на первые места и усадил там. Кругом шумело и говорило веселое и такое симпатичное мне студенчество, я глядела кругом, ловила каждое движение и слово окружающих.

Потом, немного освоившись, я вошла за кулисы и... вдруг очутилась в женской уборной. Передо мной стояло несколько артистов и хоть бы одно знакомое лицо! Прошло несколько неловких минут, в течение которых я молча таращила на них глаза, не понимая, неужели грим так изменил их, но тут вошла девица в голубом платье и в светлом парике, и по голосу я узнала сестру Женю. Но даже и после этого, когда я немного свыклась со всеми, не раз удивленно поднимала глаза на загримированные чужие рожи. Но вот началось представление. Режиссер Женька остроумно придумал представлять артистов в абсолютной темноте, освещая их лица карманными фонариками. Часто происходили заминки за колеблющимися складками занавеса, и я так болезненно принимала злорадный и насмешливый смех публики.

Но еще больше я начала волноваться, когда занавес подняли и на сцене очутилась Женя. Мне жутко и страшно становилось за нее и на протяжении всей пьесы я все боялась, что она провалит. Но все обошлось благополучно, после жидких хлопков все начали расходится, а мы с Ксюшкой пошли за кулисы. Все были настроены повышенно и взволнованно. Переодевшись, сестры забрали свои манатки и пошли по длинным светлым коридорам в комнату, где жили их друзья. Мы с Ксюшкой довольно долго ходили по коридору около комнаты ребят, пока нас не пригласили войти. Там творился жуткий беспорядок, все постели были закиданы пальто, костюмами и бумагами. Мы уселись на одной постели, танцевать сестры не пошли и долго сидели, разговаривая с ребятами. Электричество притушили, тонущие в полумраке контуры неожиданно освещались фонариками. Все смеялись и шутили, а я, пользуясь темнотой, смотрела на Женьку и чувствовала, как поднималась к нему симпатия и хорошее благодарное чувство. Он сидел усталый и, пожалуй, сонный, в распахнутой слегка на груди рубашке, добрый, ласковый и хорошо улыбающийся. Да, действительно, Женька мне серьезно нравится, так что посмотрим, что дальше будет.

<13 ноября 1934>

Опять выскочила я из колеи. Опять не нахожу себе места, мысли и желания, невыразимые и наивные, вновь лезут в голову. Я же почти брежу институтом и... кажется, Женей. Папа мне недавно сказал, что в Текстильный институт в январе начнется набор, и я, хотя и уверена, что туда принимают после восьмой группы, но все же очень просила Лялю узнать все подробнее. А вдруг я вырвусь, наконец, из душной и противной школы, вырвусь уже на все время! А там... совсем другая жизнь. Хотя об институте и думать нечего, но я верю и не верю в это. А так хочется мечтать! Часто вспоминается Женька, когда он, подняв голову, что-то говорил Ляле и смеялся, как может смеяться только он. Я, кажется, слишком пристрастна к нему! Возможно. Я знаю, что потом придет разочарование и глупое увлечение пройдет, но это потом... А теперь... его лицо, освещенное кругом фонарей, и у меня в душе какое-то тихое радостное спокойствие.

Школа уже не представляет для меня никакого интереса, мне там ничего не надо: Маргоша меня уже почти совсем не интересует, о Димке я и думать забыла. А Левка? Нет, его обаяние не прошло. Как и раньше, невольно улыбаешься навстречу длинноногой и смешной фигуре и лохматой нахально поднятой голове, в которой так много еще мальчишеского и даже детского, глаза которого смотрят так весело и нагло и так по-детски всезнающе. Он иногда напоминает мне Дорохова из «Войны и Мира». Но сегодня я узнала поразительную новость — Левка, этот мальчишка, который крыл всех матерком и смеялся грубо и вульгарно над девчонками, написал Ире записку: «Ирина, ты мне нравишься и в твоей воле согласиться или нет остаться после уроков. Я во всем подчиняюсь тебе». Я была поражена и, надо сказать, огорчена.

‹18 ноября 1934›

Сегодня к сестрам пришли Жорка и Женя, который поздоровался со мной, глядя смеющимися, искристыми глазами, и я несколько мгновений смотрела в них, а потом отвела в сторону свои глаза. Ляля предложила Жорке читать какую-то учебную книгу, а сестра Женя ушла в мою комнату с Женькой. Я колебалась несколько секунд и... все-таки пошла за ними, ведь вполне естественно, думала я, что мне хочется слушать беллетристику, а не учебник. «Можно к вам присоединиться?» — спросила я, входя. «Пожалуйста!» — Женька сел у настольной лампы, приготовившись читать. «Подождите, я альбом принесу», — сказала сестра и вышла на несколько минут. Я встала, порылась в книгах и, стоя спиной к нему, думала про себя, улыбаясь: «Вот мы одни. Помнишь, какие глупости ты сочиняла про эти минуты?»

Вскоре сестра пришла, а я села в кресло, облокотившись на ручку и не сводя почти глаз, смотрела на Женю. Он читал и поэтому не мог смутить меня своим вниманием, а я рассматривала его самое обыкновенное лицо, небольшие глаза, прямой и несколько широкий нос, срезанный лоб и затылок, маленькие, прижатые к голове уши, светлые волосы, вьющиеся правильными волнами. Когда же он отпускал какие-то реплики, то незаметно взглядывал на меня, и мне было так приятно встречать его сероватые, а иногда и голубые глаза. Потом они вместе стали упрашивать меня попозировать им, и хотя я долго упрямилась, но потом согласилась и села. Никогда во все прошлые позирования, которые всегда были для меня мукой, я не испытывала ничего приятней, как теперь, сидя, прислонившись головой к стене и глядя полузакрытыми глазами на уголки альбома сестры — я испытывала какое-то блаженное и спокойное чувство.

В голове сладостно вертелась мысль: «Я люблю его! Я ничего не хочу, лишь сидеть так долго-долго, и пусть иногда он что-то говорит мне». Когда они собрались уходить, я уже не убегала, как раньше. Женя быстро сжал мою руку, смотря на меня ласковыми глазами, и мне показалось, что он хотел улыбнуться. Спать я ложилась совсем взбудораженная и взволнованная, мечтая: «Может, он завтра придет».

‹22 ноября 1934›

В школу я не пошла опять, ведь сегодня придет Женька. А вдруг не придет? Вдруг все ожидания напрасны, и все полетит к черту? С какой радостью бросилась я открывать дверь, когда раздалось два коротких звонка. Вошла сестра и, не раздеваясь, прошла в комнату, я ничего не спрашивала, зная, что внизу ее кто-то ждет... Она забрала ключи, сказав бабушке: «Я даже не снимаю пальто. Там внизу меня ждет Ляля». «А кто еще?» «Никого». И она ушла. Я стала одеваться, не чувствуя даже особой боли, но какая-то давящая тяжесть тупой занозой засела в душе. Я улыбалась, судьба надо мной просто посмеялась. И только! Какая-то злость и болезненное оцепенение появились во мне, поднималось раздражение и досада против себя, против Женьки, против всех. Оскорбленное самолюбие и гордость, оскорбленная любовь — все переполняло меня. Мне больно, что я ему не нравлюсь? Нет, мне просто больно, что он не пришел, что целый день, этот мучительный день я его ждала и ни за что не могла взяться.

А теперь я зла на него, и впервые за этот год мне так хотелось плакать, что слезы навертывались на глаза. Опять я чувствовала себя такой несчастной, вспоминалось и мое уродство, а причина всему любовь, и опять безнадежная. Все, кто нравился мне, не обращали на меня ровно никакого внимания, и это так оскорбляло. Левка, которым сильно увлеклась, Димка, немножко Маргоша и теперь Женька.

Лишь день тому назад я улыбалась при воспоминании о нем, а теперь... Тоже улыбаюсь, но горько плача при этом. Как тяжело, как стыдно и противно на себя за эту любовь. Я себя совсем не понимаю. Что я теперь буду делать? С каким ощущением буду я сидеть завтра в школе? А остаться дома — это опять бесконечные и безнадежные часы мучиться в ожидании. Но все равно, пойду домой к сестрам, я не могу больше оставаться одна.

<23 ноября 1934>

Я сегодня опять не пошла в школу. Это лебединая песнь моей любви, потом надо будет с этим покончить, постараться забыть и не ждать, а сейчас я нарочно ничего не делаю и даже не читаю, хочу всласть намучиться ожиданием, разочарованием и мечтой. И так тоскливо и все-таки приятно идут часы. Женя, Ляля придут сегодня поздно, у них волейбол, а потом они пойдут в общежитие. Ждать к нам Женю смешно думать, девочки просто из гордости не пригласят его, они же знают теперь точно, что ему, кроме Дуси, никто не нужен. Конечно, Женя не пришел, а я ждала его долго и, когда уже не было никакой надежды, все-таки продолжала ждать.

И все же я ждала до одиннадцати часов, целый час ходила во комнате до головокружения, потом села в кресло. Такая тоска и злость! Хоть бы сестра пришла, наверно, она что-нибудь бы рассказала. А в каком жутком настроении она была в тот вечер, когда Женька отказался пойти к нам без Дуси, ходила по комнатам угрюмая, молчаливая и сосредоточенная в себе. Потом уже в кухне, когда мы остались вдвоем, я подсела к ней и попросила: «Ну, расскажи что-нибудь». «Не хочется сегодня», — ответила она и долго молчала, а потом вдруг, оживившись, сказала: «Я две ночи подряд во сне Женю видела». «А, вот о ком ты думаешь», — подумала я.

Пришла Женя в двенадцать часов, веселая, с блестящими глазами, подмигнула мне и засмеялась. «Счастливая», — твердила я себе и мучилась. Но она не захотела ничего рассказывать, а я не решилась задать ни одного вопроса и ушла спать, злая и в тоске. Может они сегодня позовут его? «Женя!» — крикнула я громко. «Чего?» «Вы поздно сегодня придете?» «Не знаю. Наверно, довольно поздно». «А сейчас куда?» «В мастерскую, писать... Хочешь с нами пойти? Посмотришь». Я села на постели: «С вами? Сейчас иду!» «Скорей только». О, этого можно было не говорить! Увижу его! На что мне мастерская и картины. Вот это повезло!

И вот мы там, куда так тянуло меня, где другая, интересная и счастливая жизнь. В институте никого не было, длинный коридор художественного отделения был увешан картинами учеников и преподавателей. Девочки восторженно хвалили этюд Бруни, с таким увлечением говорили о своей работе, мастерских, что я ярко представляла себе эту далекую и недосягаемую жизнь. В мастерской был хаос необычайный: мольберты с работами и без них в беспорядке стояли в разных местах, стены увешаны картинами, на полу и по углам лежали неоконченные этюды и только что начатые. Две широкие колонны стояли посередине и около них на маленьких столиках установлены были натюрморты.

Девочки все мне показывали и рассказывали. Скоро пришел Жорка. Один! Когда они выбрали места для работы, сестра спросила: «А Женя придет?» «Не знаю». Я не помню уже своего состояния в тот момент, но сидеть там и рисовать было гораздо легче, чем томиться дома. Я устроилась за колонной и начала рисовать. Было очень тихо, вдруг в конце коридора, который пугал меня своей длинной пустотой, глухо стукнула дверь. Ляля посмотрела в замочную скважину и сказала: «Женька идет». Я быстро закрыла альбом и стала рассматривать рисунки сестры, ожидая его с легким волнением. Вот шаги у двери, он вошел и поздоровался со всеми. Проходя среди мольбер-

тов и скамеек, он увидел меня и сказал: «А, Нина, здравствуйте. Какая солидарная сестричка». «Да, пришла
посмотреть» — я скорей уткнулась в альбом, чтоб не
покраснеть, но все же успела взглянуть на чуть улыбающееся лицо его. Я бросила рисовать и принялась читать
«Гамлета», он в это время ходил по мастерской и ел: «Что
вы читаете, Нина? «Гамлета»? А-а!» — спросил он, остано-
вившись недалеко от меня у мольберта.

Меня это стесняло, поэтому я перебралась на другую
сторону так, чтобы он меня не видел, а я могла бы изредка взглянуть на его протянутую руку и милую голову. Он
некоторое время сидел спокойно, потом не вытерпел, вскочил и, проходя мимо меня, остановился посмотреть. Я,
закрывая слегка рукой лист, обернулась — вот эти голубые
глаза смотрели на меня. «Покажите, Нина». Я замотала
головой, а он вдруг взял мою руку и, мягко отодвинув в
сторону, сказал с легким укором: «Ну?» «Да у меня еще нет
ничего. Я только начала», — сказала я, окунаясь в его сме-
ющиеся глаза и покраснела.

Когда все кончили писать, Жорка, рассматривая работу
Жени, сказал: «Знаешь, у тебя манера похожа на манеру
Потапова». «Неправда». Я стояла тут же. «Посмотрите,
Нина. Ну, разве похожи эти две картины?» — неожиданно
сказал он, подводя меня к картине Потапова. «По-моему,
нет», — буркнула я и, наверно, с очень глупым видом ото-
шла. Меня мучила боязнь, что я смешна, что Женя дога-
дался обо всем и смеется надо мной. «Пойдемте к нам.
Пойдемте все и пообедаем», — предлагал сестрам Женя.
«Ну, что ты, что мы у вас обедать будем — сказала сестра.
«Пойдем, Женя!» «Нет». «Нина, вы пойдете?» «Что ж я одна
пойду?» — улыбаясь, сказала я (а это ведь не был отказ).

Меня теперь смущает и как-то сбивает с толку то, что
он заговаривает со мной. Я, конечно, знаю, что это ничем
особенным с его стороны не вызвано, но как-то невольно
становлюсь смелее, боясь, что выдам себя с головой, что
отвечая ему, все дольше смотрю в его лицо. Ужасно будет,
если он догадается!

<25 ноября 1934>

Сегодня случился небольшой казус. Был урок труда, на
котором группа обычно делится на две части. Одна идет в

столярную мастерскую, а другая — в слесарную. Наша мастерская на перемене была заперта, а на дворе ребята закидывали нас снежками. Мы перебрались к соседям, где Муся все время дралась с Маргошей, кидая в лицо ему стружками. Потом он прицелился в нее снежком, я, по странной и твердой своей привычке, бросилась заступаться. Мы стояли с.ней рядом и ругались с ним, как вдруг он, размахнувшись, бросил мне в лицо холодный и мокрый снег. Мне не было больно, но так стыдно. Я редко злюсь серьезно и редко завязываю с ребятами серьезные ссоры, но когда разозлюсь, то должна отомстить, забывая всю страшную разницу между мной и врагом, лишь с одной мыслью — уничтожить позор.

Я стремительно бросилась за Маргошей, с ненавистью ударила его в спину и зло процедила: «Сволочь!» Он обернулся и был так страшен в эту минуту, большой, со сжатыми кулаками, злыми глазами и стиснутыми зверски челюстями. Мне стало вдруг жутко, и я что-то проворчала, поставив между нами стул. Он тоже успокоился, но тут подскочила Муся и маленькой своей ручонкой хватила его по шее. И опять обернулось к нам звериное лицо его, и я, не рассуждая, сделала движение вперед и загородила Мусю. Он смотрел на меня зло и как-то страшно. «Ты что, Маргоша, с ума сошел?» — спросила я. Он что-то невнятно проборматал, и я вдруг вспомнила, что он может нанести мне один из самых болезненных ударов, назвав «косой». Куда делся мой смелый и надменный тон? Кругом тесным полукругом стояли девчонки, а я сказала что-то миролюбиво, чтоб прекратить эту сцену. Но, в общем, я осталась довольна, что не снесла обиду молча.

<26 ноября 1934>

Утро — это надежды и радостный подъем духа, вечер — тяжелое разочарование и угрюмые мысли. Я все хочу выйти из тупика, все хочу найти выход из этой скучной и одинокой жизни. Я все же молода и мне хочется жизни, действия и веселья. Сестры и отец считают меня холодной натурой. Но разве это так? Разве я не мечтаю о другом мире? Разве я не преображаюсь в борьбе и действии? Из школы мне уйти необходимо. Но как? В январе начинается набор в учебные заведения, и я уже не думаю о

Текстильном институте, мне все равно, только бы не
школа. Пусть рабфак или подготовительные курсы...

Я сегодня с такой радостной уверенностью думала о
том, как пойду сегодня к Николаю[39], повторю с ним физи-
ку, и он даст мне новое задание. И я буду учиться, учиться, учиться. Я ведь чувствую в себе силу для упорной и
долгой работы, но мне нужна определенность, чтоб я знала
твердо, для чего все эти труды, а главное, мне нужен руководитель в этой работе, который проверял бы и помогал.
А так, совсем одной, без поддержки или же, наоборот,
выслушивая насмешки, — я не могу. Как я надеялась на
Колю! Неужели я не подготовлюсь за месяц? Ощущая в
себе силу и интерес к предстоящей борьбе, я шла к бабушке на встречу с Колей.

Но тут меня охватила робость. Николай сидел равнодушный и углубленный в какой-то чертеж, я испугалась,
что он будет смеяться, захотелось в какую-то минуту, чтоб
переговоры с ним велись через маму. Я долго молча ходила по комнате: «Нет, я не должна говорить сама, я не могу
и не умею. Но надо поговорить самой». И глядя в окно, я
спросила у Николая: «На какой курс рабфака поступают
после окончания семилетки?» Он спросил: «Ты хочешь
сократить время образования?» «Да». «Нет, ничего не выйдет. Ты не пройдешь курса за месяц». После этого я не
только не стала просить его заниматься со мной, но даже
побоялась попросить его дать мне маленький совет, уйдя
домой сердитой и отрезвленной.

Смогу ли я одна пройти все это? Нет задачников по
физике и химии, а они необходимы. Что же делать? Но
ведь надо пройти. Неужели же не смогу? Было тяжело и
уныло. Опять против воли ждала Женю, а потом — хотя
бы сестер... И все-таки надо решиться и попробовать заниматься, ведь попытка — не пытка, а в школу я успею вернуться всегда.

<30 ноября 1934>

Я эти дни занимаюсь, по вечерам хожу к Николаю, и
он дает мне задания, спрашивает, уговаривая все-таки
ходить в школу. Он не верит моему желанию поступить

---

[39] Двоюродный брат Нины.

куда-нибудь и не верит в возможность этого, а я надеюсь. Вчера мама начала говорить о подготовительных курсах в Институт иностранных языков, и как я была рада. Пусть я не буду видеть ни Женю, ни занимательную жизнь сестер, о которой так много фантастично-прекрасного сложилось в моей голове. Пускай! Найдутся свои интересы, начнется своя жизнь, и страшно подумать, что это только мечты, что мне придется вернуться в школу. Так жутко при одной мысли о долгих занятиях, но я твердо знаю, что буду заниматься, сколько требуется. Только бы поскорее все точно узнать, может быть, удастся все-таки поступить в Текстильный институт.

Меня раздражает пассивность и недоверчивость по отношению ко мне взрослых, они как-то не верят в мою затею, считая ее детским минутным капризом, а скорее всего ничего не думают о ней. Хоть бы кто-нибудь попытался разузнать толком обо всем. Мама, одна она только, кажется, поняла меня и относится положительно ко всем стремлениям. А время идет и идет. Я не успею, наверно, подготовиться, я провалюсь и... опять школа, вдобавок с позором. И опять томительные кошмары на уроках, тяжесть и тоска, и мечты о другой жизни, мешающие слушать и мучающие меня. В занятиях своих я, кажется, начала чуть забывать Женю, и не так мучают воспоминания о голубых глазах и счастливом вечере, когда он был у нас, хотя иногда так волнующе ярко все вспоминается.

И вот опять этот длинный и светлый коридор, увешанный картинами, большая мастерская в хаотическом беспорядке. Я опять уселась в дальнем углу, поглядывая на то место, где он сидел тогда, и вспоминала его синюю куртку и улыбающееся лицо, а потом украдкой подходила к его портрету. Женя же с нетерпением ждала вечера, она должна была встретиться с ним в библиотеке. А я горько усмехалась над своей неудавшейся любовью, прислушивалась к хлопанью тяжелой двери в конце коридора и завидовала ей: «Счастливая».

<2 декабря 1934>

Как это назвать: счастьем или несчастьем? Вчера приходил Женя, и у меня так часто билось сердце, а в руках неожиданно появилась нервная дрожь. Он постучал условным стуком, я открывала в полной уверенности, что это Ляля, и такой неожиданностью для меня стало увидеть в полумраке лестницы неясные очертания его фигуры. Он, кажется, и не ответил на мое робкое приветствие, и, не замечая меня, обратился к сестре. Я, покусывая губы, стояла в кухне с мыслью: «А ведь я, думая, что это мечты, надеялась». Он прошел в комнату, и они принялись за композицию, а я не смогла ничего делать и то нервно прохаживалась по комнате, то прислушивалась к его голосу. Из маминой комнаты, заглушая его, доносился скрипучий голос Жорки, они опять разошлись по парам.

Раза два я входила в комнату, где сидел Женя, рылась в шкафу и украдкой взглядывала на его спину, а потом долго сидела в своей комнате. Потом тяга «туда» все усиливалась и усиливалась. Я брала зеркало, оправляла волосы и платье, кусала пальцы, потом почувствовав, что надо разрядиться, я, взяв альбом, пошла туда. Оба, уткнувшись в работу, не обращали на меня никакого внимания, и я, постояв довольно долго, собиралась уходить. Вдруг Женя, откинув голову, повернулся ко мне и, облокотившись рукой на спинку стула, проговорил, снисходительно улыбаясь: «Ну, Нина, как живем?» Так обычно говорят детям, и я тогда, еще больше по-детски, ответила: «Ничего». Я сразу же ушла, а за дверью долго стояла, схватившись рукой за голову, и мучительно думала: «Да, так всегда говорили мне взрослые: как живем?» Боль в душе была неопределенная и непрерывная, растекающаяся и давящая, точно зубная, она тянула вниз, по временам ее хотелось скинуть, оторвать.

Около одиннадцати сообщили по радио, что в Ленинграде убит тов. Киров, член Политбюро. «А-а! Боже мой!» — воскликнул Женя, схватившись за щеку, и голос его был наполнен слезами. Мне было немножко стыдно, что у меня ничего не дрогнуло в душе при этом извещении, наоборот, я чувствовала радость, подумав: «Значит, есть еще у нас борьба, организации и настоящие люди. Значит, не погрязли еще все в помоях социализма». И я жалела, что не могла быть свидетельницей этого страшного и громкого происшествия. Да, теперь такая буча поднимется. Весь остаток вечера ребята говорили про это. А когда они уходили, я стояла в комнате у сестер и Женя все-таки ухитрился кивнуть мне из коридора через голову Ляли и помахать свертком бумаги. Меня сбивает с толку его ласковость и внимание, может быть, только благодаря моему положению ребенка он и относится ко мне так. Черт возьми! А я ведь люблю его.

<8 декабря 1934>

Как-то вечером сестра спросила меня: «Ну, как тебе нравится Женя? Правда, хорош?» «Женя? Да, веселый мальчик — проговорила я равнодушно, а сама подумала, что это неладно. В тот же вечер она сказала: «А знаешь, Нина, ты покраснела, когда он с тобой заговорил». «Это когда, в последний раз?» «Нет, перед этим». «А-а, когда он спросил, как живем? Помню, помню. Это от неожиданности». И я внимательно следила за собой, чтобы говорить спокойно и не покраснеть вновь. Что за черт? Откуда они могли узнать, что мне нравится «он»? Или прочли мой дневник? Нет, такой подлости я от них не ожидаю, было б слишком гадко. И все-таки они что-то подозревают, а Ляля каждый вечер, как увидит, что я скучаю, спрашивает: «Не влюблена ли ты, Нина?» «Нет. Не в кого», — отвечаю я равнодушно. «А, правда, тебе бы следовало влюбиться. Хочешь, я тебя с Женей сведу?» Я в это время разговаривала с сестрой и, ответив ей, только тогда повернулась к Ляле: «Да, ведь интересно взаимно, а он, так сказать, обреченный».

<9 декабря 1934>

Женя, Ляля пришли такие веселые, оживленные и кипящие жизнью, а мне почему-то особенно тяжело было сегодня. Их жизнь так хороша и заманчива, а у меня нет никакой, я живу их жизнью, увлекаюсь их интересами. То, что было — осталось в школе, то — о чем мечтаю — где-то бесконечно далеко впереди, а в настоящем — пустота. Пустота! Коля и бабушка считают меня лентяйкой, и каждый день, когда я прихожу туда обедать, начинаются едкие замечания. Я теперь уверена, что не успею подготовиться ни к какому рабфаку, но все же мне слишком тяжело расставаться с этой мечтой. А тут еще Женька! Как это ужасно полюбить того, кто к тебе не только равнодушен, а просто не замечает. Я сама не знаю, чего хочу, в душе смутно и темно, как в реке в половодье. И я знаю — меня скоро прорвет. Как это выйдет, еще не знаю, но только я или расплачусь как-нибудь, или, чтоб убежать от себя и от одиночества, уйду в школу забываться в грубом и развратном флирте, или, может быть, отравлюсь. Я чувствую, как что-то подступает и заволакивает, и нет никаких сил бороться с любовью и тоской.

<11 декабря 1934>

Странный у меня сегодня день. Вчера поздно, когда я уже легла спать, пришли сестры. Что меня надоумило встать? Я надеялась, что они что-нибудь расскажут и хоть мельком упомянут имя его. Как-то разговор у нас зашел на самую опасную тему: о советской власти, о большевиках, о современной жизни. Мы всегда были на различных полюсах, мы были точно слепой со зрячим, которому этот последний старается объяснить цвета. Мы не могли понять друг друга...

Ну, что можно было возразить против непродуманных заученных фраз: «Кто не за большевиков, тот против советской власти»; «Все это временно»; «В будущем будет лучше». Временно эти 5 000 000 смертей на Украине? Временно 69 расстрелянных[40]? 69!! Какое государство и при какой власти с такой холодной жестокостью выносило подобный приговор? Какая нация с такой рабской покорностью и послушанием поддакивала и соглашалась со всеми творимыми безобразиями? Мы проговорили целый час, и каждый, разумеется, остался при своем мнении. Как я злилась и проклинала свою глупость и неумение говорить, как я могла с таким сильным оружием, как жизненная правда и факты, не доказать сестрам всей лжи большевистской системы? Правда, для этого нужно иметь редкостную бездарность!

О дальнейшей моей судьбе мне надо решить самой. Женя, Ляля заняты собой и художеством, мама — работой. Никто не посоветует мне, как надо сделать, никто не захочет понять, как мне трудно и страшно. Сегодня пришел отец. Он принес вести из Полиграфического института. Слабая надежда на поступление есть. И когда эта мечта начала воплощаться в жизнь, я вдруг почувствовала не

---

[40] Речь идет об арестованных и расстрелянных без суда и следствия сразу же после убийства Кирова в Ленинграде.

только страх, но и просто свое нежелание. И не могла не засмеяться, наконец-то поняв, что все мои помыслы направлены лишь к «нему».

Не жажда ученья и даже не жажда попасть в другую среду руководило моими желаниями. И мне стало страшно. В Текстильный институт я попасть не могу, а все остальные для меня становятся уже совсем неинтересными. Я сама только сегодня поняла, что вся движущая сила, вся энергия моя — не что иное, как любовь. Как были бы поражены и шокированы мои родители, если бы узнали, что дочь их предается таким глупым чувствам, что ради них она собирается устраивать такую генеральную ломку своей жизни.

‹14 декабря 1934›

Удивительно, почему все для меня кончается трагедией? Кончается — пишу я, потому что это конец любви к нему, конец моим мечтам и ожиданиям. Мне смешно вспоминать, что всего два-три дня назад я боялась, что мое увлечение пройдет, мне нравилось, что оно давало мне новые интересные и острые ощущения, заставляло сильнее биться сердце, как-то волноваться самой и испытывать небывалое раньше чувство радости. Я шутила и играла с любовью, она ласково щекотала меня мягкими лапками, под которыми оказались вдруг очень острые коготки. И до той минуты, пока коготки не показались, мне было приятно. Как можно в один вечер в какие-то два-три часа перечувствовать столько различных и непохожих друг на друга ощущений? И такой вечер был у меня вчера.

Начинался вечер, как и все, с робкой и сладостной надежды на то, что Женька придет, и с шести часов я ждала его все сильнее и сильнее, но уже с привычным спокойствием и терпением. Меня занимал вопрос: начинаю ли я разлюблять его или любовь осталась все той же, только как бы вошла в берега, сделалась привычкой? Она меня уже не мучила и доставляла удовольствие. В седьмом часу пришла сестра Женя, и я с привычным уже волнующим ожиданием прошла за ней в комнату, спросив: «Ляля на каток уехала?» «Да». Мы еще перекинулись несколькими безразличными для меня фразами. «Пойдем погуляем!» — сказала Женя. «Значит, никого не будет», — подумала я, но пойти гулять согласилась. Медленно и неохотно одевалась, веселость, живость и оживление моментально пропали, в душе стало тяжело и пусто, а надежда сменилась разочарованием. Когда мы зашли к бабушке отнести ключи, сестра сказала мне: «А часов в восемь Нина и Женя должны подойти». «Как бы не опоздать», — заметила я, а сама радостно улыбалась. «Ну, и прекрасно, теперь весь вечер будет счастливым», — думалось мне. «Почему он придет? Ведь Дуси не будет. Может Нина? Нет. Может Женя? Нет». Мне почему-то никак не верилось, что он неравнодушен к Жене. И какой-то злой и нехороший чертенок радостно закопошился и заиграл во мне: «Значит... значит». Это даже не было определенной мыслью, но я прекрасно поняла, что говорил чертенок. И стало как-то особенно легко и радостно. Я не верила, что нравлюсь ему, но даже сознание, что ему не нравится никто другой, доставляло мне удовольствие. Женя играла на рояле, и я, взглядывая на ее спину, блаженно улыбалась. Потом затявкала Бетька не злобно и лениво, и я вышла в коридор. Внизу слышны были голоса. Нина? Ну конечно, она и Женя. И я сдерживала себя, чтоб не броситься отпирать, не дождавшись звонка.

Они вошли, впереди Нина, потом Женя, как всегда равнодушно взглянув на меня, сказал: «Добрый вечер». Но это даже не разозлило, не охладило и не омрачило моего настроения. Раздеваясь, он спросил неизменное, к которому я уже привыкла: «Ну, Нина, как живем?» Я ответила бойко: «Все по-старому!»

Сестра и Женя принялись разучивать вальс в четыре руки. Скоро пришла и Ляля, и в длинной темной юбке и коричневой мягкой кофточке она казалась такой хорошенькой и кокетливо милой, что даже я заметила это. Но никаких подозрений в душе моей не было. Ляля села играть, сестра и Женя уселись с двух сторон от Нины, и, посмеиваясь, что-то говорили. Я стояла за лампой и не видела, что делается на постели, но, случайно встав, еле удержалась от восклицания. Он лежал, прижавшись головой к Нининой груди и закрыв лицо рукой, а сестра, смеясь, взлохмачивала его приглаженные волнистые волосы и говорила: «Так тебе лучше». Когда же он поднялся, лицо его было задумчиво и, пожалуй, грустно. «Ну, Женя, давай композицию делать», — предложил он.

Сестра дала ему бумаги, а он долго стоял с этим листом, глядя в одну точку: «Собираюсь композицию делать, а в голове пусто!» — заметил он. Я не хотела придавать значения своей любви, так глупо сложившейся: «Что за трагикомедия? Три сестры влюблены в одного милого юношу, еще не доставало сцены устраивать между собой! Нет, я должна тщательно скрывать это». Мне было смешно и стыдно (глупый ложный стыд). «Да, этот вечер, наверно, кончится слезами». Женя скоро встала и ушла, я начала немного успокаиваться. Вдруг она вошла ко мне: «Пойдем, Нина, погуляем. У меня голова болит». «Погуляем?» — спросила я, и самой стало страшно чего-то и боязно. «Пойдем». Скоро мои сомнения кончились, мы ходили по морозному и твердому снегу бульварной дорожки в тусклом свете фонарей, на улице было так свежо и бодряще. А что было в душе? Женя мне рассказала, что это не она вовсе звала его в гости, а Ляля, что она давно заметила, что Ляля нравится ему и что теперь она нарочно оставила их одних объясниться.

А мне надо было улыбаться, равнодушно спрашивать и отвечать, когда в душе по-новому что-то ныло и мучило, было так нестерпимо больно и тяжело. «Вот Ляле везет, все в нее влюбляются», — говорила Женя. А я чувствовала себя такой несчастной и одинокой, потому что знала, что эта боль продлится не месяц и не два, а целую жизнь. Ни к Жене, так к другому, но всегда безнадежно будет эта боль.

Голос Жени был тихий и до того непохожий на прежний, какой-то чужой и безнадежно медлительный. Войдя туда, я мельком взглянула на него. Он сидел, откинувшись на спинку стула, скрестив руки, и смотрел в угол, у него было такое осунувшееся печальное лицо. Рядом сидела Ляля, она тоже была серьезна. Я закусила губу и поскорей ушла, хотелось плакать, и во мне поднималось что-то вроде раздражения против Ляли. «Это ревность», — подумала я и усмехнулась. Мне было страшно туда входить, и я, так ждавшая Женю раньше, молила бога, чтобы он ушел. Еще раза два мне приходилось входить туда и выяснять непонятные слова, и каждый раз видела я серьезное и безнадежно страдальческое лицо его.

Наконец, в коридоре завозились. «Ну, слава богу», — подумала я с облегчением. Однако он опять вошел в комнату и был там так долго, что я решила, что ошиблась, и выскочив в коридор, глянула на вешалку. Его пальто не было. Я подумала: «Не может решиться уйти...» Я чутко слушала. Сестра Женя вышла из их комнаты. «Оставила их одних», — подумала я с болью. После этого он ушел очень скоро, а я бросилась к девочкам. Они стояли и рассматривали композицию, у Ляли было до странности спокойное и почти радостное лицо и голос.

Я села на стул, думая про себя: «Не уйду. Пускай ругаются на меня. Все равно. Может быть, начнут при мне говорить». Но они не начали. Уже лежа в постели, Ляля спросила Женю что-то по-английски, и та ответила: «Да». Я встала и ушла, а в своей комнате быстро, скинув туфли, подошла к стене — сестры о чем-то тихо говорили. Я разделась и легла. И, может быть, впервые в жизни почувствовала, что нет никаких сил уснуть и невозможно лежать спокойно, во мне все бурлило и крутило. Я села и, обняв руками колени, смотрела перед собой, широко раскрыв глаза, на освещенный квадратик дверного окна, куда просвечивал свет из кухни. И меня сверлили и мучили голоса сестер. «Хоть бы дали возможность послушать, что у них произошло».

Так я ждала, пока в кухне погаснет свет, и мама уйдет к себе, но она очень долго возилась. Наконец, стало темно. Я вскочила и босиком в рубашке бросилась к стене и с какой-то мучительной удовлетворенностью прижалась к холодному камню. И почему-то представила сама себя со стороны: полуголая, смешная и несчастная. За стеной долго молчали, у меня только шумело в ушах. Потом Женя что-то громко и раздраженно сказала: «Слышишь, Ляля?» Та ответила очень тихо, и мне почему-то показалось, что она плачет. «Ну, так и скажи», — проговорила Женя уже тише, но удивительно ясно. Я схватилась за голову и быстро, шатаясь и упав на постель, беззвучно зарыдала, уткнувшись в согнутые колени. Я не понимала, что за чувство во мне, но было так тяжело и больно... И я держалась сжатыми руками за волосы и, кусая губы, судорожно и сдержанно всхлипывала, слез почти не было, но как-то все внутри выворачивалось и дрожало. Потом, немного успокоившись, я откинулась на подушку.

Женя и Ляля скоро замолчали. Я встала и, тихо открыв дверь, вышла в коридор. К сестрам дверь была приоткрыта, там было тихо, только сдержанно кашлянула Ляля, и мне опять почудились слезы. Мама зашуршала бумагой. «Занимается», — подумала я, вернулась к себе и, укутавшись в одеяло, долго сидела, глядя в темноту, и думала. Иногда начинали в груди колыхаться рыдания, и я, не выдерживая, плакала. Я считала, что любовь кончена: «Теперь все надо переменить. Надо заставить себя разлюбить его, не ждать больше, не расспрашивать сестер о нем, не видеть его никогда. А если будет возможность поступить в Полиграфический? Не поступай». Но я чувствовала, что это выше моих сил: «На Новый год тоже нельзя там быть. А ведь мое первое впечатление не обмануло меня. Ведь я еще тогда в общежитии подумала, что Ляля ему нравится».

И я вспоминала тот счастливый вечер, его чудесное лицо. Так сидела я, иногда забываясь и начиная мечтать, потом не разрешала себе этого и гнала мечты. Воспоминания путались и смешивались, но все же они доставляли непонятную режущую боль. «Надо забыть, надо разлюбить его. Я зашла слишком далеко», — твердила я себе.

Сегодня утром долго лежала я с закрытыми глазами, стараясь не просыпаться, потом опять думала и вспоминала. «С таким самочувствием заниматься!» <u>Опять вспомнила об опиуме и смерти.</u>

Вечер.
Берусь за дневник, потому что больше ни за что взяться не могу, глаза болят и пощипывают, веки опухли и их тяжело поднимать. Сейчас долго сидела я в тесной комнате сестер на полу в углу между роялью и шкафом и плакала. Мало сказать плакала — я рыдала, извиваясь и судорожно хватаясь руками за скользкий край рояля. Теперь только я поняла, что все еще надеялась до последней решительной минуты, поняла, что эта любовь совсем не то, что я чувствовала к Левке, а более серьезная и сильная. Она, быть может, и кончилась бы шуткой, если б… не вчерашний вечер, а теперь я вряд ли забуду ее скоро.

Днем я еще крепилась и сдерживала себя, а потом, когда пришла Женя и стала играть на рояле… Я долго молчала и подыскивала предлог, чтобы спросить о вчерашнем. Но она упорно молчала, хотя и казалась довольна веселой, и в этом ее молчании было что-то недоброе. «Ну, как, было у Ляли с Женей объяснение?» — спросила я весело. «Да нет, ничего особенного не было. Какое может быть объяснение?» «Врешь», — подумала я, но допытываться не стала. Ляли не было, она с компанией собирались сегодня у Нины. «Ах, мне нельзя ехать, а все же поеду», — проговорила Женя. «Почему же нельзя?» Она не ответила. Значит, там будет «он», но уже не было смешно, что мы обе любим одного. Сестра пела какой-то старинный цыганский романс, я стояла около батареи и, закинув голову, слушала. В душе был мертвящий ужас, но я все же боролась с собой.

Потом она стала одеваться, а я забренчала одним пальцем песенку, которая весь день у меня в голове: «Я покончу под поездом дачным, улыбаясь из-под колес». Это было нелепо, но страшно и трагично, поэтому так волновало меня. «Ты, Нина, скучаешь?» «Да». «А то поедем с нами». «Нет». А сама чувствовала, как глаза заволакиваются слезами и непослушно дергается губа. «Почему?» Я уткнулась в руку и... плакала, сердясь на себя и боясь, что она догадается: «Там скучно будет».

Она старалась успокоить меня и предложила проводить ее до трамвая. «У тебя тоже скучное настроение?» — спросила я. «Да, друга терять жалко». Я догадалась: «А разве он окончательно влюблен в Лялю?» «Да». «Он объяснился?» «Да. Не знаю... мне Ляля подробно не говорила». «Тебе Ляля уже сказала», — проговорила я твердо и почему-то вспомнилась вчерашняя ночь. Она сдалась: «Да. Он написал ей в записке, а Ляля сказала ему, что любит Жорку». «Так и сказала?» «Да. Он, вероятно, страшно страдает. Сегодня весь день был ужасный. Ты знаешь, он обычно бузит, шутит, а тут все перемены делал вид, что читает книгу. И я не могу. Девочки даже замечать стали, что я такая скучная. Если б я знала точно, что Женя приедет к Нине, я бы не поехала. А дома тоже сидеть нельзя, тоска грызет».

«Подумай только, какая же тоска меня грызет?» — подумала я и вдруг так захотелось сказать: «Ах, Женя, ведь я тоже люблю его». Но я удержалась, представив себе, как это глупо влюбиться обеим. Садясь в трамвай, она сказала: «Когда-нибудь я расскажу тебе все подробно, как они поссорились и почему Женька воспылал к ней». Я забыла всякую осторожность, с благодарностью сжала ей руки и долго оборачивалась, махая ей, когда тронулся трамвай. Потом пошла домой. Слезы душили, заволакивали глаза, и не было сил справиться с ними. Я сняла перчатку и укусила руку, а дома я рыдала: сначала слезы не шли и будто мучили внутри, потом я расплакалась и сразу стало легче.

В душе сидит комок, давит и какое-то тяжелое недоумение возникает: «В чем дело?» Мне было тяжело и больно. Но почему? Разве я надеялась когда-то на его любовь? Нет. Это была шутка, но я слишком смело шутила. Теперь же это целая драма: страдаю я, страдает моя Женя и «он»... А ведь как недавно все они были веселы и беззаботны. Зачем Ляля помирилась с ним? Ляля? Да, я испытываю к ней нехорошее чувство за то, что она лучше меня и ее любят, за то, что она умеет быть такой ласковой, веселой и кокетливой, за то, что она, хоть и невольная, но причина моему горю. «Мне жалко его», — говорила она сестре, но я знала и чувствовала, что к этой жалости и неприятному ее положению примешивается какая-то гордая радость, которая заставляет ее улыбаться и потаенно, может быть, ликовать.

И это обидно. И вообще... разве можно описать то, что сейчас во мне творится? И опять с новой силой и ужасом встает передо мной и мучает сознание своего уродства. Сегодня днем я перечитывала рассказ Телешова «Без лица», и он был мне сегодня, как никогда, близок и понятен. «Так кончу и я, если не кончу раньше», — я никогда раньше так не читала, я плакала и все-таки заставляла себя говорить, голос дрожал и срывался, я всхлипывала и все же эта мука доставляла мне удовольствие. А вечером, когда я вошла к Жене, она смотрелась в зеркало, а я подумала: «Вот она хорошенькая, а я? Проклятье!! За что?» И особенно было больно, потому что не было вины и не было виноватых.

\<15 декабря 1934\>

Сестры организовали драмкружок и, часто собираясь на репетицию, заходили к ребятам в общежитие. В прошлом году Жорке нравилась Ляля, теперь эта любовь становилась более глубокой и крепкой, но они были друзьями.

Ляля, кажется, питала к нему только товарищеское чувство, а он боялся объяснений и вполне был удовлетворен своим положением. В самом разгаре репетиций и подготовки к спектаклю Ляля почувствовала влечение к Женьке, он был режиссером кружка и принадлежал к такому типу людей, которые не могут не нравиться, в особенности женщинам. Удивительно добрый и чуткий, живой и ласковый, с очаровательной улыбкой и чудными глазами — он был душой общества. И в простой и дружной семье студентов, где ничего не значило взять под руку и обнять, он невольно увлекал многих девушек, со всеми был ласков и одинаков, трудно было угадать, кто ему нравился. Этого не могла угадать и Ляля, а она влюбилась, но у нее хватило сил остановить свое чувство и порвать на некоторое время с Женей. Однажды на занятиях она написала ему страшно дерзкую и оскорбительную записку, он в ответ спросил удивленно: «В чем дело? Что случилось?» «Я хочу обидеть тебя, и у меня есть причина». Он был задет, может быть, заинтересован: «Скажи причину». Ляля отказалась, и они поссорились. Прошло три недели, и за это время Ляля почувствовала, что ее увлечение прошло, она теперь равнодушно смотрит на его обаятельную улыбку и синие глаза.

Женька упорно хранил молчание, не обращал никакого внимания на нее и за это время очень сблизился с другой сестрой, которая, как и все, влюбилась в него. Она никогда не говорила этого, может быть, даже и не думала, но была счастлива, что часто видит его, что он стал приезжать к нам. Одно лишь мешало — это ссора с Лялей, которая решила вдруг помириться. Как-то на уроке она подошла к нему и сказала: «Мне противны стали наши отношения. Давай помиримся». «Мне самому они невыносимы», — ответил он. И они помирились. Потом Ляля через сестру рассказала ему о причине ссоры — ведь тогда он очень нравился ей, но теперь это уже прошло. «Что она наделала! Я ее любил», — воскликнул он. И чувство, которое дремало и, может быть, прошло бы незаметно, вспыхнуло с новой силой, встретив препятствие. Это чувство жило в нем всегда, но он настолько хорошо умел скрывать его, что Ляля не только не заметила, но и спутала. А теперь? Что теперь делать? Он был в ужасе: «Неужели все пропало? Как он мог прозевать все?» И в один из вечеров, когда он был у нас, он решил объясниться с ней: «Ляля, неужели все прошло? Неужели у тебя ничего не осталось?» «Ничего». «Ну, так извини, я больше не буду мучить тебя». В тот вечер он не мог заниматься и долго сидел с убитым лицом, молчаливый и странный. «Ведь счастье было так близко, так возможно! А теперь его не вернуть». Началась тяжелая молчаливая драма, он не заговаривал больше с Лялей, не подходил к ней, но это уже был не тот мальчик, который раньше бегал и скакал среди мольбертов. В группе стали замечать, что с ним и с Женей что-то произошло, но никак не догадались связать их дело вместе и тем более приплести туда Лялю. Она странные чувства сейчас испытывает; как всякая женщина она польщена и обрадована своим успехом, но ей все же жаль его, и из этой жалости она подходит к нему, заговаривает и приглашает к себе. Но почему она не хочет, чтобы он разлюбил ее? Сестры невольно улыбаются всей запутанности и сложности создавшихся отношений.

И я улыбаюсь сквозь слезы: «А мне что делать? Убежать от любви, как Ляля? Но я опоздала уже, мне надо было это сделать хотя бы три дня назад, когда я ничего не знала. А теперь?» В душе опять не проходит недоумение, но продолжать любить бесполезно и глупо. А как вырвать любовь? Я чувствую, что мне жаль расстаться с ней, я люблю само это чувство, которое вынесла и воспитала в себе, которое заставляло страдать и столько радоваться. Я, как мать, которая не может не любить капризное и злое дитя, потому что оно часть ее. Но кончать с ней надо... А любовь не хочет верить, что надежды нет, что нет больше возможности увидеть дорогое смеющееся лицо и блеск его глаз.

Вечер.
Весь день я боролась прекрасно. <u>Не отрываясь читала повесть о наших русских террористах</u> и даже тогда, когда сквозь книжные холодные слова вновь прорывалась больная, тяжелая и остановившаяся мысль. Прошло только два дня с того вечера и вполне понятно, что я еще всецело думаю лишь об одном, но и эта возможность бороться с собой, которую я выработала сегодня, есть большой успех. А стоит только чуточку дать волю фантазии, как начинает колыхаться привычное желание и воспоминания. И вспо-

минается мне Женька в последний вечер, такой несчастный и жалкий, с непохожим на обычное лицом, полным отчаяния. Так ярко чувствую я, с каким страшным чувством он уходил от нас, медленно, с какой-то тупой безнадежностью надевал галоши в полутемном коридоре. А в душе его было затаившееся смятение и ужас, странная и пустая тяжесть и безнадежное отчаяние. Ведь он мог иметь эту кокетливо-веселую, бесконечно милую и любимую маленькую девушку с хитрым задором в зеленоватых блестящих, чуть приподнятых по-монгольски в уголках глазах, женственную и манящую. Ведь она его любила!

<16 декабря 1934>

Вчера Женька на одном из уроков передал Жене записку, а она, прочтя ее, почему-то покраснела. Ни Ляле, ни мне она не рассказала ее содержания, так как в конце ее было приписано: «Не говори никому». Мне кажется, он писал ей в таком духе: не оставляй меня, я боюсь себя, боюсь, что могу что-нибудь с собой сделать. Это подтверждалось поведением сестры — она и вчера, и сегодня проводит с ним вечера. Я все-таки не могу удержаться, чтоб не сказать: «Счастливая!» Какой он сейчас? Опять весел или задумчив и молчалив? Никак не могу побороть в себе некоторую досаду на необходимость забыть о нем. Но надо! Может быть, мне удастся поступить на рабфак, и это несколько отвлечет меня. Заниматься не могу совершенно. Я — слабонервная дура!

Сегодня пошла на профотбор. Как приятно было идти по скользящему тротуару в предрассветном голубом свете улиц! Как хотелось каждый день с этой необыкновенной бодростью духа, которая бывает только по утрам, ходить заниматься, но не в школу, а туда, где другие интересные люди, куда бы меня тянуло. Тогда бы я могла сказать: «Вот и для меня настала новая жизнь. Новая жизнь!»

В больших освещенных комнатах диспансера как-то легко было и приятно, и я с удовольствием заметила, что ребята теперь совершенно меня не интересуют.

<18 декабря 1934>

Каток. Голубоватый, покрытый белым снежным налетом лед. Быстрые, слегка согнутые фигуры конькобежцев.

З-з-з-з... Поскрипывает лед и мелкими крошками рассыпается под острым лезвием конька. Темно. Беговая дорожка тонет в сумраке. Как приятно, плавно раскачиваясь в такт музыки, скользить вперед, поворачивая и лавируя. Какое-то особое ощущение легкости и быстроты. В круге, около странного вида строения, режут лед на поворотах Ляля, легко и уверенно, и Юрка. Они держатся за руки и так дружно и быстро описывают легкие полукруги по скользкому льду. Юра невысок ростом, одет в синюю лыжную куртку и катается прекрасно. В теплушку они почти везли меня, взяв с обеих сторон под руки. У меня вихлялись от усталости ноги, и я то и дело теряла равновесие.

И опять пугала и мучила меня мысль о школе. Дома я поговорила об этом с мамой, которая спрашивала: «Что собственно тебе надоело в школе?» «Все». Я точно и сама не знаю, но чувствую, что не могу там дольше оставаться. Вот представлю себе, как целые полгода мне придется тупо ходить по залу на переменах, тупо выслушивать о романах, как-то тупо кричать вдогонку школьному хулиганью грубые ругательства. «Как я люблю спать. Все забываешь, все мысли, от которых можно сойти с ума». «Брось дурить, Нина, — сказала мама. — Почему это с ума сойти? Учись и все». Я усмехнулась и очень пожалела, что хоть один раз, но попыталась поговорить с ней откровенно.

<27 декабря 1934>

Женька пришел в тот вечер и был очарователен, у него так сияли глаза, лицо было такое молодое и свежее, и он оживленно говорил и смеялся. Несколько раз он обращался даже ко мне, и я забывала о Ляле, о том непоправимом, что случилось недавно, и была счастлива. Меня даже не мучила мысль, что он обращается со мной, как с маленькой, мне не хотелось ни о чем думать и ничего предполагать, и после вечера я несколько дней ждала его страстно. Но, вероятно, он увидел, что с любовью не так-то легко справиться, и что его борьба с ней еще не кончена. На Новый год он, возможно, придет, а может быть, и нет. Если бы мне еще месяц его не видеть, тогда все у меня пройдет... В школе у меня часто бывает бешеное настроение, когда хочется сделать что-то необыкновенное и очень веселое.

<29 декабря 1934>

Удивительно хорошо сегодня на улице. Днем шел легкий пушистый снег и ложился сквозным воздушным слоем на землю. И прикосновение снежинок к лицу, еле уловимое, ласкало и холодило. Небо было покрыто очень высокими и очень тонкими облаками, сквозь которые светилось небо и было светло, почти солнечно. И я с тоскливым чувством и болезненным наслаждением, как из тюрьмы, смотрела в окно на крутящийся белый вихрь пушинок. Там казалось так хорошо, спокойно и прекрасно, так хотелось слиться со спокойным и неземным мягким кружением, испытывая лишь свежий холодок на лице и дыша чистым кристаллизованным воздухом. Вечером стало необыкновенно тихо и тепло, как-то по-праздничному белел воздушный свежий покров и особенно ходили и смеялись люди. Сегодня у меня весь день что-то неясно и неспокойно на душе, мысли бродят отрывистые и странные, ни одной не могу разобрать. Не понимаю теперь, чего же мне хочется, что мне надо, и, вообще, что хорошо на свете и что дурно. Удовлетворит ли меня вообще какая-нибудь жизнь? Стоит ли жить? И всплывали мечты о глупом и несбыточном счастье, путались с тем, что называют идеей, с тем большим, непонятным, странно играющим и притягивающим. Не знаю, на что решиться, не знаю, кем буду... Как-то все глупо, непонятно и темно.

<30 декабря 1934>

После убийства Кирова в Смольном Николаевым, членом подпольной группы террористов, прошло уже много дней. Много передовиц в газетах кричало об этом происшествии, и много докладчиков-попугаев и советских шкурников с пафосом, потрясая кулаками, кричало над головами рабочих: «Добить гадюку!», «Расстрелять предателя, который трусливым выстрелом вырвал из наших рядов» и т.д. И много так называемых советских граждан, потерявших всякое понимание человеческого сознания и достоинства, по-скотски поднимали за расстрел руки.

И трудно поверить, что в двадцатом веке в Европе есть такой уголок, где поселились средневековые варвары, где с наукой, искусством и культурой так странно уживаются дикие, первобытные понятия. До начала следствия, когда еще не знали ни о какой организации, было убито уже сто с лишним человек, белогвардейцев, только за то, что они, белогвардейцы, имели несчастье находиться на территории СССР.

Сегодня расстреляли еще четырнадцать самих «заговорщиков», итак, сто с лишним человек за одну большевистскую жизнь. И невольно вспоминался XIX век царствования Александра II и действия «Народной воли». Какая буча, какое возмущение поднялось в кругах населения по поводу расстрела шести убийц. Почему же теперь никто не возмущается? Почему же теперь это считается вполне естественным и правильным? Почему сейчас никто не скажет прямо и откровенно, что большевики — мерзавцы? И какое право имеют эти большевики так жестоко, так своевольно расправляться со страной и людьми, так нахально объявлять от имени народа безобразные законы, так лгать и прикрываться потерявшими теперь значение громкими словами «социализм» и «коммунизм»?

Называть трусом человека, который открыто и смело шел на смерть, который не испугался расстрела за идею и который лучше всех вместе взятых, так называемых вождей рабочего класса! Что теперь думают за границей? Неужели и там скажут: «Так должно быть». О, нет! Господи, когда же все это изменится? Когда можно будет действительно сказать, что вся власть принадлежит народу и что у нас полное равенство и свобода? Ведь это какие-то годы инквизиции, а не социализм!

‹1 января 1935›

Вот и Новый год. Еще ни один не был встречен... так странно, пожалуй, и не начинался так мучительно. Вчера я весь день была в возбужденном состоянии, нетерпеливо ждала сестер и с удовольствием помогала Ляле переставлять мебель и прибирать вещи. Мы вынесли кровать и стол из их комнаты, и стало просторно и хорошо. В девять часов пришли сразу все, и я не удержалась от восклицания, когда мимо меня друг за другом проходило девять человек сразу. Женька был в светло-коричневой пушистой куртке и серых хороших брюках, и я, глядя на него, все спрашивала себя: люблю ли я теперь его или нет. И сама не знала, но того острого и отрадного, пожалуй, облегчающего чувства не было, а было другое — гнетущее, тяжелое и непонятное мне. Видеть его уже не доставляло удовольствия, а только мучило.

Все танцевали, а я, забившись в угол между роялью и шкафом, все думала, наблюдая. Первые минуты я даже забывала думать о Женьке, но потом это новое неприятное чувство совсем овладело мной, и я ловила себя на том, что, задумываясь, пристально следила за ним во время танцев и, спохватываясь, быстро отводила глаза. Он танцевал со всеми, кроме Ляли, но так весел, как раньше, уже не был. Я в этот вечер так сильно почувствовала себя одинокой, ненужной здесь и почти лишней, хотелось, чтоб кто-нибудь подошел, сказал мне два слова, хотя бы танцевать позвал. Но кому до меня здесь было дело, до глупой маленькой и дикой девчонки?

За ужином я села в конце стола, с одной стороны от меня сестра Женя, а рядом, за углом, «он». Как я рада была этому! Изредка поворачивая голову, взглядывала на его милый профиль и глаза, когда он иногда предлагал мне то бутерброд, то вино, мне было ужасно думать, что он это делает только из вежливости, из-за своей удивительной чуткости. И это было так больно!

После ужина опять танцевали, а я стояла и глядела, как он плавно и мягко ступал, быстро и ловко поворачивал даму. Я любила каждое его движение, его сосредоточенное и серьезное лицо, его лохматую фуфайку. Раза два я так долго смотрела на него, что он, наверно, замечал и взглядывал на меня, а я испуганно отворачивалась с ощущением на себе его глаз. Один раз он прошелся с Лялей, и она многозначительно взглянула на меня, а я при повороте заглянула ему в лицо. Но оно было также углублено в себя, и лишь глаза стали какими-то ласковыми и расширенными.

Потом он помогал Жене приготовлять чай, и меня просто мучила его чуткость: он то предлагал мне конфету, то пряник. Я больше не могла выносить, что он, может быть, меня жалеет, и эта мысль с ума сводила. Когда он грыз орехи, я, чтоб избежать нового предложения, вышла из кухни, но он все же успел крикнуть вдогонку: «Нина, возьмите орехов». «Нет, я не хочу», — ответила я и прошла к маме, но тут же вошла сестра и, подавая мне орехи, сказала: «Не будь такой робкой».

Потом пили чай. Я стояла в кухне, грызла ноготь и злилась. Да, любовь не прошла, она стала какой-то другой, мучительной... Из комнаты доносился его голос и смех, тихий и захлебывающийся. Перед уходом опять танцевали, потом ребята собрались уходить, и мы стояли в прихожей, провожая их. С Лялей он говорил мало, но, когда говорил, весь как-то устремлялся к ней, глаза его становились нежными, мерцающими и глубокими, и мне как-то не по себе и страшно тогда становилось.

Когда ребята прощались, Ляля вдруг неожиданно отозвала его в сторону, сказав: «Женечка, поди сюда». Я внимательно смотрела на него и на сестру Женю, а уголком глаза заметила, как он нежно взял Лялю за руки. «Я на вам лублу», — сказала Ляля лукаво и ласково. «И я тоже лублу», — проговорил Женя тихо и как-то сдержанно. «Все опьянели, один ты был трезвый и хороший». «Ну — протянул он шутливо, засмеялся и вдруг порывисто взял руками ее голову и провел по волосам, — ах, ты моя Оля». Я не могла этого выносить и быстро отвернулась.

Женя-Женька! Ах, этот Новый год! Я вспоминала отдельные сценки из прошедшего вечера. Всюду, куда я ни входила, была лишней и чужой, глупой, а часто и смешной. Ночью долго не могла заснуть, сон был неспокойный и тревожный, что-то чудилось и вспоминалось. Встала злая, убитая и несчастная, днем ходила к Ире, так как оставаться одной не могла.

‹7 января 1935›

Вчера я спросила у Жени: «Что бы ты сделала, если бы тебе нравился человек, который любит другую?» «Надо забыть», — ответила она и посмотрела на меня многозначительно и понимающе. Я подумала: «Забыть? Да, забыть. Ну что ж, попробую забыть, а ведь правда, почему бы не забыть?» Я как будто совсем решилась на это. А Женя стала рассказывать о нем: «У него такие усталые и старые глаза стали, и кругом морщинки». «Значит, сильно подействовала любовь к Ляле». «Нет, он говорит, что у него все прошло и что-то было ошибкой». Я встрепенулась: «Значит, он не любит? Может быть, мне попытаться? Может стоит добиваться?» Женя стала спрашивать, каков этот мальчик, из какой он группы, а мне смешно и неприятно было лгать ей. Если б она знала, о ком я думаю!

Я долго колебалась, на что решиться и, наконец, сказала себе: «Буду бороться и забуду, хотя бы потому, что это наиболее трудный выход, а я никогда не должна браться за легкое. При том же у нас никогда не могут установиться нормальные отношения, а видеть его раз в неделю и каждый день ждать и страдать по меньшей мере глупо».

<17 января 1935>

У нас переменили выходной. Я не могу себе представить, как это вдруг и сестры, и мама будут дома, а я пойду в школу. Нет, это ужасно! И так странно. Завтра мы учимся, но в нас слишком глубоко и неискоренимо засел дух возмущения. Все несправедливости начальства приводят нас в бешенство и заставляют бороться, пытаться отстоять себя. Мы никогда не покоряемся без борьбы, боремся и на этот раз. Еще вчера, идя из школы, мы с Ирой решили писать заявление. Проиграть все равно нечего, а выиграть можно. Составляли заявление мы долго и мучительно, ведь у нас не было даже никаких веских мотивов требовать себе общего выходного, но мы пытались создать их из ничего. Когда Ира собралась переписывать, вдруг встал вопрос: а что, если придерутся к ней, как к зачинщице? Хорошо бы напечатать?

«Идем к Димочке». «Идем», — и мы, посмеиваясь, оделись и пошли. Дома его не оказалось, как и в первый раз вышла к нам его мать и, с трудом выговаривая слова, сказала: «А Дима в школе». «Да, но у нас сегодня выходной, и занятий нет». «Правда? Но где же тогда Дима?» У нас такое недоумение и удивление было на лице: «Не знаем». Ира написала ему записку и оставила вместе с черновиком заявления. Сегодня утром мы пошли опять к нему, боясь, чтобы не вышло какого-то недоразумения. «Дима дома?» — спросила я у открывшей дверь женщины. И не успела она ответить, как за дверью раздался чей-то низкий бас: «А, это ко мне». Мы вошли. «Проходите, проходите», — говорил Димка, по обыкновению как-то подрыгивая всем телом и крутя руками.

В комнате его был беспорядок, на столе стояла пишущая машинка. «Вот я написал и тут изменил кое-что», — проговорил он и подал мне лист. «Ага, мы так и хотели». Пока я, уткнувшись в лист, делала вид, что читаю, Ира спрашивала, что он вчера в школе делал. «А? Я? М-м. Да ведь выходной был, и я в кино пошел». «А сегодня пойдешь?» «Нет, сегодня я не могу». «Вот и хорошо, что мы зашли».

Но в школе ждало нас разочарование. Ребята неохотно взялись за дело, они как-то все подсмеивались и усмехались, а потом наставили таких жутких замысловатых подписей, что пришлось оторвать эту часть листа. Какими противными и чужими показались они в этот день мне, и опять потянуло куда-то. И это в первый-то день! <u>Но к концу дня нам все же удалось уговорить всех, кроме Маргоши и Антипки, которые чего-то упрямились.</u>

<20 января 1935>

Школа... Горячий, дурманящий туман... Смеющийся сонм учеников... По временам унылое отрезвление, а чаще опьянение в шалостях, пошлости и грубости, наблюдения за Левкой, который ходит в костюме с белым воротничком и кажется таким обаятельным, что я боюсь, как бы чего не появилось у меня. Сегодня в школе ребята выкрали у Муси из сумки записку, которую надо было передать Вадиму. Такая злость и презрение поднялось к ним, такими они казались мерзкими и подлыми, и странно было, что люди, столько читавшие, из культурных семей, так мало имеют понятия о чести и честности. Было обидно за них, которых считали хорошими и которые оказались такими негодяями и подлецами.

И невольно возникал вопрос, неужели они так мало думают и так мало понимают, что не знают даже, что такое долг и благородство. Или это уж такой тип людей, которые на всю жизнь останутся беспринципными дураками и негодяями. Я привыкла обдумывать и обсуждать каждый свой поступок, каждое слово и строго придерживаться справедливости и чести. Никак не могу понять, как это люди могут так низко и грубо подличать, а ведь среди них и Левка.

<25 января 1935>

Есть дни, в которые ничего как будто и не произошло особенного, но которые кажутся такими необыкновенными, наполненными оживлением интересным. Сейчас именно такие дни для меня. На уроках мы ведем себя отвратительно. Страх перед преподавателем пропал совершенно, и частенько говорим ему какие-нибудь дерзости. Я не хочу думать, что это дурно, потому что ведь я еще наполовину ребенок, и мне многое простительно. При этом так мертвяще-скучно и неинтересно на уроках без бузы. Но со школой надо расстаться, я твердо решила, что это мой последний год и что я, подготовясь летом, поступлю на подготовительные курсы в Текстильный институт. И теперь с таким нетерпением жду конца года. Весна скоро... Да, мне надо уходить из школы.

Вчера вдруг с такой странной и неожиданной силой вспыхнуло чувство к Женьке, сестры что-то рассказывали про него, а потом играли на рояле, а я вдруг вспомнила... Воспоминания еще так живы и так волнуют, что я с трудом вчера отделалась от желания думать о нем, все копошилось и подступало что-то в душе, необъяснимое, странное и неприятное, в то же время доставляющее удовольствие, холодное и скользкое; почти физически ощутимое чувство подташнивания.

<29 января 1935>

У Левки с Ирой, кажется, довольно серьезная любовь, они уже две четверти оживленно переписываются друг с другом и на сегодня назначили свидание. Левка часто поворачивается на уроках и пристально смотрит на Иру сияющими синими глазами, а потом, улыбаясь презрительно и обаятельно, отворачивается. Позавчера и вчера Ира вдруг много говорила о Коле и на последнем уроке заявила мне, что Левка уже ей больше не нравится. Я с возмущением упрекала ее в неискренности и просила, чтоб она с Левкой порвала сама. И она порвала, а после уроков ей вернули от Левки все записки, которые она ему писала. Ира была в каком-то неестественно повышенном настроении, прыгала и смеялась все время. Это бросалось в глаза, но я настолько верила ей, да и все факты ясно подтверждали ее слова, что никаких подозрений у меня возникнуть не могло.

Сегодня я и Ксюша пришли к ней днем, она была весела и спокойна, много говорила о Левке и о происшедшем разрыве. На печальные напевы цыганских романсов всем как-то взгрустнулось. «Каждый о разном думает», — проговорила Ира. «Я знаю, о ком ты думаешь. Сказать?» — спросила я. «Говори». «О Николае». Ира отрицательно покачала головой. «Значит... о Левке? Ира, что это значит? Зачем же ты порвала?» Она стояла, закрывшись пластинкой и напряженно улыбаясь, потом вдруг упала на постель и заплакала.

Я была поражена. Ксюшка тупо и нахально хихикнула, а Ира казалась такой несчастной и маленькой. Я чувствовала, что надо утешить ее, ободрить и убедить, попытаться завязать вновь их отношения. «Перестань, Ира, ведь не поздно еще». «Нет, поздно». «Ну, всего». «Ты не можешь остаться, Нина? А Ксюшка пойдет», — спросила она.

Я не знала, что делать и как прогнать Ксюшку; наконец, она поняла сама и, надувшись, ушла. Я вернулась в комнату. Ира сидела, поджав ноги, и улыбалась мне. «Ну, Ира, я никак этого не ожидала». Она опять заплакала, потом мы долго с ней говорили и решили, что я от себя напишу Левке записку, в которой постараюсь помирить их. Ира немного успокоилась и овладела собой, у меня появилось к ней такое заботливое и нежное чувство, которого раньше никогда не было и которое заставило меня сделать все, чтобы помирить ее с Левкой.

‹30 января 1935›

Вчера я передала Левке мою записку, и меня так поразил серьезный тон его ответа мне: «Да, отношения мои к ней остались такими же, как и раньше. Но она хотела разрыва, и я не хочу перед ней заискивать». И этот бесшабашный шалопай стал вдруг для меня серьезным и страдающим человеком, мне было так странно это и от неожиданности даже смешно. Левка?! И я была так благодарна ему за совершенно новую для меня и незнакомую черту его, которую он так откровенно показал мне. Да, он стал совершенно другой, еще очаровательней и дороже и в то же время ближе и понятней. Теперь уже я страстно хотела восстановить между ними мир, и он восстановился, но не сразу.

В нескольких записках Левка холодно называл Иру по фамилии, и она говорила мне, что все кончено, но последняя записка Левки была приблизительно такой: «Ирина! Ты мне продолжаешь нравиться, и я за все тебя прощаю.

Остаться сегодня не могу, так как у меня болит голова». Я была страшно довольна, Ира тоже, у Левки, действительно, болела голова, и на последнем уроке он не поднимал ее с парты, болезненно морщился и потом, идя в раздевалку, был молчалив и серьезен, держась за голову. И мне его было до нежности жалко.

Сейчас стоят чудные зимние дни, тепло и идет снег, падая бесконечно медленно и неуклонно, легко и беззвучно. Снежинки вихрем белых хлопьев вьются в свете фонарей, воздух чист и свеж необычайно, и такая необыкновенная легкость и спокойствие в моей душе, как-то особенно чувствуется молодость, бодрость и радость жизни. Сегодня был бешеный день. В начале второго урока, когда еще биологичка не пришла, кто-то завязал игру в снежки. Я заметила это, когда она уже была в самом разгаре, и Зыря, стоя на скамейке, целыми охапками хватал холодный рассыпчатый снег из-за открытого окна и посыпал им Милу, маленькую, пухленькую девочку, которая как-то беспомощно старалась защититься.

Когда она с белыми пушистыми хлопьями на волосах и косах бежала за ним по классу, вошла биологичка: «Что это такое? Снежки? Я иду за завучем! Это безобразие!» И она ушла. «Дурак, крокодил. Сам засыпался и других засыпал», — сердито буркнул Маргоша. Скоро пришла завуч. «Посмотрите, что они наделали. Весь пол и столы в снегу», — говорила биологичка. «Так!» — проговорила завуч, маленький, всемогущий и всесильный деспот. И было как-то странно видеть эту маленькую невзрачную женщину с синими едкими глазами, так смело и умело расправляющуюся с ребятами. Она казалась спокойной: «Сейчас со мной пойдут следующие». «Неужели я останусь?» — думала я с досадой и готова была просить ее. «Луговская», — добавила она. Я чуть улыбнулась.

«Выходите!» — скомандовала она, и мы весело выскочили из класса. Так необыкновенно, почти гордо почувствовала я себя в этот первый раз в моей жизни путешествия к директору. Но все-таки сердце билось сильно и тревожно: «Девчонки, необходимо сговориться, как отвечать. Нас, без сомнения, вызвали из-за математики. Помните, тогда записали». И пользуясь отсутствием завуча, мы шепотом и взволнованно совещались на лестнице.

Потом подошли другие девочки и мальчишки. Нестройным табунком шли мы по залу, усмехаясь и шепчась, а маленький истязатель громко и сердито говорила: «Что за безобразие! Не хотите учиться в советской школе! Все бузите! Вам не место у нас!»

Около кабинета завуч остановилась и скомандовала: «Сначала пойдут мальчики». Когда мы остались одни, настроение повысилось, так радовала и смешила необычность положения. К концу урока мы так разбузились, что совершенно перестали даже волноваться и все время хохотали. На перемене бросились шумным галопом через зал в класс. Потом пошли обедать.

Скоро пришли допрашиваемые ребята. У них все разыскивали какую-то подпольную контрреволюционную организацию и крыли их, кажется, ужасно. Какие жалкие презренные трусы эти большевики! Они так всего боятся, что даже из таких невинных шуток, как дело ребят, могут создать что-то серьезное.

Ребята написали какой-то документ с приказом от императора Крока II. Ну, как же не испугаться бедным советским детским блюстителям. Какая ужасная небывалая реакция в СССР. Даже школы — эти детские мирки, куда, кажется, меньше должно было бы проникать тяжелое влияние «рабочей» власти, — не остались в стороне. Хотя отчасти большевики правы, они жестоки и варварски грубы в своей жестокости, но со своей точки зрения правы. Если бы с детских лет они не запугивали детей — не видать им своей власти, как ушей. Но они воспитывают нас безропотными рабами, безжалостно уничтожая всякий дух протеста.

Всякое чувство критического подхода к вещам, малейший намек на волю и независимость — карается страшно. И большевики достигают своего. У тех, у которых этот протестантский дух глухо ворчал в глубине, они его окончательно убили, а у тех, у которых он громко и открыто говорил — загнали в такую глубину, из которой он никогда не выберется. Но мы никак не могли представить себе, что нас вызовут по политическому делу и беспечно смеялись, дожидаясь своей очереди.

Наконец ребята вышли. «Клемперт и Егорова!» — позвала завуч, и девочки ушли. «Ребята, — крикнули мы нашим, — о чем еще говорили?» «Да ну, все какую-то партию ищут!» Девочки скоро вышли, и завуч приказала: «Теперь вы». Подошли мы трое, но завуч сказала: «Сначала Ивянская». Становилось немного неприятно и, пожалуй, жутковато стоять у ненавистных директорских дверей. Слышен был тихий скрипучий голос Муси, что-то говоривший. «Значит, не забудь, что говорить», — шепнула я Ире. Нас позвали сразу двоих.

Завуч стояла, а директор, маленький, широкоплечий и страшно неприятный, сидел у стола. Лицо его, неприхотливо устроенное, грубое и лишенное всякой внутренней красоты или хотя бы симпатии (о внешней и говорить нечего), было типичным лицом рабочего, закаленного, видавшего виды и выбившегося благодаря партийному билету, подлости и умению без раздумья и усердия выполнять все приказания свыше. Было похоже, что раньше он вращался в исключительно грубой среде воров и, может быть, проституток, но уж никак не в школе.

Когда мы вошли, он, слегка кивнув, указал место у стены. Ира стояла, сцепив руки за спиной и слегка наклонив голову, я же облокотилась, может быть, слишком небрежно для разговора с такой высокопоставленной и зазнавшейся особой, и осматривала стол и мебель. Завуч что-то возилась, не глядя на нас и говорила директору: «Этим те же вопросы, что и Ивянской. Одно и то же дело». Когда она ушла, он начал этот низкий и отвратительный допрос. «Вот в связи со смертью Кирова и Куйбышева не было ли у вас какого-нибудь разговора?». «Вот митинги только были», — проговорила я, не совсем его поняв. «Нет, а среди вас, учащихся?» — голос его был очень спокоен и почти мягок и вкрадчив. «Нет, никаких разговоров не было». «А вот не говорили вы, что почему-то так много людей в этом году умерло?» «А-а! Об этом как-то говорили. Вот Киров, Куйбышев, Собинов умерли, Ипполитов-Иванов недавно», — сказала Ира. «Ну, а больше ничего не говорили?» «Нет, как будто ничего».

Он выжидательно молчал, постукивая ручкой. «Но здесь, по-моему, нет ничего предосудительного?» — буркнула я, не вытерпев. Он посмотрел на меня отвратительными, отталкивающими, зелеными, как у кошки, плоскими глазами: «Предосудительно ли? Мы вас призываем не для того, чтоб давать вам объяснение. Мы только спрашиваем, и вы обязаны отвечать на наши вопросы». И, как будто только опомнившись, проговорил сразу ставшим жестким и более резким голосом: «Встань, как следует!» Я переменила позу и с поднимающимся внутри раздражением, озлоблением и едким стыдом за замечание смотрела на него. «Вы отвечаете, а я обобщаю факты. А вы не должны обобщать. Я даже педагогам при разговоре со мною не разрешаю обобщать». Хорош диктатор! Мне первый раз в жизни пришлось столкнуться с так называемой «властью на местах».

«А с кем еще вы говорили об этом?» «Больше ни с кем. Только вдвоем». «А почему же об этом вот другие знают», — спросил он и указал на исписанный листок перед ним. «Может быть, другие тоже говорили?» — нашлась Ира. После каждого вопроса следовала пауза, и каждая такая пауза успокаивала меня. Наконец, он, как бы размышляя, сказал: «Ну, идите». Была физика, но не только отвечать, а и слушать мы не могли и шептались тревожно и зло: «У нас в группе легавые есть?» «Да они везде есть», — отвечала я уклончиво и осторожно.

Как мы ждали конца этого урока! На перемене собрались на балкончике я, Муся и Ира и сообщали друг другу разговор с директором. Оказывается завуч спросила Мусю: «А нет ли у тебя подруги Ляли?» И записала ее фамилию, школу и группу. Это уже слишком. Какое право имеют они лезть в личные и внешкольные знакомства? Какой ужас творится! Этого не было даже в царских школах! Никогда администрация не была так трусливо мелочна и жалка. Да, еще в группе у нас есть легавый, ведь кто-то должен был сказать про то злосчастное письмо, которое выкрали у Муси ребята.

Когда мы после звонка вошли в класс, там был уже директор. Все стояли, а он что-то говорил своим неприятным голосом, не выговаривая как следует букву «с» и шипящие, и это было очень противно. Потом мы узнали, что в наше отсутствие он говорил о заявлении по поводу выходного дня, зачинщиками которого были я и Ира и которое давно уже мы отдали завучу. Но как странно вышло, что мы только втроем вышли в зал, а остальные все сидели в классе, когда вошел директор. Он коснулся всего, так что эта игра в снежки напомнила о всех наших действительных и выдуманных огрехах.

<2 февраля 1935>

Опять мне стало скучно дома, и я готова целые дни проводить в школе, ведь там все-таки народ, какое-то движение. Сидеть и заниматься чем-нибудь спокойным совершенно не могу, хочется чего-то, хочется острых неиспытанных ощущений, хочется любви. У меня кровь бродит, подходит к груди копошащимся холодным комком, а странное замирание в груди постоянно повторяется. И так хочется любить, чтоб рвалось и млело сердце, чтоб кружилось все кругом в безумном вихре. Хочется чего-то резкого, чтоб особенно дрогнуло в душе, и с этим ощущением хожу всюду. Мерещится какое-то сладострастное болезненное наслаждение. Читаю стихи Ахматовой, и хотя стихи ее пусты и бессодержательны, но все они наполнены такой любовной и обаятельной чепухой, острым томлением и желанием.

<3 февраля 1935>

Все это вздор, просто-напросто я так обленилась, что не только ученье, но и книги стали мне противны. Хожу по дому и думаю, чем бы это заняться, чтоб было интересно? Мозг совершенно отказывается работать, поэтому хочется делать только то, что не заставляло бы его напрягаться. Голова в приятном сонливом оцепенении, и бродят глупые и пошлые мысли. Сегодня, рассматривая альбомы сестер, я вдруг нечаянно напала на карточку их группы, и меня поразил Женька, именно такой, каким я его любила, простой, симпатичный и чуть-чуть улыбающийся. Таким знакомым и милым показалось его лицо и... по-прежнему дорогим. И так странно стало. Неужели я не разлюбила его? Ах, как хочется увидать его!

У Иры с Левкой все наладилось, оба довольны и веселы и все уроки переписываются друг с другом. Я невольно должна быть почтальоном, так как сижу между ними. Левка мне нравится, правда, чисто по-товарищески пока, но... все может быть. Он удивительно хорош, и, если я его полюблю, то более серьезной любовью, ведь он стал для меня теперь не веселым мальчишкой, а чем-то большим.

Этого чувства надо бояться. Я переменяюсь местами с Ирой, чтоб не передавать их записок, потому что невольно смотришь на него, встречаешься с ним глазами.

Девочки уверяют меня, что я не уйду из школы и останусь в восьмом классе, и мне иногда и самой жалко расставаться со своей группой. Ведь семь лет все-таки жили вместе, но остаться здесь нельзя, опять будет неудовлетворенность, жажда чего-то, мучительные мои искания. Ведь я, как это больно и стыдно, старше всех в группе. Есть ребята, младше меня на два года. Левке, Вале и Маргоше по четырнадцать лет, а мне уже шестнадцать. У нас настолько разные желания и мысли, что мы не только в близких отношениях, но говорить и понимать друг друга не можем. Ах, чтобы я дала, чтоб вырваться отсюда!

<6 февраля 1935>

Вчера, только что мы уселись на химии, вошел опоздавший Валя и коротко сказал: «Луговская и Шарова к директору». Мы с Ирой, пересмеиваясь и довольные, встали: без сомнения нас вызывали по поводу прогула и волноваться было нечего. У директора сидела завуч, математичка и наш Будуля. Математичка, вероятно, наябедничала на него, и вот его ругали. Потом директор попросил всех троих их выйти. «Ну, это, кажется, серьезней. Наверно, о Кирове», — подумала я. Директор проговорил: «Ну, вот что, мне надо кое-что узнать о ваших планах». Это было сюрпризом, и первой моей мыслью было не показывать вида, как это меня взволновало. Впрочем, я все-таки, кажется, покраснела, потому что щеки вдруг загорелись. Но допрос был коротким и незначительным.

Когда мы пришли в класс, в нашу сторону, как и всегда, повернулись любопытные рожи, и нам надо было придумать, что лгать. На химии самочувствие было жуткое, злость и бессильная ненависть переполняла, сложно было казаться спокойной и веселой, но на следующем уроке я быстро развеселилась, просто забыла про неприятность, и стало весело от нового приключения. Ира страшно много переписывается с Левкой, и я только и делаю, что передаю их записки. Мне иногда бывает как будто досадно за свое положение только почтальона, хочется самой принять участие в переписке, но я просто не могу себя заставить писать остроумную чепуху, да признаться, это и не всегда удается мне.

Сейчас трудный период в моей жизни — это вторая четверть, с третьей начинается мое возрождение, я оживаю. Школа не мучает так, не успевает надоесть, как наступит весна. Весна... с сиренью и черемухой, с неуловимым молодым движением в природе, с этим дурманящим ароматным обаянием. Я удивляюсь, за что меня любят девочки: Муся давно сказала мне об этом, Ира, как мне кажется, долго из гордости боролась с собой, но и она недавно сказала, что чувствует ко мне любовь, а сегодня даже Ксюшка, глупый ветерок, сказала, что любит меня. И это так удивительно, приятно и умиротворяюще действует на меня. Значит, не такой уж я ужас, значит, есть у меня хорошие стороны.

Как все-таки гадко и обидно! Ведь мужчины ценят в женщине только женщину, они любят в ней только тело, любят постольку, поскольку она удовлетворяет их половые потребности, в то время как женщина глубоко любит в мужчине человека, его качества, его характер. Мне почему-то не хочется верить, что это так, хочется мечтать о возвышенной любви. А сегодня папа говорил с Ольгой о ее отношении к Жорке, они ведь серьезно увлечены друг другом, вместе целые дни, вместе были в Ленинграде и теперь неразлучны. Родители боятся, как бы они не поженились. Неужели брак (в основном смысле этого слова) исходная точка всякой любви?

<10 февраля 1935>

Рассказы и пьесы Чехова я могу читать без конца. О, как я на каждом шагу встречаю в них себя! И весь этот безнадежный отчаянный тон, пессимизм и бессилие так знакомы и близки мне. Как не узнать себя в его Иванове и Треплеве! Все они неудачники, жизнью неудовлетворены, их мучает застой и удушающая затхлая атмосфера. Но что делать? Такова жизнь и жизнь именно такова, никогда она не была и не будет другой. Что такое энергия, подъем, радость и счастье? Это моменты и они встречаются изредка в жизни. А писатели любят совокуплять их и создавать картину идеалистической жизни. Но это же ложь, это не жизнь.

Я сейчас чувствую себя такой старой, неспособной ни к борьбе, ни к действиям, такая безнадежность и отчаяние. Кажется, что живу уже так давно. Несколько раз думала о том, что вот незаметно пройдет в этом безнадежном пессимизме вся жизнь и не останется ни одного желания, ни одной мечты. Вчера у Иры было свидание с Левкой. Вот они уже и друзья, они будут счастливы, будут подолгу разговаривать долгими темными вечерами, а мне, кажется, завидно. Зависть! Какое поганое чувство. Оно преследует меня всюду, отравляет существование. На все у нее один вопрос: «А почему ты не такая? Почему у тебя этого нет? Почему ты так не можешь?»

Ничего, если Ира возбуждает во мне только зависть, но я боюсь, как бы это не оказалось ревностью. Он много рассказывал Ире про свою жизнь, что он был беспризорный. Левка беспризорный... а теперь такой очаровательный. Но все же видно, что он много знает, что много пережил, много видал, и, несмотря на это, он выглядит таким мальчишкой. Нет, что за вздор! Неужели я влюблена? Глупости! Но что же это? Мне теперь хочется о нем думать столько же, сколько о Жене. Левка, кажется, затмевает его...

<15 февраля 1935>

Как-то дней шесть тому назад меня в школе охватила страшная тоска. Не могла сидеть и слушать невнятный и неприятный голос исторички. Начала со скуки какую-то глупую переписку с Мусей: «А знаешь, Муся, я выхожу замуж за Шуню[41]. Приходи на свадьбу». Муся удивилась и вдруг пишет барону (прозвище Шуни): «А я знаю твою баронессу». Он, к удивлению нашему, так заинтересовался, что оставил даже свой вечно пренебрежительный тон и спросил ее: «Кто она?» Муся написала: «Я не могу назвать ее имя, но опишу ее особенности». В это время кончились уроки, и мы пошли домой. В раздевалке Шуня подошел к Мусе и сказал: «Так не забудь написать».

Мы были крайне довольны, что победили его надменность и равнодушие, и на следующий день не замедлили ответить ему, но не про меня, конечно, а... про мою собаку

---

41 Одноклассник.

Бетьку. Как пришла на ум мне эта мысль, не знаю, но она оказалась такой удачной и забавной, что мы ею воспользовались. Итак, особа, которой понравился Шуня, была молода и хороша собой, по происхождению она была француженка, но по странной случайности носит английское имя Бетти. Живет она вместе со мной, недавно приехала из-за границы и поэтому по-русски не говорит. У нее черные курчавые волосы и большие карие глаза.

Последующие затем дни были заполнены оживленной перепиской. Шуня был заинтересован и заинтригован чрезвычайно, и, разумеется, ни ему, ни кому другому не приходило в голову, что мы собираемся сыграть с ним злую шутку. Впрочем, начиная переписку, никто и не собирался приглашать его домой, но, «чем дальше в лес, тем больше дров». Как-то так вышло, что он захотел ее увидеть, и мы уговорились, что завтра он придет ко мне. Воображаю, как будет поражен, обескуражен и рассержен Шуня, когда увидит перед собой черномазого, наряженного в платье пуделя вместо очаровательной французской девочки, о которой он, быть может, думает по ночам. Шуня, наверно, очень взволнован, ведь это, без сомнения, его первый любовный роман, и он так плачевно кончится.

Бывают дни, когда я чувствую, что вечная холодная преграда между мной и ребятами рушится, и я становлюсь их товарищем, и эти дни доставляют мне такое удовольствие и удовлетворение. Странно, шесть лет я училась с мальчиками и только в середине седьмого года получила возможность наблюдать их, всегда они были для меня особенными, чужими существами из другого мира. Да это и понятно, за всю жизнь я не только не имела ни одного друга-мальчика, но и просто знакомого. Кроме школы, для меня не существовало их, и это еще более углубляло и закрепляло мое странное отношение к ним. Но и в школе я страшно далека от них, я ведь странная, мне страшного труда стоит сказать что-то любому парню. Ведь я боюсь насмешек, это для меня страшней всего и именно от ребят, мнением которых я особенно дорожу.

После каникул мне случайно удавалось прислушиваться к разговорам ребят, и меня поразила их многосторонняя развитость, удивительная любознательность и серьезность. И такими жалкими, глупыми и узко развитыми показались девочки, я всегда их уважала меньше, но теперь я просто презираю их. Меня удивляет, почему самый глупый из ребят знает больше, чем я, обо всем он может спокойно и рассудительно говорить. А у девочек — только романы, мальчики и сплетни. Как стыдно!

<19 февраля 1935>

16-го мы с Мусей одели Бетьку в коричневую кофточку, повязали банты и усадили на стул. Она послушно сидела, наклонив голову, и со скрытым негодованием взглядывала исподлобья карими глазами. Около трех раздался звонок, и мы, волнуясь и смеясь, не знали, что делать, потом я стала удерживать Бетьку, а Муся бросилась открывать дверь. Вошла Ира в сбившейся набок шапке, взволнованная и взбудораженная, и некоторое время она только охала, прислонившись к стене. «Да в чем дело? Что случилось?» Она удивленно спросила: «Разве они не пришли еще?»

Сразу успокоившись и став сама собой, она прошла в комнату и стала рассказывать: «Только я вхожу во двор, смотрю все четверо стоят. «А, Шариха, пойдем к Луге». Я им говорю, почему вы здесь, идите к Нине, а я сейчас приду. Я ушла домой и думала, что они давно уже здесь. Может, они раздумали?» «Нет, это невозможно. Наверно, заблудились». Мы, недовольные, терялись в догадках и большой компанией стояли у окна и разговаривали. Ира вдруг говорит, указав вниз: «Вот они прутся». Ребята выходили из-за угла дома с совершенно противоположной стороны. «Откуда их несет?» — пробормотала я. «Ба, да их пятеро, еще Димка! Ха!» Я почти испугалась: «Что же с ними делать?»

У меня в руках и ногах появилась дрожь, в маминой комнате был отец, и мне перед ним было стыдно и неприятно. «Куда их черт несет столько».

Ребята целой толпой вошли в коридор и начали раздеваться, посмеиваясь, переговариваясь. Бетька лаяла, Димка пробасил: «Ого, какой пудель!» «Ну, проходите», — сказала я, проведя их в комнату сестер. Мы вызвали Левку в мою комнату и рассказали ему всю правду о Бетьке и велели позвать Шуню.

Он вошел, маленький и чудно одетый в свежую белую рубашку и нарядные синие брюки. Я спросила: «Почему вас так много?» Смеясь и путаясь, красный, растерянный и смущенный, он начал рассказывать, как было дело, а мне было странно и приятно видеть, как этот женоненавистник и презиратель так чистосердечно и по-детски объяснялся. Мы сказали ему, что Бетти не может сегодня быть дома, и пошли к ребятам.

Антипка играл на рояле, ребята стояли у окна и смотрели какую-то книгу, Димка с важным видом говорил что-то о футуризме, а Левка сидел на стуле, хитро улыбаясь и посматривая на Бетьку. Очень скоро они ушли, оставив странное впечатление неловкости и совершенной глупости.

<23 февраля 1935>

На улице весна. Ура! Весна! Сколько силы и энергии, сколько необъяснимого счастья приносит она, кажется, будто вместе с весенними водами вливаются в душу новые силы. Солнце так ласково греет, и так очаровательно и душисто пахнет ветер. Небо темное с легкими облаками на нем, ветер буйно и неровно рвет, и порывы его напоминают что-то необыкновенно приятное и далекое — теплый вечер, весенний мягкий аромат воздуха, запах листьев и радость, необыкновенное счастливое спокойствие. Нет, теперь я успешно вынесу борьбу с тоской. Самое страшное время для меня прошло, и теперь с каждым новым теплым днем будут расти мои силы, мои надежды о счастье. Ах, как люблю я весну, и как же благотворно она на меня действует.

Сейчас, совсем недавно, были у сестер их друзья, и я так давно не видала ребят, что обрадовалась им и почему-то сегодня совсем не боялась их, и даже изредка вставляла какие-то замечания, и сама была очень довольна этому. Да, все зависит от практики и, если б я чаще вращалась в среде молодых людей, то не смотрела бы на них, как на существ из другого мира, с которыми надо как-то особенно вести себя. Иногда меня опять почти мучительно интересует вопрос: какого мнения обо мне окружающие? Знаю, что Муся, Ира и Ксюша мнения хорошего, но другие девочки или хотя бы ребята? Об этом я не имею никакого понятия.

<24 февраля 1935>

Сейчас сестры совсем разошлись с Женей, никаких отношений с ним, ведь сестра Женя хотела вырвать любовь к нему. Не знаю, удалось ли ей это, но ни она, ни Ляля ни слова не говорят теперь о нем, он как будто совершенно не существует для них. И я почти совершенно забыла о нем, иногда вспомню и захочется увидеть его.

Вчера ночью был пожар. Я почти засыпала, когда услыхала возгласы Ляли: «Мама! Смотри, как вспыхивает». Я побежала в ее комнату. За домом колыхалось широкое багряно-розовое зарево, разгораясь по временам и расходясь огненным полукругом — казалось, восходило солнце. Первое мгновение стало жутко и будто что-то сжало сердце резким страхом и подкатил к горлу непослушный комок. Я долго смотрела на красный шатер и думала, стараясь подавить в себе дрожь ужаса, какая ужасная вещь жизнь, и что я видала только ее розовую сторону, а та, которая иногда приоткрывается и несет смерть, незнакома и страшна.

А потом, когда лежала уже в постели, в голову пришли странные мысли. Меня пугала темнота, она, казалось, была наполнена живыми существами с недоброжелательным молчанием следившими за мной, и это настороженное молчание пугало. Почему так действует на людей темнота? Я уверена, что в комнате никого нет, и не может быть. Что же страшного? Для людей самое страшное — это неизвестность, а темнота — неизвестность. Может быть, кругом действительно есть кто-то, невидимый и безмолвный? Может быть, есть загробная жизнь, и те, кто умер, находятся здесь, их не видишь, они не могут сделать зла, но присутствие их ощущаешь, и это ощущение гнетет и пугает. Стоит мне только посидеть некоторое время без дела и позволить себе начать размышлять и рыться в своих ощущениях, как незаметно начинает обволакивать знакомое и тоскливое чувство какого-то морального душевного недомогания, болезненного и грызущего. Я поэтому все время заставляю себя быть занятой, чтоб не иметь возможности думать и чтоб держать глубоко внутри зловещее «нечто».

‹4 марта 1935›

Как странно! Была весна, снег стаял почти совсем, набухли почки и как-то по особенному настроили в ожидании теплых и душистых дней. И вдруг опять мороз. Ирине с Левкой теперь негде встречаться, дома у нее мамаша, она может что-то заподозрить, а на улице холодно, и мы решили устраивать иногда свидания у нас. Чудно мое положение помогать сближению человека, который мне нравится, с другой, но я не чувствую не только ревности к Ире, но и просто неприятного чувства. Мне кажется, что моя симпатия к Левке чисто товарищеская.

Около девяти Левка пришел, а Иры еще не было. Странно и волнующе смешно было видеть мужскую фигуру у меня, это было впервые. Пока Левка раздевался, я стояла, усмехаясь, в дверях комнаты и думала, как бы теперь устроить, чтобы не ставить его в неудобное положение, ведь он пришел к совершенно постороннему человеку. На мужской голос вышла Ляля, наверно, думала, что это к ней. Не поворачивая головы и давясь от смеха, я воображала, какое она состроила удивленное и лукавое лицо. Ляля поздоровалась, Левка вошел в комнату, высокий, худой и стройный, он казался таким милым в своей серой рубашке с подвернутыми рукавами. В это время пришла Ира, я их усадила и на некоторое время оставила вдвоем. Женя хитро улыбалась (она знала, в чем дело), мне было немножко не по себе. Потом я вошла к ним, и весь вечер мы просидели вместе, болтая о пустяках. За этот вечер я еще больше уверилась в его легкомыслии, пожалуй, даже хулиганстве, в самом обыкновенном уме, но ничто не могло рассеять глубокой симпатии к нему. Они ушли поздно, около двенадцати, и весь вечер у меня было повышенное и радостно возбужденное настроение. И все-таки общим впечатлением оказалась пустота бессмысленно проведенного вечера. Я бросилась к сестрам: «Ну, как? Понравился?» «Он мне Пата напомнил», — сказала Ляля, и мне стало немного обидно, что Левку, такого необыкновенного, милого и славного, путают с длинным и некрасивым подростком, который ходил к Ляле. Мама ничего не спрашивала, только сказала, улыбаясь: «Впервые, Нина, в твою обитель приходит златокудрый юноша». «Ага». Я была благодарна за это простое и чуткое отношение ко мне. «Чей же он поклонник? Мне кажется, Ирин». Я подумала: «Обязательно поклонник? Наверно, девочки ей что-то сказали».

‹7 марта 1935›

На днях было второе свидание Левки с Ирой у меня, я их усадила к себе в комнату, а сама пошла к девочкам. В квартире никого не было, я заставляла себя углубиться в книгу, стараясь сдерживать некоторое любопытство и тревожащую иногда досаду на себя за смешное положение. Дверь в коридор было открыта, слышу, из моей комнаты кто-то вышел. «Кто это?» — подумала я, однако, не подала виду и продолжала читать, прислушиваясь. Наконец, оттуда послушался приглушенный голос Иры: «Нина!» Я недоумевала: «В чем дело?» Ирина стояла, прижавшись лицом к стене, высокая и тонкая, уткнув черную красивую головку в руку. «Ира, что это значит?» «Ничего. Иди к нему». «Но все-таки, что же случилось?» «Ничего, говорю».

Я вошла в комнату, Левка сидел, облокотившись рукой о стол, серьезно и равнодушно смотрел на меня, но был, пожалуй, несколько смущен, хотя вид у него был такой, будто ничего не случилось. «В чем дело, Левка?» «А я не знаю», — говорил он, добродушно кривя уголки рта. «Но все же с ничего не могло же этого случиться?» «Она взяла и ушла», — проговорил он, усмехаясь. Я прошлась по комнате: «Чудаки! Что же с вами делать?» Он молчал, не глядя на меня, и это было как-то неприятно. «О чем хоть речь у вас шла?» «Да ни о чем. Я сидел и молчал, а она ушла». «Ах, она ушла потому, что ты молчал?»

Лица его не было видно за лампой, он попросил: «Ну, пойди, позови ее». Я вышла, Ира сидела на постели в комнате сестер и, откинув голову, смотрела вверх большими и печальными черными глазами. «Ира, может быть, пойдешь к нему?» Она ушла. Что же у них произошло? Меня разбирало любопытство и почти зависть к Ире за эту возможность любить и часами сидеть с любимым человеком, говорить с ним. Я невольно прислушивалась к их голосам, оживившимся и веселым, Левка смеялся, и меня вдруг потянуло увидать его смеющийся большой рот и глаза. Я с досадой закрыла дверь и включила радио, чтоб не слышать их.

Скоро пришла мама: «Ты что, устраиваешь им свидания?» Я подумала и сказала: «Ага». Мне не хотелось врать, да и это казалось лишним, почему-то захотелось быть с ней откровенной, показалось вдруг, что она поймет. Мы говорили весь вечер, и мама запретила мне подобные посещения за исключением редких случаев. И вообще, она очень отрицательно и резко, как и следовало ожидать, отзывалась о любви, а я защищала Иру, как в то же время и себя. Мама говорила: «Глупости эта любовь. И если она придет, надо бороться с ней. Что за чепуха!» Это меня сбило с толку. Я все-таки достаточно считалась с мамой, чтоб пропустить ее слова мимо ушей. И они вдруг пошатнули весь устой моих мыслей.

Любовь — не что иное, как глупость? Это ловко. То, что вызывает к жизни, дает счастье, энергию, весь жизненный смысл, мама, не задумываясь, назвала глупостью. Чудно! Я вспоминала десятки романов и хоть бы в одном нашла подобное мнение. Все, ради чего мне хотелось жить, что казалось таким прекрасным, значительным и серьезным, — не что иное, как глупая прихоть. У мамы очень простое мнение на этот счет (с годами это сложилось или она другой человек), что любовь — это брак, дети и т.п. А то, что кажется таким необыкновенным и прекрасным, — мираж?

<14 марта 1935>

Считается среди учеников далеко не доблестью сидеть целыми днями за уроками, серьезно и усердно заниматься, таких презрительно называют «примерными», «зубрилками». Но попробуй получить «неуд», и те же ученики, фыркнув, подумают: «Дура и лентяйка». И вот изволь и вертись среди двух огней, так чтобы ни в один не попасть. Это значит подделываться под чужое мнение? Да, конечно. Но мнение людей всегда имеет большое значение в поступках людей, правильно оно или нет. Надо быть слишком умной, независимой и быть выше на целую голову окружающих, чтоб не придавать значения чужому мнению, надо не уважать людей, а я многих уважаю и потому невольно считаюсь с их мнением.

И всегда как-то странно, почему в школе, учреждении, созданном для занятий, вдруг так презирают эти занятия, ставят их на последний план, почему считается чуть ли не предосудительным прекрасно учиться, иметь хорошую дисциплину и считаться на хорошем счету. Что за странная, веками созданная борьба и вражда между школьной администрацией и учениками? Неужели надо стараться насолить педагогу, подстроить ему какую-нибудь пакость, не жить с ним дружно, помогая друг другу... Что-то надо сломать, какую-то преграду, которая отделяет учеников от педагогов, надо по-другому поставить дело. Ведь всегда педагог запрещает что-то ученику, делает неприятности, замечания, и это бесит. Нет условий, в которых можно было бы развивать хорошие стороны характера, ведь дурные инстинкты всегда преобладают, не давая никакого удовлетворения в духовном отношении. Как-то странно построен мир на вражде, или это закон природы?

В этот четверг я бездельничала немного больше, чем следовало бы. Мне наставили столько «хорошо», что было стыдно перед Ирой и другими, получившими «отлично». И в особенности стыдно и неприятно было сознавать, что ты неспособна, что ты глупее других, вспоминалось, что я на два года старше многих, а развита не только не больше, а, пожалуй, и меньше. Может, действительно, я так неспособна? Я самолюбива и, пожалуй, тщеславна и честолюбива. Теперь я решила сдавать только на «отлично» и впервые за много дней принялась серьезно заниматься, было странно и даже приятно испытывать чувство уверенности и спокойствия знающего человека.

Но что за подлая судьба, не дала ничего: ни наружности, ни способностей, никаких талантов и к тому же наделила самолюбием и гордостью, желанием быть лучшей. Это жестоко. И кроме того, я с головы до ног женщина. Не дать женщине красоты и обаяния — это насмешка, что ни говори, ведь у женщины крупнейшее место занимает почти безотчетное, всюду преследующее ее желание нравиться и даже тому, кого не любишь, кто ей неприятен. Может, это просто признак мелкого женского тщеславия и глупости? Но знаю, что неизмеримо приятно знать, что ты кому-то нравишься, чувствовать, что странные тревоги сердца и моральное недомогание пройдет, если будет взаимное чувство любимого человека, уверенность, что меня любят.

Ведь было время, когда не проходило часу, чтоб я не вспомнила о своей злосчастной наружности. Хорошо, если я вспоминала сама, а когда мне об этом напоминали! Жить с непокидаемой жуткой мыслью, с сознанием уродства и со скрытой завистью ко всем, переходящей в ненависть... Как не возненавидеть жизнь? Но теперь этому конец. Операция сыграла роль, если даже не в исправлении глаза, то в том чувстве, которое жило во мне. Оно вдруг стало пропадать, когда жизнь была настолько сильна, что заглушала его и редко стало вспоминаться клеймо. А ведь я его еще иногда вспоминаю, опять режет старая боль, и мне странно, что никто никогда теперь не говорит мне об этом. Почему? Неужели в людях столько благородства? Или недостаток на самом деле стал так мало заметен?

<28 марта 1935>

Каждый день проходит так: утром просыпаюсь часов в девять или полдевятого с чувством сожаления, что кончилось счастливое и спокойное забытье, что опять надо начинать утомительную и скучную вереницу одних и тех же дел, одних и тех же желаний. Первой мыслью бывает, нельзя ли еще хоть полчасика, хоть пять минут подремать, и с бесконечным чувством наслаждения уткнешься в подушку и забудешься легким, похожим на полубодрствование сном. Как не хочется начинать день, такой до мельчайших подробностей знакомый и похожий на предыдущий и не дающий ничего, кроме скуки и досады на себя и на других. Но вставать надо, поэтому машинально и с трудом начинаю одеваться, а в голове привычно ворочаются мысли. Все рассчитано до мельчайших подробностей. Натянув грубые мальчишеские башмаки и подтянувшись ремнем, беру гребешок и зеркальце и, взглянув привычно в окно и на градусник, начинаю расчесывать волосы. Мыслей так много, и все они так легки, неопределенны и смешаны, кажется, все они рождаются одновременно. «Надо аккуратно чесать волосы, а то они очень лезут». Потом моментально переносишься в будущее: как будет хорошо, когда они будут густыми, тогда закроются уши. На улице снег... Форточку открывать не буду — холодно. А может быть стоит? Ах, этот папа! Сломал цветок, что его носит здесь! А все-таки я зря с ним такая злая... Распускаются ветки, это липа, а это не сирень, а бузина.

Потом убираю постель, умываюсь и все думаю, как бы провести порациональней день. Ставлю чайник и сажусь у сестер читать. Потом иду к бабушке за хлебом и провожаю Бетьку. Чай пью одна, иногда с мамой, и тогда сидим молча и сосредоточенно, жуя хлеб. Сдерживаю подступающего и зашевелившегося бесенка-тоску, весь день думаю только о том, чтобы успеть сделать многое. Иногда

сажусь за рояль и бренчу что-нибудь неумело и без удовольствия.

Обсуждение своих поступков и желание усовершенство-
ваться не покидает меня и страшно осложняет мне жизнь,
ничто не удовлетворяет, во всем находишь справедливое
осуждение себя. Невыносимая, привычная и гложущая
тоска по забвению и успокоению зашевелится и начнет подниматься. Я ее сдерживаю, читая. Но вскоре скучно станет
от всего, захочется уйти куда-нибудь, находиться с людьми,
чтоб забыть о себе. Радуешься приходу Ксюши, с которой
нельзя сказать ни одной умной речи, но все же веселее.

А то пойдешь в школу и отвлекаешь мысли видом педагогов и ребят, редко они не озлобленны и не желчны, но
все-таки как-то легче. Почти каждый день хожу к Ире, там
иногда бывает Муся или Левка, а то и никого, тогда мы
играем в шахматы или болтаем о чем-нибудь. Удивительно
успокаивает уютная и знакомая, но не надоевшая еще
обстановка: большой диван, книги, маленький и чудной
котенок. Но если случается целый день провести дома, к
вечеру настроение убийственное. Делать ничего не могу,
читаю с трудом и, ругая себя, сижу с Женей и Лялей и жду,
когда будет одиннадцать часов.

Привычно думаешь и роешься в своих переживаниях.
Мне так хочется счастья. Но что для него надо? Любить и
быть любимой? Это даже не необходимо. Лишь бы тот,
кого люблю, был рядом и давал мне возможность заботиться о себе. Нет, я соврала, что не хочу взаимности.
Такое желание иногда быть хоть для кого-нибудь дорогой,
чтоб знать, что твои горести и радости будут близки для
другого! Хочется друга и, признаться, друга-мужчину.
Хочется просто любви, чтоб не быть так бесконечно одинокой. Как-то надо заполнить пустоту в жизни и я, наверно, рано выйду замуж, плюнув на все неприятности жены,
лишь бы иметь детей, иметь возможность любить кого-то,
ласкать кого-то. У меня даже реже появляются честолю-
бивые планы и уже не трогает, что я самый посредствен-
ный человек и что из меня ничего не выйдет. Я чувствую,
что счастье для меня в любви, всегда обновляющей и
чудесно новой.

Иногда мне кажется, что я развилась раньше, чем это
следует, и мои желания не соответствуют желаниям шест-

надцатилетней девочки, и многое для меня уже непреложная истина, а былое кажется заблуждением молодости. А как я бываю счастлива, когда приходит время лечь спать. Сон! О, как хорошо! Засыпаю быстро, а то лежу почти без дум и наслаждаюсь. Редко-редко придут мечты, но они уже не захватывают, не уносят в другой мир, и я их бросаю. Спать-спать! Единственное желание, и сон такой спокойный, крепкий, почти без сновидений и освежающий.

<6 апреля 1935>

Как это состояние называется? Как будто чего-то хочется, ощущение такое, будто долго не ела, голодно, но не физическим голодом, а моральным, и чего-то не достает до создания ощутимого и все же неуловимого и неясного. Эта неясность пропадает и кажется, будто вот-вот поймаешь и осознаешь то, что настойчиво копошится в душе. Это кровь «бродит». Мне хочется любви, хочется забыться в этом чувстве, растворить свое «я», забыть о себе, бросить анализировать, чтобы ощущать только любовь и счастливый покой. А этого нет. Какое-то неясное беспокойство раздражает меня, оно временами так усиливается, что кажется внутри немного крови сердца там, что называется душой, что-то настойчиво копошится, холодное, колыхающееся, обволакивающее странно приятной паутиной. Хочется и отделаться от этого чувства и прислушиваться к нему.

Да, без сомнения, мне хочется любви, которой я никогда не испытывала и поэтому странной, а не той, какой я представляю ее. Я, конечно, говорю о любви ко мне. Это смешно? Но так болезненно хочется быть для кого-нибудь дорогой и близкой, чтоб знать, что кто-то ждет, кто-то следит и любит. Я уверена, что быстро прошло бы тогда мое нервное и напряженное состояние и желание чего-то. Для женщины важна очень наружность, все они до пошлости одинаковы в своем желании нравиться, любить и быть любимой. Это нельзя осуждать, потому что это естественно. Я подобных вещей делать не могу, если б даже было бы желание, я уродлива и слишком самолюбива и горда, чтоб получать отказы и насмешки.

Это может показаться мелочью, однако вышло так, что незнание ребят слилось с болезненным и странным интересом к ним, желанием находиться с ними, изучать их, и в том возрасте, когда они должны быть только товарищами, они были для меня совсем другим. Помню, еще в пятом классе для меня ребята были именно мальчиками, и немудрено, ведь мне тогда было четырнадцать лет, столько же, сколько Ире сейчас. А в нашем возрасте два года — это большая разница. И интересы мои и окружающих были настолько различны, что понять друг друга было нельзя. И то, что нашло бы себе исход раньше, то спокойно бы прошло, а подавляемое развивалось, ширилось и начинало мучить.

Иногда мне хочется дать горячую клятву, чтоб детей своих не бросать на произвол их горячей фантазии, чтоб создавать для них строго правильную, спокойную и радостную обстановку и следить за ними, следить неустанно. На собственном опыте я познала это и научусь чутко следить за каждыми переживаниями своего ребенка. Уметь понять его и направить без насилья и страданий на правильную дорогу есть большое искусство. И священной обязанностью каждой матери является посвящение ребенку всей своей жизни, чтоб не получались такие странные выродки, как я.

ТРЕТЬЯ ТЕТРАДЬ

<7 апреля 1935>

Только начало апреля, а совсем весна. Снега нет, и сегодня мы с девочками ходили в школу без шапок и в осенних пальто. Необыкновенно приятно ощущать прохватывающий резкий весенний вечерний холодок и, распахнувшись навстречу свежему апрельскому ветру, чувствовать, как он холодной волной охватывает шею и тело, откидывая назад волосы, и бьет в лицо, порывистый и неровный. Всю дорогу смеяться, говорить глупости, не думать ни о пропадающем времени, ни о ждущих книгах, ни об учении. И любить все: сумеречный темный вечер, бодрящий холод ветра на лице, людей, проходящих мимо. Как их много, как они до головокружения и тумана разнообразны, но все почему-то старые, нахмуренные, куда-то торопящиеся, косящиеся недоброжелательно и насмешливо. Иногда парни окликнут или бросят какую-то шутку, и, забывая сердиться, смеешься в ответ, потому что весело и хорошо.

Я страшно тщеславна, тщеславна до гнусности, поэтому мне так приятно было, когда я поняла вдруг, что дорога своим подругам. Самая откровенная и наивная из них оказалась Муся, она давно уже стала говорить, что любит меня, она так всегда нежна и ласкова. Я ее люблю, ее маленькую и изящную фигурку, хорошенькое и нежное лицо, розовые щеки и свежий мягкий ротик, люблю смотреть ей в глаза с мохнатыми черными ресницами — когда она говорит, они у нее искрятся и щурятся смехом. Каждый вечер при встречах она здоровается и, радостно улыбаясь, говорит: «Сколько мне тебе рассказать нужно. Такие новости!» И потекут бесконечные рассказы об одном и том же: во сколько они пришли к Ляле, кто и как сидел, о чем говорили. Ее болтовня иногда раздражает, так она пуста, бессодержательна и неинтересна, но Муся живет этим и, надо сказать, очень живо рассказывает, так что нередко заинтересовываешься. Она принадлежит к тому типу людей, которым всегда есть что рассказать, с которым всегда что-нибудь да случается. Мусю я с удовольствием могу видеть через три-четыре дня, но каждый день проводить с нею, с ласковой улыбкой отвечать на ее нежности и быть всегда спокойной и внимательной... Иногда меня прорывает, и я говорю ей какую-нибудь грубость, она обижается, а я сержусь на себя за несдержанность и прошу у нее прощения.

Теперь Ксюша. Она легкомысленна и груба, но дружба с нею у меня все же сильна, я в ней нуждаюсь и иногда ищу ее, ведь с Мусей никогда не случалось, чтоб она пригодилась мне в чем-нибудь практическом, а ведь известно, что и о привязанности судишь в степени пользы, которую приносит человек. Странные узы связывают нас с Ксюшей — одно горячее желание бузы, веселых выходок и любви к физкультуре. <u>Обе мы бесшабашны, дерзки и грубы, часто ругаем власть и задираем прохожих</u>. Сдерживающее начало у меня развито сильнее, и я иногда останавливаю ее беспардонные и грубые выходки, но чаще участвую во всем. К моему стыду, я невольно попадаю под ее влияние, хотя разум заставляет меня быть осторожней и сдержанней.

Обе мы безнадежно и глупо хотели бы стать мальчишками и завидуем каждому их движению: она — их физическому превосходству, я — еще вдобавок и умственному, поэтому больше страдаю. Обе мы не любим кокетства с ребятами и выходки иных девочек по отношению к ним не терпим. Мы часто расходимся во взглядах с нею и спорим, но общего с ней у нас много: хочется мне на каток, иду с Ксюшей, надо сделать гадость педагогу или сбежать с урока, согласится и поддержит меня только Ксюша. В этом отношении мы — одна душа. Я раньше никогда не задумывалась о том чувстве, которое движет ею, а если и думала, то всегда казалось, что она любит меня все меньше и меньше. И мне странно показалось, когда она как-то сказала, что любит меня, а я отдаю предпочтение другим.

Теперь Ира. Надо сказать, что к Ире я чувствую что-то более сильное, чем к двум остальным. Ира — подчиняющая себе натура, она не любит слушаться, а любит, когда слушают ее. Это выдающаяся девочка, она интересна, умна и очень развита, настойчива до упрямства и по-женски своевольна и капризна, что, в общем, дает пленительное ощущение для мужчин и привлекательное для женщин. Ира в меру остроумна и прекрасно держит себя в обществе, ловко ведет разговор и почти всегда весела. У нее так много той женственности, которой нет совсем у меня, и она так умеет усиливать ее, что я часто любуюсь ею, подмечая то одну, то другую милую черточку, и часто... завидую ей. Но что отталкивает меня и заставляет не уважать ее — это отношение к ребятам, ее кокетство, и я не осуждаю ее за те чувства, которые она испытывает к ним, но действия, ее действия... Я смотрю на мальчика против своей воли, как на мальчика, она же намеренно вызывает в себе это не товарищеское к ним чувство. Ее сильным желанием было завести себе мальчика, постоянного и настоящего, который не ограничивался бы перепиской, а любил и показывал это открыто. Это желание исполнилось, у нее появился Левка, любящий, наивно простой, подчиняющийся ей полностью. Но как она искала их? Кому она не писала только? Хотя стоит ли осуждать ее за то, на что у меня не хватило сил признавать законным открыто, плюнув на мнение окружающих. Правда, Ира не очень-то разбиралась в средствах, но ведь это предрассудок — писать первым мальчикам, а не наоборот. Она пренебрегла этим, но чего достигла? Ее многие презирают и подсмеиваются. Она, кажется, пудрится, что-то делает со своими щеками, лицо ее уже не просто лицо четырнадцатилетней девочки, а то намеренно грустно, то странно оживленно, глаза иногда так неестественно блестят, и так изысканно и обдуманно улыбается рот. Любовь к нарядам всегда вызывала у меня презрение и отвращение, а она так любит и умеет одеваться. Зачем она так выделяет себя? Зачем эти высокие каблуки, эти сногсшибательные кофты? А как все обдумано и рассчитано в отношении к ребятам: как улыбнуться, как взглянуть. То она весь вечер печальна и нестерпима в капризах, то вдруг ласкова и добра. Помню, как часто она говорила и смеялась с другими ребятами лишь для того, чтобы Левка страдал и доставлял этим ей удовольствие лишний раз видеть, как он ее любит.

‹15 апреля 1935›

Левка сильно увлекся Ириной, часто на уроках он поворачивает голову и подолгу пристально смотрит на нее, и глаза становятся ищущими чего-то, наглыми и ощупывающими, но ее взгляда он никогда не выдерживает и отворачивается, усмехнувшись. Он редко теперь бывает прежним Левкой, матерщинником и заносчивым забиякой, наглым до хулиганства, часто сидит серьезным, облокотившись на руки, или покусывает губы и хмурится, в нем стало больше порядочности, не слышно грязной ругани, от которой краснели даже ребята. Ира говорит, что он ей нравится, но она никогда не бывает к нему внимательна, ласкова и, если глядит темно-карими глазами, то как-то презрительно-равнодушно и насмешливо улыбаясь. Дома у нее Левка дик и неловко-молчалив, кажется простодушным и робким мальчиком. Они подолгу молчат или дерутся, иногда Ирина ложится на диван, откинувшись на спинку, и говорит звонко резкие остроты или поддразнивает, а то смеется, слегка колыхаясь грудью, переливчато, раздражающе и соблазнительно. Роскошные ее черные волосы растрепываются, и странно манит тонкий и стройный стан с легким очертанием груди. Полумрак, долгое молчание, близость умной и интересной девочки возбуждающе действует на Левку. Когда, кроме них, в комнате есть кто-то еще, то Левка хмуро молчит и становится угрюмым, сторонится всех, отвечает односложно и неохотно.

<18 апреля 1935>

Скоро конец. Близость его и воодушевляет меня, и спасает от тоски и злого отчаяния. Когда нет больше сил заниматься, вспомнишь о том, что это последнее усилие, последнее! И... сразу же больше сил, легко и весело, ведь это избавление не только на три месяца, как в прошлые годы, а навсегда. А там какая-то неведомая, немножко страшная и прекрасная жизнь.

Левка показал Ире свой дневник. Как мне хочется прочесть его! Это не простое любопытство, а глубокий интерес к нему, к его переживаниям. Мне не хочется верить, что он плохой, что он может делать гадости, а дневник все бы рассказал. Нет, Левка хороший и несчастный. Мы привыкли видеть его веселым и беззаботным и нам кажется, будто не может быть у него серьезных переживаний. А ведь он был беспризорным, мать его развелась и вышла замуж второй раз — это так тяжело отзывается на детях.

Потом умер отчим, и Левка остался один, неустойчивый и ищущий, а теперь вот у него Ирина. Зачем она мучает его? Ведь он из-за нее так пьет. Ах, какая скверная жизнь! Двое людей любят друг друга, зачем же мучиться? Почему не быть счастливыми? Все забыть и любить, любить... Левка пишет в дневнике: «Как все опротивело, какие все сволочи. Как бы не пришлось покончить с жизнью все счеты...»

<27 апреля 1935>

Музыка нагоняет грусть. В каком-то порыве стремишься подняться высоко-высоко в голубую сияющую лазурь и, слившись в одно с прекрасными звуками, парить там в блаженном экстазе и не чувствовать себя, забыться, чтоб звучать и петь вместе с ликующей, радостной музыкой. И эта невозможность унестись и раствориться в бурном потоке аккордов и звучной мелодии мучает и будит в душе заглушаемые жизнью струны о счастье, о мечтах, будит неудовлетворенность...

29-го у Ирины вечер. Мне хочется идти, я меняюсь, кажется, да не только меняюсь, а переменилась уже. То, что я пережила в эти полтора года, было тяжелой борьбой, было болезнью. Странно, что все это я вынесла, что не отравилась и не умерла. Жизнь моя осталась все та же, с той же однообразной глупостью, пошлостью, тоской, но я научилась быть покорной. То, что раньше вызывало гордый и бурный протест, теперь спит. Я не позволяю теперь спрашивать себя: почему я хуже других, почему мне не везет, почему я всегда страдаю? Я, как говорится, приобрела способность по-философски смотреть на жизнь, а попросту, научилась покоряться, заглушила в себе всякий протест. Я не хочу теперь спрашивать — зачем жить? Где цель? Почему в природе устроено все так разумно для ничего? Где конец и где начало?

<30 апреля 1935>

Нет, жить, наверно, я никогда не научусь. Вот хожу, ищу дело и, не находя его, тупо сяду где-нибудь и начинаю думать. Только теперь поняла я, как глупы, однообразны и узки эти мысли, как мало в них свободного творчества и как все они мелки. Теперь я поняла, что я не умна и даже недостаточно способна, но примириться с этим... никогда! Я не хочу и не могу спокойно сказать себе: «Тебе не дала природа дарований, ты все равно ничего не добьешься, так успокойся и живи, как живет большинство: тихо и незаметно». Я слишком честолюбива и горда, чтобы признать себя побежденной, неспособной к борьбе. Я до сих не могу научиться спокойно смотреть на превосходство Иры надо мной. Оно несомненно, и это так жжет на каждом шагу, и каждый раз так хочется подняться до нее.

Моя жизнь сейчас — это сплошное самобичевание, унижение и оскорбление. Каждая острота, не сказанная мной, каждый удачный жест или выдумка вызывают у меня мучительный и едкий вопрос: почему это не я придумала, не я сделала? И начинаешь рыться в голове, перебирая все, что там есть, а там нет ничего. Ничего! Ужасное слово. Честолюбие — страшная вещь. Это значит, что я никогда не удовлетворюсь, всегда буду стремиться быть выше всех и, достигнув высоты, почувствую, что я страшно одинока. И я не знаю, бороться мне с этим чувством, при этом навеки отказавшись от всех планов, или развивать свою жизнь, жаждать, желать и мучиться? Если честолюбие сочетается с талантом, то могут получиться блестящие последствия, но честолюбие и бездарность? Это просто насмешка какая-то!

‹1 мая 1935›

Веселый май, прекрасный май! Лучший месяц, месяц молодости, любви и желаний, с теплыми вечерами, в томном аромате сирени и черемухи, с взбалмошными и пахнущими влагой ветрами. И как всегда этот месяц ничего не принес мне, кроме смутной мечты о несбыточной майской любви и горького томления. И все-таки куда-то тянет в пахучую вечернюю мглу, под шорох лопающихся почек, под темное небо, и желание закружиться в жизни, отдаться мечте и сказке сладостно поскребывает грудь.

Долгие годы мечтаю я об этой жизни от сердца, жизни одним чувством и, зная, как все это невозможно, до сих пор не хочу расстаться с мечтой. Жить от сердца мне нельзя, для этого надо быть красивой и быть вполне женщиной, так что мне надо жить головой. Но как? Порвать со всем, что так дорого было мне и чего я так привыкла желать, бросить привычную для морали точку зрения и начать строить новый мир, мир, основанный не на мечтах и сумасбродных желаниях, а на занятиях наукой?

Этот год был решительным шагом на моем жизненном пути. Я сделала пробу той жизни, о которой столько думалось и которая, казалось бы, должна была удовлетворить меня. Я забыла учебу, с большим трудом заставив себя считать все это чепухой, а нужным — что-то другое. Этот год состоит из чередований двух настроений, но и то, и другое соединяются одним, сильно развившимся чувством честолюбия, доходящим в мелочах просто до тщеславия. То с особой силой всколыхнется тело шестнадцатилетней девочки, созревшей, мечтательной и поэтому желающей увлекать, любить и веселиться, забыть об этом скучном мире формул и задач и, отбросив неопределенное «еще рано», окунуться в бессмысленно веселую и пошлую жизнь. То захочется заниматься, лихорадочно и упорно, оплетут грезы об институте, об упорной работе с серьезными товарищами, захочется стать умной, выдающейся. Но для чего? Опять-таки для этой жизни, но чтоб занять в ней место видное, одно из первых.

Первое желание, не рассуждая, такой как есть, попытать счастья, очень настойчиво росло во мне, и, как более легкому и приятному, я отдалась ему. Но прошлые годы упорных занятий наложили след на мои мысли, и я постоянно боролась, сомневаясь, как следует жить. Мне трудно было бросить учить уроки, спокойно получать «удочки» и не слушать на уроках. Я старалась приобрести тот особый веселый и несколько наглый независимый вид, как у других девочек, я упорно боролась со своей застенчивостью и природным глубоким чувством приличия и, скрывая его, делала иногда возмутительно гадкие вещи, уверяя, что это так и должно. Я бросала даже читать, отгоняя от себя все, что напоминало мне об усидчивой работе.

За этот год я страшно распустилась, так что почти не могу себя заставить заниматься, и все рвусь куда-то, подальше от себя. Желание нравиться у меня очень сильно развито, быть может, именно потому, что я никогда никому не нравилась, и это приобрело болезненный оттенок навязчивой идеи, затрагивающей мою гордость. Она, страдая всю жизнь, со странной жадностью ищет для себя что-нибудь приятное — понравиться всем, даже тому, кто неприятен, кого и не знаешь совсем. Но сознание того, что ты кого-то интересуешь, приятно щекочет мелкое женское самолюбьишко. Этого я сама настолько стыжусь, что даже в дневнике никогда не решалась писать об этом, и теперь заставляю себя, чтоб еще больше унизиться и, может быть, отрезвиться.

Вся жизнь моя наполнена ребятами, и перед ними все становится неинтересным и неважным. За чтением и за занятиями я всегда занята мыслью о ком-нибудь, мыслью настойчивой и волнующей. В постели я думаю об одном, часто мечтаю и со странно ощутимым замиранием переживаю и чувствую созданное глупой фантазией. В школе взгляд мой всегда чего-то ищет, я замечаю малейшие движения окружающих, устремленные на кого-нибудь глаза, а если я случайно встречусь несколько раз глазами с кем-нибудь, то неизменно на самом дне души моей проскользнет нечто, непохожее даже на мысль, какая-то тень воображения: «Не нравлюсь ли я?»

<8 мая 1935>

Как, уже испытания? Как неожиданно и как скоро! Вот уже никогда больше я не буду таскать сумку и укладывать в нее книги. Я так мало думала об экзаменах, что они кажутся пугающе новыми, и так неожиданно. Каким мутным сном кажется для меня весь этот год, мучительный, однообразный и полный переживаний! Так все выскочило из головы, как будто я и не жила раньше. Прошедшее никогда не интересует меня, оно не существует для меня, я живу только в настоящем и будущем. Послезавтра первый зачет — литература письменная, я никак не могу заставить себя подумать об этом, близость его пугает и радует, ведь там конец. Там лето. От лета я больше ничего уже не жду, как раньше, уже не мечтаю.

Прихожу вчера к Ире заниматься по математике, Левка был уже там. Я села против зеркала и посмотрела на себя, не случайно, а с каким-то привычным желанием увидеть себя сносной. Настроение было радостное, весеннее и удовлетворенное. Рядом были Ира и Левка, оба симпатичные и любимые. Но из светлого четырехугольника стекла смотрела на меня такая безобразная и ужасная фигура, что мне мучительно стыдно стало за себя, за свое страшное и смешное лицо, за спутанные и торчащие над ушами волосы, за всю фигуру, странно неказистую. Я отвернулась, готовая разрыдаться, в беспомощной злости и отчаянии,

и долго не могла отделаться от тяжелого чувства оскорбления, незаслуженного и ужасного.

<19 мая 1935>

Вчера разбился громадный 8-ми моторный самолет
«Максим Горький», гордость и слава не только нашего
СССР, но выдающаяся величина мира. Впрочем, на счет
последнего ничего достоверного не знаю, а нашим газетам
доверять нельзя. «Максим Горький» вылетел в сопрово-
ждении двух бипланов, один из которых в слишком близком расстоянии от него начал делать мертвые петли.
Голубая лазурь, кажущаяся такой ласковой и вовсе не
страшной, наполнена ужасными случайностями. Биплан
упал на крыло к «Максиму Горькому», повредив его, и 65-ти
метровая громада, кувыркаясь, полетела вниз, рассекая
солнечную даль, по которой так свободно и спокойно пла-
вала всегда, и теряя части. Вместе с «Максимом Горьким»
упал и биплан. От стройного красивого гиганта осталась
серая и красная металлическая груда и сорок семь изуро-
дованных трупов, которые за минуту до этого были живыми мыслящими и чувствующими людьми и с радостью и
замиранием сердца неслись высоко над Москвой.

И эти люди, летчики и пассажиры, мужчины и женщины, вдруг превратились в безобразную кровавую массу,
теплую и липкую, с белеющим мозгом и костями. Ужасно
и непоправимо! Из-за какой-то недопустимой оплошности
летчика погибло ужасной смертью сорок семь человек. А
хорош же «Максим Горький», который разлетелся на части
от удара такого маленького самолетика. Его построили не
для того, чтоб употреблять где-либо, так как он ни в транс-
порте, ни в военном деле значения не имел, а для того,
чтоб наш Союз занял одно из первых мест в мире, чтоб
можно было сказать: «Вот какова наша авиатехника! Каких
гигантов мы создаем!». Как много у нас этого показного,
не основанного на здравом смысле, как много хвастовства.
Вот из-за этого-то хвастовства мы и страдаем.

<26 мая 1935>

Черемуха... Она стоит у меня на столике. Чудесный пыш-
ный букет белых хлопьев. Нежно пригибаются воздушные
и прозрачные снежные гроздья, и запах от них такой весен-

ний, такой одуряющий. Сад у Иры покрылся блестящей темной зеленью, и я там подолгу сижу, смотря на листья и траву. Никогда, или я забыла уже, не наслаждалась я так весной, как теперь, раньше весенний ветер, светлое небо и зелень мучили меня, а теперь я счастлива. Да, я не боюсь назвать себя счастливой, когда у меня есть возможность вдыхать ароматы весны и смотреть, как цветет все кругом белым цветом черемухи. Я хожу по улице и восхищаюсь каждым новым листочком, покачиванием ветвей, яркой и горящей на солнце травой. Что мне экзамены, что мне занятия?

Я с утра ложусь на окно, чтоб видеть, как ползут темные тени по дороге и светлое солнце становится ярче и резче, подолгу лежу, высунув голову и закрыв глаза или, запрокинувшись, смотрю в туманное, слабо синеющее небо. Утренний ветер — обольститель, я люблю его, как любят людей, ласки его жгут и волнуют меня, заставляя улыбаться навстречу, он свеж, порывист и ласково мягок, временами хочется олицетворять его. Днем вчера прошел дождь, первый теплый летний дождь. Мы лежали с Мусей на окне, говорили глупости, а я наслаждалась слабым пахнущим дождем и парящий влагой и смотрела на темную тучу над Воробьевыми горами. Когда мой маленький друг ушел, я зашла к Ирине, а там был Левка.

А у меня настолько было все переполнено счастливой радостью жизни и весны, так все пело, нежно, немножко грустно и прекрасно, что не хотелось думать о своем одиночестве и не уколола, как всегда, эта близость Левки и Иры. Этот вечер был чудесным, когда я, не думая, хорошо это или нет, делала все, что мне вздумается, когда я смеялась своему счастью, а Левка был для меня простым, не заставляющим сдерживаться и следить за собой. В одиннадцатом часу мы сидели в саду, медленно потухало светлое и ясное небо, а на западе трепетно замерцала далеко за деревом бледная звездочка. Сырая земля и мокрые листья и почки пахли водой и цветами, так пахли, как может пахнуть майским теплым вечером.

‹8 июня 1935›

Вчера у Иры была вечеринка, и так хотелось, чтобы она удалась, не была похожа на все прошлые вечеринки с «ублюдками», со скукой и похабщиной, чтоб оставила хорошее впечатление о ребятах и о школьной жизни. Странно проходили эти свободные дни, все мы волновались, много говорили о вечере, собирали деньги и падали с головокружительной высоты энтузиазма и подъема в темную глубь безнадежного пессимизма. Вечер несколько раз расстраивался, затем все налаживалось, потом вдруг опять все летело к черту. После правильной жизни с регулярными занятиями, определенными желаниями и волнениями резкая перемена всего уклада вышибла всех из колеи.

Как все люди, привыкшие к систематической и стройной жизни, я потеряла почву под ногами и бессмысленно закружилась в пространстве по воле ветра и настроения так, что скоро спутала дни и события, в голове получилась ужасная путаница из пустых разговоров, событий и дел. Казалось, что-то большое происходит, а на самом деле мы продолжали кружиться на одном месте в непривычной пустоте и рассеянности праздной жизни, приятной и неприятной в одно и то же время. Мы с Ирой в поисках денег и людей по несколько раз в день ездили то туда, то сюда, исколесили все переулки, прилегающие к Зубовке с той и другой стороны, так что скоро они стали совсем знакомыми. Поездки совершались с тупой и привычной усталостью, я бегала к бабушке звонить по телефону, запоминая все номера, и так привыкла, что перестала бояться и спокойно разговаривала с ребятами.

Эти бестолковые и веселые дни немного взвинтили нас, настроения менялись невероятно быстро и резко, а за час до сбора ребят наш энтузиазм вдруг пропал, стало все вдруг безразлично и неинтересно, казалось, что вечер не удастся. Но хандрить было невозможно, так светло и уютно было в комнатах, так ласкали глаза белые покрывала, чистые скатерти и легкие, чуть колышущиеся тюлевые шторы. Девочки были одеты в белые костюмы; радостные, особенно оживленные и воздушные, они так подходили к убранству комнат. Их было четверо, кроме меня, все черноглазые, все хорошенькие и полные того обаяния, которое так и бьет из девочек-подростков. Надо заметить, что самый пленительный возраст у женщины это от четырнадцати до шестнадцати лет, когда девочка превращается в девушку, хорошеет, начинает кокетничать и старается понравиться, и когда все это женское очарование перемешивается с ребяческой детской порывистостью, простотой и резвой игривостью.

Ребята пришли в светлых костюмах и сразу внесли охлаждающую напряженность в наши отношения. Несколько минут Ирина кое-как поддерживала вялый разговор, потом Маргоша предложил: «Пойдемте играть в волейбол». В саду все сразу оживились и повеселели, дрались мячами, отнимали их друг у друга. Володя, маленький и крепкий, хорошо играл, вошел в раж, растрепался, стал красным и удивительно ловко прыгал за мечом. Маргоша был по-медвежьи неповоротлив и грубоват, о Юре нечего было сказать, кроме того, что играл он скверно. В восемь часов пришел Димка, в черном костюмчике с белым отложным воротничком, выглядевшим так наивно, по-детски. Я немного начала расходиться, подралась с Володей, отдавила ему ногу, а потом оторвала пуговицу на рубашке, и было очень неприятно и стыдно: «Вот, подумает, кобыла какая, как черт, навалилась».

Ребята принесли с собой четыре бутылки вина, закуска тоже была недурная. Все сидели за столом, не начиная, было смешно и ужасно неприятно, а Муся, повернувшись ко мне, тихо сказала: «Вот ужас какой!» Ей, привыкшей к другой компании, эта неловкость мальчиков казалась дикой. «Ребята, принято, чтобы вы начинали», — сказала я, но они только усмехались, неловко разговаривали, и никто не решался начать. «Нина, ведь ты тоже кавалер», — проговорила Ирина. «А ведь правда», — и я, улыбаясь, взяла бутылку наливки и налила себе и Мусе, моей даме. Кое-как ребята принялись наливать вина себе и своим соседкам. Я понемножку отхлебывала из рюмки густую оранжевую и прозрачную влагу и молча ела. После двух рюмок я предложила Мусе пить на соревнование, хотя ее рюмка была в два раза меньше моей. Мы перепробовали все сорта, а потом я уже ни на кого не обращала внимания, пила себе рюмка за рюмкой и следила, как на меня подействует вино, но ни головокружения, ни забытья не было. Я спокойно продолжала анализировать свои мысли, они были ясны, но вдруг я почувствовала себя совершенно развязно, все показались такими близкими и своими, застенчивость совершенно пропала.

Потом все вышли в сад. Ночь была чудесная, теплая и почти безветренная. Сладко пахло влагой, ночной холодок пробирался по веткам, небо было светлое и синее с низкими и бурыми облаками. Я стояла на волейбольной площадке, смотрела кругом, иногда начинала молоть чушь, потом убегала к девочкам или в дом. Обычное мое «я» было унижено в лице других девочек, оно кипело завистью и оскорбленной гордостью, смеялось над собой за свое глупое положение. Другое, пьяное хотело лишь веселиться, забыть все, плюнуть на все. Вот почему необходимо мне вино, ведь без него была бы такая тоска.

<18 июня 1935>

Женское во мне говорит так громко, что заглушает все остальные чувства, я все время думаю о ребятах. С ними мы последнее время часто встречались и на днях ездили за город. Маргоша увлекся Лялей и не отходит от нее ни на шаг. Она очень благосклонно к нему относится и поэтому у него прекрасное настроение, и он очень добродушен и мил. Общее впечатление от поездки осталось очень приятное, как о дне, проведенном не в Москве.

В Болшеве мы взяли две лодки и поехали кататься. Маленькая речечка, какой-то приток Москвы-реки, очень живописна, небыстра и глубока, с темными заводями, поросшими кувшинками, вся в порогах и извилинах, обросшая развесистыми ивами. Мы часто въезжали в их густую тень. Я и Ира сели в лодку с Юрой и Шуней, в другой были Володя, Маргоша, Муся и Ляля. Вначале было весело, перекидывались словами, смеялись и гребли. Среди травы и тростника выбрали стоянку и вылезли на берег, где ребята разделись и пошли купаться. Муся и Ляля уехали за лилиями, на берегу остались я, Ира и Володя.

Не могу понять, почему именно об этом времени остались у меня приятные воспоминания. Мы лежали под деревьями и болтали, было как-то особенно просто. Потом мы трое уехали кататься, я чувствовала себя совершенно удовлетворенной от того, что рядом со мной сидел Володя, мы были втроем, и он был весел. Чем объяснить это чувство? Или он начинает мне нравиться или это просто женское тщеславие говорило. Через пять часов мы сдали лодки и пошли в лес, и тут мне стало очень невесело. Маргоша был с Мусей и Лялей, Ира невыносимо капризничала и ужасно противно дулась, Володя шел или с Шуней, или с девочками. С Юркой я не могла идти, потому что против него у меня страшная неприязнь, к тому же он все время молчал, и, понимая его, я все же злилась.

Лес был северный, но радостное чувство все же не покидало меня до тех пор, пока Володя не сказал мне одной препротивной вещи. Мы сели отдохнуть и доесть провизию, разговор как-то зашел о драке, и Володя сказал мне: «Давай со мной драться». «Давай», — ответила я вызывающе. «Ну, нет, с тобой я не согласен». «Почему? Что за странные представления о моей силе?» «Да, еще бы, тебе ведь скоро девятнадцать лет будет». Как мне больно и обидно стало, я покраснела и уже серьезно, но стараясь быть равнодушной, сказала: «Ну, далеко не девятнадцать». Нарочно или нечаянно он дотронулся до самого больного места в моей душе, то, что я всегда старательно отгоняла, о чем старалась не думать, он грубейшим образом кинул мне в лицо, как неоспоримое и ужасное обвинение.

Я готова была заплакать от злости и оскорбления и, внутренне дрожа, быстро встала: «Пойдем, Ирина?» Этот инцидент нарушил мое благодушное спокойствие, долго я не могла забыть насмешливого и оскорбительного тона, когда он говорил: «Тебе скоро девятнадцать лет будет». За что они оскорбляют меня на каждом шагу? Неужели я так уж противна и стара, что даже сожаления не вызываю? До чего я дошла! Сожаления прошу. На некоторое время этот невысокий широкоплечий мальчик с маленькими пристальными глазами стал мне противен.

<20 июня 1935>

Жизнь двигается толчками, неожиданными и неравномерными. Как будто громадное колесо ветряной мельницы, подует ветер и замелькают в воздухе крылья, неудержимо и губительно, неся на каждом какое-то новое событие, новое впечатление. Или вдруг наступит неожиданное затишье, и крылья бессильно повиснут в воздухе, и потекут однообразно и уныло скучные дни. Всю зиму уныло стояло колесо моей жизни, а теперь вдруг неожиданно и резко повернулось. Новая страница жизни захватила меня, новые знакомства — новые переживания.

Что это значит? Что за ужасное состояние? Так скучно и так не хочется ничего делать. Почти все время, чтоб не сказать большего, думаю о ребятах и главным образом о... не знаю, сейчас в голове все перепуталось. Я заставляю себя думать не о том, о ком мне хочется, а о ком считаю нужным, и теперь вовсе ничего не понимаю. Но скука начинает доходить до безумия. Отчего мне так хочется увидать его? Ведь не может быть, чтоб мне нравился Володя, этот насмешливый и злой мальчик? Но почему мне так досадно, когда я слышу, что он с другими девочками? Я все злюсь и на них, и на всех, настроение ужасное, и временами кажется, что больше не вытерплю, а выхода нет. Хочется уехать, потому что Москва стала для меня кошмаром.

<2 июля 1935>

Кашира

Три часа унесли меня за тридевять земель от Москвы, в небольшой живой поселок будущего города. Здесь чисто, просторно и как-то даже поэтично: белые новые домики и светлые вымощенные тротуары, кругом лес, высокие тонкие березки. Лес очень большой, безлюдный и жутко заброшенный, сухая земля усыпана хворостом и листвой, всюду цепкие кусты и деревья, частые, низкорослые — дуб и клен. Мне как-то невесело и странно, я мало думаю о настоящем и будущем, а все вспоминается Москва, ребята, наши встречи, поездки. Такое теплое и нежное чувство у меня к ним и к девочкам, и немного грустно, будто мы не увидимся теперь никогда. Почему они так милы мне стали, так хочется их видеть и временами что-то вроде сожаления появляется, что я уехала сегодня и не увижу их?

Они все должны сегодня прийти к Ляле. Я сейчас не вспоминаю ни о ком в отдельности и хочется видеть их всех и даже Юру, на которого зла ужасно и который не дает мне покоя. Я не понимаю, как это вдруг вспыхнул он к Ирине. Если б он увидал ее только теперь, а то видеть каждый день, быть вполне равнодушным, ухаживать за другой (хам!) и... вот, нате вам! Но сомнений в том, что она ему нравится, нет, он ходит к ней каждый день и смотрит жадными глазами. Да нет, я не буду женщиной, если ошибусь. Мы не ошибаемся никогда в таких случаях, и все-таки хочется надеяться, что я ему нравлюсь. Я еще временами начинаю сомневаться в том, кто ему нравится, и так хочется окончательно проверить. Сегодня мне бы представился случай, я бы поговорила с ним... Ну, да что толковать, это невозможно.

<3 июля 1935>

Кашира

Настроение немного грустное, но приятное, и все наполнено воспоминаниями. Смешно признаться, но я привязалась к нашей московской компании, первой и, должно быть, последней в моей жизни. Впервые в этом году я имела среди мальчиков таких близких хороших товарищей, и они долго не забудутся, мне кажется иногда, что это первое яркое и живое впечатление моей жизни. Сейчас все мысли наполнены ими, и каждый шаг вызывает тучу воспоминаний. Я здесь одна и заполняю свое одиночество старыми образами. Вчера вечером моросил дождь, было необыкновенно тихо и тепло. Лес, весь мокрый и пахучий, ярко зеленел кругом. Я рвала цветы, что-то приятно ныло у меня в груди, и так хотелось, чтоб здесь со мной был кто-то молодой, интересный и волнующий. Вспоминалась поросшая травой и кустами неровная болшевская дорога, темные колокольчики и белые ромашки. Мы рвали их, Володя, широко шагая, неожиданно бросался и перебивал цветок из-под носа, а потом, смеясь, отдавал.

Сегодня пошла за ягодами. В лесу никого, он дик и местами так густ, что почти невозможно пройти. Мне было весело, потому что я была не одна, а с маленьким фокстерьером. Чей он? Не знаю. Он очень мил, весел и общителен. Мы лазили через кусты, а потом лежали в траве и рвали ягоды. Я очень скоро потеряла всякое представление о том, где нахожусь, бродила, как придется, то выходя на узкие тенистые дорожки и широкие просеки, заваленные хворостом, то углубляясь в темную и сырую чащу, где было тихо, а наверху шумел ветер. Свет падал бледными и неверными бликами, и приятна была эта дикость и одиночество. Вчера поздно вечером я пошла погулять по поселку. Слабо и нежно темнело. На пустоши играли в волейбол, и я робко подошла и смотрела, а потом пошла к гигантским шагам, где несколько девушек взвивались высоко в воздух и звонко хохотали.

<3 августа 1935>

Москва

Готовлюсь в рабфак и поэтому занимаюсь целый день. Живу одна, мама и девочки на даче, в Москве лишь я с бабушкой. Странно, как твердо и непоколебимо мое решение насчет рабфака, мне иногда самой чудно, как я без сомнений, без вопросов подошла к своей несколько взбалмошной идее. Так, как будто мне больше идти некуда, хотя открыт путь в школу, путь легкий и веселый, но я давно отреклась от него. Моему самолюбию льстит такая решимость и твердость, ведь заниматься сейчас очень трудно, вокруг очень много искушений, и они так сильны! Дача, поэзия природы, леса и поля, а тут четыре стены, душная Москва и сухие учебники. Странно мне теперь все в себе, мое спокойствие, с которым я занимаюсь, моя твердость и весь внутренний мир. Он перестраивается, и хотя я еще не понимаю, что созидается во мне, но знаю, что это новое и поэтому интересное.

Сейчас во мне восстановилось некоторое равновесие, нет болезненных припадков хандры, нет тоски и отчаяния. Я теперь уже не покончу жизнь самоубийством, и не потому, что она стала легче, нет, она все такая же, и даже взгляды мои те же, но все это касается меня как-то поверхностней, как будто та часть души, которая болела вечно, уже отпала. Я успокаиваюсь, но вместе с тем и черствею. Теперь уже природа не вызывает во мне такого чувства, что раньше. Если иногда утром и высунешься в окно, с наслаждением дыша свежестью утра и смотря на слабо голубеющее ясное небо, то душа уже не рвется, как прежде, навстречу этому небу, не стремится слиться с кружевным узором облаков и улететь вместе с ветром в прозрачную синюю даль.

Мне немного жаль, что я не могу, как раньше, жить каждым клочком травы, каждым порывом ветра. Это или совсем прошло, или только задержано усилием воли — она, должно быть, держит меня крепко и не дает распускать себя. А что будет потом, я не знаю. Нет, я всегда буду любить природу, но сейчас я занимаюсь, занимаюсь много, без похвалы. И хоть страшно некогда мне, остается место и время на странные волнующие движения в душе, похожие на предчувствие, ожидание или просто желание чего-то. Вечерами, засыпая, я отдаюсь взбалмошным мечтам о странных и глупых вещах, но мечтаю, не веря, а так, рисую перед собой чью-то чужую жизнь, невозможную для меня.

А о рабфаке не думаю почти совсем, не потому, что неинтересно, а просто совершенно не представляю, как там и что. Экзамены так невероятно новы, что даже не знаю, пугаться ли. Я начинаю освобождаться от своей застенчивости, становлюсь естественней, иногда вдруг нападет такая беспричинная радость, как будто я лучше всех на свете, красивей и милей. И знаешь, что нет, а все-таки с таким наслаждением закинешь голову и, смотря на всех весело и почти заносчиво, идешь и улыбаешься всем, чувствуя такую силу в теле и сердце, так все живет там, так хочет борьбы и жизни.

<25 августа 1935>

Прошло лето, как проходит все на свете, и опять потянется холодная суровая зимняя жизнь. Но какая это будет жизнь? Я не в школе и, кажется, не в рабфаке. Так где же я? Позавчера сдала последний экзамен, и стало скучно от однообразия свободного времени, потому что не стало цели. А только несколько дней назад жила тысячью различных чувств и ощущений — новая обстановка, новые люди... И радостно было, идя в новую жизнь, и чуть жила в душе грусть по школе, как какое-то сожаление.

Полиграфический — убогий и скверный институтишко: узкие крутые лестницы, низкие коридоры и неприглядно бедные и неуютные аудитории. На письменных, кроме трех девушек, сидящих рядом со мной, я не сталкивалась с окружающими и еще представляла их лучше, чем на самом деле. 23-го был устный опрос, коридоры набились сдающими; в их говоре, смехе было все так пошло, так резало слух, так казалось глупым. Ребята (как и все фабричные и даже не фабричные на свете) двусмысленно посмеивались, двусмысленно переговаривались, и девушки жались от них к другой стене. В первые минуты я почувствовала себя страшно одинокой, и стало охватывать чувство застенчивости и неловкости. К счастью, на меня никто не обращал внимания. Русский я сдала быстро и побежала вниз в другую аудиторию, где сдавали математику.

<26 августа 1935>

Глупо. Ужасно глупо!.. Я иду в школу. А кто это полмесяца назад говорил о своем твердом решении? Кто думал, что со школой все кончено? Но разве я виновата? Полиграфический переводят в Лефортово, а ездить туда было бы безумием. Итак, я опять в школе, однако меня могут и не принять туда еще. Директор мне почти отказал, он как-то замялся, говорил о том, что больше нет мест и что лучше бы мне идти в 42-ю школу. Завтра пойду к Ю.И., попрошу ее о помощи, потом опять в школу, а потом, если примут, радовать своих. Многие, узнав о моем возвращении в школу, подумают, что я не выдержала, сдалась. Нет, я никогда не сдаюсь, а только отступаю.

Я сейчас себя чувствую среди всех своих знакомых такой неразвитой и такой дурой, что мучаюсь этим беспрестанно. Что за странное заблуждение у всех о моих способностях? Все думают, что очень умна, и этим делают мне еще больнее. А теперь главное! Клянусь всем дорогим в моей жизни, всеми теми муками, которые пришлось испытать мне, что никогда не допущу своего ребенка (если он будет) до тех условий, в которых очутилась сама. Самое ужасное для детей это попасть в ненормальную обстановку, и тот ребенок будет хорош, который строго, нормально и спокойно воспитывался.

<30 августа 1935>

<u>Вот новости! Мама сегодня сказала, что просматривала мой дневник, так как боялась найти там что-нибудь контрреволюционное.</u> Было бы очень мило, если б она наткнулась на записи о братьях Зелениных и других. <u>Вообще, это мне не очень нравится, хотя я не рассердилась, я знаю, что делала она это только в моих интересах.</u>

Из рабфака я ушла... Я вдруг решила, что там слишком мало дадут мне общего образования, а выйти недоучкой — значит противоречить себе и своим целям. Я решила пойти в школу, но с условием, что в январе перейду в рабфак при МГУ, я теперь хотела идти туда, и это, главным образом, было причиной того, что я полностью порвала с Полиграфическим. Временами я ругаю себя за это, но исправить ничего нельзя, теперь надо думать о другом. В 35-ю школу меня не приняли. Это можно сказать определенно, хотя директор (проныра противная) кормит меня надеждами. Да я не верю и теперь определюсь завтра же в 45-ю новую школу рядом с нами. Чем она должна быть хуже остальных? Ведь была же и 35-я новая, и я училась в ней, была новой 2-я школа на Усачевке, а теперь стала образцовой.

Итак, я в 45-й. Не так дурно, и мне скорей надо определиться, чтоб не искушать себя при виде Муси, Ирины и прочих. Моя новая школа большая, значит, там будет много народу и столько нового. А в январе я все-таки уйду. Как-то на днях я зашла в нашу 35-ю, там была Ю.И., которая стала агитировать меня на курсы по подготовке в педагогический институт. Ах, педагоги! Никак не удержатся от агитки! Педагогов сейчас нет, и она решила воспользоваться моим безвыходным положением. Ну нет, дудки! Я не хочу закабалять себя в учителишки, с этой знаменитой профессией привел бог недавно познакомиться.

У мамы происходят испытания в организующуюся в этом году семилетку. Она, бедная, без помощников никак не может справиться и взяла в помощь меня и Ирину. Было немножко смешно и странно указывать и объяснять совершенно взрослым людям и старикам, но потом мы привыкли и стали чувствовать себя прекрасно. Эти чужие и враждебные рабочие становились такими покорными и робкими детьми, очутившись в школе, у многих, в особенности у стариков и женщин, дрожали от волнения руки. Они краснели, запинались и как-то дружелюбно и ласково обращались к нам.

<31 августа 1935>

Я довольна отчасти, что пришлось столько беспокоиться этим летом, я как-то выросла, перестала бояться и привыкла к неприятностям, только часто стала появляться тройная складка на лбу и выражение какого-то сосредоточенного неразрешимого вопроса. Я осталась без места и жалею, что взяла документы из Полиграфического рабфака. Ну да лишь бы устроиться, а там сожаление пройдет! Обходила все школы: мест нигде нет. Была и в 35-й, и Ю.И. сделала последнюю попытку уговорить директора. Он, маленький и противный, слегка усмехаясь, сдержанно и коротко уверял ее, что теперь ничего нельзя сделать, а она, эта милая дорогая Ю.И., с такой ласковой просьбой говорила ему обо мне, объясняла, что нельзя оставить меня, такую способную ученицу, за бортом, что можно выбросить Димку, который не держал испытаний. Ее просящая улыбка и подвижная фигура, все так умоляло, а он холодно обрезал ее доводы, и мне было гадко и стыдно, что из-за меня она просит и из-за меня ей отказывают.

Из школы я ушла с неприятным чувством и завернула в 6-ю, где сейчас учится Володя и где когда-то училась я. Теперь выбирать не приходится, хочу или не хочу учиться с Володей и во второй смене — лишь бы приняли. Но завуч была на собрании, и поговорить было не с кем, так и ушла ни с чем. В этом году все глупые мысли о мальчиках, о своей наружности, о наших отношениях невольно отошли назад, и раздвоение стало меньше, как-то мало теперь думаю о настоящей жизненной дороге. Я все эти годы бьюсь в заколдованном круге между серьезной жизнью, учебой, наукой и женскими мечтами, желаниями, мальчиками.

И то, и другое сильно во мне и одинаково, поэтому решать непосредственно чувством нельзя, надо, чтобы вмешалась голова и определила более важное и нужное мне. Она долго колебалась, но теперь я знаю, что надо бросить легкомыслие и всецело уйти в науку. Но как облегчить этот уход? Как сделать его легким и спокойным? Ведь эта жизнь глубоко в меня вросла и слишком волнует, чтоб так просто от нее можно было отделаться. Надо ею пресытиться, чтоб потом забыть, а я полна неудовлетворенного раздражения, колющего мое самолюбие. Бросить «эту» жизнь, значит, сдаться, сказать себе: «Я не смогла быть интересной, не смогла увлечь ни одного мальчика, не смогла добиться своего». Но я не хочу сдаваться! Ведь нужно лишь самой увериться, что я кому-то нравлюсь, и тогда успокоиться, потеряв всякий интерес к фокстротам, мальчикам и бессмысленным разговорам.

‹3 сентября 1935›

Что делается со мной? Так ужасно и так противно, ощущение такое, будто скоро должно случиться что-то страшное, неизвестное. Я учусь во 2-й школе на Усачевке, но почему-то я недовольна, хотя восьмой класс хорош по составу, все способные и очень развитые. Я чувствую себя такой ограниченной и неумной, так страшно учиться среди них, и хочется, стыдно сказать, назад в 35-ю школу. Вчера Ирина сказала, что директор соблаговолил принять меня назад в школу, и теперь во мне начался ужасный разлад. Куда идти? Я не помню еще подобного мучительного ощущения и этих ужасных сомнений. Если б перейти было невозможно, я бы успокоилась, а то мама сказала: «Как хочешь. Может быть, перейдешь?»

Я вдруг почувствовала, что потеряла всю свою самостоятельность, твердость и такой беспомощной маленькой девочкой стала. Все эти дни скучаю и по Мусе, и по Ирине, и по всем. Новые сотоварищи чужие, непонятные, в школе я держу себя как-то настороженно и неспокойно, как во враждебном лагере. И все эти сомнения, эти вопросы! Как глубоко врезалась в меня старая жизнь, и как, оказывается, я люблю ее. Все мои кричащие слова о науке, о серьезной жизни оказались пустыми, я та же пустенькая и глупая девушка, с отвращением думающая о занятиях и в то же время ищущая каких-то идеалов в жизни, мечтающая и тщеславная. Мне часто хочется сказать про себя, что я Обломов.

Стыдно за слабость, и все же я не могу спокойно обречь себя на жизнь среди этих чужих людей. Боже мой! Что же делать? Я запуталась в жизни, только она началась. Но с какой стати быть там, где не нравится, в этом и заключается умение жить, чтобы выбирать лучшее. Да горе-то в том, что я не знаю, где мое лучшее, не знаю, куда мне идти! Ничего я не знаю. Странно, что такие настроения женщины выливают обычно в слезы, а я не могу плакать, не могу страдать по-женски.

Я поняла теперь, что со всем своим страстным желанием познания, с упорной работой (нельзя ведь отрицать, что я много сделала для своего развития) оказалась теперь посредственностью и неразвитой, чтоб не сказать большего. Кто бы знал, как это мучает меня и как мне всегда хочется быть умнейшей и первой! Но я чувствую, что поздно спохватилась теперь за ум и что читать бесполезно, потому прочитанное проваливается, как в яму, я не помню ничего. Таких людей называют обычно неспособными, но мне до сих пор еще больно согласиться с этим, так раньше я не могла свыкнуться со своим уродством. А ведь я всю жизнь думала лишь о том, чтобы много знать и быть умной.

‹6 сентября 1935›

Сегодня первый выходной день этого учебного года. Я в хорошем настроении и спокойна, потому что учусь в своей старой школе, и кончились мои сомнения и муки, я пристала после бурного метания «без руля и без ветрил» к тихой пристани. Удивительно, как стало все хорошо, как свободно я держала себя вчера, кончилось то неприятное напряженное состояние, которое я испытывала во 2-й школе. Теперь остается самое страшное — взять из 2-й школы документы. А вдруг не дадут? Это еще ничего, если только не заявят в 35-ю. Странно, что эти сумасбродные проделки сходили мне пока с рук, папа очень недоволен, ругает меня трусихой, но мне все равно. Мне кажется, что прошлогодний ужас перед школой у меня не возобновится и что я благополучно проучусь этот год.

<12 сентября 1935>

Ой, как бегут дни! Прошло полмесяца, я занимаюсь неохотно, но все еще тешу себя надеждой увлечься наукой. Свыклась с мыслью, что я Обломов? Нет, разумеется, не свыклась, я никогда окончательно не привыкну к ней, но теперь ясно знаю, что это правда. В общем, все погано, мысли поганые, никак не могу добиться того, чего хочу, и хоть есть простой выход, просто бросить добиваться, но это, кажется, не в моей натуре. Настроение, однако, неважное, никак не найду чего-то настоящего в жизни, что должна делать, как и зачем.

А вчера к Ирине пришла Муся, а с нею девятиклассники Николай, Юрий и Вадим. С последним я еще не была знакома, но спокойно чувствовала себя все время и лишь тогда, когда они вошли в коридор, у меня сильно забилось сердце. Я внимательно посмотрела на Вадима, этого странного человека маленького роста, которого все боялись и по которому сходили с ума девочки. С первого же момента он поставил меня в неловкое положение и восстановил против себя, как-то странно задержавшись и не поздоровавшись со мной, так что мне первой пришлось сделать движение рукой. Это меня взбесило, и я готова была уже не любить эту маленькую и плотную фигурку в черном костюме.

Вадим внес в наши отношения и разговор какое-то напряжение и стесненность, начав с того, что едко и скорее не словами, а тоном и улыбкой, острил на счет Ирины и на счет других, при этом посматривая хитрыми и жгучими точками глаз на Мусю. Его присутствие заставило меня окончательно забраться в свою скорлупу. Он как-то снисходительно и небрежно обращался со всеми и лишь исключительной симпатией и лаской дарил Мусю. Она в его присутствии тоже изменилась, стала более взрослой, более кокетливой, была бледна, и так эффектно блестели ее черные с мохнатыми ресницами глаза. Странно, что даже товарищи побаивались и стеснялись его и долго не хотели идти танцевать в его присутствии.

Мусе Вадим, должно быть, нравится, но у него тогда было скверное настроение, как я потом узнала. Он так засмеялся, когда Коля начал танцевать с Мусей, что тот сразу же бросил ее, сев на диван, такой смущенный и красный, как маленький мальчик, даже стало жалко его. Вадиму не сиделось, он переходил с места на место, начал показывать фокус, передав потом карты Ирине. Она, противно кокетничая, начала что-то раскладывать, а он не дождался конца и резко вскочил. Потом подсел ко мне, начал играть в «очко», но и тут еле высидел кон и, бросив карты, ушел.

А я все больше злилась на него и чувствовала себя глупо пригвожденной к месту без дела и разговоров, но так было противно от своего бездействия и молчания, от мысли, что над тобой могут посмеяться, сразу же захотелось уйти домой. Вадим вскоре ушел с Мусей в другую комнату и весь вечер проговорил с ней, а мы, немного поскучав, принялись играть в карты и скоро развеселились. Вообще, теперь Муся для меня не просто хорошенькая девочка, а опытная девушка, уплывшая далеко от меня в области познания любви и флирта.

<23 сентября 1935>

Сейчас красят мою комнату и залили дневник. Ужасно досадно — он такой неразборчивый стал, что пришлось кое-что обводить. Ну, ладно. Дни бегут, словно тучи пред грозой, с такой невероятной силой, что я не успеваю никак прийти в себя и поэтому, возможно, не хандрю. Мои мысли, мои стремления сосредоточены на одном: учиться, учиться и учиться. Стать умной, а это так трудно (чтоб не сказать больше). Я научилась спокойно относиться к своим недостаткам, значит, научилась не покоряться им, потому что злиться и беситься это значит признавать невозможность борьбы. А я борюсь каждый день, каждую минуту, думаю только об одном, и мне странно, как мысль может так концентрироваться, — не было ни одного шага, ни одного желания, не разбудившего эту мысль. Она стала моим кошмаром — стать умной! Когда я слушаю объяснения на уроках, сквозь внимательно настороженный для восприятия мозг, не переставая, сквозит и сверлит одно и тоже: «Надо знать это отлично, надо пройти это углубленно». Дома я ложусь и просыпаюсь с одним: «Сегодня прочту Покровского, начну заниматься по-немецки». Плохо то, что все это мысли. Моя ли вина в том? Не знаю.

Мне не хватает времени. Ведь не могу же я сократить свой сон до шести часов, это значило бы стать больной. Я временами начинаю осуждать маму за то, что она не обратила внимания на мое болезненное состояние в прошлые годы и не попыталась спасти меня. Я победила свою тоску, но с каким ущербом! Говорят, после острой истерии бывает частенько ослабление памяти, и очень возможно, что я была больна именно этим, но... теперь не вернешь. Главное — это максимальное использование времени и разумная интенсивная работа.

Я решила заниматься с Мусей (и с Ириной) вдвоем, правда, это займет немного больше времени, но зато гораздо лучше я чувствую себя потом: мне необходимо научиться говорить, а одной это нельзя сделать, так что здесь есть прямая выгода. Все остальное время буду тратить на серьезную учебу в расширенном объеме. Печально, что я никак не расстанусь с противным словом «буду», вот уж месяц почти я все собираюсь... Обломов... Как видно, я научилась философствовать, а «философствовать — это значит учиться умирать», сказал кто-то. Я понимаю это несколько иначе, философствовать — это значит учиться жить. Мне некогда теперь думать о ребятах, о наружности, об успехах, это будет тогда, когда придет ум. Даже на переменах я пытаюсь читать, но боюсь переутомиться, может получиться обратное действие.

Мне сейчас никто не нравится, никто даже особенно не интересует, и женщина во мне сидит спокойно, хотя, конечно, она проявляет себя, но не мучает и не мешает ученью. Часто на уроках я чуть оборачиваюсь и смотрю в другой конец класса на так называемую «Камчатку», где сидят Левка и Зырик, который частенько на меня поглядывает, и до того смешно мне становится, когда я встречаюсь вдруг с его большими карими глазами, широко раскрытыми. Я усмехаюсь и отворачиваюсь, а потом потихоньку, как бы невзначай, скользну взглядом по далекой парте и сержусь, если смешное длинное лицо не повернуто в мою сторону. Единственный человек, который может понравиться мне и к которому чувствую я теплую симпатию, — это Левка. Он еще больше вырос, похудел, но все тот же у него удалой и добродушно хитрый вид и те же сияющие красивые глаза. Девочки говорят, что он подурнел, а мне кажется, что нет, — все такой же милый.

<3 октября 1935>

29-го у Ирины была вечеринка. Уже потому, что говорю я о ней лишь четыре дня спустя, видно, какое незначительное впечатление она оставила. Мне было скучно, я чувствовала себя ужасно чужой и смешной, боялась ребят, жалась по уголкам и все ждала с их стороны какой-нибудь гадкой выходки. Вадим почему-то соблаговолил предложить мне танцевать, я согласилась и, как всегда, очень неловко и немного наивно утащила его в другую комнату. С ним я себя чувствовала наиболее просто и свободно, хоть и знала, что Вадим — опасный человек. Он одного со мной роста, и, танцуя, я чувствовала его лицо на уровне своего и иногда шершавую щеку. Он очень мускулистый и сильный, и я ощущала, как под тонкой рубашкой ходили на его руке и плече мускулы. Вадим очень интересен, но глубоко не симпатичен мне как человек. Интересно, что перетянет? Вот вздор! Я никогда не буду в числе его многочисленных воздыхательниц. Как же!

Так вот, это был единственный раз, когда я танцевала на вечере, остальное время я сидела в качалке и злая, как черт, смотрела кругом. Вадим и Муся «беседовали», усевшись на диване и потушив свет, Колька целовался с Ниной, кто-то танцевал. Я отказалась от второй вечеринки, нет, я положительно не могу быть в таком положении, в котором нахожусь, это меня оскорбляет. Интересно проанализировать мое отношение к Вадиму: он красив, этот Печорин, но такого легкомысленного и пустого человека я еще не встречала; все интересы в жизни сосредоточены у него на интригах, девочках и вечеринках, он даже умным мне не показался, и я глубоко довольна, что он не нравится мне.

<6 октября 1935>

Чудесный вечер, темный и ясный. Где-то за домами кутается в облаках голубая луна, ветер, необыкновенно мягкий и нежный, упорно дует с юга и приносит сухой и душистый осенний запах. Он всегда шепчет мне о чем-то хорошем, красивом и далеком, навевая тревожную грусть, и я часами могла бы идти ему навстречу, слушая рассказ о счастье, о лесах и далях. Ветер так много приносит с собой из каких-то неведомых далеких краев, полных цветов, травы, деревьев. Есть своеобразная прелесть в природе осенью. Никогда не бывает так суха и шершава трава, так красивы и пестры краски леса. Дует ветер, и тревога слабо нарастает. Почему-то всегда чувствуешь себя одинокой и хочется любви и сентиментальной нежности. И все-таки необыкновенно хорошо...

<16 октября 1935>

В Абиссинии война. Война! Ужасно. Читаешь о жертвах, о нападениях, о рвущейся шрапнели и сбрасываемых бомбах, а сама никак не можешь осознать, что где-то там далеко, в удушье Африки, началась кровавая бойня. Как хорошо знаешь из книг, что такое война, сколько раз читала, содрогаясь, о вспоротых животах и человеческих обрубках без рук и без ног, но, читая сухие донесения, не представляешь себе, что теперь наяву рвутся ноги, гибнут люди. А кругом все так оскорбляюще равнодушно и спокойно. Так же люди учатся, работают, так же кипят в своих мелких страстишках перед лицом неумолимой смерти.

Я кручусь между двух пристаней: к одной тянет рассудок, к другой — все остальное. Эти пристани: наука и флирт. Никто не понимает меня, да и никто бы не понял, если б я все рассказала. Всяк на свой аршин меряет! А решить что-нибудь надо: или туда, или сюда. Ах, недаром я хотела уйти из школы. Здесь такая нерабочая обстановка и так она затягивает, так мешает. Муся и Ирина ни о чем не думают, кроме мальчиков, я нет-нет, да и начну за ними тянуться. А где уж мне! Приду к ним, сижу букой и грею лишь завистливую гадкую мысль: «Они умнее меня, ничего не делают, а умнее. Почему я такая дура?»

Несколько месяцев назад я иногда сомневалась, говорила себе: «Ты, должно быть, не такая уж дура, а то тебя вытолкали бы из этой компании». И надежда, прячась по уголкам, золотила горькую темь души мягким светом. Теперь упорхнула и она. Что ж, смириться? Я, должно быть, дойду и до этого. Как-то вдруг, ни с того ни с сего я поняла, что я за бортом. Иллюзии у девочек разрушились, я не подхожу к их компании ни по уму, ни по деньгам, ни по наружности, и меня выбросили. Я не то чтоб любила эту легкую жизнь, но бесконечно злит меня то, что я не гожусь туда, что даже в этой пустой среде я на целую голову ниже всех окружающих, ниже тех, кого временами презираю.

<23 октября 1935>

У меня несколько меняется образ жизни. Заниматься хочу мало, так как вполне достаточно иметь по всем предметам «хорошо», а на «отлично» успею перейти в десятом выпускном классе. В школе преподают много ненужных подробностей, которые быстро забываются и которые приходится брать зубрежкой. На это тратится все время. Боже мой! Как быстро идут дни и как ничего не успеваю.

Я немного отошла от Муси и Ирины из-за ребят, мне всегда была чужда эта компания, а теперь в особенности, потому что Вадим очень зол на меня. Гадина какая! Я незаметно для себя изо дня на день все больше восстанавливаю себя против него, меня так бесит его самонадеянность, эгоизм и себялюбие. По его мнению, все люди созданы для того, чтоб только ублажать его причуды и служить его целям. Еще на вечеринке у Ирины Вадим предлагал выпить за его дела и чокался со всеми, я отчасти знала про эти дела и отказалась, а он, помню, спокойно сказал: «Не хочешь пить за мои дела? Как хочешь». Но Мусе он шепнул на ухо: «Ну, этого я никогда не прощу». Странно. Тихая робкая девочка, всех побаивающаяся и сторонившаяся, вдруг вызвала в Вадиме резкую антипатию.

Сейчас в нашем классе составилась команда из совершенно иной компании, и я влилась в нее, девочки попроще наших, но, кажется, и подоступнее. Они всегда оживленно бегают на переменках или смеются, охотно принимают приставания ребят и необыкновенно быстро с ними знакомятся, что для меня совершенно непонятно. Они знакомы с ребятами девятых и десятых классов, и мне в них нравится то, что они премиленькие девочки, но не барышни, правда, не нравится уж слишком вольное обращение их с мальчиками. Мне весело в круговороте дней и часов, не дающих одуматься, и все же временами приходит вопрос: «А когда читать? Когда учиться?»

<8 ноября 1935>

<u>Праздник прошел. Великий революционный праздник, а в душе какая-то глухая злость, неудовлетворенность и вовсе не празднично. Немного скучно, немного грустно и ужасно не хочется заниматься.</u> Удивительное дело! С удовольствием читаю научные серьезные книги, с интересом просматриваю газеты, но все, лишь немного отдающее школой, муштрой, обязательным порядком, вызывает отвращение, как бы интересно ни было. На днях в школе произошел скандал. Весь восьмой класс сбежал с контрольной по литературе. Осталась одна Лиза К., она пошла к директору, рассказала обо всем, и мы ей за это объявили бойкот. <u>На следующий день нас ругали страшно, открыли контрреволюцию и искали зачинщиков. Бедного Льва дважды вызывали к директору, и он оттуда возвращался с красными глазами.</u> Дело доходит чуть ли не до исключения из школы, и мне вдруг этого захотелось, потому что... Куда он пойдет? Наверно, его попытаются устроить в рабфак, так и я с ним за компанию. В общем, это почти совершенный вздор, один процент против 99%.

Мне очень хочется больше жизни, больше движений, а мне даже некуда пойти вечером. Муся с Вадимом и прочими меня не признают, у Иры кто-то там есть, да и у меня, кстати, еще есть дела на сегодня и, кроме того, уроки. Уроки! Куда ни глянь, все в них упрется, я, кажется, за всю вторую четверть совсем съеду с «отлично». Надо сознаться, что все мои глупые настроения, недовольство и метания от неудовлетворенного чувства любви. Надо бы полюбить кого-то, а в школе некого, не Вадима же? Один интересный мальчик в школе, да и тот мерзавец.

<17 ноября 1935>

Я раздевалась и, сдавая пальто, думала, как бы пройти так, чтобы взглянуть мельком в зеркало на себя и посмотреть, действительно ли я уж такая мужиковатая или же ничего. Моя дурная фигура, как раньше мое дурное лицо, не дает мне покоя, я и ходить стала как-то стесненно, держа руки полусогнутыми на животе, как институточка, боюсь сделать лишнее движение, чтоб не показаться смешной. Взяв номерок, я пошла вглубь вестибюля, просторного и светлого. Диспансер сиял чистотой и красотой, вверх тянулась широкая белая лестница, симметрично бежали от нее, закругляясь вверх, два марша лестниц и вели на второй этаж. Я прошла ее и поднялась по другой, более скромной, «задней».

На третьем этаже меня оглушил гам полувзрослых басистых голосов, и я, неожиданно испугавшись, остановилась на лестнице и, задрав голову, смотрела на площадку. К перилам подходил юноша, высокий, здоровый и смотрел на меня сверху. Я вдруг постыдно испугалась и убежала, а надо ведь было пойти туда во что бы то ни стало, иначе моя память никогда не вылечится. Но опять проходить профотбор... так не хочется. Мне казалось, что там одни мальчики и было страшно. Так я и не пошла и, походив по диспансеру в раздумье, ушла домой.

А дома — скандал. Мама — да и вообще все взрослые — никак не могут понять нас. Они требуют, чтоб мы уделяли внимание дому, убирались, наводили чистоту, готовили. Им легко говорить, когда, кроме готовки, у них нет ничего. Не все ли равно маме, идти на работу или остаться дома хозяйничать — и там, и там она одинаково теряет время. А мне? Мне каждая минута дорога. Я целый день ищу чего-то нового и полезного, и в школе, и дома одна мысль — познавать. И вдруг надо чистить картошку, мыть посуду, значит, в течение часа или двух засыпать в тупом бездумьи и твердить себе каждую минуту: «А время идет, и ты теряешь его, это золотое время».

Я часто задаю себе вопрос, правильно это или нет, должна ли я бросить всякую физическую работу и отдаться науке, перестать обращать внимание на укоры мамы, на то, что она, усталая и постаревшая, начинает варить обед, а я сижу и читаю. Или наоборот — во всем помогать ей, быть прилежной дочерью и женщиной, зато навек остаться глупой посредственностью. Нет, ни за что! Я должна доказать, что женщина не глупей мужчины, что она теперь тоже станет человеком, будет работать и будет творить. Я знаю, что думают мужчины, как высоко они ставят себя и как их оскорбляет, если женщина победит их в чем-то. И вот доказать им, что мы победим, что у нас головы не только мальчиками и тряпками забиты. Эх, если б мне попасть в другую компанию, в другую обстановку, к серьезным, умным людям! А я кручусь среди пустеньких девочек, и сама невольно думаю и говорю о Вадиме и других мальчиках. Вадим! Тот, кто не знает его, кто никогда не говорил с ним, уверяет, что он очень противный и вовсе не красивый, что бросается в глаза что-то животное в его широких скулах, в маленькой и хорошо развитой фигуре. Так говорила и я, так говорили Муся с Ирой в шестом классе. А теперь? Муся почти что влюблена в него, Ирина уже влюблена, а я, если и не симпатизирую ему, то уж, без сомнения, признаю его красоту. Да, он красив, нет человека, лицо которого так ярко характеризовало бы личность, а глаза, круглые и широко расставленные, недобро сощуренные, горят таким дьявольским огнем, что становится жутковато.

Недаром говорят: «Все течет, все изменяется». Не так давно, лишь в прошлом году, каждый из нас занимал совершенно иные роли: первой в учении была я, а Ирина и в особенности Муся прекрасно ко мне относились. Я пользовалась авторитетом у них, и каждая старалась сесть на уроке со мной, на перемене ходить со мною. Ирина пользовалась большим успехом у мальчиков, целыми уроками вела остроумную переписку с ними и крутила с Левкой, так что Мусе даже досадно становилось.

Муся уже тогда начинала подавать надежды, но в компании с ней не считались и терпели лишь как подругу Ляли и как удобного почтальона. Муся сама рассказывала мне, как она боялась ребят и все вечера просиживала в уголке, молча и пугливо поглядывая на всех. Она терялась в их присутствии, одно время ее очень не любили, а Вадим частенько подсмеивался. И вот несколько месяцев спустя он приезжает из Балаклавы и, вместо робкой девочки, встречает очаровательную маленькую женщину с лукавыми глазами, веселенькую и умненькую. Перемена была поразительна. Я частенько смотрю на нее и думаю, откуда что взялось? Почему раньше не было этих красивых веерообразных ресниц, этого «бесенка» в глазах? Муся стала независимой, и я вдруг почувствовала, что она совершенно перестала во мне нуждаться. Теперь мне приходилось подходить к ней, подделываясь под нее. Ух, как меня это бесит!

Самое незавидное положение у Ирины, ее совершенно перестали замечать ребята: для Вадима она не существует, а Коля и Юра прямо-таки ненавидят ее. Меня Вадим не любит, значит, я для него не пустой звук, а что-то значу, и чтоб не стать ничем, мне временами так хочется злить его, играя на его самолюбии.

‹20 ноября 1935›

Я ожидала психоневропатолога. Хорошенькая уютная комнатка почти пуста, темные стены, на которых отдыхает глаз, удобные плетеные кресла. Я села около стола и, откинувшись на спинку и заложив нога за ногу, почувствовала вдруг какое-то необыкновенно успокоительное и приятное чувство, будто это была не чужая приемная, а давно знакомая и любимая комната. Когда подошла моя очередь, я робко вошла в кабинет. За столом сидел большущий черный врач и уже то, что он был мужчина, такой страшный и быкообразный, вызвало у меня неприязнь, недоверие и смущение. Я села и подозрительно, исподлобья глянула на него. Он смотрел внимательно, почти пристально большими бычьими глазами.

Я вдруг сразу решила, что он ничего не знает и что я не буду верить ни одному его слову, и все время, пока он спрашивал о чем-то, а потом начал проделывать разные манипуляции, я ждала только конца приема. Он поставил меня, взял за голову и посмотрел в глаза: «У вас с рождения такой глаз?» «Да», — ответила я равнодушно. Разумеется, как я и думала, он ничего путного не сказал, и я ушла неудовлетворенная, злая и подавленная. «Так он сразу заметил глаза... Значит, так заметно? Конечно, заметно. Ты почему-то выдумала, что все прошло». Так я опять уродка?! Да, опять. И вот я сижу перед зеркалом, смотрю на себя... и плачу. А я давно не плакала, как-то раньше не могла выдавить слезы, только по-прежнему знакомо и ужасно давило внутри.

Я ни перед чем не сдавалась, ведь можно было найти выход: я поступала на рабфак и, не поступив, не отчаивалась, потеряла память и все-таки надеялась на возврат ее, но это неисправимо. Это значит — опять целые дни муки, ужаса и затворничества. Я все время была в счастливом заблуждении, как будто надо радоваться, что хоть немножко пожила без кошмара. Ничуть, только стыдно за себя. Уродство — это самое ужасное в жизни, а на лице, а на глазах! Проклятье! Рыдать в бессильной злобе, рвать волосы на себе и знать, что ничего никогда не сможешь изме-

нить. От этого сходят с ума — быть ни за что заклеймен-
ной незаживающим клеймом на всю жизнь. И нет вины,
нет виноватых, и поднимается злоба на саму себя.
Ненависть, презрение и злоба.

Завтра я не смогу никому смотреть в глаза — мне будет
стыдно. И значит, никаких иллюзий, никаких мечтаний
больше? Нет, не могу я так жить! Боже мой, мне кажется,
я с ума сойду. Мне кажется счастьем вчерашний день, и
все эти мелкие неприятности, которые раньше трогали.
Что теперь делать? Что делать? Я хочу на весь свет закричать — что мне делать? Врачи, которым не верю, операции,
которые не помогут, и соболезнования, от которых смешно и тошно. И никаких надежд. Как все это случилось?
Почему я вчера, почему я раньше не думала об этом?
Почему после операции я успокоилась и все старое прогнала вон? Так, правда, некоторое время я не была такой?
Не знаю. Должно быть, я просто... обманулась!

Только я начала меняться, только начала успокаиваться, как вдруг... Сегодня я получила два удара. Дура и уродка! Зачем же мне дали то, что называют гордостью и самолюбием? Я хочу блеска, славы, я хочу любви и счастья, а
получаю стыд, ненависть и отчаяние. Отчаяние! Какое
благозвучное и какое страшное слово. Отчаяние — значит
смерть. Это значит нет никакого выхода. Вот опять где-то
у сердца чувствую противную и тяжелую гадюку, она
сидит и сосет. Это — злоба бессилия, это ненависть урода.
Очень противное существо ростом с блоху.

<22 ноября 1935>

Муся, очаровательная ангорская кошечка с мягкой, как
пух, шерстью выпустила коготки и очень острые. Вчера она
сказала мне, смеясь: «Ну, подвинься, толстушка!» Я про-
молчала. «Ты не сердишься?» «Нет — отвечала я ей в тон, —
я тебя так презираю, что даже сердиться не могу». «Ах, ты,
гадюшка!» На этом как будто кончилось, но сегодня она
громко и нахально начала говорить мне: «Ах ты, толстушка.
Ты толстая, Нина». «Муся, перестань!» Она смеялась, наивно тараща глаза: «Ты не сердись, Нина, я всех называю
толстыми, кого люблю». «А я прошу этого не делать», —
говорила я тихо, боясь, чтобы кто-нибудь нас не услыхал.
«Вот чудачка! Это у меня ласкательное имя, я ж говорю, что

всех так зову», — ворковала Муся. «Муся, замолчи или я с тобой разговаривать не буду», — я отвернулась презлая.

Нет, какое она имеет право, как она смеет оскорблять меня. Я сидела, ни на кого не глядя, и чувствовала ненависть к ней и презрение к себе. Я не нашла ни слова в ответ на насмешку, была беспомощна, а она продолжала язвить. «Муся, прошу тебя, замолчи», — повторяла я. Она некоторое время молчала, а потом решила помириться: «Нинок, не сердись, ты будешь у меня не толстая, а тонкая-тоненькая». Она с каким-то особым удовольствием произносила слово «толстая», близко поднося к моему лицу маленькие пальчики, показывающие, какая я буду тоненькая.

С глупейшим видом смотрела я в ее хитрые, удлиненные глаза с улетающими ресницами, и тщетно искала каких-то резких слов — злость охватила меня, затопила все остальные чувства, стыд покрывал мое лицо красными пятнами: «Муся, если б ты знала, как мне хочется ударить тебя». Она еще не сдавалась. Я сказала ей, отвернувшись: «Пойми, что ты себя унижаешь. Неужели у тебя нет ни капельки самолюбия и тебя не оскорбляет, что я не хочу с тобой разговаривать, а ты лезешь?» Я уткнулась в парту и просидела так весь оставшийся урок, а Муся скоро оправилась и начала весело болтать с девочками. Теперь мы не разговариваем, и я ненавижу ее, и вдоволь насмотреться не могу, и... так завидую. Стыдно признаться.

<28 ноября 1935>

Второй день сижу дома, правда, оба по причине, но чувствую, что еще и еще не ходила бы в школу. Вчера рано-рано поехали с мамой в Бутырку[42]. Чуть светало, и нудно было видеть оживающее утро в темных вечерних сумерках. И странно: эта синяя ночь вся была пропитана неуловимым и еле ощутимым дыханием утра. Как-то особенно свеж и чист был воздух, или это казалось так, потому что сама я только что встала и была бодра и весела. Падал редкий, мелкий снежок, кругом торопились люди.

В тюрьму я приехала замерзшая и злая. Народу было много. На скамейках сидели полусонные женщины с узе-

---

[42] Бутырская тюрьма, в которую привезли из ссылки арестованного там отца Нины — Сергея Федоровича Рыбина.

лочками, узлами, сумочками и целыми мешками. <u>Все почти женщины и какие различные: старые и молодые, веселые и отупевшие от горя, простые и интеллигентные, много рабочих. И у всех выражение апатии и какого-то покорного горя. В отношении к политическим чувствуются какие-то сдвиги: Бутырка стала их тюрьмой, их теперь не высылают почти без суда и следствия, как 5 лет назад. И с родными объясняются более вежливо.</u>

Боже мой! Как не хочется завтра идти в школу. Будет черчение, а у меня нет ни одного чертежа, их надо делать целый вечер, при том еще за эскизами ехать к Мусе. Позволит ли мне мама остаться дома? Вдруг нет? Тогда я пропаду. Впрочем, нет, позволит, я на самом деле немного больна. Опять хочу уходить из школы. На днях разговаривала с Ю.И., мы с ней вместе вышли из школы: «Ю.И., я хотела бы поговорить с вами». «Пойдем, детка», — сказала она ласково, как только может говорить Ю.И., и взяла меня под руку. «Ю.И., я уже такая бродяжка, и опять хочу уходить из школы. Как вы думаете, будет прием в январе на рабфак?» «Нет, Нина. На хороших рабфаках никогда не бывает зимой свободных мест». «Никогда?» «Да. Но, впрочем, я попробую поговорить, может быть, но вряд ли. Не лучше ли тебе остаться в школе? Или, может быть, дома плохое материальное положение? Ты, конечно, скажешь мне, почему не хочешь учиться в школе?»

Я, разумеется, сказала ей: «Ю.И., видите ли, мне уже шестнадцать лет, а вокруг меня четырнадцатилетние, маленькие». «Ну, это же пустяк, раньше было заметно, что ты старше, а теперь с каждым годом будет сглаживаться. Да у вас и четырнадцатилетних-то мало, все больше пятнадцатилетние, а им скоро будет шестнадцать, значит, они станут тебе ровесниками». Я ей не сказала, что мне-то будет через месяц семнадцать лет. Боже мой! Уже семнадцать, а я еще чувствую себя маленькой девочкой. Как глупо. Я еще не жила, мне за эти семнадцать лет нечего вспомнить, я говорю не только о чувствах, хотя надо сознаться, что чувства в жизни занимают видное место, как стимул к работе, к учению, к самой жизни, а у меня не было ни друзей, ни радостей.

Сестры много вспомнят из своего прошлого: бешеные скачки на лошадях где-то в аллеях Сокольнического парка, веселый круговорот катка, волейбол, вечера с друзьями и с теми, которые их любили. Муся будет через три года с удовольствием вспоминать волнующие вечера, полные обаяния, красивых мальчиков, свой успех, танцы до головокружения, кокетство и милое тщеславие. А Нина не вспомнит ничего! Каждый из них скажет когда-то: «Да, я пожил ничего!» А я чувствую лишь неудовлетворенность жизнью, которая не оправдала надежд, людьми, которые обманули, и собой, не сумевшей поймать ни жизнь, ни людей.

<21 декабря 1935>

17-го, на вечеринке у Муси было немного скучновато, но почему-то приятно. Я стала гораздо свободнее держать себя, и это радовало. Все танцевали, а я сидела в уголке, иногда переговаривалась с кем-то и смотрела на танцующих, у меня привычка смотреть на лица, а не на ноги, что гораздо интересней, иногда встретишь чей-то взгляд или улыбку. Часто мелькало красное лицо Вадима и его сатанинские глаза. Но через час, наверно, меня охватила тоска, да такая, что реветь от злости и унижения хотелось. Почему никто не мог пригласить меня танцевать? Ведь я же умела немножко. Почти с ненавистью смотрела я, как один или другой брал девочек и начинал мелькать по комнате, а я все сидела и робко надеялась, что кто-то догадается хоть из вежливости. Но никто не догадывался, и я, сдерживая слезы, злая, ни с кем не разговаривая, сидела, положив голову на руки, почти дремала. Я была уже уверена, что потанцевать мне не придется, и все еще спрашивала, за что меня все игнорировали. Не Вадим ли уж из какой-нибудь мести приказал своим мальчикам помучить меня?

Подошла Ира и проговорила: «Нина, что с тобой?» «Спать хочется», — делая добродушное лицо, пробормотала я. Трещала какая-то пластинка, танцующих не было, все устали уже. Вижу, подходит Вадим, горячий, оживленный и вдруг говорит, протянув руку: «Нина, я с тобой еще не танцевал сегодня. Пойдем?» Я удивленно и растерянно взглянула на него. «Пойти или нет? Никто ведь не танцует, и нас все заметят. Как стыдно-то будет, но не пойти ужасно глупо», — промелькнуло у меня в голове. Я медленно и неуверенно поднялась и коснулась горячей руки его, от неожиданности я забыла наблюдать за собой и за другими, лишь чувствовала, что тяжесть и обида, гнетущая меня, проходит, а тут рядом этот злой и неискренний, но находчивый мальчик, нелюбимый, но красивый, спаянный из мускулов, ходящих под белой просторной рубашкой.

Пластинка скоро кончилась, я неловко взглянула на него, усмехнулась и поспешила сесть на диван. Колени чуть тряслись, казалось, все с удивлением и интересом смотрят на меня и видят, как неловко и странно я себя чувствую. Вадим поставил другую пластину и... опять взял меня. Я чувствовала, как радостная волна захватывала меня, росла и ширилась, скуки, как не бывало. «Ах, Дима, как скучно сегодня было», — сказала я и заметила, как чуть дрожал у меня голос от пережитой обиды. «Да? А мне никогда не бывает скучно». «Еще бы, тебе». Он посмотрел на меня: «Когда я выпью, все равно сколько, рюмку ли, пять, до опьянения никогда не дохожу, но для меня как-то пропадают отдельные люди, я вижу только лица. Мелькнет лицо, я подхожу, увижу еще, беру танцевать».

«Редко же ты меня видишь», — с горечью вырвалось у меня. «Нет, ты все сидишь, ну, я тебя и не заметил», — с наивнейшим видом уверял он. Говоря, я иногда поворачивала к нему лицо и тогда задевала за его ухо носом и было смешно и немного неудобно. Я села на свое место, взбудораженная, удивленная, и сквозь антипатию к Вадиму почувствовала к нему горячую благодарность за подачку, которую он кинул мне. Я была благодарна, что он это сделал, а никто другой не догадался. Да, он тонко заметил, увидав меня, злую и хмурую, что я дошла до высшей точки отчаяния, и спас меня. Я себя чувствовала маленькой и несчастной девочкой, которой вдруг подали руку. И мне так захотелось верить в другого Вадима, хорошего и не злого.

<29 декабря 1935>

Два дня не могла себя заставить написать о том, что произошло 27-го. Было страшно и стыдно вспоминать, и все же помнила об этом ежеминутно. Я позорно и постыдно засыпалась по литературе и по химии. Боже мой, как было стыдно. Я не могла никому в глаза смотреть! Казалось, каждый смеется надо мной. И не то ужасно, что я не ответила на «отлично», а ужасно то, что это крест на все мои способности[43]. Не ответить такой пустяк, какой позор! Это значит — я совершенная дура. Нет-нет, бесконечно стыдно! Дома я плакала злыми слезами, потом пошла в глазную больницу, но не добилась там толка. К вечеру я совершенно охрипла.

К сестрам пришли ребята, которые вздумали подсмеиваться надо мной, и это так меня взбесило, что я ушла от них и не хотела разговаривать. Как мне было больно и досадно до слез! Странно сошлись две эти неприятности в один день, и я просто пала духом. Вчера и сегодня в школу не ходила и старалась весь день спать, ни за что не бралась, а на душе тяжелым камнем лежала одна мысль: «Зачем теперь заниматься?» Мне временами хотелось бросить школу, все, мысль доходила почти до самоубийства, сейчас этот кошмар отходит на второй план и в душе тошно до ужаса. Я не знаю, что буду делать, читать не могу, потому что все равно забуду все, цели в жизни нет совершенно, и это ужасно. А быть неудачником из гордости и самолюбия не хочу, я не хочу смиряться ни перед чем.

‹4 января 1936›

В ночь на 1-е января и утром я ощутила движение времени. Вот оно ползет громадное и неумолимое, медленно и непреклонно, перевалил еще год и... пропал. Я уже не думаю о нем, я стремлюсь все время вперед, опять о чем-то мечтаю и желаю чего-то, и нет ни одного воспоминания, чтобы отметить прошедший год. Жизнь была бесцветная и серая. Мне страшно совестно, что мне семнадцать лет, что я дошла до того уже, что стала лгать и говорить про свои шестнадцать. Это я делаю впервые в жизни. Кажется, начинаю жалеть, что ушла из рабфака осенью, но теперь уже ничего изменить нельзя. Я согласна теперь опять месяц-два без отдыха заниматься, чтоб только уйти из школы, это сплошная пытка — осознавать свое бессилие.

Новый год я проводила с сестрами дома, и этот вечер я танцевала, принимала участие в играх и не боялась никого. И я знаю, почему, ведь раньше на меня никто не обращал внимания, как на малышку, это меня ужасно мучило, я становилась застенчивой и пугливой, моментально глу-

---

[43] Нина получила отметки «хорошо».

пея. Я не говорила ни слова, боясь насмешек или думая, а вдруг на мои слова не обратят никакого внимания. Теперь все решили, наверно, что я все-таки подросла, со мной заговаривали, танцевали, и я была весела, дурила и бегала.

Женька пришел раньше, когда еще никого не было. Я пошла открывать в полной уверенности, что это мама, и, когда увидала перед собой знакомое лицо, по старой привычке екнуло сердце и забилось сильно-сильно, но уже потом я к нему относилась так же, как и к другим. Женька устроил необычайную иллюминацию, обернув лампы цветной бумагой, и стало так красиво и празднично кругом. За столом, помню, было оживленно и смешно, Нина начала со всеми целоваться под общий вой и хохот. Она много пила, кокетничала с Андреем и казалась интересной, Андрей какой-то чудной и немножко противный, все молчал, сопел длинным носом и нехорошо усмехался.

‹11 января 1936›

Вот уже несколько месяцев папочка сидит в тюрьме. Как странно, что мы теперь никто не волнуемся, не ужасаемся и спокойно говорим об этом, как о самом обычном деле. Недавно кончилось следствие, и мама пошла хлопотать о свидании. Ей назначили на сегодня. Еще в прошлом месяце она подала заявление на себя и меня. Сегодня мы поехали на Лубянку получать ордер, и в школу я не пошла. Я долго колебалась и не знала, куда идти: в школу или к папе. Не хотелось пропускать первого дня, но не пойти к папе? Позднее меня неприятно поразило, что к моему желанию видеть папу в сильной степени примешивалось тщеславное гадкое чувство. Я несколько раз думала, что, если я не поеду, папа назовет меня эгоисткой, а в противном случае, будет очень доволен любящей его дочерью и невольно, может быть, подумает: «А вот старшие не приехали!» Мне хотелось именно этого (чтоб меня отличили), и я больше думала не о том удовольствии, которое я доставлю папе, а о том, которое получу сама от удовлетворения своего тщеславия.

Ордер дали, но только на одну маму. Мне вдруг до слез так стало обидно, и чтоб не расплакаться, я шла, стиснув зубы. Действительно ли мне так хотелось видеть папу? Очень возможно. Но только даже в эту минуту я не могла удержаться от мысли сделать какой-нибудь заметный жест или сказать что-нибудь эффектное, чтоб окружающие обратили внимание и подумали: «Какая хорошая дочь». Я тут же выругала себя за эту мысль и пошла домой злая, как черт. От этой злости у меня глаза иногда наливались слезами и даже кричать хотелось или выкинуть что-нибудь безобразное, исступленно хотелось разорвать ордер или бросить им в лицо. Сволочи!

Но я ничего не сделала, не закатила истерику и даже не заплакала, а продолжала спокойно идти и думать, что я совсем не думаю о папе и о том, что не увижу его, а лишь о том, что эти мерзавцы, сидящие у власти, нисколько не считаются с нами. У меня страдала гордость, болело самолюбие и... только. А сколько злости, желчи! Она, казалось, переливала все границы, затопляла меня. Я ненавидела положительно всех. Кого ни встречала на дороге. И обмеривая прохожих яростным угрюмым взглядом, нахмурив брови, думала, какое чувство вызывала у людей своим видом и что каждый думал обо мне.

Сегодня был чудный день. Солнце, ярко золотистое и светлое, все покрывало светом. Небо было подернуто легкой и светлой дымкой, и в воздухе стоял чудно-прозрачный туман. Сквозь редкие белые облака слабо синело небо и медленно-медленно на землю падали легкие снежинки. Воздух искрился и переливался в золотой пряже лучей. Эти дни я читала о Толстом, и опять невольно подпадаю под влияние его мышления. Страсть самосовершенствования была у меня всегда, а сейчас вдруг появилась необыкновенная ясность самокритики, спокойное и беспощадное саморазоблачение и толстовская жестокая откровенность. Самосовершенствуйся, дружочек! Посмотрим, что-то из тебя получится. А надо сознаться, что у Толстого я нахожу все больше общего с собой, та же несчастная наружность, от которой он в молодые годы и в детстве так страдал, рано развившийся самоанализ, бесконечная гордость и даже тщеславие, эти вечные поиски чего-то, неумение успокоиться. Иногда я встречаю у него слова, сказанные будто мною, — то ли это от того, что мы, действительно, похожи, то ли это сказывается необычайная гениальность Толстого, так верно подметившего душевные движения.

<17 января 1936>

Рабфак, кажется, провалился. Велели зайти 25-го, и хотя я разжигаю в себе надежду, но в душе осознаю, что ничего не получится. Я успокаиваю себя и говорю: «Ну, ничего, Нинок, одну только пятидневочку походишь в школу, а там пойдешь в рабфак». И тут же злая мысль ползет издалека: «Да, жди, так тебя и примут. Когда говорят, зайдите через несколько дней, но обещать ничего не могу, значит, дело не выгорело». И все-таки я надеюсь и в школу не хожу. Странно, мама мне это не запрещает, будто понимает мое состояние и вполне со мной согласна, хотя этого не может быть, или она так занята, что махнула на нас рукой? Нет, не то. Вероятно, она знает, что причина у меня есть и просто не вникает в нее, потому что совершенно мне доверяет. Боже мой!

Несчастная мама, мне так больно за нее, и я так ненавижу тех, по вине которых она мучается, так хочется иногда помочь. Вот, кажется, что-то неожиданное произойдет и все изменится, но ничего не происходит. А она стала старая, больная и апатичная ко всему, даже к нам и папе. Она похожа на заработавшуюся ломовую лошадь, которая уже по инерции ходит целый день в жесткой упряжке и возит тяжести, хотя сил нет, и по привычке покорно и терпеливо терпит побои. Мама знает свой долг и будет выполнять его до тех пор, пока совершенно не лишится сил, пока не умрет. Собственное ее «я» и все прочие заботы стоят на втором плане, и если есть время исполнять их, она исполняет, а нет, она спокойно и самоотверженно старается забыть их.

Мама — это идеал матери, я еще нигде не встречала таких матерей, кроме бабушки. Мама всю жизнь положила на нас, иметь детей для нее было самым важным вопросом в жизни, ведь иметь детей, значит, потерять себя, отречься от себя и жить только для них. Она теперь не интересуется своим здоровьем и спокойно говорит о смерти, как об избавлении, но жизни своей не улучшает, ведь каждый час отдыха отнимает необходимую для нас копейку. Я не знала, что люди могут так кошмарно много работать с утра до ночи без отдыха и без радостей.

А дочери, которым посвящена и на которых загублена вся жизнь, ходят, задрав носы, и не желают ничего видеть дальше своей маленькой подленькой жизни. Они воображают, в особенности младшая, что недаром созданы для этого света и что одарены необычайными талантами, поэтому грешно тратить время на такие вещи, как уборка по дому, маленькая помощь маме, чтобы утешить ее. Они не желают штопать свои вещи и стирать их и ходят, как нищие, грязные и неряшливые. Три бездушных эгоистки, не любящие мать. А вы загляните в их душу. Боже мой! Чего только нет там? Какие возвышенные и прекрасные идеи, какие мысли и планы. Сколько самоотверженности и героизма, когда, удобно лежа в мягкой постели, они мечтают о своем будущем.

А папа сидит в Бутырках. Сидит со своей дикой и беспомощной ненавистью, со своей энергией и одаренностью и больными глазами. Сегодня я была в Политическом Красном Кресте и подала заявление. Любопытное учреждение, которое много кричит о себе и ровно ничего не делает. Я слышала от окружающих, что они ходят по несколько лет, не добиваясь никакого толку. Народу много, помещение отвратительное, похожее на закуток, посетителям очень мало отвечают, говоря, что «мы постараемся, но вряд ли из этого что-либо получится». Достойный ответ.

Я абсолютно не занимаюсь, но завтра придется взяться, потому что 19-го иду в школу. Я не хочу больше быть умной и серьезной, не хочу ничего делать, а буду все время танцевать, бузить, гулять и жить. Я вдруг поняла, что молодость дана только один раз и, если я не использую ее, то уж никогда не вернутся эти возможности пожить. Я хочу жить! Я поняла вдруг, что мне уже семнадцать лет и что это лучшая пора жизни (обычно считается), а я хожу в каком-то странном полусне, как будто мне тридцать лет, и все радости пролетают мимо меня. Ведь в жизни мне не останется ни одного воспоминания, ни одной волнующей счастливой картины, а жизнь без единой минуты счастья — не жизнь. Я хочу любить, обманываться, но любить, ведь старость без любви — это кошмар. Сейчас я в ужасе замечаю, что я влачу жалкое существование, и тут же думаю: «Ничего, еще есть время все исправить». А через десять лет я буду ужасаться, раскаиваться и проклинать себя за то, что в жизни ничего не нашла, и тогда уже надеяться будет не на что.

<30 января 1936>

Проклятье! Не хотела писать о своих неудачах, потому что мне перед собой даже стыдно думать о них. Я все ждала, что, наконец, удастся мне моя затея, но теперь... Опять прежние пессимизм и хандра. В жизни моей не исполнилось ни одного желания, ни одного! Мне надоело и опротивело это, я не хочу быть больше неудачником. Понимаете, не хочу! И мне стыдно за мое дурное настроение и за мои неудачи. Да ведь я же не виновата в этом! Это злой рок! Или, может быть, я сама не умею никогда ничего устроить. Мне везде отказали: в Архитектурном рабфаке, в Текстильном и на подготовительных курсах — как сговорились. И вот я опять в школе. Скука... и тоска! Когда я подумаю, что мне уже семнадцать, а жизнь моя бесцветна и сера, мне страшно становится. Ведь я буду до исступления жалеть эти так тускло проползшие годы.

Я последнюю шестидневку не ходила в школу, сначала была больна, а потом, надо признаться, просто прогуливала, так ни одна из подруг не зашла ко мне. Никто! Это просто невежливо, милая Муся! Можно крутить с мальчиками и быть с ними не человеком, а какой-то гадкой, злой пародией на человека, но с девочками сохраняй же человеческий облик! Нельзя же быть до такой степени эгоистичной и ограниченной, чтоб представлять весь мир, созданный для тебя? А Ирина! Мне тяжело, потому что я их всегда посещала и требую с их стороны даже не любви и привязанности, а просто чувства такта. Отвратительные и легкомысленные девчонки! Признаться, я осталась одна в школе, раньше ведь они во мне нуждались, потому что я лучше их всех училась, я затыкала их за пояс и нужна была им.

<11 февраля 1936>

Я очень злая, наверно, у меня ко всякому почти чувству примешивается злость, и я плачу злобно и с ненавистью. Я не пишу ничего о рабфаке, но это не значит, что я не думаю о нем. Хотелось бы написать — итак, я в рабфаке. Но, вероятно, не удастся, поэтому буду жаловаться и, конечно, не на себя. Я ли не упорно ходила по рабфакам и курсам, в Полиграфический раз шесть кряду ездила и там мне почти отказали, в Архитектурном тоже и на курсах. Что же осталось? Почему-то в голову неожиданно пришла мысль о сельскохозяйственном по всей вероятности, это и есть мое призвание. Но он находится у черта на куличках или в Петровском парке, и ездить туда... куда как приятно.

Но я решилась и на это. Сегодня, после нескольких минут полного отчаяния, я решила поговорить с мамой, чтоб 13-го кончить это дело, упросить ее съездить в Архитектурный рабфак, а сама поскачу в сельскохозяйственный. По совести сказать, мне ужасно не хочется идти 13-го в школу, потому что меня будут спрашивать по географии, по которой я ничего не знаю, и чувствую — знать не буду, сколько бы ни сидела. Значит, опять засыпаться. Какое унижение! Попытаюсь договориться с мамой, очень хочется верить, что все удастся, и поэтому верю.

В душе появляется какое-то мучительное беспокойство и волнение, которые бывают в минуты полной безысходности и сознания, что выход был, а ты сама не нашла его, а теперь поздно. Конечно, поздно. Уж второе полугодие началось, я бы все узнала давно, если б не Ляля. Гадина! Дала ей аттестат и просила узнать на рабфаке, примут у них или нет. Я думала, что она лучше сможет все устроить, а она, по свойственной ей беспечности, за целую шестидневку не могла поймать директора и поговорить с ним (я, как подумаю об этом, начинаю ненавидеть ее).

И она же сегодня, когда я упрекнула ее в невнимании, вдруг рассердилась (будто ее оскорбляют), назвала меня дрянью и скотиной. Ну нет! Этого я не прощу вам, Ольга Сергеевна! Нельзя быть в такой степени эгоистичной и черствой. Таким образом, у меня несколько драгоценных дней ушло совершенно даром. Страшно подумать о том, что у меня может не удаться моя затея, и мне кажется, что мое терпение, в конце концов, лопнет. Боже мой, как хочется променять это тухлое болото на что-то другое, теперь даже как-то безразлично, на что иное. Хочется плакать от злости и отчаяния.

Женя и Ляля — странные люди, таких неглубоких и поверхностных я еще не встречала. Я не могу понять, как это они с чистой совестью могут не исполнить своего обещания. Это определенно недомыслие, но не от глупости, а от легкомыслия. Такое впечатление, будто жизнь их все время берегла и лелеяла, все им удавалось. Они, как мотылечки, порхают и ни о чем не думают. Пусть порхают, пока не опалят крылышки.

<16 марта 1936>

Дорогой мой друг![44] Давно я не разговаривала с тобой и не делилась своими горестями. Ты думаешь, это происходит от того, что мне очень весело, и поэтому не хочется скучать с тобой? О, нет. Я все так же несчастна, как и раньше, и по-прежнему у меня нет никого. Понимаешь, никого, с кем я могла поговорить, никого, кроме тебя. Да, я знаю, ты удивлен и спрашиваешь, почему же я тогда не обращалась к тебе раньше, если ты — единственный мой друг. На это трудно ответить. Причин было много, только я не знаю, сочтешь ли ты их вполне уважительными. Ну да все равно, я привыкла говорить тебе все.

Помнишь, последний раз мы говорили о рабфаке. Тогда я была полна этой идеей, она вдохновляла меня и обещала такие невероятные вещи, но и мучила меня много. Но все-таки это была надежда, для которой стоило жить и трудиться, но теперь ее окончательно нет. Не все ли равно, как она разрушилась и долго ли еще мучила меня, только теперь я опять на самом дне ужасной темной ямы. Мне недолго быть несчастной, надоело быть неудачницей, и поэтому даже тебе я ничего не говорила. Мне надоело жаловаться тебе и даже перед тобой бывает стыдно за мою жизнь, в которой ничего не было, кроме неудач. Я все ждала это время, что вдруг что-нибудь случится, и я вдруг оживу, смогу, как все, смеяться и шутить, но...

Помнишь, одно время я почти не ходила в школу. Когда история с рабфаком провалилась, я себе сказала: «Ну, Нина, теперь займись учением, ты довольно ленилась в этом году. Пора поработать». И я начала работать, ты ведь знаешь, как я умею работать, особенно, когда есть для чего. У меня уже опять была цель, ведь утопающий хватается за соломинку — я тоже схватилась за нее. Я решила (мне стыдно говорить об этом) летом опять подавать на рабфак. Ведь правда, мое упорство похвально, а сама я смешна ужасно. Мне нужны отметки, и я их буду добиваться.

Теперь о моем состоянии. Я начала ходить в школу, и первые дни были, пожалуй, радостны, потому что я соскучилась по людям. Только вдруг я стала замечать, что вокруг меня не старые мои друзья Ира и Муся, а какие-то

---

[44] Речь идет о дневнике.

чужие и непонятные люди. Я вдруг оказалась никому не нужной, меня попросту забыли. Я сомневалась, надеялась, злилась и мучилась. Муся, несносная в своих капризах, привязалась к другим девочкам, а я была всегда так уверена в себе, в ее любви ко мне, что это меня как-то ошеломило. На уроках мы с ней сидели вместе, и она была, как будто по-прежнему веселая и ласковая, но и совсем другая — не говорила мне ничего, а с наступлением перемены вдруг убегала к другим.

Боже, сколько муки доставляли мне эти перемены, я готова была разрыдаться от злости, я была одна, из наших никто не замечал меня. Я иногда подходила сама, а чаще вовсе уходила из зала, потому что не привыкла просить снисхождения. Нет, этого ты, вероятно, не поймешь. Вспоминать свое прежнее положение, а теперь ощущать каждую перемену и видеть, что меня предпочли. Я долго думала о причинах такого охлаждения. Муся просто разлюбила, а Ирина? Я ее не люблю, но меня злит, что она соблюдает здесь какую-то политику: когда мы с ней вдвоем, она лезет ко мне с откровенностью, а при других как будто не замечает меня. Я просто стала не нужна никому, так я поглупела.

Итак, я там чужая, нет даже внешней близости. Иногда мне хочется начать борьбу и добиться вновь Муси, но это значит немножко польстить ей, немного унизиться перед ней и бывать у нее дома в этой развратной компании... Нет, спасибо... Удивительно то, что я их никого не люблю, меня к ним нисколько не тянет, но мне ужасно стыдно перед всеми за мое унижение. Это новое несчастье как-то пришибло меня, я изнервничалась, иногда даже плакать стала, но чем больше несчастий, тем ожесточенней хочется победить все! И я борюсь. Прости меня, но я за этот месяц изменяла тебе в мыслях, может быть, поэтому и написала, но думала я о другом друге, настоящем, живом, которого можно видеть и слушать! Ведь ты ничего мне никогда не советуешь.

<u>Недавно были у папочки на свидании. Он отпустил бороду и стал похож на архиерея. Он скоро уезжает в Алма-Ату</u>[45]. <u>Я его теперь люблю. Тюрьма, заключенные,</u>

---

[45] Сергей Федорович Рыбин был приговорен к 3 годам ссылки в Казахстан.

какой-то широкий двор, тесные переходы, окошко и папино лицо, чьи-то рыдания, возгласы, истерика — все это как сон. Прошло, будто сцена в кинематографе, и нет. Я собираюсь ехать в Алма-Ату. Я о ней мечтаю так же, как и о рабфаке. Я уеду в эту азиатскую глушь, буду ходить по горам, есть яблоки и, может быть, хоть на время убегу от себя. Алма-Ата! Отец яблок! О, как ты, должно быть, прекрасен! Нет, не поеду. Это-то в моей власти.

<23 марта 1936>

Начались каникулы. Всего пять дней, но все же отдых. А я устала. Чувствую впервые в жизни, что я устала по-настоящему, голова болит, хочется постоянно спать и вообще, ряд признаков общей усталости. А отдыхать только пять дней. В четвертой четверти занятий будет очень много, надо запастись терпением. Учиться еще 2,5 месяца, ужасно много, а потом испытания... Что за наказание с этой учебой! На дворе весна, семнадцатая весна по счету. Боже мой! Как много пережито и как мало прожито! Я часто вспоминанию сейчас, а воспоминания — это признак старости, когда в настоящем и будущем нет ничего. Черт! Мало я взяла из этих семнадцати лет полезного, а могла бы быть сейчас в высшей степени развитой и умной, а в результате — балда. Удивительное дело, с некоторых пор я перестала развиваться. Так и стою на одной точке, а теперь, пожалуй, даже пячусь назад.

От папы нет писем. Это странно. Я жду их каждый день. Что с ним могло случиться? Нет-нет, ничего не может быть страшного. Зачем мне в голову лезут всякие глупости...

<23 мая 1936>

О, как восхитительно чувствовать, что ты скоро освободишься, что лето твое и время твое, и можешь делать то, что взбредет тебе в голову. Только бы не думать сейчас о лете, не замечать ничего кругом, не замечать природы, потому что стоит только раз заметить, как она чудесна, то покой будет нарушен. А я разлюбила природу, она уже не трогает меня, как раньше, не мучает своей красотой, я как-то охладела к ней, что-то умерло в моей душе. Но нет, любовь должна проснуться, лишь увижу я лес и поле, уйду в пеструю густую тень березняка или под хмурые своды бора, и опять вернется очарование природы. Какие сейчас, должно быть, чудесные нивы и какая трава, и какие цветы!

Май! Ты самый лучший месяц! Как благоухает воздух каждым распускающимся листочком, каждой распускающейся веточкой, как ясно и свежо небо, какая зелень, какие ночи, теплые и тихие. Скорей, скорей бы уехать на дачу, я вырвусь хоть на три дня в начале июня. Неужели же гнить в этой противной Москве? О, я должна использовать это лето, во мне сейчас, как никогда, такая жажда жизни, удовольствий... Однако, какой сумасшедший набор слов! Я, кажется, не так хочу из Москвы, как показываю это. Все равно, у меня сейчас очень хорошее настроение.

<4 июня 1936>

Красота — могущественная вещь, красота вообще и человеческая в особенности. Я человек, кажется, серьезный, иллюзий не имею и прекрасно знаю, как часто под красивым лицом скрывается очень некрасивая душа, и, зная это, все-таки увлекаюсь красивым. Урод же вызывает во мне брезгливое чувство и, в лучшем случае, жалость. Это нехороший взгляд, я осуждаю себя, но это происходит помимо моей воли. Какое-то инстинктивное стремление к красоте. Погода сейчас очень хорошая, делать нечего, так как заниматься буду с седьмого, а читать не хочу, напало какое-то оцепенение.

В кино идет сейчас картина, которая называется «Петер». Если передать ее содержание, то все обаяние ее пропадет, поэтому я не буду излагать его, да и незачем. Но в жизни я не видала артистки, которая играла бы чудеснее и убедительнее Франчески Гааль. Глаза поразительной величины, карие и продолговатые, с громадными ресницами и непередаваемой игрой. И весь облик кокетливой девушки, переодетой в мужчину, столько жизни, огня и обаяния в каждом ее движении. Я смотрела пять раз эту вещь и еще пять раз могу смотреть ее, я просто брежу Франческой. Если б я была мужчиной, это чувство можно было назвать влюбленностью, и я вспоминаю всякую мелочь, иногда перед глазами встает ее лицо, ее фигура, ее глаза.

Я раскусила себя: я завистлива. Неудовлетворенность, мучения от сознания своей некрасивости, желание быть умной — все это следствие зависти. Зависть! Я даже не честолюбива, а просто завистлива. Часто, бывая одна, я успокаиваюсь в своей жизни, мне ничего не хочется, и я почти довольна, но стоит мне встретить человека, в чем-нибудь меня перегнавшего (а это всегда так бывает), мое спокойствие нарушено. Я злюсь на него и на себя за то, что проводила зря время, мне хочется что-то сделать, чтоб перегнать его и освободиться от этого постоянного и невыносимого чувства унижения. Итак, во всем зависть, я тону в зависти.

<27 июня 1936>

Гаврилов Ям

Дневник хорошо характеризует меня — выступает вся мелочность души моей, которую не скроют изредка встречающиеся темы. Стоит обратить внимание на то, что обычно составляет предмет моих дум, чтоб понять меня. Я сегодня прочла кое-что из записей и мне, признаться, стыдно стало: пессимизм и мальчики, мальчики и пессимизм. Я вижу, что это дурно, но это дурное есть мое «я», за что я так глубоко не люблю себя. Это есть первое противоречие, а их много еще. Печорин говорит где-то, что всякий физический недостаток так или иначе влияет на душу человека, будто соответствующая часть ее отмирает. Он глубоко прав, поэтому начну с наружности.

Для девушки более несоответственной, даже непропорциональной фигуры не встретишь: выше среднего роста, богатырское сложение главным образом за счет широкой мужицкой кости; прекрасно развитые плечи, не уступающие своей шириной бравому мужчине; низкая талия, некрасивые руки и ноги. Теперь лицо. Оно, разумеется, некрасивое, но важны не отдельные черты, а то нечто, что отличает одну физиономию от другой, и это нечто у меня составляет какая-то угрюмая и тяжелая неподвижность (больше я ничего на нем не подмечала). Этому неприятному выражению соответствуют и отдельные черты его: большой, но далеко не благородный лоб, очень широкие и короткие брови, маленькие кошачьи глаза (зеленые было бы слишком красиво), злые или не выражающие ничего и имеющие при этом такой недостаток, который нельзя скрыть и который изуродовал мою душу, немного вздернутый нос и большие толстые губы, несколько мясистые. Причем, лицо какое-то расплывчатое, нехарактерное, в нем нет ничего, что отличало бы его от тысячи таких же бесформенных и расплывчатых лиц. Да! Надо еще добавить, что все это дополняется огромными оттопыренными ушами.

Характер свой я сама не понимаю, но в общих чертах я в высшей степени пессимист, безнадежный и безвольный нытик — отсюда угрюмость, замкнутость и обособленность, к тому же я еще и завистлива. Это отличительные черты мои, остальные, как и у большинства: слабоволие, тупоумие, заурядные способности и память, узость интересов и т.д. Итак, ни в наружности, ни в характере у меня нет ни одной положительной черты, есть у меня единственная красивая деталь — это длинные ресницы, но… они настолько светлы, что абсолютно незаметны. Когда начали развиваться в моем характере ненормальности, я и сама не знаю.

Из детства своего я не помню почти ничего, а рассказывали мне мало. Когда я была еще совсем маленькой, мы жили в Сибири — наша и другая семья, у которых был маленький мальчик. Его часто наказывали, и каждый раз я приходила к его отцу и упрашивала снять наказание со своего маленького друга, что часто удавалось, потому что всем известно, сколь трудно отказывать маленьким детям. Потом последовательность событий я, конечно, путаю, помню себя уже в Москве, я живу с бабушкой и папой в нашей громадной красивой квартире, а мама с сестрами в детдоме. Я одна, товарищей, кажется, не было, потому что я их не помню, и я в большой почти пустой комнате играю с большим светлым мишкой — почему-то хорошо сохранилось ощущение окружающей пустоты и одиночества. В это же время ночью случился пожар, и папа, разбудив меня, увел на улицу. Страшно абсолютно не было, лишь любопытно. Да, вдруг вспоминать детство — это признак старости.

<29 июня 1936>

Гаврилов Ям

Идет дождь, и мне скучно. Первого июля, может быть, уедем в Москву. Право, я ничего против не имею. Много ли мне нужно, чтобы было весело? Только одного человека, с которым я могла бы шляться по лесам, ловить рыбу, ездить на лодке и, вообще, отдаваться всем тем маленьким летним развлечениям. Но у меня нет такого, от того мне и скучно, хоть я живу с Лялей, но чувствую себя абсолютно одинокой, в особенности, когда она вместе с Жоркой. Нет ничего неприятнее, как быть третьим лицом, быть лишним. Это можно терпеть раз, другой, но, когда это тянется годами, то становится противно. Почему ни одна из девочек на меня не похожа?

<14 июля 1936>

Лебедянь

Я проехала с севера на юг, из Гаврилова Яма, заброшенного среди сосновых лесов и хмурой полусеверной природы, в веселую и зеленеющую фруктовыми садами Лебедянь, свободно раскинувшуюся посреди степей и гораздо приветливей и симпатичней Гаврилова Яма. Гаврилов Ям — безобразный маленький городишко с маленькими домами, тесно прилепленными друг к другу; нет ни кустика, ни деревца. Весь он так и разит несносной провинциальной скукой, это фабричный город, и почти все, живущие в нем, — рабочие, хотя есть и мещане. Фабрика видоизменила лицо города: улицы наполнены рабочим занятым людом, редко там встретишь уснувшую от скуки заглохшую улочку.

Люди там на диво несимпатичные, и мы с Ольгой называли их «ямские жабы». Изможденные, злые, длинные, женские лица мелькали нахально в окнах, когда мы проходили по улице, чувствовалось, что за нашими спинами неслышно сплетается паутина пересудов и сплетен. <u>К концу мы ненавидели там всех людей и особенно грубых, глупых и ограниченных рабочих, в самом худшем смысле этого слова. Любопытно, что как гадки были люди, так хороши собаки (хотя в Лебедяни — наоборот). Вместо обычно воспеваемой солидарности рабочих в Яме господствовал совершенный антагонизм между местными рабочими и приезжими, задирательство и мордобой там обычная вещь. Для меня все ужасы провинциальных городов соединились в представлении о Яме, и вырваться оттуда было для нас счастьем.</u>

Для меня самое приятное — это менять места и переселяться из одной местности в другую, о чем я не раз говорила Ляле. Я не могу прожить на одном месте продолжительное время без того, чтобы не начать скучать, когда мало-мальски привычное становится мне противным. Лебедянь — это неизведанное и невиданное место, поэтому интересное. Она стоит на высоком обрыве, а внизу течет голубой Дон. С набережной далеко видно кругом: светлая широкая река, мощными петлями развернувшаяся по равнине, теряется за деревьями и вдруг неожиданно блестит далеко в стороне; внизу ползут веселые и утопающие в садах пригороды; слабо зеленеют низкие берега Дона; воздушно маячит серый высокий мост, а по обрыву бегут к реке желтые тропки.

Вот этого-то я и боялась — мне становится скучно. День проходит так лениво и спокойно: встаешь, пьешь чай, купаешься, потом обедаешь, спишь и опять купаешься, и так до конца дня. И, несмотря на то, что времени так много, все кажется, что его не хватает, потому что все зачем-то друг друга дожидаются и ходят без дела и без толку. Назревает атмосфера такого мучительного однообразия, что хоть вешайся. Скучно еще и от того, что здесь мало людей, да и совсем нет их (знакомых, конечно). Я провожу лето так, как будто мне сорок лет, то есть так же, как и мама. А разве это нормально? Я себя чувствую больной от полного физического бездействия, чувствую себя хилой, руки и ноги, точно плети, хоть бы погрести что ли. Особенно расходилась моя фантазия, и Ляля говорит, что у меня развращенное воображение. Не знаю, хотя может быть и так.

‹5 октября 1936›

Мне что-то хочется писать стихи, только никак рифмы не идут на ум. Сейчас настал у меня период умиротворения и душевного спокойствия, ведь этот год — моя ставка. Я должна напрячь все силы, поднять всю энергию свою, волю и способности, чтоб сделать как можно больше. А весной устрою смотр и посмотрю, что я сделала и стоит ли продолжать работать, и есть ли надежды на мою одаренность. И тогда или откажусь от борьбы, или буду уверена в победе. Может быть, это самообман, может быть, это только оттягивание роковой минуты, которой я боюсь и в которой я не смогу отказаться от своих мечтаний, даже уверившись в их несбыточности. Но пока положение мое на этот год определенно, и я спокойна. Конечно, все прошлые годы были болезнью, которая наступает у некоторых в переходном возрасте. Я, кажется, вышла из нее победителем, хотя и с большими потерями.

Любопытную хронику представляет мой дневник. 4 октября прошлого года я писала, что хочу учиться, что у меня масса энергии и что ставка моя — три года. А энергии хватило лишь на месяц, спустя который я начала хныкать и мучиться. Очень любопытно, сколько я протяну в этом году. Пока же я говорю себе, что слабоволия проявлять не должна и весь год должна учиться. Большое значение будет иметь отношение ко мне девочек в школе, но пока я с ними в хороших отношениях. Если же я останусь одинокой, как в прошлом году, то школа будет для меня тяжелым бременем, хорошо хоть, что сейчас нет мальчиков, которые разъединяли нас в прошлом году.

Теперь о моих отношениях к мальчикам. Я к ним совершенно равнодушна именно как к мальчикам и многим симпатизирую, как товарищам. У меня установился особый тон с ними: веселый, но простой, шуточный и в достаточной степени сдержанный, каждую минуту (опасную) могущий перейти в резкий. Есть другие ребята, это «Камчатка». С ними я ни в каких отношениях, очень резко скажешь с ними слово, а с некоторыми до сих пор еще ничего не сказала. Из них исключение составляют Левка и Димка. К Левке отношусь хорошо по старой привычке, хотя теперь меня в нем многое отталкивает: его грубость и блатной вид (чувствуется влияние его друга). А Димка — это человек, которого стоит уважать, он несколько похож на Володю своим умом и одаренностью, только серьезней и проще, в нем много привлекательного. Он подходит, хоть и не совсем, к тому типу мужчин, который я могу уважать. Сегодня я не думаю о нем, ибо гораздо легче предупреждать болезнь, чем лечить ее. Итак, сегодня последний день свободы моих мыслей — кто знает, во что может превратиться этот легкий и праздный интерес к человеку, который не замечает меня и никогда не будет замечать. От меня всего можно ожидать, но меньше всего легкого флирта и поэтому я очень боюсь серьезных увлечений. Когда нравится человек, то вся жизнь сосредотачивается на нем: хочется сказать что-то, чтоб он услышал, сделать что-то, чтоб он заметил, ответ на уроке дается не для педагога, а для него, все делается для него и только для него. Я это уже испытала с Женькой и не хочу повторений, не хочу лишних слез.

Женя и Ляля говорят мне часто, что я хорошенькая. Как-то сделал мне этот комплимент Юра (впервые в жизни мне это сказал мужчина). Правда это или неправда? Не знаю.

<22 октября 1936>

Чем объяснить, что я вдруг успокоилась? И кажется, что этого хватит на год, — то ли я хорошо отдохнула летом и исправила нервную систему, то ли твердо поставленная задача на этот год меня одобряет, то ли я просто отупела и опустилась. Меня почти удовлетворяет моя жизнь, к хорошим и посредственным отметкам я привыкла и теперь почти не мучаюсь: лишь изредка начнет подниматься что-то, сейчас же подавлю. Дома мой день так рационален, так строго распределен, что, право, при желании нельзя придраться. Кажется, что вся энергия, все помыслы сосредоточены только на учебе, чтении и прочее, ни одной нерационально использованной минутки, ни лишних разговоров, ни лишних движений. Здесь мой идеал достигнут.

В школе я провожу уроки не совсем так, как хотелось бы: во-первых, не всегда слушаю преподавателя (иногда так приятно под однообразный звук голоса, удобно усевшись, отдыхать физически и умственно), во-вторых, ту часть урока, которая сравнительно свободна, не занимаю посторонним, но нужным делом. Школу я считаю местом отдыха, так как надо же за весь день где-нибудь отдохнуть. Там отвлекаешься от серьезных мыслей, живешь непосредственно, балуешься, как маленькая; там я разрешаю говорить глупости, смеяться до упаду и перекидываться хитрым взглядом с Левкой. Дома же я делаюсь сразу старше на несколько лет, там я или ругаюсь с сестрами, что весьма гадко, но неисправимо, или занимаюсь, что всегда меня успокаивает. Но чего у меня нет и что необходимо для развития моего, это круга умных, развитых и серьезных знакомых, с которыми можно было бы поговорить о серьезных и интересных вещах.

<28 октября 1936>

Неприспособленный умирает! Мне пришлось приспособиться, и с каждым годом эта способность растет во мне. Раньше меня мучило мое уродство, теперь это почти прошло, раньше мне было стыдно моего возраста, и это сознание отравляло мое пребывание в школе, теперь же я спокойно об этом думаю, а чаще и вовсе не думаю, лишь изредка уколет чья-то невзначай брошенная фраза. В прошлом году сознание моей глупости и неспособности доводило меня до бешенства и отчаяния, а теперь я уже начинаю разводить философию о том, что не всем же быть гениальными и что простые смертные тоже могут быть полезными обществу.

Это мне еще не совсем удается, ведь философия (как отвлеченное объективное рассуждение о вещах) не дается в молодости, полной горячности и самолюбия. Но это, в конце концов, совершенно правильный взгляд, нельзя же, чтоб все люди были одинаково умны, каждый трудится и старается по своим способностям. Это в принципе меня удовлетворяет, но есть неувязки, которые я осуждаю постоянно, хотела бы изменить и не могу, просто не умею. Мне всегда так мучительно думать, что среда, в которой я вращаюсь, так легкомысленна и пуста. Но это правда. Я не хочу осуждать или ставить ниже себя Ирину, Мусю и Таню, к сожалению, я стою с ними (внешне) на одном уровне, и интересы у нас одинаково пусты...

Женщины так односторонне и узко развиты, а мужчины, даже самые посредственные, отлично умеют всем интересоваться. Бесспорно, здесь играет видную роль ужасное наследство, которое оставило нам старое поколение. А может быть, женщина просто глупее? Это тяжелый вопрос для меня. Даром ничего не получишь, необходимо добиваться равенства с мужчинами. А разве мы, женщины, добиваемся?! Мы сидим в своей грязной яме, вырытой десятками веков, и кричим фразы, которые для нас «придумали» мужчины: «Да здравствует равноправие», «Дорогу женщине». Никто из нас не дает себе труда подумать о том, что это только фразы, часть успокаивает этими словами свое женское самолюбие, а другую часть (и большую) просто не оскорбляет такое положение.

Что мне делать, чтоб прервать этот заколдованный круг? Прошлые мои школьные товарки были несколько серьезней нас, но от них за три версты несло мертвечиной и школьной муштрой, они умели говорить живо об уроках, причем, страшно узко, они могли каждую перемену с трепетом ожидать урока и дрожать на опросе. Я не могла и не хотела терпеть этой казенной мертвечины и потому бросалась в объятия глупости, хулиганства и легкомыслия. О, как я прекрасно понимаю мальчиков! На их месте я презирала бы девочек, я бы не разговаривала с ними.

<6 ноября 1936>

Как приятно иногда чувствовать себя совершенно свободной, ходить, не торопясь, думать без напряжения, разговаривать, когда хочется, и отдыхать. Мое мнение, что дневник — ненужная и лишняя вещь, не дающая никакой пользы, а следовательно — вред. Развить слог дневник не может, потомству он не пригодится, так зачем же он? Но мне слишком приятно писать все, что есть в душе, кому-то рассказывать об этом.

Я — очень странная, я еще никого не встречала такой. Есть желание нравиться, флиртовать, веселиться, быть женственной и интересной, беззаветно смеяться и шутить, иногда даже говорить глупости, желание заполнять свою жизнь яркими, веселыми и полными жизни минутками. А наряду с этим есть и стремление учиться, есть строгие и упорные мысли о будущем, о цели в жизни, есть резкий и здравый ум, желание найти в жизни что-то серьезное и прекрасное, желание отдать себя науке. Часто я так люблю физическую работу, чтоб почувствовать, как ломит руки и спину, чтоб по телу пробежала усталая истома, и оно почувствовало себя таким сильным и молодым, поэтому я люблю спорт, беготню и возню. Меня до странности не удовлетворяет эта тягучая, однообразная и скучная жизнь, которую я обречена вести и которую или не умею, или не могу разрушить.

Часто я начинаю не уважать себя, а это ужасно — не уважать самого себя. Первым делом я презираю себя как женщину, как представителя этой униженной части человеческой расы, но это изменить нельзя. Больше всего меня мучает моя компания, люди, с которыми я общаюсь. Как ни странно, но я их презираю иногда, а ведь это ужасно и бесчестно по отношению к ним — считаться их друзьями, а в душе снисходительно улыбаться на их слова, и то завидовать им и их веселью, то стремиться уйти от них. Я с ними не откровенна, потому что знаю, что буду не понята ими, я иногда со скукой слушаю их болтовню и стыжусь, если кто-нибудь посторонний услышит наши разговоры.

Это меня преследует всюду. В коридоре, в раздевалке, в классе, во время урока разговоры, разговоры и разговоры только о мальчиках. Думаешь бывало: «Господи, о чем бы поговорить? Об Испании? Но газет они не читают. О книгах? Мы мало читаем общего, они читают легкие и увлекательные, но довольно бездарные романы, которых я в руки не беру». Впрочем, они читали, конечно, и классиков, но я не могу говорить на заранее задуманную тему лишь с той целью, чтоб говорить об умных вещах. Это так фальшиво и противно для меня. Не могу! Вот поэтому-то, чтоб чем-нибудь заняться, я и начинаю бузить, бузить до самозабвения, а потом ругаю себя же за это, впрочем, баловаться я себе сознательно разрешаю. Интересно, что Ира, а за ней и прочие, предполагают, что увлечение Женей так на меня подействовало, что я сильно потеряла в умственных способностях и стала менее умной. Удивительно, как у них все сводится к любви. Ах, женщины, женщины! Как вы односторонни и легкомысленны!

Мне хочется в школу. Почему? Не знаю. Там я весела, там можно смеяться, там чувствуешь себя не одинокой. Но почему же раньше этого не было? Я меняюсь, а в одном уже точно изменилась — что осталось от прежней злой девочки, молчаливой и пугливой, как зверек, ненавидящей всех и себя, мучающей себя вопросами и сомнениями, с больным воспаленным самолюбием и гордостью, с ужасом ожидающей от всех оскорблений и насмешек?

Но и раньше я любила иногда школу, а временами на меня находил ужас: я сидела безучастная, злая и несчастная, а несчастных и жалких всегда сторонятся. Это отталкивает, и от меня все отходили, а мне ведь просто хотелось, как и теперь, болтовни, смеха, товарищеских, простых отношений с мальчиками. Меня оскорбляло, когда мальчишки начинали матерщинить или безобразно хулиганить на уроках, или приставать к девчонкам. Мне тогда, как никогда после, хотелось быть мальчиком, чтоб не терпеть этих оскорблений, незаслуженных, ни на чем не основанных, гнусных и безобразных оскорблений. Чувствовать каждую минуту, что тебя презирают.

Но теперь многое изменилось. Я выросла, мне через два месяца восемнадцать лет. Неприятно, но я имею мужество говорить себе, что это не позор, что можно и в восемнадцать лет учиться в школе и не быть маленькой. Да, это неприятно, но чаще я заставляю себя не думать об этом — подумаешь, два года разницы, а потом я не буду стыдиться своих лет. Наружность моя уже не так мучает меня, ведь о ней никто мне не напоминает. Учиться я стала весьма неважно, и, может быть, поэтому стало так легко и свободно на уроках — бояться некого. Я долго боролась с собой, но теперь добилась и навсегда выбралась из противного «отличного болота», как сказал папа.

Теперь пару слов о вечере. Школа снимала помещение, что создало совсем иное настроение. Все девочки пришли такие праздничные, веселые, хорошо одетые, и сразу похорошели, даже мальчики оделись лучше, чем всегда. Танцы проходили оживленно и весело. Я сидела с девочками недалеко от сцены и, будучи в прекрасном и сумасшедшем настроении, острила и говорила без умолку и была очень довольна, когда окружающие смеялись. Мне было очень весело, хотя я не танцевала весь вечер.

<20 ноября 1936>

Когда надо много заниматься, у меня всегда скверное настроение, потому что один голос не велит зубрить, а другой напоминает, как стыдно получить посредственные отметки и как стыдно молча стоять и ничего не знать. Впрочем, занимаюсь я, конечно, смертельно мало и очень довольна этим. Папа сказал: «Не лезь в "отличное болото"». Минутами на меня нападает хандра, когда думаю о своих способностях или о Димке, и чаще эти мысли неразлучны: стоит вспомнить о Димке, как вспоминаешь свою глупость и наоборот. Еще через год, а, может через два, я окончательно перестану мучиться этим, хорошо или плохо?

Димка нравился мне в младших классах, когда он, аккуратно одетый, точно джентльмен, с гладким зачесом волос, смешно выступал в своих коротких детских штанишках. Нравился и тогда, когда уже подросший, неряшливый и

худой, одетый в какую-то рвань, в стоптанных туфлях,
остриженный и подурневший, смешно волнуясь и жести-
кулируя, он уже умел прекрасно отвечать срывающимся
переходным голосом. В нем все было странно и необыкновенно, теперь же он превратился в интересного юношу,
умного и серьезного.

А какая я злая и завистливая! И все Димка, единственный человек, которого я уважаю бесконечно, потому что
он единственный талантливый из окружающих меня. Это
мой идеал человека. А так это глупо: стремиться к идеалу
и не мочь достигнуть его. Да, идеалы недостижимы, впрочем, возможно, я по привычке слишком идеализирую его.
Нет, он мне не нравится, я просто ему завидую. А все же
любопытно, что он обо мне думает? Ведь нет людей, о
которых не выскажешь своего мнения, о каждом есть
определенное мнение. Какое же мнение у него обо мне? О,
я знаю, какое, именно то, за которое мне так стыдно бывает: глупая, легкомысленная и некрасивая девчонка, грубая,
ленивая и мужиковатая. Ну, довольно, я не должна так
много думать о нем.

<23 ноября 1936>

Вечер под выходной — это вечер лени и отдыха, а иногда сомнений, дум и тяжелых выводов. Когда есть свободное время, невольно отдаешься размышлениям, и нет
ничего хуже их для меня, потому что я сейчас должна
действовать и работать, а вовсе не предаваться размышлениям. В этот единственный для меня свободный вечер так
не хочется ни за что браться и ничем заниматься. Положим,
этот маленький отдых можно себе разрешить и занять
скучноватое время писанием дневника.

<26 ноября 1936>

Сегодня было групповое собрание по поводу плохой
дисциплины. Обычная вещь! Странная вещь класс (как
целая определенная группа людей). Каждого по отдельности я хорошо понимаю, многим симпатизирую, но чуть
очутимся вместе, как черт-те что делается. Какое-то гадкое отношение к учителям, что-то затаенное, злое, нет
нового хорошего отношения, как теперь говорят, «советского» отношения. Нам все еще хочется насолить им, сде-

лать пакость и самоотверженно потом молчать, не выдавая товарищей (именно это достойно нашего уважения).

Сказать по совести, сегодня, взглянув на этот класс, как посторонняя, почувствовала отвращение к этим глупым и упрямым существам, и стоило усилий сдерживать себя и оставаться им солидарной. Ну, предположим, я выступила бы, чего бы я добилась? Весь упор делался на Левку, Димку и других. О, как я злилась, как я ненавидела Димку! Как мне хотелось бросить ему в лицо дерзкие и справедливые обвинения! Сегодня я видела его несколько другим, чем обычно, он, видимо, делал усилия, чтоб сдерживать свое раздражение. Ах, Димка! И все-таки он мне нравится, нравится его непосредственность и ясный ум. Единственный человек, который говорит по существу, по-деловому и которого приятно слушать.

Сегодня он смело и откровенно объяснил на собрании свое поведение, смысл его слов был следующий: «Я объясняю причину своего поведения тем, что мне скучно на уроках... поэтому я себя так веду... я, конечно, мог не мешать другим, но... пока еще ничего не могу с собой сделать». Я видела, как ему трудно было говорить это всему классу, который (он знал это) его не понимает и который сам он глубоко презирает. Он выдавливал жесткие откровенные слова, и стало совсем тихо, когда он говорил.

<28 ноября 1936>

Будет ли время, когда мне не надо будет бояться и стыдиться своих лет? Не знаю. Ляля говорит, что нехорошо драться и ребячиться, как я это делаю. Она права отчасти — ведь мне восемнадцать лет, но я нахожусь в среде детей. Да нет, у меня нет оправданий, и все же я права. В школе я должна находиться в постоянном аффекте, в постоянно возбужденном наигранном состоянии, чтоб не скучать и не беситься от навязчивых мыслей о своих годах и способностях. Ирина как-то сказала, что эта наигранность и некоторая неестественность заметны во мне, что я смеюсь и веселюсь, а мне вовсе не смешно. Но в школе я ни минуты не должна находиться в покое и молчании, я постоянно ищу, где бы посмеяться, с кем бы подраться, с кем пошутить или поговорить. И занятая мыслью убежать от своего «я», уже не замечаю и не интересуюсь, хорошо или плохо то, что я делаю, и какое впечатление это производит на окружающих.

У меня есть оправдание, оно сильнее всех мнений и осуждений. Я не хочу страдать и мучиться, хотя бы в школе. Вдруг стану хмурой и сумрачной, чтобы в следующую минуту бузить опять.

<2 января 1937>

Еще один год улетел из моей жизни, такой же маленький, незаметный и ненужный больше, о нем ни воспоминать, ни думать не хочется. Да и зачем? Я гляжу вперед и только вперед. Все прошлые неудачи заставляют меня исправляться, но уже не мучиться, ведь на ошибках учатся. Это, так сказать, предисловие к Новому году, нельзя же его хоть этим не отметить...

4-го января в квартире Луговских был произведен обыск и все документы были изъяты, включая и этот дневник. В марте 1937 года школьница Нина Луговская была арестована. Выдержки из ее дневника, подчеркнутые следователем, стали главным обвинительным материалом против нее как «участницы контрреволюционной эсеровской организации».

Часть 2.
ПРЕОДОЛЕНИЕ
Дневники,
записные книжки
1940—1993 гг.

Нина Луговская
1929–1930

С одноклассниками и учителями
1933 г.

Нина Луговская. 1937 г.
Фото из следственного дела

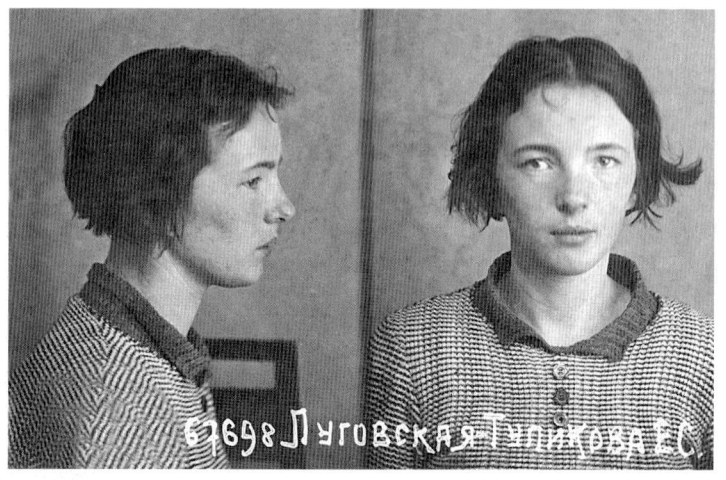

Евгения Луговская. 1937 г.
Фото из следственного дела

Ольга Луговская. 1937 г.
Фото из следственного дела

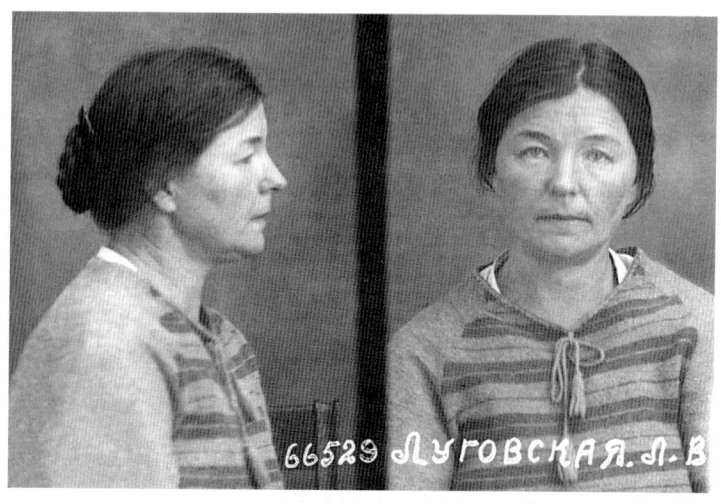

Любовь Васильевна Луговская. 1937 г.
Фото из следственного дела

Нина Луговская.
1942 г. Колыма

Нина...
Конец 1940-х гг.

Ольга и Евгения Луговские
1942 г. Колыма

Нина с мужем Виктором.
Владимир. Конец 1960-х гг.

Нина Луговская.
1940-е гг.

За работой

Автопортрет

Нина Сергеевна Луговская
Последние годы жизни

Виктор Леонидович Темплин
Последние годы жизни

1960-е гг. Владимир

Послелагерный архив Нины Луговской был обработан и систематизирован библиографом Александром Ковзуном. Текст данного издания составлен на основании этого архива.

ПРЕДИСЛОВИЕ
К ПОСЛЕЛАГЕРНЫМ ДНЕВНИКАМ

После того как были опубликованы отроческие дневники Нины Луговской (переведенные на многие языки) читатели по всему миру хотели знать, как сложилась последующая жизнь Луговской. И вот вы держите в руках выбранные записки из ее послелагерных дневников — свидетельство ее несгибаемой воли к жизни.

20 июня 1937 года Нина, ее мать и сестры Ольга и Евгения были приговорены к пяти годам лагерей строгого режима (с 1937 по 1942 г.) и 28 июня отправлены в Севвостоклаг. Семья отбыла на Колыме весь пятилетний срок заключения. 17 июня 1942 года они были освобождены, но в условиях военного времени задержаны в лагере с закреплением в системе Дальстроя как вольнонаемные. Никто из них не оставил записок о страшных годах каторги и почти ничего из тех лет не отразилось в последующих дневниковых записках.

17 марта 1963 года Нина обратилась с письмом к Хрущеву, в котором писала, что именно впечатления от ареста отца «больно травмировали детскую душу, оставив горечь на долгие годы, которые вызвали в дневнике горькие строки против жестокости Сталина», обращая внимание Хрущева на то, что писались эти строки тогда, когда ей было 13-14 лет. Очевидно, письмо Хрущеву возымело действие, ее дело было вновь пересмотрено, и 27 мая 1963 года она была, наконец, реабилитирована «за недоказанностью обвинения».

В конце 40-х в Магадане Нина Луговская вышла замуж за бывшего заключенного, художника Виктора Леонидовича Темплина, который с 1943 года работал в Магаданском театре. В 1949 году вместе с мужем она выехала в Стерлитамак (Башкирия), где они работали художниками-постановщиками в местном драматическом театре.

Когда-то Нина мечтала о поступлении на филологическое отделение университета, чтобы стать профессиональным писателем, однако арест и заключение отняли эту возможность. Была выбрана профессия художника. Дневники она вела всю жизнь и многие записи читаются как маленькие литературные эссе. «Почему такая потребность всё подмечать и записывать? Во всём есть внутренний смысл». В ее дневнике есть такая запись: *«Остановись, человек, и посмотри кругом* — вот какое название я дала бы своей ненаписанной книге».

Осенью 1957 года Виктор Темплин выехал во Владимир, где вскоре стал главным художником областного драматического театра. Нина Сергеевна появилась там позднее, получив работу художника-постановщика в том же театре. По воспоминаниям, в ее оформлении спектаклей не было «явной помпезности, не было явной демонстрации сюжетного хода спектакля», оно было «неброским, акварельным», это была как «тихая инструментовка для исполнителя, как негромкая музыка-аккомпанемент».

С 1960 года Нина Сергеевна вместе с мужем начала участвовать в областных выставках художников. В 1962 году они уходят из театра и поступают работать в художественные мастерские Владимирского отделения Художественного фонда РСФСР. Их творчество является примером владимирской школы пейзажа, в которую они внесли свой опыт театрально-декорационной живописи, яркими представителями которой были владимирские художники Ким Бритов, Владимир Юкин, Валерий Кокурин, Лев Елисеев, Виктор Дынников, Владислав Потехин, Анатолий Кувин — все они упоминаются в дневниках Луговской, и со всеми ее связывали дружеские отношения.

С уходом из театра занятие живописью становится для Луговской основным делом жизни, ее изобразительная манера постепенно меняется, приобретая все большую экспрессию и декоративность. В 1977 году во Владимире состоялась персональная выставка Нины Сергеевны, где она показала себя сложившимся художником со своим, только ей присущим видением окружающего мира. Об этой выставке писали:

«Выставка — приглашение к размышлению, где каждый мазок одухотворен, будто живой, и являет собой не только форму, но и внутреннюю сущность. «Входишь в зал и будто оказываешься в саду», — сказала одна из посетительниц. Жизнеутверждающий, радостный мотив — главное в творчестве Луговской».

Как видно из ее записок, Луговская конспектирует многочисленные книги по искусству и посещает все значимые выставки в Москве. Несомненно влияние немецкого экспрессионизма на окончательное оформление индивидуального стиля ее живописи.

В 1990-е годы, уже после ее смерти, когда всплыли юношеские дневники Нины в следственном деле ее отца, была сделана попытка узнать о ее последующей судьбе. К величайшему удивлению исследователей, никто из ее знакомых и коллег во Владимире, где она прожила много лет, даже не подозревал о тюремном прошлом Нины и ее мужа. Они никогда об этом не говорили. Даже в годы перестройки Нина избегает вспоминать арест и каторгу. После лагеря Нина замолчала, но ее страстная духовная натура ярко проявила себя не только в живописи, но и в литературных набросках, которые она, возможно, предполагала использовать как заготовки для будущей книги. Сохранившиеся записки показывают, как эта мужественная женщина не дала судьбе себя сломить и прожила полную, содержательную жизнь, где были любовь и разочарования, трудности и радости, искания и достижения. В последние годы жизни она обращается к религии, в которой, судя по немногословным и редким записям, находит последнее утешение.

Нина Сергеевна скончалась 27 декабря 1993 года, а ее муж Виктор Леонидович Темплин — 27 апреля 1994 года, оба были похоронены на Улыбышевском кладбище под Владимиром. Картины Луговской и Темплина находятся во многих русских и зарубежных частных и государственных собраниях.

Представляется невероятным, что сохранилось описание той самой камеры, где находилась Нина Луговская, сделанное Евгенией Гинзбург, автором книги «Крутой маршрут». Приводим отрывки из её воспоминаний.

«— Налево! — командует конвойный. Меня ведут одну по сумрачным бутырским коридорам. Потом конвоир передаёт меня другому, и я слышу шёпот: — Спецкорпус. — А здесь меня принимает женщина-надзирательница в тёмной куртке, со строгим монашеским лицом. Двери в спецкорпусе обычные, без средневековых засовов и замков, запираются просто на внутренний ключ. Вот он повернулся за мной, и я стою со своим узлом в дверях, озираясь кругом. Огромная камера битком набита женщинами. Мерный ритм сонного дыхания прорезывается то и дело стонами, вскриками, бормотаньем. Достаточно постоять у дверей минуту, чтобы понять: здесь не просто спят, здесь видят мучительные сны. По сравнению с известными мне двумя казанскими тюрьмами здесь почти комфортабельно. Большое окно. За его решёткой, правда, тоже есть щит, но не деревянный, а из матового стекла. Вместо нар — деревянные раскладушки, гигантская параша в углу плотно закрыта крышкой.

<...> [К Гинзбург подходит не спавшая женщина.]

— Как вас зовут? Имя ваше как?

— Нушик, — говорит она.

И в тот же момент я вскакиваю и бросаюсь ей на шею.

— Нушик! Посмотри пристальней! Не узнаешь? Женька? Ах, я ишак! Женьку не узнать!

Мы с плачем и хохотом перебиваем друг друга воспоминаниями. Восемь лет тому назад, молоденькими аспирантками, мы спали с ней рядом в большой комнате Ленинградского Дома учёных.

<...> Мы ещё долго шепчемся, и я засыпаю буквально на полуслове. Просыпаюсь от устремлённого на меня взгляда. Рядом с Нушик, в ногах постели, женщина лет сорока пяти. На лице — острое страдание. Подсела ко мне, и, заметив, что я проснулась, сжимая руки, спросила:

— Скажите, процесс уже был? Их уже расстреляли, да?

— Кого? Какой процесс?

— Боитесь говорить?

— Вот что, Женька, — вмешивается Нушик, — тут бояться нечего. Это жена Рыкова.

Я стараюсь как можно яснее растолковать, что сижу уже полгода, что меня привезли из другого города, я ничего не знаю о предстоящем процессе Рыкова.

<...> Открывается дверная форточка, снова просовывается голова надзирательницы.

— Подъём! Приготовиться на оправку!

Камера откликается скрипом 39 раскладушек.

Все встают. Жадно вглядываюсь в лица. Кто они? Вот эти четверо, например? Какие-то нелепые вечерние платья с большими декольте, туфли на высоченных каблуках. Всё это, конечно, смятое, затасканное. Какая-то «убогая роскошь наряда». Нушик приходит ко мне на помощь.

— Что ты, дурочка! Какие там «лёгкого поведения»? Все четверо — члены партии. Это гости Рудзутака. Все были арестованы у него в гостях, ужинали после театра, и туалеты театральные. Уже три месяца прошло, а передачу не разрешают. Я уж вон той, пожилой, вчера косынку подарила. Как говорится, хоть наготу прикрыть.

Все 39 человек одеваются быстро, боясь опоздать на оправку. В камере стоит приглушённый гул от всеобщих разговоров. Многие рассказывают соседкам свои сновидения.

— Почти все суеверными стали, — говорит Нушик. — Вон там, у окна, старуха. Каждое утро сны рассказывает и спрашивает, к чему бы. А вообще она профессор... **А вон ту видишь? Ребёнок, правда? Ей 16 лет. Ниночка Луговская. Отец — эсер, сидел с 35-го, а сейчас всю семью взяли — мать и трёх девочек. Эта — младшая, ученица восьмого класса.**

И вот все мы — со мной 39, из которых самой младшей 16, а самой старшей, старой большевичке Сыриной, 74 года, находимся в большой, не очень грязной уборной, тоже напоминающей вокзальную. Надо все успеть, в том числе и простирать бельё, что строго запрещено. Но приходится рисковать. Ведь большинству передачи не разрешают и люди обходятся единственной сменой белья.

За Ниночкой Луговской все ухаживают. Ей стирают штанишки, расчёсывают косички, ей дают дополнительные кусочки сахара. Её осыпают советами, как держаться со следователями.

Почти физически чувствую, как сердце корчится от боли, от пронзительной жалости к молодым и старикам. Катя Широкова или вот эта Ниночка, которая чуть постарше нашей Майки... Или Сырина... Почти на 20 лет старше мамы.

<...> Счастье, что мне уже за тридцать! И несчастье, что ещё за тридцать только. <...> Я уже окрепла душевно, не сломаюсь, как эти тростиночки — Нина, Катя...»

ДНЕВНИКИ,
ЗАПИСНЫЕ КНИЖКИ
1940—1993 гг.

Записи 1940-х годов, которые здесь не приводятся, в основном содержат различные сведения, необходимые для обслуживания инкубатора. Нина Луговская работала — и благодаря этому выжила — в инкубаторе птичника гулаговского совхоза Эльген Магаданской области. Этот лагерь был единственным женским лагерем на Колыме. Его описала в своих воспоминаниях Евгения Гинзбург (Гинзбург Е.С. Крутой маршрут: хроника времен культа личности. М., 1990, глава «Бледные гребешки»).

В 1940-е годы на Колыме Нина встретила художника Виктора Темплина, и эта любовь, которую оба пронесли через всю жизнь, не только скрасила ее заключение, но и вдохновила на творчество, где она смогла выразить свою богатую творческую натуру и свою страстную любовь к природе.

В 1943 году Нина уже на поселении. В 1940-е и 50-е годы Нина много занимается самообразованием, конспектирует книги по искусству и другим предметам. Ее записные книжки заполнены многочисленными заметками информативного характера.

В 1957 году Луговская и Темплин перебираются во Владимир.

Ниже набросок автобиографии в связи с устройством на работу во Владимирский областной драмтеатр.

АВТОБИОГРАФИЯ

Род[илась] 1918.
Училась 1928 по 1938 г.

В 1939 г. переехала по месту жительства сестры в «Дальстой».

С 1940 по 1944 г. работала художником-оформителем при рабочих клубах на производстве и школьных организациях при Главн[ом] Управлении] строительства дальнего Севера НКВД СССР «Дальстой».

По 1945 — художником в бригаде изобразительного искусства при окружкоме.

Во 1948 — в Магаданском театре худ [ожником].

1949 по 1954 — в Стерл[итамакском] театре. С 1955—[19]57 г. в Кизел[овском] театре. Худож. студия 1944—1946 г. при окружкоме.

1960-Е ГОДЫ

Время, время, ты давишь каменно на плечи, и жизнь угасает, как тает свеча. А каждый лист дрожал кровавым пламенем, и с ним в унисон билось сердце. Время, время, мне не осталось времени. Бьёт меня время камнем по темени. Время бьёт по мозгам, словно камнем по темени, и теперь ни к чему угасшая в воске свеча.

Девиз — не засиживайся. Чехов поехал на Сахалин. Мелкость души — гибель. Не теряй светлости мысли. Ходи, работай, пиши. Но не погрязай в мещанстве.

Кошка была старая и мудрая. Она была стара, у неё была одышка, и ходила она медленно и особенно осторожно. Когда-то давно в драке ей порвали губу, и когда она просила есть или сердилась, у неё высовывался клык. Этот клык и зелёные глаза делали её немного жуткой. Ей было жарко и тяжело, и она много лежала на полу, прижавшись животом к доскам. У неё скоро должны быть котята. Однажды ночью она пришла странная, мяукала, а зелёные глаза сделались ещё больше. Утром хозяйка сказала, что кошка окотилась. Она окотилась в самом далёком углу сарая, за досками, на сене.

Приходила в избу есть и торопилась назад. Котята были такие маленькие, что в темноте сарая их трудно было разглядеть.

Недели через две хозяйка забрала их всех трёх в подол и принесла в дом. Кошка шла сзади. Мы боялись, что она унесёт котят обратно, но кошка осталась дома. Ей нравилось не торопиться и не волноваться. Котят поместили в картонной большой коробке. Они весь день спали или сосали мать. Глаза у них были мутные и голубые. Но чёрный уже фыркал на руку ещё не умея ходить (как лисёнок). Постепенно они росли и привыкали. Научились вылезать из коробки. Мы брали их и вытаскивали на середину комнаты. Кошка спокойно посматривала. Но однажды пришла весёлая молодая женщина с очень громким голосом. Она вытаскивала котят, смеялась, рассматривала их и говорила, что заберёт их к себе. Кошка долго терпела. Но когда женщина хотела взять чёрного последнего, она вдруг открыла оба своих страшных клыка, заурчала и стала очень страшной. Вернувшись, хозяйка не нашла котят в коробке.

***

Овца повернула ко мне свою прекрасную добрую голову. С выпуклыми и сияющими глазами. Под ней копошились два маленьких чёрных ягнёнка.

Робость её исчезла. Вся сила души её поднялась. Она стала величественной и смелой рядом со своими малышами.

Круглые тупые мордочки, ножки длинные, в коленках вместе, в копытках врозь. Движения смешные, скорее боком, чем впрямь. Овца бросилась на кошку и погнала её.

***

Озеро Пьявишна.

Среди глухомани мёртвого леса налево засветилось что-то голубое, нежное, как само небо. Это было озеро. Оно низко засело в низине, и кругом него росли берёзы, подступая к самой воде, удивительно бирюзовой. Стволы, прохладные и тёмные, как всплески волн, пересекали его. И был он как оазис в пустыне леса, когда-то обескровленного пожаром и теперь растущего густым сосняком на голом песке без травы, без зелени. Если целый день идёшь по такому лесу, кажется, что скучней его нет ничего на свете — ни неба, ни птиц.

Мы вышли в раскалённое солнечное путешествие. Река — блеском и плеском. Её перешли вброд, освежаясь и наслаждаясь. Потом большая пожня и жаркий ветер. Тишина и стога, как пирамиды. Лес синеет в дымке. Потом этот лес взял нас в свои струи. Серебро и плеск берёз, вспышки солнца. Всё — движение.

Трасса. Серый лес. Красота маленькой лесной реки — Тоймиги. С вытканными по зелёному бархату отражениями и вспышками синей воды. Совершенное безлюдие. Незнание дороги. Бесконечность пути. Мелькание жёлтого луга. Опять дорога. Чувство затерянности. Поворот дороги и опять бесконечность. Голубица и крик петуха среди леса. Опять путь. И петух, петух, возврат назад по еле видимой дороге и... озеро! Это редкое счастье. Приметы лесных дорог. Следы. Навоз был до поворота, а потом исчез. Учет всех случайностей. Самообладание и спокойствие.

Искание озера, чувство, что оно где-то рядом, неуловимое в этом лесном пространстве. Дорога всё ниже, мхи, запах сырости. Пересекание всё той же лесной реки. Дорога. Просека — суровая и беспощадная своей прямотой, врезаясь в тело леса. Раздумье на пути. Подсказала вопреки смыслу, своим догадкам, поворот назад. В жаркую глубину леса. Вырубки. Дороги почти нет. И вдруг озеро. За деревьями, как мечта. Успокоенность и усталость.

А вчера на реке ловили рыбу. Она шла животами кверху. Ловили ведрами, корзинами, штанами, руками. Весь день разговору было, что о глушёной рыбе. К вечеру появилось три версии: что рыбу потравили, поглушили и били током.

На другой день чайки и вороны вылавливали уже портившуюся рыбу. Их беспокойные фигурки мелькали на отмели.

***

День рождения апреля.

Рождается дивный младенец, рождается новая пора. Мы идём ночью, пьяные от этого воздуха, от этого света. Давно уже вышли на опушку. Давно уже надо поворачивать обратно (надо успеть на автобус). А мы всё идём. Нас непреодолимо манит вон тот сияющий синим блеском дальний лес, строгая синяя ель, вот этот поворот дороги, вот те строгие лиловые берёзы. И наконец, среди зелёного и голубого, страшно далеко, в конце дороги, непонятное, точно сиреневый куст. Мы подолгу глядим в глубокие колеи с водой, куда берёзы сбегают бесконечными ручьями. Там идёт таинственная жизнь картины. Задираем головы наверх, где синева неба нестерпимо густа, а берёзы упираются прямо в небо. Идти всё труднее. Снег хрустит и ломается. Каждая впадина заполняется водой, и она, медленно двигаясь, образуется в ручьи. Мы сидим у дороги на поваленной берёзе. Мягкая проталина земли под ногами. У ног мерцает вода. Это пузырьки воздуха подымаются со дна. Сегодня день рождения апреля, сегодня родился апрель. Это его тёплое дыхание расшевелило снежную пелену. Он ещё тих, он ещё безмолвен и робок, но он уже живёт. Это единственный день в году, и мы так счастливо его поймали. С этого дня началась большая невидимая работа в застывшем лесу. Исподволь она будет копить силы, и вот настанет день, когда вся эта масса снега, тысячи ручейков и озерков объединятся усилиями и двинутся лавиной на поля, и реки зазвенят, засмеются. Это пойдёт лесная вода. Это будет, может быть, через неделю, а может быть, через полторы. А сейчас мы брели домой, солнце повернулось за нами и опять светило в лицо. Снег почему-то хрустел и весь сделался тонкими пористыми пирамидками. С треском оседали его пласты. Ноги у меня скользили и не слушались, голова горела, но радость этого дня звенела в самом сердце. Мы встретили апрель. На опушке нас поджидал на большой сосне милый старый знакомый — дятел. Он спрятался за ствол, но не выдерживал долго и выглядывал оттуда на нас. Только головка мелькала.

В городе всё так же было грязно и шумно. Бегали люди. Куда-то торопились. Я вспомнила муравьиную кучу. Но сегодня я была счастливей всех здоровых. Как они могут жить, не увидав всего этого? А ведь это не праздная фантазия — построить коттеджи в лесу. Чудесные благоустроенные домики с большими светлыми окнами и террасами, чтоб кругом были и свет, и тени, и тишина. Не знаю, как взрослые, но дети вырастут там другими людьми.

Как они могут жить и быть довольными, не увидев всего этого?

Как сделать эти бесценные щедрые дары земли общим достоянием! А ведь верно говорят, что в будущем не будет городов. Всё будет лес, сад, и люди будут жить в лесу, как птицы.

Лес плывёт перед нами в своей первозданной заколдованной чистоте.

А мы идём, как в детской сказке, двое маленьких счастливых детей — нет ни прошлого, ни настоящего, есть отдых, есть большая светлая радость. И чувство бессмертности, как будто включаешься в это сотворение весны.

***

Рождение апреля.

Этот день начался обычно, как и все прочие. Я давно уже прихварывала — около месяца, и потому все краски весны были для меня окрашены в мрачные тона. Сквозь грязный снег и чёрный асфальт я не могла разглядеть рождение новой чудесной поры. Признаки её достигали моего сознания и ума, но не проникали в сердце, и оттого в душе копилась унылая нарастающая боль и где-то под спудом вырастало требование пробиться сквозь равнодушие, которое делало мою жизнь ничтожной, несчастной.

Это кончилось тем, что однажды, проснувшись, я уже точно знала, что сегодня я должна поехать в лес. Только сегодня. Пусть потом будет месяц болезни, пусть хоть больница. Я должна увидеть весну и поверить, что она пришла.

Было третье апреля. Утро ещё туманилось. Сквозь жёлтую пелену чуть проглядывало солнце. И только что просыпались ручьи. Мы торжественно собирались. Потому что засиделись и давно никуда не выбирались, потому что я болела, потому что не знали: что же ждёт нас там, за чертой города, где нет людей и машин, грязи и шума и что зовётся таким странным общим неопределённым словом «природа». Там, может быть, зима и снег, а может быть, всё растаяло. Мой спутник надел сапоги, а я так и отправилась в зимних ботинках.

Уже одна мысль, одно предвкушение поездки осветило грязные лужи улыбкой весны. Надо было перейти улицу и спуститься под мост к автобусу. Там уже начиналась другая жизнь. Было тихо и безлюдно. Вдоль тротуара на обочине сидели женщины с сумками и авоськами, связанными по две и по три. В платках и коротких плюшевых полупальто. Спокойное ожидание было в их позах и лицах. Сразу видно, что сельские жители. С городом у них все дела были кончены, и их уже загорелые румяные лица были частью того невидимого мира, куда мы стремились. Город шумел и бежал над ними по мосту, беспокойный и чуждый. И, стоя рядом с ними, я почувствовала себя уже наполовину вне города, во владении привычного чувства доверия и симпатии к ним и той подкупающей простоты отношений, которая всегда охватывает вас в деревне.

Напротив стоял автобус, водитель лежал врастяжку под ним на мостовой, что-то сосредоточенно подкручивая, ему одному только известное и понятное.

При мысли, что он вдруг не поедет, у меня больно сжалось сердце, как будто эта поездка была самым главным в моей жизни. Но вот он развернулся. Мы все сели, и даже место осталось. Было тихо. Не завязались разговоры, которые обычное дело в таких автобусах. Мы поехали. Замелькали обложенные рыжим дёрном склоны, потом крыши и голые тополя, железнодорожные линии пересекались где-то внизу под нами, и наконец река, вся подо льдом, с многочисленными лужами и проталинами. Мы выехали в поле. Сколько раз мы ездили и ходили по этой дороге, сколько воспоминаний. Город уходил назад.

Выехали на «Гору» (так называется остановка). Сосновый лес сменился березняком и ельником. И только тут заметно стало, как ослепительно светло кругом! Сияющий снег на косогорах сливался с сияюще-жёлтым небосклоном, и казалось, ёлочки подымаются прямо по небу. Автобус остановился. Почему-то много вылезло народу. В этом слепящем сиянии не заметно было примостившейся на склоне деревни. Потом пошёл берёзовый лес. И мягкие тени на снегу. Потом поворот и остановка — лесничество. Я всегда волновалась, когда выходила здесь. Важно было не проехать до деревни и не расплескать драгоценных мгновений радости первого впечатления.

Мы вступили на тёплую и мягкую землю обочины. Снег очень близко подходил к шоссе и внезапно оканчивался, как будто его аккуратно кто-то разложил. Вдоль дороги шёл забор. Там, за линией забора, начиналась неведомая страна снега, света и леса, которая носит название «природа» и хранит в себе столько тайн и радости для всех, кто только захочет дотронуться до неё. На большой снеговой поляне разбросаны были дома лесничества, очень чистые, как родниковая вода, голубые тени лежали перед ними, и новые жёлтые брёвна сияли нежным светом. За ними стоял строгий и прямой берёзовый лес. Чистота воздуха, чистота цвета, чистота линий. Это не был левитановский «Март» с его ослепительным блеском и буйством синих теней. Это был неповторимый, единственно увиденный день тишины и прозрачности, лёгкого света и сплетения лиловых тонов.

Я давно заметила, что обычное понятие неизменности природы совершенно ошибочно. Что как нет двух людей, точно похожих друг на друга, так нет и двух дней в году, которые повторяли бы один другой, нет двух одинаковых моментов освещений, всё в природе живёт и изменяется.

Пока мы ехали, небо стало ясным и голубым, как нежный кобальт. Засветило солнце. Мы всё ещё шли по краю шоссе. И не могли найти летней дороги: она была заровнена снегом. Нет, я не ошиблась, что приехала сюда. Чувство незаслуженной радости жизни, как и всякий раз при встрече с глазу на глаз с природой, захватило меня (и немного горечи — как можно было жить так долго вдалеке от всего этого). Зима показалась изгнанием, ссылкой, разлукой с дорогими существами. И мысль о невозможности жизни вблизи от всего этого показалась очень горькой. Удивительно! Это счастье, эта радость, эта чистота не за деньги, не за работу и заслуги, а даром, щедро уготовлено матушкой-природой для человека. Но людей нигде не было. Было сияние солнца, блеск снега, стояли смешные, как игрушечные, домики, и были мы. (Вот где должен жить человек, который любит природу. В этих прозрачных загадочных лесах. Не для того, чтобы сажать картошку, а для того, чтобы любить мир.)

Мы свернули на мягкую вязкую дорогу, всю испещрённую хрустящими льдинками, чтобы углубиться в неведомую прекрасную страну. Прошли крытый навес из новых жёлтых досок.

В его золотистой тени стояли пустые телеги с задранными оглоблями и ещё что-то. «Вот хорошо здесь в дождь писать этюды», — подумалось мне. Не так часто найдёшь хорошую крышу. От навеса падала голубая тень к нашим ногам, а за ней в сиянии дня совсем близко стояли ослепительные берёзы. Одна распластала все свои ветви навстречу солнцу и застыла. Да и всё крутом было застывшим и неожиданным, как мираж. Это впечатление ещё усиливалось из-за снежного барьера. Зелёные осины сплетались и расплетались по опушке. Кто бы мог подумать, что стволы осин такого немного зелёного цвета. Справа осталась поляна, строгая просека сквозь берёзовый строй. Мы входили в лес.

Лесная дорога хранила ещё неприкосновенность и чистоту зимы. Но всё почему-то казалось хрустальным и очень хрупким. Такое чувство, что неосторожное движение — и всё зазвенит и расколется. Глубокие колеи отпечатывали свежие нарезки шин. Ага, здесь недавно прошла машина. Мы стали вспоминать по летним прогулкам, куда могла вести дорога. (Ах да, это та самая, где весь май и июнь стоит вода и невозможно пробраться. Однажды в дождливое лето мы шли по лесу и вода доходила нам до щиколотки.) В лесу вообще человек становится проще, внимательней. Он смотрит вокруг себя и хочет запомнить, хочет понять. Вот на твёрдом настиле дороги следы нам навстречу: одни совсем маленькие, другие побольше. Следы свежие. Двое прошли сегодня в город. «Ты помнишь, эта дорога ведёт на просеку и на тот большак, куда мы ходили писать!» «Да ведь это зимняя дорога. Летом здесь не ходят — мокро». «Как это мы сразу не догадались!»

А лес уже поглотил нас. Он был голубой и тихий. Вернее, голубым был снег, отражающий небо. И всё казалось от этого голубым. Зелёные ели переплетались с берёзами и осинами. Удивительно много ёлочек (лесные дети, как это на новый год их не подрубили — они, наверное, спрятались под снегом), совсем маленьких, стояло вдоль дороги на голубом снегу. Они совсем недавно выпростали из-под осевшего снега ветки, и вид у них был смешной, помятый, как у мокрых детей. Временами лес как бы расступался и дорогу пересекали великолепные тени, а снег между ними казался и жёлтым, и розовым. Вдали земля приближалась к небу. Берёзы на солнце светились, и хотелось скорей схватить краски и писать, и писать, пока не исчезнет это великолепие. Было прохладно, и от снега из глуши шло морозное дыхание. Пересекли дорогу, прошли небольшую порубку. Здесь ещё пахло остро и чудесно свежей хвоей и зелёные ветви лежали на снегу. (Каждый посторонний предмет на снегу как вспышка цвета, как цветок.)

А что это справа, где ельник переходит в молодые берёзки, а настил снега особенно высок и гладок? Вдоль самой дороги идут чьи-то осторожные следы: два круглых и два удлиненных, как будто слегка смазанных. Это заяц.

Видно, как осторожно и не спеша он бежал. А вот здесь присел и, наверно, шевелил ушами, поглядывая по сторонам. Где-то я слыхала, что весной, в лунные ночи зайцы собираются водить хороводы и ничего не боятся. Не знаю, правда ли это. Но я так ясно вижу эту безмолвную заячью игру на лунном снегу...

А чуть дальше полузанесённые снегом большие круглые углубления. Может быть, лось? Он, говорят, очень злой весной, потому что голодный. И на какой-то короткий миг я становлюсь ребёнком и живо оглядываюсь, ища удобного прикрытия от неожиданной встречи, и, ничего не найдя, с облегчением думаю, что его же не может быть.

А дорога тем временем спускается всё ниже. Берёзы становятся прозрачней, и солнечный свет глубоко прочёсывает лес. Всё светится (и доходит до малинового звучания). Это место мы знаем. За этим березняком находится любимая наша поляна.

В колеях появляется вода, так что приходится обходить верхом. Прогревает всё больше. Тут мы выходим на большую просеку. Это знакомое место сейчас совершенно ново. Ослепительно светит полуденное солнце, так что больно смотреть против света, и всё начинает мерцать и светиться малиновым светом (то бывает малиновый звон). И опять нас поражают осины. Внизу у основания они дымчато-лиловые, потом тёмно-зелёные и ярко-зелёные вверху. А берёзовые ветви не приобрели ещё своего вишнёвого цвета. Навстречу солнцу стоят берёзы, как на картинах Нестерова, в ветвях они только набирают силы. А ёлочки и особенно молодые сосенки очень тёплого травянистого цвета.

Дороги здесь перекрещиваются и расходятся. По какой идти? Вот сюда, наискось от просеки и немного в гору, густой смешанный лес. Мы хорошо знаем этот путь. Он выводит на длинную луговину, обрамлённую со всех сторон лесом. Как-то осенью, когда дни сияли золотом и бирюзой, а ночи покрывались седым морозцем, мы ходили писать сюда этюды. На вечернем солнце опушки становились розовыми и малиновыми, а дуб на поляне загорался как факел, как пламенное сердце Данко. Солнце гасло стремительно, и обратно возвращались в темноте, через засыпающий лес. Вторая дорога шла по склону вниз, и мы её почти не знали. Решили идти по ней. Здесь начиналось царство света и красок. Берёзы становились всё выше и ослепительней, небо всё синее и гуще, а лиловые их вершины наливались вишнёвым цветом. Молодой сосняк зеленел, как трава, да вспыхивали сгустки ободранной коры. По другую сторону что-то просвечивало и нестерпимо светилось, а ещё дальше синело. Скоро мы должны выйти на опушку. При входе в лес нас встретила тихим и нежным свистом неизвестная птичка. Как жаль, что мы даже не знаем, как её зовут. Сорока шарахнулась в сторону из-за деревьев и улетела за берёзы. И больше никого. Ни звука, ни движения. Но это безмолвие было радостным и светлым. И не рождало ощущения одиночества. Ничто живое не встречалось, как в царстве спящей красавицы. Вот муравьиная куча. Один бок у неё оттаял, а сверху ещё лежит снеговая шапка. Мы запускаем туда пальцы. Хвоя мокрая и холодная, потом сухая и тёплая. Но никого нет — жаль. А вот ещё куча. Смотри-ка, муравьи. «Милые муравушки», — говорю я, испытывая нежное чувство к этим старым своим врагам. Но они не обращают на нас никакого внимания, ни на снег, ни на весну. Они по-деловому бегают по оттаявшей хвое, переползают друг через друга и о чём-то беспокоятся, о чём-то важном для них хлопочут.

И всё-таки кругом всё живёт. Живёт снег. Если внимательно присмотреться, он мерцает и двигается, он оседает и исчезает. Живут солнечные лучи, живут и меняются краски.

20 февраля [1962 г.]

Было утро. Были проводы. Был отъезд. Было жутко и весело. Всем было по-разному. Но у меня было такое чувство, что это самое естественное, самое необходимое дело, которое давно надо было сделать. Потом взошло розовое солнце, и берёзы — белые прутики — стали розовыми. Наверное, этот месяц тоски, растерянности, сомнений нужен был, чтобы сделать отъезд сегодняшний необходимостью, потребностью. Хочется верить, что он был необходим.

Вот проехали и Болдино. Все родные места стали ненужными, безразличными. Что же мы будет делать дальше? Как встретимся? Для чего же был нужен этот месяц? Чтобы дать ему вырасти? Потеряла я или приобрела? Надо верить, что приобрела. Но я не знаю. Может быть, нашёл он. А я путаю по привычке совместного мышления. Я еду, чтобы увидеть и понять это, даже если это будет тяжело для меня.

Молодого солдата провожали из отпуска, и ребята-дружки пели песни под гитару до самого отхода поезда. Лица у них были озорные и умилённые. Песни были смешные, новые: смесь Окуджавы и блатного. Солдат стоял растроганный, улыбался, и глаза у него блестели. Поезд опаздывал. А старушка плакала, глядя через окно на внучат. Младший улыбался и грозил ей пальцем. А старший — как грустный столбик. А я была рада, что еду, рада, что меня провожают, рада, что ничего не оставила дорогого, кроме быта и неустроенности. Вперёд, к новым людям, к новым местам. Путешествие — освобожденность (да, вот то слово — освобожденность от мелкого, тяжкого, бытового). Путешествие — публичное одиночество. Лёгкая ясная голова и мысли. Мысли мелькают легко и весело, как деревья за окном.

Тётка передо мной в валенках и тёплом платке всё смотрит на меня. Тупым и тяжким взглядом.

Пошли вдруг большие дома, как в городе. Ели сменились тополем и ивняком.

Передо мной едут влюбленные. Склонившись друг к другу, спят. Жизнь вокруг как оживший сценарий итальянского фильма. Наполнена внутренне предельно. Мальчишка в красном говорит громко и басом и бегает по проходу.

Что же надо сделать, чтобы изменить жизнь? А что-то сделать надо. Как я приеду? Как я начну писать? То мне кажется, я всё поняла, то кажется — всё потеряла.

Едем второй день. Въезжаем в весну. Снег, подпалённый солнцем, блестит как сахар. Местами его совсем нет. Земля, чёрная, бурая, оливковая, раскрывается плавными длинными складками, как предгорья. Но гор нет и в помине. Весенняя вода, зелёная и мутная. Тонкие строчки озимых. Белые низкие домики с камышовыми крышами, смешные, как детские рисунки. Вот тот новый край, куда я попала.

И вот трагедия, как в [19]37 г. Затмила всё прошлое. Опустошила ум и память. Сделала несчастным каждый день.

<u>Поездка на юг.</u> Тяжкий сон от усталости в одинокой узкой комнате, похожей на гроб. Тяжкий сон-забытьё после отчаяния, мыслей, как острые ножи.

Первый день — вышла из автобуса, и нет никого. Люди, солнце, ветер. А его нет. Пришёл — увидела — не тот, загорелый, лохматый — светлые странные глаза. Скорей неловкость, чем радость. Её одежда, помятый вид, некрасивое лицо. Потом люди, переодевания, опять люди, отдельный стол. И такая неловкость от её присутствия.

Его необычная оживлённость, влюблённость во всех и в самого себя. Потом хождения по городу, пиво, вино, опять хождения. Потом страшный вечер с пьяным человеком, который почти в истерике кричит страшные слова. И по тёмным улицам ведёт в комнату, похожую на гроб, и без всякого сожаления оставляет там, чтобы вернуться к пьяным товарищам, к интересным женщинам. И только тут первый робкий намёк на поцелуй с жалкой улыбкой — принять его она уже не может.

Второй день и вечер опять пьяный страшный человек и опять ночь, как кошмар. И десять дней. И ночи холодного забытья и страшного просыпания. От его пьяного крика она сжималась и чувствовала себя виновной неизвестно в чём. А когда одна — вся гордость подымалась.

На третий день. Страшный ясный разговор. Знала, что надо всё бросить и уехать, но не могла. А потом потеря веры. Невозможность что-нибудь объяснить. Избегающий взгляд. Ей, как девчонке, захотелось всё сделать, чтобы исправить дело, а поправить нельзя. И только работа, зверская, отчаянная. Из освещенного дома в это одиночество.

Маленький жалкий пёс Абрек. Горькие слёзы на ступеньках ночью с этим псом. Он просто полюбил. Ему надо ласки, и ей тоже. Ему неважно некрасивое лицо. Горько подолгу смотрела на освещенные окна того дома и мастерскую. И горькие страшные подозрения. Его желание — только не быть вдвоём. Она заходит, он уходит. Пьяные, смешные и опустившиеся друзья. Нет сил уйти, нет сил оставаться. Только работа спасает временами. Стыд, обида. Стыд, что все видят, что он от неё бегает. Вьётся около женщин, блещет анекдотами и больше всего боится потерять это. А она — помеха этому. И вместо цветов — колючка на окне. Страстный порыв любви. Судорожно утром вставать и бежать к нему. Не успеешь уйти — они уже вдвоём. Близость, временное забытьё и потом стыд за это. Как паденье. Провожать мужа ночью, только стыдно.

И к стыду — вопреки обиде — боязно за его здоровье. У меня мысль в глубине сердца, что всё кончено, и невозможность с этим примириться. И опять разговоры, ссоры. Он как заколдованный, ничего не хочет понять. Она себя переламывает, хочет стать как другие женщины, но ничего из этого не выходит. Танцует, со всеми весело болтает, учится бильярду. А в душе тоска, тоска.

Однажды утром, поняв, что больше не выдержит, с отрешённой решительностью устраивает совместную комнату. От этой решимости всё получается, как задумала (и так надо жить всю жизнь). А он еле терпит. Товарищи ушли. Страшные, пьяные. Один как лунатик с красным лицом. Другой — несчастный больной, жалкий, валяется и мочит испражнениями свою постель. И все смеются. Комната стала страшная. Оба избегают быть в ней. Но ей стало легче. И опять недоверие, поиски, стыд.

Одинокие прогулки, ничего не видя, ничего не понимая.

Вечер. Выпивка. Добывание вина в графине из подвалов. Ушёл гулять с женщиной. Она бегает по городу, ищет. Просто чтоб быть с ним. Одной невозможно. Ждёт у калитки. Идут. Заторопились. Она: «У меня несчастье. Я попросила проводить на телеграф». Он нахально: «И гуляли». Опять сцена.

Потом вдруг нашлись слова. Долго ходили. Она говорила, говорила. Он молчал. Ни слова. Всё принимал, но любви-то не было. Дома: «Я хочу умереть». И ещё позже вынужденное извинение. А сил у неё не оставалось ни улыбаться, ни работать. Прочла свои письма к нему. Сухие, деловые. А надо было кричать о своей любви. Теперь поздно. Поняла, что надо начинать всё сначала. Надо быть женщиной, надо смеяться, надо ласкаться. Долгие заботы отняли всё: даже ум (а ведь был ум), даже знания (а были знания). Всё надо начать сначала или умереть. Как могло потеряться уважение к ней — ведь это годы. Только она не замечала.

Надо стать другим человеком. Надо жить жизнью, только не его жизнью.

А он закрылся весельем от всего, что надо решать. Он пропал. От успеха своего обаяния потерял голову.

Быть женщиной, не отказываться, а требовать внимания, тогда к тебе будут внимательны. Быть искренней и открытой, говорить свои желания и не томить их в сердце. От этого кровь портится. Петь, танцевать, читать стихи, находчивость на дерзость, изворотливость, никакой честности — это детство. Писать стараться легко, с шутками, отвлекаться — от напряжения. Как актёр на сцене.

[1962 г.]

Большая ответственная тема собрания «Отчёт директора театра о работе» заставляет задуматься и насторожиться. Отчёт о нашей работе и о работе руководства. Это даёт, по-видимому, право судить о руководстве, о людях, которые целый год руководят нами, критикуют нас самих, высказать вслух мнение, которым мы часто делимся между собой в сезоне. Я не могу отделаться от слов директора «я присматривался в течение шести месяцев».

Если перевести эти шесть месяцев на реальную жизнь, это: ноябрь, декабрь, январь, февраль, март, апрель, т. е. зимний сезон театра. Весь сезон присматриваться. Что бы каждому из нас сделали за такое присматривание!

Поэтому, по-моему, это или оговорка, или нежелание быть ответственным за всё в театре. А театр работал целый сезон. Работал очень напряжённо и трудно.

В докладе всё выглядит иначе. Речь идёт о цифрах, о сборах, об обобщающих сравнениях. И наши повседневные заботы кажутся мелочами. И кажется: не надо говорить о мелочах, а надо о чём-то главном. А я призываю говорить о мелочах. Я, например, хочу услышать в докладе, как выходил спектакль «Тереза», и почему он готовился 2,5 месяца, и какие это принесло результаты, или какие трудности были в работе над «Вендеттой», и какие там были творческие победы, и кто из цехов особенно хорошо работал и пришёл с полной готовностью к генеральной. А если никто не пришёл, то почему.

В нашей повседневной жизни театра, в текущей работе мы часто отрицательно отзываемся о руководстве. Это два вопроса — планирование и снабжение. Снабжение у нас поставлено очень плохо. Оно не выдерживает никаких сроков, никаких графиков. Оно тормозит постоянно подготовку к спектаклям.

Самое страшное, что это стало не случайностью и мелочью, а явлением в театре. Явлением, которое разлагающе действует на цеха. Я так резко говорю, потому что знаю, сколь пагубное действие это оказывает на работу.

За плохим снабжением сейчас может спрятаться всё: несвоевременные эскизы, запоздалые графики, выпивки, недобросовестная работа, и очень хорошая работа не видна.

Какие бы ни были промашки в работе цехов и даже в творческом коллективе, снабжение всё-таки окажется в хвосте. Перед выходом премьеры это доходит до своего апогея, это даёт право выслушивать неуважительные разговоры о руководстве, это снижает престиж зав. поста, который бегает, как мальчик на побегушках, это путает работу художника и даже режиссёра, который вместо творческого состояния тоже вынужден заниматься вопросом снабжения.

Я считаю, что вопрос этот надо ставить не как пожелание, а как требование наладить снабжение на уровне требований к режиссёру и к актёрам, которые не оправдываются тем, что им трудно играть данную роль.

Поэтому налаживание снабжения — это борьба за самое главное, за хорошую работу, за дисциплину, за творчество.

Дисциплина падает перед премьерой. Как это ни парадоксально, рядом стоят энтузиазм и расхлябанность. Взаимоотношения доходят до крика и до личных мелких оскорблений. Каким мелким кажется сейчас факт, что ночью назначенная монтировка и светомонтировка «Вендетты» была сорвана, так как записывали на выезд музыку «Терезы», которая ехала через месяц.

Машинист ушёл, электрики ушли (но чего это стоило), а зав. поста, художник, главный художник и один рабочий, дождавшись окончания записи, копошились всю ночь.

Я считаю, такое распоряжение можно сделать, только недопонимая всей важности монтировки. Нет нужной заботы о новом спектакле.

Что было в прошлом году, то и теперь, то будет и на следующий год.

Зритель если не сознательно, то интуитивно чувствует, что должно быть лучше, интересней. Слишком много об этом говорят в прессе. Отсюда бесперспективность театра.

Эта беспощадность к недостаткам, эти искания путей, людей должны идти от руководства. Каждый работник должен чувствовать, что сверху смотрят строгие глаза, которые увидят все недостатки, все просчёты, не простят их и будут искать и найдут выход.

По-моему, это главный недостаток в работе руководства.

Отсюда расхлябанность и неподтянутость всего коллектива.

Слишком много компромиссов стало возможным, благо нет мерки, нет точного прибора, чтоб измерить хорошее и плохое.

Богаче театр станет вряд ли, а лучше он должен быть.

1962 г.

О картине. Этюд — это маленькое чудо. Его нельзя воспроизвести. Найти и понять основное, что волнует в этюде, и взять в основу картины, дополняя и развивая основную тему этюда.

В композиции. Решить для себя чётко и до конца композицию. Не бояться динамики и не сглаживать острых углов и шероховатостей в угоду классической привычной композиции. Высокие горизонты, длинные панорамы, если они помогают выразить мысль, настроение. Вечер — Владимир — тема воды. Небо лишь столько, чтоб выразить лучше отражение. Освещенный вечерним солнцем берег, поросший лесом. Отражение чуть темнее, очень чёткое, до иллюзорности. Общий тон как бы лессирован сиеной теплее и сочнее, особенно по отношению к берегу, поросшему зелёной травой. В отражении он как бы скользит в глубину, и под углом сглаживаются очертания. Кусты в отражении темнее, так как отражается их теневая нижняя сторона. В стыке чётко отделяются от изображения. Небо темнее и всё темнеет по приближению к зрителю, как бы отражая зенит неба.

Вечерние длинные и скользящие лёгкие облачка в отражении удлиняются и похожи на фантастические прямоугольные фигуры. Чем облака ближе к горизонту, тем более сохраняют они в отражении свою форму.

1962 г.

Утро. Первый весенний дождь. Чистые-чистые лужицы на асфальте. И отражение неба и чёрных голых веток. Сверкающие капли на розовых набухших почках лип. Где-то в глубине ветвей вдруг распустившиеся от дождя две молодые берёзки. Кустарник вперемежку нежнейшей первой зеленью и красновато-бурыми раскрывающимися почками. Большие бледно-зелёные початки рябины.

<30 апреля 1962 г.>

На почерневшей земле ослепительные побеги молодой крапивы и зеленеющая трава, ярко-изумрудная против света и ещё совсем редкая и блёклая по другую сторону. На всём первозданность рождения. И воздух, воздух такой, что опять веришь в вечную молодость и любовь на земле.

<3 мая 1962 г.>

Григ. Песнь Сольвейг. Это как молитва. Искания Пер Гюпта и возврат к самому простому. В этом такая мудрость.

<4 мая 1962 г.>

Сезанн сказал — надо иметь чувство искусства, и тогда чёрным и белым можно создать произведение.

Чувство искусства... Оно должно оберегать от натурализма. Это камертон. Но чувство поэзии — это другое. В Ренуаре чудесно сочетались чувство цвета и чувство поэтического. И это удивительно пленяет. Подобный дар очень редок. Поэтически подходить к натуре. Знание законов соотношений должно быть органическим, воспитано как рефлекс. А затем: обобщать, подчёркивать, разрабатывать, смягчать — бесконечно справляться у чувства. На эти мысли навёл меня натюрморт с цветами на окне. Всё в натуре было черно и скучно. Но цветы набросаны по поэтическому ощущению предыдущего дня: воспоминания о них на зелёной траве, под небом, когда от них лились синь и свет. И это лучшее, что удалось. Окружение писалось долго и не дотянулось до цветов. Писать надо взволновавший цвет, освещение, состояние, но не фиксировать виденное. Взволнованность заставит подчёркивать и обобщать, отбирать то нужное, ради чего пишешь этюд. А над всем этим постоянный контроль разума. Как актёр на сцене, который в одно мгновение должен думать о многих вещах сразу.

<9 мая 1962 г.>

Как хорошая статья об искусстве или заметка рождает в голове неожиданные хорошие мысли, часто не имеющие прямой связи с прочитанным. Возникают сопоставления и выводы, где-то дремавшие под спудом каждодневных мелких забот, мысль, тревожащая существование. Такая душевная и умственная встряска необходима как можно чаще.

Липы и дубы в этом году распускаются одновременно. Липы немного активней. По-моему, это редкое совпадение. А черёмуха ещё в бутонах.

<17 мая 1962 г.>

Писать надо страстно, с полной отдачей и лаконично. Стараться выразиться предельно остро и сжатыми средствами. Как Ремарк, как лучшая современная литература. Ненужные подробности — как старая литература.

<27 мая 1962 г.>

Лето, настоящее лето! Знойный с утра воздух. Сине-сизая дрожащая даль. Мощно цветут рябины белыми шапками. Сирень зацвела уже несколько дней назад, и теперь она бледно-голубая, измождённая зноем. Зацвёл ландыш, но в лесу мы его найти не могли. На пригорках цветёт земляника, вернее лесная клубника, круглыми белыми цветочками.

Сегодня воскресенье. И благость чудесного летнего дня входит даже в самые тёмные души. Все одеты, и приподнято празднично. На площади шум и музыка. Там ярмарка. В собор неслышно ползут тёмные фигурки. В этот радостный день особенным анахронизмом кажется церковь.

Но Виктор болен, и мы дома. Хорошо сидеть у открытого окна и смотреть на зелёные неподвижные волны деревьев, когда в доме тишина и никого нет. Слушать шум улицы. Ласточки свистят немного назойливо, но приятно. Небо над домами становится жёлтое, предвещая зной.

Вчера писала вечернее небо из окна. Как бы ни казался мне форсированным цвет, который я кладу на холст, как бы я ни думала об этом, в конечном счете оказывается недостаточность цвета. Что это — робость в работе или, может быть, склад видения? Преодолевание этого кажется кощунством против меры. Или надо упорно «переигрывать», чтобы дойти до меры.

Поездка 1 мая на Красную Охоту становится далёким видением. Радостное чувство, которое владело мною тогда, не повторяется. В тот день гремел первый гром. Лес, ещё не распустившийся, был таинствен. Я помню, когда я осталась одна на тропинке и всматривалась в туманную утреннюю мглу, где всё просыпалось, к счастью, мной овладело удивительное чувство освобождения от самой себя. Птицы робко и нежно пробовали свои голоса. И сам ты был счастлив, как птица. А зелёная трава на лугу, и распускающиеся берёзы, и сиреневая весенняя вода, которой я никогда ещё не видела. А тёмный силуэт леса, и над ним небо с вечерней тучей на краю, когда мы ждали поезда, и строгие чёрные рельсы, уходящие куда-то за поворот. Казалось, надо остаться здесь, и всегда будешь так счастлив и радостен. Уходить от жизни обыденной, обескрыленной, вырываться как можно чаще и надолго из города, пока есть силы.

⟨30 июня 1962 г.⟩

Июнь прошёл. Он был почти весь дождливый и холодный. Самые большие дни, от которых всегда какое-то волнение, прелесть необычного, были также холодны. Но длинные закаты ясные и бесконечно долгие. Верстовые тени бегут по полям, меняется и окрашивается небо, и хочется такую ночь провести где-нибудь на берегу вместе с рыбаками и встречать восход. Один восход был прекрасен: в Спасе, когда мы шли к катеру.

От ожидания «лета» устала. И уже ничего не радует. Живопись идёт трудно и не приносит радости. Временами кажется, что что-то утеряно. Душа остыла.

Хороши в поле колокольчики, как синие огоньки, а дома гаснут. На пригорках начала зреть земляника. Появились грибы. Но тепла нет.

<19 сентября 1962 г.>

Идёшь, идёшь по лесу, и всё обыкновенно, и вдруг нечаянно обернёшься, взглянешь — и будто все таинства природы открываются, и видишь красоту, необычайность красок, острый характер ветвей. Искусство сливается с природой, и всюду произведения искусства. Постигнуть тайну этих превращений и изобразить её в красках, тогда сделаешь большое [дело] и взволнуешь зрителя.

Не бояться писать в упор, пренебрегая привычными композициями. Кажется, дерзнув однажды, преодолеешь преграду и будешь творить.

<27 октября 1962 г:>

Да, да, надо дерзнуть. В этюде одно ярко выразить. Выразить ярко мысль, впечатление. Всё остальное дополняет.

Выставка самодеятельности. Неожиданно талантливо. Очень современно. Возникло чувство, что современность так мчится вперёд, что за нею не угонишься. Мы все ещё во власти привычных образов. Увидеть мир, будто впервые на него взглянул. Найти это в пейзаже.

Попробовать зимой рисунок углём, рисунок гуашью. Жирно, грубо, выразительно. Надо найти ключ к выражению всей мощи мира.

Рембрандт с его вечной печалью... Разве можно вернуться в полутьму свечей, когда кругом беспощадный электрический свет?

Видеть всё как впервые. Так видел Лев Толстой.

<Начало ноября [1962 г.]>

Чудесное утро. Мороз сребрит увянувшее поле... Туман подымается в небо. Река бесконечна и тонет краями в тумане. Бурый и красный кустарник растёт по краям, купая рыжие лапы в воде. И древний Владимир во мгле предо мной оживает. Вот так сотни лет он стоял, и, мощным бугром подпираясь, ожившие камни собора шпили золотые вонзали в синь неба. Дома прилепились к бугру самоцветными камнями. А иней на солнце блестел, загораясь слезами. И вечность, и бодрость, и хочется жить.

Хорош Владимир утром, когда мороз посеребрил кусты и траву, в тени всё синева, причудливо сплетён узор ветвей и стеблей, а солнце растопило бугры и осветило дома, и дали тонут в тумане.

<14 ноября 1962 г.>

Робертино Лоретти. От его пения разрывается душа. Его слушать даже больно. Что знает этот мальчик и почему он может так много сказать. Может быть, потому, что он не сомневается. Ещё не научился сомневаться. И всё делает на свой лад. Как будто он пропустил через себя и классику, и модернизацию и нашёл новые сочетания.

Ван-Гог... Последние работы. Красное поле. Травы, как живые существа, ползут и шевелятся... Пригнувшись против ветра, два дерева шагают, нахлобучив зелёные шапки. Громадный кипарис воздел к небу руки, а на небе ползут и дышат смерчи в бледно-голубом сиянии. Ползущие, молящие, трепещущие в немой и бесполезной борьбе. В блеске бесчисленных алмазных серебристых частиц света, размётанные ветви деревьев в остервенелой борьбе, угрожающие отроги гор, готовые поглотить пашни и домики... Ослепительная церковь на сине-чёрном небе. Это в Сен-Реми.

Работы в Арле — гармоничные. Цвет ясный, чистый, подсолнухи, как золотистые шмели, лучезарные краски. Золотистая пашня с красными крышами дальнего города, уличное кафе в лимонно-жёлтом сиянии, с сияющими столиками. Женская фигура сине-чёрным силуэтом на золотистой стене. Автопортрет с прозрачными тенями и тоской в глазах.

Первые работы в духе голландцев 16-17 вв. — последние в первом ряду крайних импрессионистов, путь непосильный для одного человека.

<14 декабря 1962 г.>

«Лунная соната», глубокий лиризм. Можно ли передать в картине покой и вечную жизнь, и неясные ожидания, и тревогу пред чем-то, и ожидание счастья. Переливы звуков как переливы волн, можно ли передать переливы цветом? Связать экспрессию экспрессионистов с философской глубиной, с умением видеть вечное, с глубокой национальностью и настроением Левитана.

Если человека неодолимо тянет прекрасное, если деревья, покрытые инеем, поют, как песня, если жёлтое небо и силуэт снежных крыш кажется симфонией, разве не должно всё это выразить, чтобы и для других запело так же? Если это кажется самым главным и самым нужным, разве не есть это подлинное — художник?

Подул ветер, и сказка исчезла. Чёрные скорбные ветки на белом снегу. И осталось томление и горечь невыраженных чувств, невысказанных желаний, как горький перегар. Хотелось сделать серию маленьких набросков в течение дня, когда земля и деревья пушисто-розовые, сиреневые, голубые и пастельные, тончайшими нюансами на голубом снегу. И всё меняется от отсветов неба. Когда сад наш весь цветной и нежный. Но всё пропало.

Затем, собрав впечатления этих нашлёпков. сделать работу: зимы, инея.

<Январь [1963 г.]>

Анатоль Франс: враги искусства: два чудовища— художник без мастерства, мастерство без художника. Поразительно яркое сочетание талантов, брожения в искусстве, свободы существования породило импрессионизм.

Надо активней жить в искусстве, учиться, общаться, не тупеть в ремесле. Натура, натура даёт смысл.

<Февраль [1963 г.]>

Лыжи, зимний лес. Глухой невысокий сосняк. Шум ветра волной по верхушкам. Белые приведения, спускаясь, ползут на фоне тёмных елей в танце мрачном и пластичном. Это снег, сдуваемый ветром с ветвей, образует как бы снежные столбы, несущиеся по ветру в прихотливом ритме и растворяющиеся в чаще. А им на смену новые. Мрачно и как в древней сказке.

На остановке девушка в лыжных штанах и белой куртке с непокрытой головой. Чёрные волосы на ветру, красивое румяное лицо. Костюм из журнала мод, и всё вместе чертовски совершенно и очаровательно.

<Конец февраля [1963 г.]>

Северный ветер. Холодно и бессмысленно.

Писать надо как Солженицын — так же просто и правдиво. Его рассказ поднял в душе моей исконную и затаённую любовь мою к деревне с её удивительной тишиной и с заработавшимися бабами, всегда готовыми к доброй шутке и веселью, всегда готовыми к горькой жалобе. В деревне открывается какая-то лучшая часть моей души, которая в городе наглухо закрыта. Писать картины деревни, людей, животных в их простой жизни.

Я вспоминаю Вишенки и большой мрачный дом, в котором жила Викторова мама, и дядю Якова, лысого, красномордого, который всё будто улыбался, даже когда говорил дурное. И лес на бугре за маленькой речкой-ручейком, где росли белые грибы и где зимой мы с дядей Яковом ходили за сухостоем.

Вся деревня разделена была большим оврагом, и так и говорили: на той стороне и на этой. А по склону от нашего дома шёл длинный огород-усадьба, где раньше рос сад больших яблонь. Он весь вымерз во время холодной зимы перед войной, и теперь ниже сажали картошку, а выше и ближе к дому дядя Яков ничего не сажал и оставлял землю — под траву, с которой и накашивал добрую копну сена. Под самыми же окнами была грядка тыквы — она цвела очень жёлтыми цветами, и мы ели её зерна, подсушенные в печи. Дядя Яков очень гордился тыквами. И совсем в уголке, в закуточке, росло несколько кустиков малины — больше не сажали, да и у помойки две-три молодых вишенки. На них почему-то бывало только по нескольку ягод.

Мама Викторова — Мария Парфентьевна — была больна болями в желудке и безропотна и работяща, как все крестьянские женщины, но за её молчанием не было доброты. Вернее, всё в ней было недоверие и боязнь дурного.

С тех пор, как жизнь ударила её, она не оправилась и ходила будто прибитая. Её многое раздражало, но по робости она всё терпела.

Одна тема только могла вызвать неожиданную светлоту на её лице и в глазах — это о боге. Она могла говорить о нём много и хорошо. А обиды в жизни и от людей помнила долго и всё вспоминала их.

Дом был мрачный и стоял немного в тупике, не в ряду. Перед домом рос прекрасный большой вяз, который потом срубили, и шла малоезженая дорога, всегда закрытая слегой и поросшая травой по краям. А за слегой начинался поворот и липовая аллея к сельской больнице. Видны были колхозный скотный двор и прекрасная силосная башня, почему-то напоминавшая средневековые.

Нас не любили в доме, потому что не понимали. Не прощали, что мы ходили за ландышами, а не за травой, и писали этюды. И были вроде дармоеды.

Сосед-полковник. Тётя Нюша. Рыжий дядька с трубкой. И большие поля кругом.

И сколько ещё хорошего и грустного хранит память.

А мать была по-своему добра, но уж очень обижена.

<10 апреля 1963 г.>

Родился младенец-апрель. Томно светит солнце, всё несмело в природе, как ребёнок-младенец, глядит ещё своим бессмысленным взглядом, не осознавая ничего, и вдруг улыбнётся, и всё в нём тогда становится прекрасно и полно робкой грации.

Ещё в снегах на одной звонкой ноте посвистывал на закате соловей.

Не могу и никогда не прощу себе, что зиму эту мы просидели в городе всё время. Месяц за месяцем выдирал из нас город силы, питаясь ими, и к весне оказались мы измождёнными, старыми, забывшими, что на земле есть лес и берёзы в снегу, и длинный ряд домов на розовом холме, и вспышки солнца в окнах.

Всё, что даёт нам жизнь, мы добровольно исключили из жизни.

Хочется поклясться, что пока будут силы, нашим храмом, нашей силой, нашей жизнью будет природа. Мне стало казаться, что и живопись становится бесплодной схоластикой вне природы.

Опять шагать, опять искать, опять вдыхать берёзовую прянь.

О Боже, дай мне силы, чтоб ходить и смотреть, и я от всего откажусь — только бы писать необъятную красотищу земли.

<11 апреля 1963 г.>

Апрель уже не сиял снегами Монблана. Пока я лежала, отвернувшись от всего мира, он таял и становился нежным и робким, и воздух душистым и тёплым, и было непонятно, почему люди всё так же толпятся в очереди у базара, стоят на перекрёстках, покупают пирожки и бегут куда-то в своих ещё зимних одеждах, таких неряшливых и постаревших вдруг в этот апрельский день. Я болела, и, может быть, поэтому мне так легко было увидеть со стороны, как они устали за зиму, как они давно перестали замечать и радоваться весне. Заботы мелкие, повседневные загородили от них красоту и любовь к жизни, самому главному.

<13 апреля 1963 г.>

Много за эту зиму пересмотрели мы картин и репродукций, много изучали направлений, много думали о совершенствовании техники. И пройдя через всё это, продолжить больше всего любить весеннюю серую мглу наших полей, прозрачность лесов и далей, неуловимую простору ещё одетых зелёным берёз и всё, всё... Вот это главное. И начать постигать природу каждую весну вновь, как первый раз в жизни, обязательно со всей восторженностью первооткрывателя.

<14 апреля 1963 г.>

Я проснулась. На очень ярком синем небе быстро двигались маленькие и чистые облачка. Они подымались куда-то кверху и скрывались за четырехугольником окна. Они очень быстро двигались, но если повернуть голову, то почти застывали. А окно освещено было жёлтым и очень ярким. И воздух был летний почему воздух летний? Ведь только что была зима. Страшный мороз. Мы ездили в Москву, и всё время было холодно. И я ходила по этому холоду и каждое мгновение ждала тепла.

<17 апреля 1963 г.>

Когда за окном спускается лёгкий сумрак и окрашивает воздух в голубой и сиреневый свет, а в доме царит тишина, удобно лечь у настольной лампы и углубиться в хорошую, очень хорошую книгу. Разве это не вполне искупает день бессмысленной беготни, разве не даёт это глубочайшего удовлетворения?

<20 апреля 1963 г.>

Сегодня первый день земля запахла летом, сегодня первый раз подул душистый ветер, и запах ледохода и полей, водой залитых, принёс он в город.

Перенести зиму — значит жить. «Песнь о Гайавате»... Романтика живых сил природы. Нежный ветер, Эол, суровый зимний.

Я вижу, как вьётся дымок над вигвамом, и даль голубая тонет в дымке утра, и небо и воздух дрожат от тепла и дыхания земли.

Солнце блеском и жаром хочет оживить мёртвую землю.

«Весна шагает длинными зелёными ногами». И я счастлива тем, что живу, тем, что дышу и есть ещё силы видеть мир.

<27 апреля 1963 г.>

Был дождь с грозой, и с молнией, и с мрачным небом, было много работы, была реакция и холодное отчаяние, а потом выздоровление. Всё грустно. Надо работать. Надо работать и быть здоровой.

<Май [1963 г.]>

Опять Красная Охота. Трудный путь сквозь голые ветки и воду. И вместе с тем так хорошо, так хорошо, как в детстве. Ослепительные сверкающие берёзы, а потом поля, строгие, зелени необычайной, и сизые опушки. Шли деревнями, дома с лилово-синими крышами, тополя в бордовых «жуках» и на скамейках у домов люди (с пожилыми здоровались, с молодыми — молчали). Девчонки и мальчишки под ивой на зелёном лугу играли в лапту, девушки в очень ярких вязаных кофтах и плащах на вечернем солнце. Всё ярко, просто и графично. А над всем небо, воздух, ветер.

И с каждым шагом падал груз годов. И потом Цепелёво. Милый, большой дом, такой знакомый, такой родной, родней собственной комнаты, чистота белых полов и половиков, солнце в окно, знакомые вещи и занавески, так давно не виденные. И показалось, как можно было без этого жить. Двор: добрые овечьи морды и глаза, смешной розовый козлёнок и коза, такая серьёзная, как будто она что-то знает и не говорит.

Странная связь бывает между людьми: пришла хозяйка, Анна Ивановна, и лучше и ближе её, казалось, уж никого нет. Я не знаю, как объяснить это. Но не нужно здесь ни образования, ни глубоких истин, может быть, таких раньше называли божий человек, в ней всё — человек, и неотъемлемы ни тёмный платок, ни скотский халат, ни старые валенки. Да нет, этого ничего не замечаешь. Всё вокруг неё должно быть таким, какое есть, и готовность её радоваться, работать, и просто жить, что-то делать, вот, наверное, главное. Дальше были мелочи, которые разрушали благость: посторонние люди, шум, возка, но радость общения с ней всё перекрывала и всё собой заполняла. И даже сон в ужасно холодной «передней» со стенами, увешанными фотографиями, со старинной красивой мебелью и большими зелеными цветами был тоже спасением от всего городского. Одно только — бригадир портил настроение. Но об этом я старалась не думать.

Хороши поля от Копнина. С высоты бегут изумрудные дорожки — зеленя и, начиная с ближних перелесков, лиловые разводы бесконечных далей и лесов. Величественно, строго и почти необъятно и невыразимо для живописи.

Вечер, малиновое солнце и расчерченные узоры веток.

<12 июня 1963 г.>

Почти невероятными кажутся теперь десять дней мая, проведённые в деревне. Дни, наполненные солнцем, пением птиц и невероятными зелёными и синими красками. Солнце прожигало насквозь землю, деревья, травы, и всё возвращалось к жизни. Оно жгло, но в нём была жизнь, вся сила жизни земли и всей Вселенной. Мы, лес, небо, и этюды, и деревня, такая родная и русская. Всё было полно большого значения, и всё стало бессмысленнее умирания времени здесь, в городе. Громадные и глухие леса, как в старых сказках, ухающий филин в вечерних красках, чёрно-зелёная стена леса. Старые сказания: всё иди вперед и не оглядывайся, пусть тебя хватают, держат, пусть вокруг кричат, если пройдёшь лес — выйдешь на свет к счастью. Горящее сердце Данко. Всё было в этом лесе — и зловонные болота, и серые пни, и чёрные ветки. И светлая красота удивительной братонежской долины, залитой солнцем, радостно зелёной. И, наконец, озеро Братонеж, круглое, как чаша, и прекрасное, как небо. В нём всё, как в чудо-зеркале, — прекрасней, чем в жизни: опрокинутые дома, деревья, костры и люди. Всего много, и не поймёшь, где начало и где конец. А в центре великолепный диск солнца, перекрытый лиловым облаком. Края его оранжево-огненные, дышащие живым огнём. На фоне светлой воды зелёный силуэт коня и лиловая фигура женщины. Тёмные длинные мостки и мальчик, как китайский божок, таинственно застывший на краю. И мы на берегу, как зачарованные странники этого особенного мира света и тишины, почти не реального, среди болот и лесов.

Весна была такая, как будто волшебник Нестеров прошёл здесь со своей палитрой и оживил эти берёзки, ёлочки, ветки.

<[17 марта 1963 г.]>
ПИСЬМО Н.С.ЛУГОВСКОЙ К Н.С.ХРУЩОВУ

Многоуважаемый Никита Сергеевич!

Обращаюсь к Вам как к человеку высокой Справедивости и Гуманности. Слушая на XXII съезде партии Ваши выступления и позже читая о годах культа личности и глубоко радуясь, что всё это в прошлом, особенно горько сознавать, что на мне лично ещё лежит тяжёлый груз тех лет.

В годы культа личности Сталина пострадала вся наша семья. В 1937 г. в г. Москве были арестованы и отправлены в лагеря мать и трое дочерей: две старших — студентки и младшая (от чьего имени пишется письмо) — ученица средней школы.

Причиной нашего ареста было дело отца, арестованного ранее.

Обвинением постоянно ставилась в вину переписка с отцом и оказываемая ему помощь.

Мне тогда было 18 лет. Весь процесс следствия и допроса проводился грубо, с угрозами (вплоть до угрозы расстрела и отречения от своих родителей) и с длинными нелепыми доводами моей «деятельности».

При аресте был взят мой отроческий дневник (как всякий дневник, хранимый от всех), который «изучали» вдоль и поперёк и между юношескими впечатлениями отбирались отдельные фразы и слова, служащие обвинению.

Впечатления от ареста отца больно травмировали детскую душу, оставив горечь на долгие годы и вызвали в дневнике горькие строки против жестокости Сталина, датированные [19]32—[19]35 гг., т. е. когда мне было 14—15 лет.

Основываясь на этом, мне давали подписывать длинные протоколы, смысл которых уже позднее мне стал ясен: (усугубить положение отца); а затем дали подписать обвинение в антисоветской деятельности. В том состоянии не имело значения, что подписываешь, — лишь бы скорее всё кончилось.

Я получила срок 5 лет, который и отбывала в лагерях на Колыме.

Как и до ареста, учась в школе, так и после освобождения я упорно работала и училась, т. к. специального образования не успела получить и приобрела специальность театрального художника-постановщика, кем и работала в продолжении всех последующих лет.

В последние годы были посмертно реабилитированы мой отец, который послужил причиной нашего дела, а также мать и обе сестры.

В 1950[-е] гг. я также писала просьбу о пересмотре дела и дважды мне отказывали. Но это было до разоблачения культа личности, а теперь, после XXII съезда партии, когда все мы узнали о тяжких годах и ненужных жертвах, не слишком ли много, в придачу к годам пережитого, оставлять обвинение.

Я прошу, чтобы пересмотрели моё дело и дали мне возможность освободиться от груза прошлых лет, чтобы смело смотреть в жизнь, как все советские граждане.

17/Ш —[19]63 г.

Луговская Нина Сергеевна, 1918 г. рождения. Арестована 1937 г. г. Москва. Место жительства: г. Владимир (обл.) ул. Ленина 1/1, кв. №3.

Прошу ответ выслать по адресу: г. Владимир обл., Главпочта, до востребования.

Прилагается копия справки о реабилитации отца.

Копия справки о реабилитации моего отца Рыбина С.Ф.

Прокуратура Союза ССР.
Прокуратура г. Москвы.
№71-22
16/IX—1959 г.

Сообщаю, что по протесту Заместителя Прокурора РСФСР Президиумом Московского Городского суда от 14/IX 1959 года отменено постановление, по которому Ваш отец Рыбин С.Ф. был осуждён в 1936 г., и дело в отношении него производством прекращено за отсутствием в его действиях состава преступления. Официальный документ о реабилитации Рыбина Вам вышлет Мосгорсуд (Москва, Каланчевская ул., д.43) по Вашему запросу.

Ст. пом. прокурора г. Москвы по надзору за следствием в органах госбезопасности: /подпись/ — Поташов.

НАБРОСКИ ЗАПИСИ — ЦЕПЕЛЁВО.
1963—1964 гг.
НЕ ВЫБРАСЫВАТЬ

<[1963 г.]>

Подчёркивать натуру. Начинать, предельно определив соотношения световые и цветовые. Решить и резко определить схему вначале — залог успеха. Работать над картиной напряжённо, как над этюдом, и делать перерывы для проверки. Точно знать, ради чего пишешь, и держать это ощущение постоянно.

Камертон в живописи — цветовое пятно, с которого хорошо начинать. Брать его сочно и энергично.

Пятно насыщать цветом, вводить сложные полутона, чтоб получилась не нота, а аккорд. Насыщать, как Сезанн.

Научиться насыщать пятно, взятое вначале. Мой основной недостаток. Дальнейшая работа без натуры ослабляет напряжение пятен.

Буден

Всё, что написано непосредственно на месте, всегда отличается силой, выразительностью, живостью мазка, которых потом не добьёшься в мастерской.

Проявлять крайнее упорство в первом впечатлении, так как оно — самое правильное.

Принять импрессионизм как большие, ценнейшие открытия и на нём, от него строить дальнейшие искания. Отвернуться от импрессионизма — значит отвернуться от 20-го века. Воспитанный на импрессионизме новый художник, впитавший органически идеи цвета, легко пойдёт к новым открытиям.

Учить надо на импрессионизме. Всяк кончивший начинает заново переучиваться (изучая его). Принять импрессионизм как жизнь.

Узнать художника можно, просмотрев много его работ.

Сезанн волнует мощью и пониманием цвета. Учит понимать живопись в самом её современном смысле. Все подражатели его жалко перенимали лишь внешнюю сторону.

Сокровенное — необычайное, глубинное проникновение в пространство не ощущением и светом, а плотным полноценным цветом. Разложение куска на цветовые полутона и насыщение его сложным и глубоким цветом.

Горящие теплом фрукты и перламутровые стены домов.

Понимание формы лица не полутонами, а цветовыми плоскостями. Объёмность и мягкость формы.

Зелёные глубины отражений под мостом. Цвет окружает тебя и поглощает.

Средствами импрессионизма изображать значительность сюжета. Какие могут быть результаты! А нужно ли это?

Сложная техника насыщения куска.

В этюдах моих куски цвета чужие — всё портят (почти во всех).

В погоне за эффектом и пятнами стала исчезать тонкая разработка.

Условность, новые формы и т. д. Мы всё ещё стоим на пороге, хоть без конца об этом говорим.

Молодёжь счастливей — у них нет сомнений, традиций.

Новое — в композиции новой, в ощущении, затем придёт и цвет.

Что бы ни случилось — делай что должно.

Увидеть мир, точно впервые. Этюд, как первый раз в жизни. В нём должна быть тематика, основная задача.

Чувство современности видеть и писать, как в молодости.

Ярче, острее, выразительней, до предела насыщать цвет.

<Май [1963 г.]>

10 дней этюдов были лишь раскачкой. Новое понимание натуры очень трудно укладывается.

В процессе работы увидеть хороший этюд — много даёт. Очень захотелось работать на маленьких этюдах. Добиться предельного искания и решения.

А главное — через технику сказать о природе, что ты хочешь. Философию своего видения.

Всё не выяснено до конца. Поэтому на натуре звучит, а в мастерской пропадает. Должен быть расчёт соотношений. И, по-видимому, усиление соотношений очень большое, чтобы кусок природы зазвучал, как целый мир.

Этюды этого года — недоработка.

Раскинутые пятна насыщать цветом, усложнять фактурно. Всё ещё робость, робость перед природой. Учитывать всё, решать вдумчиво и расчётливо, характер мелочей подчёркивать. И до конца сказать всё. что можешь. Пусть будет резко, грубо.

Как сказал Ван-Гог, учитывать всё, как хороший актёр на сцене.

Меленки — страна серебристых ив и берёз со смешными буграми, песком и земляными ступенями.

Река Унжа с запрудами и заводями и тихими отражениями, как сама жизнь, тихая и медленная.

Большие и скучные поля. От засухи голые, не проросшие.

Село Илькино. Большой пятистенный дом смотрит на улицу всеми шестью окнами. Громадный, широкий мост, насквозь через дом проходит, и посередине двери — одна на двор, другая в избу. Если снять кое-где масляную покраску, то входишь в избу старого покроя, большую и низкую. Полати от печки до стены делают её еще ниже. Девять на девять аршин. Большая свободная, по углам мебель. Большая кровать под полатями и много подушек посередине. В углу под образами стол и широкие скамьи, такие устойчивые и тяжёлые, что не дрогнут, когда на них садишься. У окна, что у русской печи, сидит женщина. Как раньше сидели за прялкой. Перед ней машинка. Если переменить кое-какие вещи и убрать электричество, то здесь ничего не изменилось за целые сто лет. Так сидели венециановские русские женщины. Современная жизнь, как детали, вошла в обиход этого дома.

В конторе нам сказали: большой дом, где одна хромоногая девка. Это Шура. Она с [19]24 года и, видно, из-за ноги осталась в девках. Очень полная, умная, с круглым лицом и круглыми глазами. Она, охотно посмеиваясь на всякую шутку, рассказала всё о своём семействе.

У матери, бабушки 70 лет с лишним, до 12 детей — 10 своих и двое приёмных. И все живы, мужчин война пощадила.

Какой-то крепкий умный быт. Все женщины, не торопясь, знают свое дело и делают его быстро и хорошо. Двое «мужчин» — один парень из армии, другой, рыжий, веснущатый и смешливый, в средней школе.

Дуся постарше — та, что доярка, говорит: «Ну что, встали наши клиенты?» Они подымаются из-за перегородки и опять ложатся в первой избе, дожидаясь еды. Канун Троицы и престольного праздника.

Бабушка грузная, но ещё быстрая женщина. С умными серыми глазами, и все в неё. Девочка Тоня быстроногая, тощая и дичок.

Дуся ворчит на «клиентов». Жизни им не удались. Шура в девках, Дуся одна, но они делают свою работу, они крепко живут, они удивительно на месте. И удовлетворены и не несчастны.

Крепкой исконной Русью дышит этот дом. Они умны и знают всё об электричестве и современности. Они смеются, шутят и не таятся мужчин.

После тряского пути по просёлочной дороге и несколько часового стояния машины посередине деревни, где нас никто не принимал (председатель был в городе). Деревня широкая и голая. Взрытая грязная улица, много прудов, ив с такими неподходящими здесь лирическими отражениями и много телят, покорно бродящих на привязи и очень равнодушных. Мальчишки и девчонки лезли в дверь, пока их не отогнали. К вечеру всё изменилось, приехал председатель, и долговязый худощавый мужик молча, не выражая ничего, повёл нас к себе. Мы проходили серые и суровые под серым небом дома, грязные лужи и смешных встрёпанных ребятишек. Дом, дверь, тёмный мост и вдруг чистая, светлая, как фонарик, горница, хорошая мебель. Как светло и уютно в деревенском доме и как весело туда войти! А ещё веселей сесть за маленький столик в чулане (кухня). И неудобно, и уютно.

Когда на столе миска с солёными огурцами и непонятные не то щи, не то суп, неизменно вкусные, из чудо русской печи, с утра горячие.

Хозяин в профиль удивительно похож на донского казака или суриковского стрельца: нос несколько длинноват, суровые черты и две глубоких стремительных складки от носа. Волос несколько взлохмачен, тёмное лицо — ну стрелец да и только. Вот Русь. «У *него* в руках был», — про немца. И окружение в 1941 г., и плен, ранение, бегство к своим, таскания по опер-отделам и, наконец, родная деревня, «подчистую» с перебитым сухожилием и не владеющими пальцами.

А хозяйка всё перебивает и рассказывает, как она узнала прежде о его смерти, а потом ночью принесли письмо, что он жив, а утром, когда гнали коров, вся деревня останавливалась у дома: «У Катьки муж-то жив». «Я его вымолила». Они оба помнят все даты этих давно ушедших событий. За два дня мы узнали всю их жизнь, с радостью рассказанную, простую и сложную, радостную и горькую.

Возможно ли это, что-либо подобное в городе? Не потому, что жизнь в городе сложна, а потому, что люди в городе трусливей, лживей и часто не знают, что в жизни хорошо и плохо. А они знают и живут и работают так охотно.

Как она с зятем шла пешком 60 км, чтоб увидеть его в опер-отделе, как передавала посылку и её допрашивали и сказали, что его нет, а она голосила, что пришло извещение о смерти и теперь, когда он жив, ей не говорят.

Она пошла за него, за самого бедного, и ей говорили, что она пропадёт, а теперь завидуют, как она живёт. «Он огневой, у него сердце такое, а я молчу. Как он начнёт, начнёт, а я молчу». Ей и матери своей он сказал: «Будете мне между собой ругаться, а мне ни слова, ни та ни другая не жалуйтесь, узнаю — обеим голову снесу». Они спорят и видят в окно: «Вон — Ванька идёт», — и обе замолкают. Так и жили хорошо.

Однажды, лет восемь назад, он пришёл пьяный и начал ругаться, а потом гоняться за ней и за её матерью. Они убежали к соседям. Она несколько дней плакала и говорила: «Жить не буду». С тех пор он переменился.

Мужик этот долговязый и очень прямой. Когда сели обедать и общая миска с супом поставлена была на стол, ел он так. Решительно и быстро два-три раза хлебал деревянной ложкой, громко, не непротивно прихлёбывая. Скорыми движениями руки двигал ложкой, потом так же решительно клал ее на стол, пережёвывал и говорил. И опять. После каши наливал стакан кваса. Сыпал сахару и так же решительно выпивал.

Цепелёво — 1-й день.

Прелестный вечер на берегу Клязьмы. Красота и очарование. Отражения берега и неба такие насыщенные и музыкальные. Редко счастливый вечер. Всё хотелось писать, как музыку слушать, — просто, бесхитростно, краски как цветы. Нежно, почти нереально. Мы наслаждались и созерцали.

На второй день шёл дождь, и волшебство исчезло. И писать было нечего.

Пчела на окне. Бьётся и бьётся в верхнюю раму и не догадывается вылететь в открытую створку. Бьётся до изнеможения. Так и человек бьётся всю жизнь, как пчела, и не видит выхода, который так хорошо виден со стороны. Очень тоскливо смотреть на такую пчелу.

Народное искусство по существу очень стилизованное и условное по цвету и по форме. Яркие народные вышивки (украинские петухи), орнамент цветов, народные игрушки. Основа природы искажена в угоду выразительности и отточена поколениями, войдя в закон.

Серая живопись — скупая, непрямыми и контрастными красками, может очень сильно выразить содержание картины. Внутреннюю жизнь сюжета. За яркими красками часто прячется бездумье. Найти звучание серых пятен.

Красная Охота. Поезд. Ах, как весело ехать в поезде и смотреть на бесконечный хоровод берёз, в сумерки особенно. Когда подробности стёрты, а полусвет чудесен и всё силуэтно и прекрасно по рисунку. Мчится, мелькает природа, не даёт возможности всмотреться в один сюжет, и так же мелькают мысли, поверхностные и лёгкие, как мелькающие берёзы. И заботы все остаются дома. Нет возможности углубиться в них.

Мы шли лесом в наступающем вечере. Тропа и берёзы. Голубые, высокие и удивительно пластичные. Раскрывают перед нами тайны леса. И всё идём, а они, как в сказке, кружатся и кружатся.

А потом строгая берёзовая опушка, а над ней сложное вечернее небо, написать, как никогда ещё не писали неба. По-новому.

Хочется других сюжетов, не тех, что писали летом. Освобождённых, поэтических, волнующих своей неуловимостью.

Лето не принесло мне дорогих воспоминаний, темы для картин. Одна техника, и это жаль.

Тема любви — почти не воспроизведена нашими художниками.

Дождь идёт. А я одна. И снова идёт дождь.

Осень, такая скучная, такая унылая, с растрескавшимся жёстким асфальтом и чёрными стволами лип, смотрела в окно. Бурые истоптанные листья жались по краям дороги, и меж ними чёрная непросыхающая изморозь. Голые чёрные ветки стремились к небу и сеткой пересекали холодные остовы домов. Казалось, это была жалкая одинокая смерть.

А всего три дня назад было счастье разлитой вокруг красоты. Были тонкие берёзы и хрупкие слабые ветви их с розовым листом, причудливый и хищный узор старых еловых лап, чистота и звон гулких опушек..

Чем, какими словами могу я выразить то счастье, которое уверенно и верно входит в меня от этой разлитой кругом красоты? Оно существует, и ты его вновь и вновь найдёшь, стоит тебе соскочить с высокой подножки на хрустящую сыпучую насыпь, усыпанную свежей галькой, взглянуть на строгий манящий профиль железнодорожного полотна.

<28 июня 1963 г.>

Поражает громадная культура Нестерова, европейская по тому времени культура (глубокое понимание колорита, предельная ясность и ему одному присущая композиция), а главное, такая всепоглощающая проникновенность в природу нашу, Русь — поэтическая светлая берёзка— и всегда немного щемящая, звонкая и грустная нота и простор. Русской берёзы никто так не написал ещё. Его большие работы удивительно близки сердцу русскому.

ЧЕРНОВИК ПИСЬМА ИЛИ
НЕОТПРАВЛЕННОЕ ПИСЬМО
СЕСТРЕ ОЛЬГЕ ЛУГОВСКОЙ

9 сентября 1963 г.

Дорогая Олюшка!

Пишу тебе из заброшенной деревни, на краю берёзового леса. Я одна, Виктор уехал в город, хозяйка ушла играть в лото, и я одна в доме в этот долгий осенний вечер. Только в деревне по-настоящему понимаешь, как коротки становятся дни, как быстры сумерки, как мрачно окрашены закаты и что значит солнечное удивительное утро после мрака и холода ночи. Тишина... чёрт знает какая. Вот уж неделю, наверное, как нам удалось вырваться на этюды. Не так, как мы думали (получается урывками), — надолго и спокойно-сосредоточенно, но, тем не менее, осень проходит перед нами, как никогда ещё нам не доводилось видеть — с первых вспышек огненных осин в яркой зелени и одиноко пожелтевших берёз, когда лес ещё летний. Потом шумел ветер и засыпал листьями землю, и земля становилась необычайная, как в сказке, а на молодых ёлочках лежали цветные листья, как игрушки в праздник. И было грустно, и казалось, вот-вот всё облетит. Потом начались заморозцы и в дрожащем мглистом воздухе всё преобразилось, нельзя было узнать дороги. Золото берёз стало нестерпимо ярким, дальние опушки переливались от розовых до чистого жёлтого, и лиловые пашни сменялись суровыми зеленями. Не знаешь, как вместить всю это красоту в этюд, робеешь, хочется ходить, смотреть и мечтать.

Летние достижения не только превзойти не можем, но делаем всё хуже, чем летом. Нет той освобожденности и напора, которые нужны для сдвигов, но каждый почти этюд — это такой богатый материал для зимней работы. Да и тема осени для нас слишком ещё нова. Писать трудно бывает, когда холодно и ветер пронзает насквозь. Но мы идём и трудимся, и то прекрасный образ совсем близко, то опять всё бесконечно далеко. Волнуемся, сердимся, ссоримся, но ни на что не променяешь этой жизни, этого созерцания красоты, этого волнения, когда пишешь.

Олюшка, как дела у тебя? Как твоя школьная работа и удаётся ли иногда заняться живописью? Очень хорошо, что ты познакомилась с художниками, совсем одной тяжело — нужно с кем-нибудь делиться. Серёжа ведь равнодушен к живописи? Савва занят, а ты молодец, что не бросаешь этюдов. В этом и жизнь, и секрет вечной молодости.

Как, сердце по Наташе не болит? У меня и то беспокойство — как-то она там коротает свои длинные вечера. Не собираешься к ней зимой?

Ну вот, дорогая сестричка, и всё пока. Целую тебя и твоих мужичков.

Привет от В. Пиши. Нина.

<[Осень 1963 г.]>

Среди больших берёз хороводом закружились маленькие ёлочки, все убранные крупными очень жёлтыми листьями. Кто это их так разукрасил? А под ногами в высокой траве остроконечные коричневые шапки гномиков, насупившихся и уснувших.

Листопад и ветер. Порыв ветра. Земля. Осинные алые листья, как огоньки. Кто это празднует праздник осени?

Тёмные сизые стволы — маленькие ёлочки и невыносимо яркие красные, бордовые, жёлтые листья. Вот картина!

И на всех длинных ветвях ёлок — жёлтые и разные листья. Пластично и грустно, а рядом суровые стволы.

Самое сильное ощущение от леса: порыв ветра, падающие крупные и яркие листья и очень цветная, невозможно яркая земля.

Ветер дул до тех пор, пока не сорвал всех листьев с деревьев; тогда он затих.

Бездарный день, бездарный этюд. Не хватило силы решить этюд. Не решено — значит, никуда не годно.

Дятел стучит. Солнце катится по небу. Всё застыло, как в сказке, и шуршит лист. То ли ящерица, то ли змея. Костёр в лесу. Тишина и тепло.

Пейзаж сквозь костёр. Дрожит, как сквозь стекло, осенний пейзаж.

Тоска. Падают листья.

Жёлтые грустные листья кружат крупным снегом, а дальше сумрак.

Уходящий день — гонкие два деревца на фоне острого закатного неба. Жгучие силуэты.

Очень большая красная луна, как грозный символ, подымалась в конце тропинки. Небо сизо-серое, берёзы мглистые, а луна нависла на горизонте и поперек сине-тёмная полоса пересекла её. И охристо-серая тропинка.

Язык музыки очень условен — иначе не могло быть музыки. Так и живопись должна отбирать и группировать звуки — краски, взятые у природы.

Утро. Луна. Дрожащие осины на фоне берёзы. До наива довести листья — и получится.

Опушки то розовые, то охристые, то золотые, большими массивами.

Берёзка желтоватая на сизом небе. Стволы зелёные осин, белые — берёз, сизые — сосен, охра ветвей и листьев, желтизна — всё это просто в высоту на сером небе, пласты красок. Главное запомнить — святость и чистота и нежность красок.

Освобожденность приобрести в работе. Когда созерцаешь лес, мечтается легко и создаётся легко образ картины: так попробовать писать этюды в лесу, чтобы берёзы белели и мерцали, чтобы ёлочки танцевали, усыпанные листьями, чтобы ветка берёзы с тонким рисунком листьев и стеблей сплеталась в этюд, чтобы где-то на фоне неба мерцали, будто узор на ткани, розовые и золотистые листочки. Никаких канонов, делать только что хочется и как хочется; менять композицию, менять приёмы и <u>знать, знать, для чего делаешь</u> этюд. Чтобы лапы чёрных елей пересекались огоньками берёзовых листьев и ковёр земли искрился и сверкал.

Или аскетический осенний пейзаж с белыми и строгими берёзами и чёрными ветвями и чёрными полосами на берёзах. Изредка зелёные стволы осин.

Скупее цвет. Цвет берёз, цвет листвы, цвет земли.

Зашла в лес и опять поразилась красоте и сплетению еловых веток, листьев, стволов, неба.

Листья. Простые осенние листья собрать в разгар осени и выткать из них этюд. Разложить тона осени по листьям.

Порыв ветра. Склонённые ветви берёз, и от них по диагонали падают листья. Фоном служит лес.

Воспоминания тех лет тяжёлые и смутные, как поздняя осень. Белые, помертвевшие стволы берёз и вспышки листьев на тёмном общем лиловом фоне.

Особая грусть. Лилово-сизая. Прозрачные, строгие, очень тёмные зелёные ели опушек. Очень белые, голубые, как стебли в высокой воде, берёзки. (Хорошо под Юрьевцем.) Силуэт леса. Зеленя. Передние перелески, узкая оранжево-розовая полоса горизонта.

Берёзы стоят, как пасхальные свечи.

Иногда хочется писать легко, просто движением кисти строя цветные стволы деревьев, раскладывая нежные тёплые полутона листвы на светлом и тёмно-синем небе. Чтобы всё бесхитростно звучало и пело.

Болдино — прекрасная осень. Маленькая речка с цветными берегами.

Если хочешь увидеть корабельные сосны высоты невозможной, если хочешь увидеть громадные кленовые листья на дорожке, как в старых парках, и золотую утомлённую летом берёзу, пойди в сад, что за домом.

Гогеновские листья на бархате земли.

И плакала осень тоскою туманов, и жёлтые листья поплыли по водным просторам дорог. Как будто самое родное оставила я в том саду. Как старого друга встречала я вечерние клены. А жёлтые листья лежали на лиловой тропе.

Марке — очень просто и широко. Чёрный широкий контур, иногда цветной, иногда никакого. Свободно, может быть, небрежно. Никаких ненужных подробностей. Большие пятна и свободная трактовка воды. «Собор Парижской богоматери» — серая громада, серое, чёрное, белое.

Вламинк — грубо, открыто, широкий контур, откровенные зелёные, красные, синие — живут плеском и солнцем.

Гоген — пластичность его «Сбора фруктов», музыкальность цвета, как ни у кого. Каждое пятно как бархат наполнено сложными полутонами. Они как бы углубляют поверхность. Делают картину в глубине, внутри, несмотря на яркость.

Прекрасный дом, прекрасный сад с подмосковной сизой осенней тоскою в высоких соснах, заглохшие лиловые тропы и вспышки жёлтых листьев на сине-лиловой мгле. Тишина и красота.

И почему-то в таких домах, в таких садах живут люди, которым всё равно, которым ничего не видно, кроме грядок, которые осень называют скучной порою. Они не могут понять, как поёт ветка чёрным силуэтом на небе.

Жить там, где все как камертон настраивает на искусство, где мысль становится прекрасной, а душа тонкой, где хочется писать картины и сочинять стихи, а там живут люди, которые мечтают спилить сосны, чтобы тень не падала на грядки с огурцами. Почему у нас ещё так мало почитается прекрасный дар, который рождает искусство?

Как переполненная до краёв драгоценная чаша, наполнена впечатлениями этюдов и искусства. Несёшь её перед собой на вытянутых руках и хранишь, боишься расплескать, открыть до времени.

<22 сентября 1963 г.>

Наступила чудная пора, так называемое в народе «бабье лето». Тихая радостная красота без бурь и гроз, и капризов, мудрая сознанием жизни и скорой смерти. Безоблачное и грустное небо, мягкое тепло, душевное умиротворение. Где багряные осины красовались в небе синем, Где сквозь золото берёз...

И вера, что всё это ещё повторится. Бабье лето — оно покатилось над землёй, как поздняя радость, как незаслуженная благодать.

<27 сентября [1963 г.]>

День пасмурен и грустен. Будет, наверное, дождь. А вчера всё млело в знойном воздухе. Едем в деревню, надо встряхнуться. Надо приехать и упорно начать работать. Пусть без вдохновения.

Ранний троллейбус. Осеннее утро. Запотевшие окна от ночного холодка. И радостный солнечный день, весь в брызгах света и тени.

<16 октября [1963 г.]>

Паустовский как чистая родниковая вода в душный день. Сила его таланта в глубочайшем романтическом отношении к жизни. Когда мещанство и тина быта затягивают душу, Паустовский звучит, как открытое окно в сад.

Бетховен — Пятая симфония. Музыка завоевателей. От неё страшно.

<13 ноября [1963 г.]>

С утра было тихо и как будто не в силах рассветать. Казалось, стояли сумерки. За рекой на юге густо синело, и тянуло холодком. А в 9 ч. пошёл снег. Когда мы шли полем, снег засыпал дороги и канавы, и всё стало светлым и изысканным. Зеленя и лиловые кусты зазвенели, как звук. Так мы и ехали, глядя на засыпанную землю. Дали теряли свои очертания и стали розоветь и сливаться с небом. И оттого ли, что зима рождалась на наших глазах, она показалась ласковой и совсем не страшной. И стало весело. Снег чистый и очень белый. Берёзы стройные, живого, тёплого тона.

Поздние озимые, как заунывная русская песня, чем-то постоянно волнуют меня. Мерцающий и сложный изгиб борозд, закругляющийся к дороге. В нём весь секрет. Всё соткано из зелёного: светлого, и тёмного, и лилового, и синего в тенях. И за всем строгие грустные леса, сизые и лиловые. Как это передать?

<23 декабря 1963 г.>

Мотор. Сперва я мужественно борюсь с ним. Он входит в жизнь комнаты, как небольшой посторонний шум, от которого надоедливо отмахиваешься. Но уже через час-другой он завладевает тобой, входит вовнутрь, где-то в середине живота, под ложечкой, дрожит и ноет, и тяжкое, назойливое, похожее на тошноту чувство ударяет в голову, и ты чувствуешь, что не принадлежишь себе, что стараешься уловить интонации этого назойливого шума, а он гудит и растёт, и чем тише в квартире, тем страшнее шум, и ни одна мысль не проникает в мозг, кроме одного желания, — избавиться от него. Он как тяжкий сон, который душит, а проснуться не можешь. И ты ждёшь, ждёшь, и, наконец, полдесятого он, взвыв, стихает, и тишина кажется невозможной, тяжкой и вязкой. Кто избавит несчастные истерзанные человеческие нервы от бесконечных и бессмысленных шумов?

<25 декабря 1963 г.>

А вчера вечером я увидала небо. Оно было очень высоким и покрыто светлыми серебристо-сиреневыми облаками. Луна светила сквозь них зелёным фосфорическим светом. И даже город, и огни, и шум не могли затмить этого неба.

Это было 25-го. Я горько плакала. Скупо и жарко. Слёзы были такие горячие, что растопили зиму. С утра закапала капель под окном. И снег таял по всем дорогам. И стало тепло. Какая чудная тема для сказки. Человеческие слёзы, человеческое горе победили мороз.

Я плакала о жизни, об утраченных иллюзиях, о потере надежд. И мало ли о чём можно плакать среди ночи в день своего рождения.

И опять надо начинать жизнь, которая продиктована какими-то внешними обстоятельствами, условностями, силой инерции, а не своими внутренними потребностями.

<28 декабря 1963 г.>

Опять Паустовский, как свежий ветер полей, как дыхание лета в раскрытое окно поезда, как запах фиалок, ворвался в мою жизнь. И сладко, и больно. И оглядываешься на жизнь свою, в которой столько потеряно. Каждый день этой зимы как острая безвозвратная потеря. Мы живём, как в погребе, и закрыли все окошки, чтобы нигде не пахнуло ветром. А за стенами радость, свет, великолепная природа. Снег и тишина леса, светящиеся живым теплом стволы берёз. И от всего добровольный отказ. Почему? Где, как это случилось? Что надо сделать?

Человеку нехватает беспечности, чтобы быть счастливым. Где её искать: в обстоятельствах или в самом себе?

Паустовский — это как будто я, но только талантливо выраженная. Все впечатления жизни, мысли, чувства, всё так мне близко. Но он всё мог, а я ничего. Он всё это мог выразить захватывающим образом и не побоялся всем сказать, как он любит природу, «и в поле каждую былинку, и...», а я побоялась.

Где нет покоя и тишины, там нет творчества. Где бы взять тишину деревянного дома в лесу и окнами в сад, чтобы лес шумел за стеной, чтобы комната была твоя, и покой был твой, и тишина была твоя, как в старых дачах под Москвой.

Описать свою жизнь, свою душу, свою любовь к жизни и к красоте.

В чём причина, что так тяжело отстаивать право на эту красоту?

<31 декабря 1963 г.>

Последний день старого года. С утра пурга. Нерассветающий день. Хочется всё бросить и уехать в деревню. И там в пустом доме затопить печь и отдыхать от всего: от города, от людей, от себя, от работы. А потом с новыми людьми, простыми и весёлыми, встречать Новый год. И чтобы луна нам сияла на громадном пустом небе, как факел жизни.

Всё, что я ни делаю, всё не то. <u>Не то!</u> А надо вечером идти в культурный дом и с культурными людьми сидеть за столом, пить водку и съесть много закуски. Всё не то.

Всё, что я ни делаю, всё не то. Как найти, чтобы было то? «Если жизнь не представляется тебе незаслуженной радостью, значит твой ум ложно направлен». Это верно. Но мне очень тяжко жить; где же найти истину? В самопожертвовании, в работе для других? А как же живопись? Она — моя потребность. Я не смогу без неё жить.

<1 января 1964 г.>

Очень тепло и бело. Были в лесу. Странно. Всё, что было тёмным, стало белым. Грустно. И всё чего-то ждём. Какой-то большой полноценности во всём, без чего невозможно жить. Без чего жизнь кажется «пустой и глупой шуткой».

В детстве я любила праздники, потому что не надо было ходить в школу и можно было целый день заниматься любимым делом: читать, рисовать или идти на соседний двор играть в мяч; потом я любила праздники потому, что можно было отоспаться, но, когда меня убедили, что праздники надо непременно праздновать: т. е. готовить много еды, есть, много пить и веселиться, я стала не любить праздники. Мне неловко, и я не могу найти себе места, праздновать и пить — всё во мне противится этому, делать обычные свои любимые дела — все кругом с укором замечают это. И дни проходят в бесконечной праздности и в ожидании конца праздников.

Надо делать не «как надо», а как хочется, надо быть самим собою.

<13 февраля 1964 г.>

Поезд отъехал от очередной станции: февраль 1964 г. И мчится в неизвестное. Первое веяние весны. Маленькие птички поют в парке. Они недавно прилетели. Они протяжно вскрикивают и долго слушают, сидя на верхушках лип. В лесу вечером по-весеннему светилось небо и две ярких звезды зажглись над берёзой.

<28 сентября 1964 г.>

Тишина. Я одна. Я больна. Умер Славка Потехин. Он был большой и лёгкий. Со странно открытым лбом, чёрными глазами и детским ртом. Казалось, он постоянно живёт какой-то своей внутренней жизнью, которая даже мешает ему и заслоняет собой жизнь настоящую. Отвечая, он немного задумывался, и глаза его как будто с усилием возвращались от той внутренней жизни. Это чувство всегда возникало при общении с ним. А может, это только казалось и ничего не было. Только теперь уж не узнаешь и не докажешь. Он лежал очень тихий и успокоенный, странно такой же и совсем другой. И оттого, что он был такой неподвижный, было очень страшно.

<[1964 г.]>

Я всю жизнь любила цветы и деревья и всю жизнь мечтала что-нибудь посадить своими руками. Но всё как-то не получалось. То негде, то некогда, то время ушло. Весной это желание становилось особенно требовательным и даже мучило меня. И только два раза удалось мне внести свою лепту. Однажды это было в уральском городке. На скромном дворе появился кустик шиповника и стебель тополя. И я уехала оттуда.

И другой раз здесь, во Владимире. Мне удалось достать тоненький высокий куст сирени и посадить его у каменной глухой стены театрального здания. Он прижился и на второй год выпустил крепкие веточки с глянцевыми красивыми листьями. Театральное здание было старое. На боковой стене его, на крыше, была крупная каменная кладка с барельефными буквами «Народный дом» и даты постройки: 1853-1855 г.

Каждый год здание красили. Но однажды осенью был ремонт. Утром, проходя мимо, я увидела груду кирпичей рядом с молодым кустом. Безобразную битую кучу. Всегда куча кирпичей вызывает у меня чувство тяжёлое, особенно после войны (бомбёжки, разруха). Откуда она, эта куча? На гребне надписи «Народный дом» сидела девица. Глядя снизу, там, где ослепительно белое здание упиралось в очень синее осеннее небо, по-ван-гоговски сияющее, сидела девица в комбинезоне и равномерно деловито отбивала кирпичи от «Народного дома» и сбрасывала их вниз в траву. Кладка была крепкая, бить приходилось долго, а груда кирпичей неумолимо росла. Сирень ещё стояла.

Через несколько часов, идя обратно, я увидела растерзанный растрёпанный куст. Листьев на нём не было совершенно, ветки поломались, и вдоль всего ствола кора была содрана, видно, кирпич проехал вдоль тела, но куст ещё стоял и вздрагивал от ударов. Кому помешала каменная надпись, почему, простояв более 100 лет, она должна быть разрушена? Было грустно видеть, как на глазах разрушалась живая история города. Не будут теперь любознательные прохожие поднимать головы и стараться угадать, что такое было «Народный дом» (эта старая надпись с ятями и твёрдым знаком). Наверное, здание было в то время большим и красивым и стояло, далеко видное кругом, так что надпись читалась издалека. То ли площадь была вокруг него, то ли какие люди собирались в нём, приезжали ли гастролирующие артисты, или ставились любительские спектакли, и, наверное, устраивались благотворительные вечера, и чеховские барышни и гимназисты говорили здесь о литературе. Мало ли что может представить себе любопытный прохожий и турист, проходя под старой надписью. Но ещё одна страничка истории умерла под ловкими руками каменщицы. Было здание, которое имело свою столетнюю жизнь и историю, а теперь просто дом устаревшей архитектуры. Прошлое своё он потерял.

И погиб куст сирени. Милой нежной сирени. И хоть кругом растёт молодой липовый сад, но сирени куст был в нём единственный.

Мы любим старые города. Здания, архитектура — это история этих городов, они создают своеобразную сложную жизнь города с его захолустьями, с его соборами, с его смешными маленькими домиками, крылечками, мансардами, надписями. Сколькими живыми представлениями, загадками, волнующими настроениями наполняет нас прогулка по незнакомому старому городу. Всё значительно в нём. И молодой сад у ног столетнего здания, и ещё незацветший куст сирени.

[МАТЕРИАЛ ДЛЯ ГАЗЕТЫ]

Приближается весна 1964 г. Растёт наш город и благоустраивается. Благоустраивается и наша улица имени Ленина: открылся новый магазин готового платья, улица стала чистая, наладилось наконец-то движение пешеходов. Во всём чувствуется забота и любовь к городу. А весной особенно остро замечаешь всё хорошее и новое, что сделано, и всё плохое и старое, что ещё осталось. Замечаешь улицы, очищенные от зимней грязи, замечаешь юношей и девушек, разгуливающих уже в весенних одеждах. Не замечаешь только удивительной тишины, которая царит над городом, — настолько она стала привычной и органически вошла в наше сознание.

И вдруг попадаешь в полосу тяжёлого непонятного шума. Это трикотажная фабрика, расположенная при входе в городской сад им. Комсомола, оглушает рёвом мотора. Мощный фабричный вентилятор выведен за пределы здания, и вся его сотрясающая сила направлена в сад и на улицу. Прохожие молча пробегают, морщась от шума, а желающие отдохнуть жмутся к противоположной стороне сада, а многие просто покидают столь странно оборудованное место для отдыха. Мотор врывается в тишину улицы, где всегда толпится народ на троллейбусной остановке, заполняет грохотом сад, оглушая посетителей молочной (она расположена у самого вентилятора) и соседние жилые дома. Особенно тяжело бывает в них летом, когда в открытые окна врывается невыносимо однообразный шум мотора, мешает отдыху и занятиям. Утомляет и раздражает, и укрыться от него некуда. И так продолжается ежедневно с небольшими перерывами с 8 часов утра до 10 часов вечера в течение ряда лет.

И это в центре города! В месте, предназначенном для культурного отдыха людей! Летом, в разгар театральных гастролей, зритель в антрактах идёт не в сад, а жмётся к двери подальше от шума, отдыхающая публика предпочитает находиться в противоположной стороне сада, а эта часть территории, таким образом, отдана в распоряжение пьянства и драки. Шум и заброшенность для них самое подходящее дело.

В этом году, например, «весенний сезон» в саду открылся 8 марта. Песни и ругань оживляли его пустынные дорожки. Несколько милицейских машин посетило его, подбирая «празднующих». Обычно они идут покорно, отдавая себя в заботливые руки милиции. Изредка слышен протестующий вопль да смех прохожих. С этого дня всё чаще раздаются пьяные песни и безобразная ругань да появляются странного вида прохожие, шагающие по диагонали. Но разгар «сезона» начнётся с середины мая, когда молодой липовый сад весь оденется яркой зеленью и станет очень хорош. «Пикники» обычно организовываются с утра в густых кустарниках, скрытых от прохожих. К вечеру начинается деловой объезд машин. Забирают тех, кто лежит, кто может бежать — разбегаются. Иногда по праздникам загружается до шести-семи человек в машину в несколько заездов. Есть скамейка на боковой дорожке, но не влюблённых — нет. С семи часов утра на ней встречаются первые посетители. Это «деловые» молчаливые люди. Они должны «зарядиться» и успеть на работу. Но к полудню заветная скамья занята лежачими и полулежачими фигурами. Такова далеко не полная картина «интимной» жизни, которой живёт сад.

Как могло случиться, что в центре города происходит такое из года в год? Что сад, предназначенный для отдыха и детских игр, арендован под пьяные оргии? Условия для этого сложились очень благоприятные: с одной стороны к саду примыкает городской рынок, поставляющий определённые сорта посетителей (вход на рынок открыт в центре сада). С другой (со стороны ул. Ленина) — трикотажная фабрика, образующая глухой угол, с грохотом фабричного вентилятора. Одно другое дополняя, эти факторы способствуют злачной обстановке, воцарившейся в саду.

Вредное влияние шумов на психику и работоспособность человека на производстве и тем более во время отдыха доказано давно и ни у кого не может вызвать возражений. Борьба с городскими шумами успешно проводится повсеместно. Поэтому такое явление, как грохот неприспособленного для городских условий устаревшего вентиляторного устройства, не имеющего специального помещения или глушителя, можно объяснить только тем, что руки не дошли. Не дошли руки до ликвидации шума, не дошли руки до ликвидации пьяных сборищ.

И неужели новое лето 1964 г. встретит нас старыми болячками провинциального города. Мы глубоко убеждены, что городской сад им. Комсомола, расположенный по ул. Ленина, встретит нас тишиной и красотой, а не грохотом и пьянством.

***

Как юные лица утомительно одинаковы, так летние вечера шумны и однообразны, и как пожилые лица поражают нас своей индивидуальной силой и красотой, так осенние тёплые вечера полны значения и хороши по-разному. И порыв ветра в тёмных липах, и редкие капли дождя, вдруг донёсшиеся из бесконечности, и предчувствие близкой-близкой зимы. В такие вечера тревожно и грустно, как при взгляде на прекрасное пожилое лицо.

ИЗ ПИСЬМА МУЖУ.

Как стыдно и как тяжело. И я не знаю, как тебе сказать, потому что чувствую, что твоё сердце закрыто для меня. Ты поворачиваешься ко мне самой своей дурной стороной, как только начинается разговор о главном, сокровенном между нами.

Что ты хочешь? И что я хочу? Мы же всегда были вместе. Во всём и всегда. Я не могу привыкнуть, чтоб было иначе. Я всю жизнь презирала эти жалкие пары, где мужчина полу- или не полу-выпивает, а женщина тщетно ждёт, страдает, ругается и смиряется. Я не могу смириться и не могу подняться выше этого.

А ты хочешь, как все, напиваться и в пьяном угаре искать истоков вдохновения. И чем дальше, тем больше. А я не могу.

Теперь бы уже я хотела научиться с высоты своего «философствующего» ума смотреть на всё это шутя и не обращать внимания. Но я не могу. Я плачу, я просто плачу. И всё я говорю не то.

Такая свобода твоя разводит нас в разные стороны, и чем дальше, тем больше. Это для меня духовная измена, я её тяжело переживаю. Неужели смириться? Мне кажется, это унизить себя и перед собой, и перед тобой. И потерять последнюю зацепочку уважать себя самого. У меня нет отдушины.

***

Написать так, чтобы выразить всё невероятное, прекрасное, широкое, чтоб даль, и лес, и поле, и розовые опушки, и мощные хвойные ветки, и берёзовые прозрачные ветки с жёлтыми листьями пересекали стволы берёз и осин, и ковёр листьев пылал под ногами, и выразить это новыми средствами, линиями и красками — и подчёркнутыми, и упрощёнными, и доведёнными до символического звучания. Острый цвет алый и золотой, изгиб веток нежный и нервный в острых углах и изгибах, как мечта.

Когда приезжаешь с этюдов, душа — как заколдованный сосуд, наполненный драгоценной влагой — впечатлениями природы, красоты, искусства. Ты полон до краёв, ты боишься расплескать её и боишься раскрывать до поры, чтобы однажды полностью погрузиться в собранную тобой красоту.

И однажды открыв его — видишь, что он пуст — пуст совершенно. Волшебство исчезло. И опять надо собирать по широким дорогам свою потерянную душу.

<3 марта 1964 г.>

На небе зажглись две звезды. Они зажглись вдруг. На западе. На самом чистом, звонко-ясном месте, и, казалось, горели только для меня. Одна большая и очень яркая — она мерцала, как бенгальский огонь. Другая — поменьше. И странно — я искала их и они помогали мне, когда становилось слишком тяжело. Потом они исчезли.

Сегодня был тихий пасмурный день. И, пожалуй, первый день, когда повеяло весной. Всё млело. Снег проминался под ногами и тихо оседал. А солнце чуть желтело, было маленькое и жёлто-розовое. И не хотелось уходить домой. А дома по коридору бегала маленькая девочка. Она бегала упорно и часто стучала башмаками, как будто цель её жизни была как можно больше пробежать. Всем встречным она улыбалась и хотела что-то сказать, но говорить не умела. А отец с матерью ходили упорно тяжёлыми шагами, ругались между собой, готовили обед и целовали и сюсюкали девочку. И временами казалось, что они наваливаются на тебя всей тяжестью своей нелепой жизни. Своих примитивных помыслов. Тогда надо срочно бежать без оглядки, от взвизгов чужого счастья и несчастья, от нелепого смеха, похожего на кривлянье.

А если написать очерк — моя жизнь в коммунальных квартирах? Это вереница испытаний. Как только человеческие нервы выдерживают? Я видела одну женщину, которая плакала, когда получила квартиру.

<? марта 1964 г.>

Пустота. В душе пустота, во взгляде пустота. И равнодушие. И никакой злости. Это подобно умиранию. Наступила весна, а я не верю. Разве это весна? Нет, весна — это когда внутри тебя переливаются и искрятся оттаявшие льдинки, когда гомон воробьиный в твоём сердце, когда ветер полей в твоём дыхании и трепещет и дрожит твоя душа, как перед свиданием с дорогим человеком. А это просто 4 °C тепла, и на улице чёрный снег и очень много воды.

Если это старость, то можно, подобно Фаусту, продать душу чёрту за один лишь миг весны в своём сердце.

Нет, надо всё бросить и, взяв палку, уйти, не оглядываясь, туда, где шагает весна.

Жить — значит воевать. Так, кажется, говорили древние римляне. Когда я заболеваю, это яростно кричит во мне. Я отвоёвываю себе право болеть, отвоёвываю право на лекарства, я страстно воюю за своё выздоровление. Я чувствую, что надо преодолеть тонны чиновничьего равнодушия, чтобы врачи активно лечили тебя, чтоб выздороветь неделей раньше.

Когда в ночной тишине слушаешь концерт Грига, можно мечтать о невозможном, о слиянии музыки с живописью, о громадном впечатлении, об эмоциональном наслаждении комплексом всех искусств. О тишине, одиночестве, так нужном всем людям, чтоб познать себя и свои поступки. И пока длится музыка, мысль свободно об руку с воображением скользит пред тобой и слова складываются в музыкальные ритмы.

<2 апреля [1964 г.]>

Сегодня были в лесу. Меж соснами лежит печальный белый снег. На дороге мягкая и вязкая земля. Пасмурно. И оттого ли, что я больна, не поймёшь, весна это или осень. Не веришь, что будет солнце, не веришь, что изменятся холодные остовы берёз.

На верхушке сосны сидела сорока, поблёскивая белыми боками. У неё был хищный профиль и острый хвост. Она крутила головой и стрекотала, как все сороки на свете. Перелетали грачи с сосны на сосну.

Зима — это трагическая ошибка в нашей жизни. Это годы заточения, когда ожидание переходит в тупую тоску. Как избавиться от этого? Как найти свой путь зимой? Ничего, что предполагали осенью, что задумали на зиму, не вышло, ничего. Вместо того, чтобы освоить весь громадный материал лета и осени, жалкие ничтожные потуги. Ни рисунка, ни упражнений, ни картин. В чём дело? Какой-то червь нас гложет изнутри, поэтому мы не может преодолеть всех препятствий, которые подсовывает жизнь. Надо преодолеть главное, а оно внутри нас.

Жить — значит воевать. Воевать, воевать, а не хватает сил.

Произошел просчёт, поэтому не получается накоплений. Идёт только растрачивание энергии.

Просматривая прошедшую зиму, не понимаешь, как могло такое количество дней не принести результатов, вернее, не заполниться работой. Большая ошибка — это

«Снегурочка». Нельзя было за неё браться. Она поглотила все мысли и всю творческую энергию. А нужна великая сосредоточенность на картине. Нужны условия, нужна тишина, нужны деньги. Боже, неужели эта обуреваемая страсть, эта непобедимая страсть — творчество — должна приносить только лишения и страдания? Раньше мне плевать было, что никто не хочет понять, в чём счастье моей жизни, я была горда этим (что не живу мелкими интересами), а теперь я иногда чувствую себя несчастной, но не могу пойти туда, где жратва только и мещанство. Выход не в этом. Выход надо искать, продвигаясь вперёд. Чтоб самому быть убеждённым, что то, что делаешь, — хорошо. Выход в этом и в умении работать. Уметь отрешаться от всего и работать. Это всё труднее делать. Почему, когда Толстой писал, в доме за несколько комнат переставали играть на фортепиано — это всем понятно. Но почему, когда простые смертные не могут работать при шуме, — всем непонятно и смешно. Подсадить бы Толстому такой моторчик по соседству.

<[11 или 18 апреля 1964 г.]>

В субботу утром сели на поезд. Сборы, спешка, потом прохлада улицы. Вокзал и особое состояние лёгкости и быстроты движений, освобождённости и отрешённости от прошлого. Так молодость проходит, как эти короткие минуты, всё направлено вперёд. Потом полупустой вагон. Неожиданный и сладкий отдых, как забытьё в ожидании лёгкого толчка поезда. И потом ощущение мира, громадности земли. Берёзы наверху и берёзы в воде. Снег и тёплая земля. Серое летнее небо.

Вагон полупустой. Несколько девушек читают. Новые пальто и косынки, светлые чулки и красивые туфельки. Они или едут в деревню с работы, или студенты. Теперь не увидишь плохо, не по моде одетую молодёжь. Так же и ребята. Короткие пальто. Узкие брюки. Открытые головы. Оценивающий взгляд на девушку. Какие у них теперь жизни?

Мы идём по грязному полю. Дорога через поле. Это не дорога, а разъезженное поле, и оно скоро поглотит нас. Серое, большими валами небо. Дали... Серые, и синие, и голубые. И непонятно, чем их писать, чтобы они получились вот такими и близкими, и далёкими, неповторимыми русскими, и до боли знакомыми, и всегда новыми. И не серыми, и не синими, и не голубыми.

В остатках снега земля. И надо всем хороводы берёз. Лиловые, всех тонов и оттенков, бегущие холмы и косогоры. Лиловые, как дым, кустарники, густые и тёмно-лиловые власы березняка. И стройные, нежно-светлые, охристые и розовые стволы, густой и сочной краской положенные чьей-то гениальной рукой. Кажется, что художник взял кисть и по нежному акварельному подмалёвку сочной масляной краской густо и жирно, а то и просто из тюбика выдавил белил, немного нажал пальцами — и побежали, закружились берёзы.

Бесконечное грязное поле. Деревня. Опять поле. Ледок на дороге, вода, хлопья снега. Знакомый дом под тусклой красной крышей. Странное чувство большого отдыха в этом доме. Знакомых три ступеньки и камень перед ними. Закрытые занавесками окна. Просторный мост. И почему это? Простой наивный уют деревенского дома дороже мне всех городских благ.

Река. Она безо льда. На противоположном берегу лежит крупным пластом снег, и весь он, чуть голубее и зеленее, отражается в светлой воде. Редкие льдины. Редкой красоты и оттенков кусты на том берегу. Проплывает лодка рыбачья. Мальчишки на жёлтой траве жгут костры.

Жизнь большой реки. Мужики спасают какие-то брёвна — остатки зимнего моста. С баграми и топорами, не спеша и очень расторопно. На краю деревни как своё государство. Старик просмаливает лодку. Она лежит на боку, большая и незнакомая, как рыба, выброшенная из воды. Костёр. Два кола и перекладина. Дымятся головешки. А за ними река, тот берег — снег, чёрная лодка, как на японских гравюрах. Нос задран, корма в воде. Фигура с одним веслом. Шарит вдоль берега. Плывут редкие льдины.

Длинный вечер. Разговоры и шум. И длинная, томительная чёрная ночь.

Витя из 6-го класса рассказывал, как стрелял он и брат. Обманули отца и зарядили ружье. Сын выстрелил. Отец испугался. Мальчишки, счастливые свободой. Жизнь в деревне показалась дикой, тёмной.

Утро. Бродили по узкой речушке. Остатки снега тёплые и светлые. Всё родное, очень простое. Хочется так же просто писать. Кусты и ивы. Мутная вода. Отражение в ней стволов и снежных берегов. Соловей в голых ветвях. Стояли под ним и долго смотрели и слушали. Грудка алеет. Весь вдохновенно движется. Пустит трель и слушает, и опять трель. Невозможно уйти. Не обращает никакого внимания на нас. Эх, весна!

Я помню, как утки летали в такую вот пору, в майскую белую ночь. Их было очень много, в них стреляли, а они летали парами в ясном сумраке. Им было всё равно. И как мы им завидовали (мы были на земле).

Но лучшее — когда шли обратно. От этой воли, тишины, безлюдья и красоты всё становится ясным, глаза смотрят, голова работает, чувства живут — ты становишься художником и хочешь только писать, только писать. Всё это родное и близкое, как у Левитана, написать по-другому, чем у Левитана. Так именно, как тебе хочется. Наивней, может быть, и сильнее. Где-то чёткий контур подчёркивает силуэт.

<22 апреля [1964 г.]>

Дождик... Стояли ясные тёплые дни. Было очень тихо. Я ходила по улицам и вспоминала Пушкина: «С улыбкой ясною природа сквозь сон встречает утро года». Всё было застывшее, как во сне, — и жёлтая трава, и тихие кусты, и голые корявые стволы деревьев в истоме просыпающихся великанов. Они напоминали великолепные спящие фигуры Микеланджело. Столько в них было внутренней силы и красоты. Что-то было сказочное в этом ещё не проснувшемся мире, как в «Спящей красавице».

Вокруг города вились дымки — это горела трава — их было много, и они слегка прижимались к земле, ползли на восток, всё же было чуть ощутимое слабое движение воздуха. Было грустно смотреть, как они незримо несли смерть ещё не проснувшейся земле и, отступая, оставляли за собой очень чёрные, далеко видимые пятна. Особенно сильно горели луга, не залитые сегодня рекой. Вода не вышла из берегов, никто даже не заметил, когда прошёл ледоход. Не слышно было ни треска, ни грохота. Река не швыряла на покорные берега громадных шуршащих льдин, чтоб через несколько часов подлезть и понести их в разливе (мы видели это). Часам к трём потемнело, как в сумерки, и пошёл дождик. Откуда-то взялся живой и душистый ветер. Он запел под крышами свою нежную песню о весне, о лете. А мокрый асфальт ловил все ветки всех деревьев и повторял их такими красивыми, какие они не были на самом деле. По лужам бегала очень маленькая девочка в красных штанишках, и казалось, она только что появилась где-то под кустом. Дождик был тёплый, и воздух был тёплый, и хотелось уйти из города, и далеко брести по мокрой тропе, и слушать, как шумит под каплями берёзовый лист, как брусничные веточки отливают изумрудным глянцем.

<Май 1964 г.>

Поезд, чудо-поезд унёс нас из города в ещё не проснувшийся весенний мир. Унёс от забот, унёс от груза лет. Нам опять 18 лет. И вот мы идём по жёлтой тропе. Навстречу нам солнце, и ветер, и беззаботность. Раздольная, ни с чем несравнимая беззаботность и счастье жизни. И мне вновь и вновь кажется, что жизнь дана нам как незаслуженная радость. Я опять верю Толстому.

Мы проходим нарядный посёлок и идём по железной дороге. За нею открывается далёкая мглистая равнина и синие дали, и дали эти зовут и манят, и нет сил противостоять этому зову, надо идти, идти всё вперёд, спускаться по незнакомой дорожке в лиловую глухомань, пробираться по болотам, выходить на большие дороги, сворачивать на просёлки в берёзовые прозрачные леса.

Дует отчаянный весёлый ветер, шуршит земля, шуршит трава. Жаворонок вьётся, вьётся и звенит, как ручей.

Усталость, ветер, одиночество делают нас счастливыми. Мы устраиваем привал в редком лесу на пустом бесцветном прошлогоднем листе. Он ещё совсем мёртв, даже трава не пробивается. Очень сухо.

А потом поворот и старая дорога по берёзовому краю: Вся светится, по дороге лежат прозрачные светлые тени. Ещё свежие пушистые пашни, как шоколад. Кое-где маленькие ёлочки, такие зелёные и свежие, как будто их кто-то сюда только что посадил.

Всё ниже дорога, влажнее земля. И вот ложбина, которую мы знали так хорошо, но не сразу её узнали. Трава уже пробивается, на почки только вблизи глядя видишь зелёный наклёвыш. Но дальше, дальше. Наши этюдники сегодня не пригодятся. Нет сил остановиться. Берёзы здесь очень белые, очень тонкие и нежные. Они прямыми шеренгами пересекают поле, а между ними на очень светлой земле маленькие сосновые дети. Очень тёплого зелёного цвета.

Мы сидим на поваленной посередине дороги толстой берёзе. Лес кругом глухой, кажется, что нет ему края. Стволы замшелых берёз и густого молодого ельника. Высоко в небе лиловая сетка веток. А внизу сумрак. Очень спокойно, и хочется бесконечно долго сидеть.

Поют много птиц. Вот трель дробного свиста — длинная и нежное замирание, похожая на соловья, но без вариаций, затихнет — и опять. А рядом нежный тихий свист, как вздох. И ещё еле уловимый вздох вдали. И просто вскрики и писк. И просто лепет, не поддающийся описанию.

Ах, как не хочется уходить, как хочется продлить этот миг бесконечно. И слушать, слушать. Смотреть и дышать.

Вот здесь дорога шла через такие высокие берёзы, что вершины их сходились в высоте. А стволы нежно голубели и зеленели, полные отсветов. Это была аллея мечтаний, мы мечтали её написать, но робели перед её совершенной красотой. Теперь её нет. Пустая квадратная вырубка, и даже всё аккуратно вывезено в город топить печи. Мы видели, как ещё зимой пилили и возили. Город нечем было топить. Кто в это поверит? Горько это. Вспоминается Астров из «Дяди Вани», который ещё тогда пытался убедить, что топить надо торфом, а не дровами, что лес нужен человеку. Но берёз нет.

На каждом шагу следы уничтожения. Весной это беспощадно видно, как обрубленные пальцы. Всё лето природа будет залечивать раны. По берегу маленькой речки обрублены ивняк и кустарник. Берёзы и осины спилены тут и там. А там нет великолепной сосны. Не дают лесу развернуться. И он беднеет и обессиливает. А то просто сломанный и брошенный молодняк. И всюду горелая трава и обгорелый молодняк и кустарник. Особенно тревожно это выглядит вечером в поезде. Резвый огонь перебегал с места на место, и полосы чёрного, обгорелого всё ползли и ширились. Сизый дым лежал, как туман, и застилал всю долину от болота до болота.

Стояла сушь и ветер. Вырастет ли здесь трава?

Помню, как пили берёзовый сок. Это было почти сладострастно, как поцелуй.

Путь был далёк и сделал нас беззаботными.

Опять деревня на берегу реки. Жёлтые берёзы. Изменчивая вода — то светлая, золотистая, то серо-лиловая, нет ни зелёного, ни синего в природе. Тишина. Покой. Забытые сараи на фоне тёмной воды. Отражения кустов и голых ив в неподвижной воде и соловьи на заречной стороне. Тёмные изваяния рыбаков. И надо всем тишина, высокое золотистое небо. И жаворонки. Они точно бьются в стекло — в купол неба, чтобы вырваться из плена земли, и, обессилев, падают на землю. Величественный прекрасный полёт коршуна, которого никто не боится. Жаворонки звенят в небе, как малиновые колокольца. Их вдруг перестаёшь слышать, как журчание воды. Мальчишки бредут на рыбалку, мужики возвращаются с сетями. Баба идёт по воду. Даже в праздник всё разумно.

Далёкая жёлтая дорога, а кругом березняк, пашни, луга. По ней тёмные фигуры богомолок. Эти фигуры, идущие в церковь, как бесконечность, как сама земля. Как история нашей Руси. Церкви на бугре, за косогором, возле леса. Их колокольни как стрелы, устремлённые в небо. И сколько они говорят сердцу русскому. Сколько красоты и неотъемлемости от русского пейзажа.

Много грусти в нашей природе, но бесконечно грустна весенняя пора. В самой её светлости, в отсутствии ярких красок, в тишине и неуловимости столько грусти, столько жалости за суровые испытания зимы. Она как больная после тяжкой и длительной болезни. В ней всё ещё надежда, всё трогательно и грустно.

И сколько нежности, тепла и красоты в голых ветках, в берёзовых нежных стволах, в жёлтых пашнях, в суровых, невыносимо ярких зеленях.

А у нас в большинстве своём не знают, не любят и не понимают нашей природы. Не ценят её красоты. Часть ломает и кромсает её, большая часть просто равнодушна. Городской изуродованный обрезанием тополь дороже им, чем берёзовая поросль.

Эх, а до чего же хорошо, когда вдоль дороги вьются и разбегаются тропки, и берёзовые перелески сбегают с

косогоров, и кружат замешкавшиеся ёлочки! А в больших
лесных лужах сияет вся глубина неба, с такой силой и
чистотой, как будто песня звенит. Это всегда прекрасно —
и в ночи лунные, и в туманные утра, и в ослепительные
дни, и в сумеречные светлые вечера.

Я никогда не устану петь о тебе как умею, как могу.

<29 мая 1964 г.>

Товарищи, люди! Что же делать! Я падаю, и знаю это и
не могу удержаться, как в страшном сне. Я не могу работать. Надо уезжать, чтобы остаться жить. Плачет небо,
плачет земля. Слёзы небесные застыли на наших окнах,
окнах тюрьмы, которую сделали себе люди. И душа моя
закрылась для счастья. Душа моя одинока, как далёкая
звезда в ночном небе.

Цепелёво: сараи с отражением, двигающийся паром,
или стадо, идущее вброд. Паром с людьми. Стог с косилкой
и деревом, освещенный солнцем, пасущаяся лошадь, под
деревом отдыхают люди (конец работы).

И ещё был у нас курьезный и совсем не «взрослый»
инцидент. Цыплёнок, совсем ещё маленький, сломал себе
лапу. Казалось, она выломана в коленном суставе и совершенно болтается. Он лежал на земле и пищал и не мог
догнать наседку.

Вечером мы вырезали палочку, чуть согнутую, и сделали этому несчастному ребёнку подобие лубка с плотной
перевязкой. Почти три недели он жил в корзинке и был
каждодневной моей заботой.

За три недели цыплёнок здорово вырос, и, снявши
повязку, мы увидели худую, тощую лапку, чуть не вдвое
тоньше здоровой. Он очень хромал, но был счастлив, что
может ходить по земле и щипать траву.

Но, оказывается, несчастия его только начинались. Его
били все: били цыплята, била наседка, били куры, даже
котята гонялись. Он залезал в высокую траву и простаивал
там часами. А потом, пробравшись во двор, сидел неподвижно
в самом тёмном зловонном углу. Плохи были дела у цыплёнка. Я вновь его приучила к себе, к своему голосу. Нещадно
разгоняла всю куриную свору. Кормила. Выносила на траву.

Сажала на ночь в удобное место. Куры при виде меня разбегались, а цыплёнок чувствовал, что есть на свете добро, и это придавало ему силы. На моё негромкое «цыпа-цыпа» он вылезал откуда-нибудь из-под дров и, забравшись на колени, радостно клевал из рук. Короче говоря, когда недели через две мы вновь приехали в гости, цыплёнок, хорошенький и статный, ходил законно по своей земле, со всеми клевал. И главное: сразу узнал меня, вскочил ко мне на колени и своеобразно выражал ласку, дергая клювом за платье. А видя меня на улице, бегал за мной. Смешно, правда? А вспомнить о нём тепло и приятно.

<Апрель 1964 г.>

Соловей на дереве. Озимые и снег. Река как японские гравюры — лодка. Озимые и голубой снег.

Далёкий-далёкий путь под сумеречным небом, в лиловой гаснущей дали. Вот в такие вот сумерки мне чувствуется, как велика и роскошна наша земля и как кругом её охватывает ещё более необъятное небо.

В голом безлистном овраге нежные и негромкие ещё соловьи. Пролетают птицы молчаливыми взволнованными стаями. Они не могут уснуть. Земля под ними совсем тельная, небо под ними светится последним вздохом дня. А мы идем по бесконечной земле. И кажется, так можно обойти много-много дорог, много далей.

<28 мая [1964 г.]>

Деревня. Ветер. Тишина подветренной стороны. Дом как крепость. Поезд. Ворона. Дети машут нам, и я им отвечаю. «Здравствуй, лес!» Птицы. Берёзы. Корни стволов. Зеленя голубеют. Розовые дорожки. Чистая-чистая трава. Медленно входит в душу жизнь. Тяжело от сознания своей немощи. Забыть себя и радоваться радости жизни, а не своей собственной.

Когда даёшь себя приручить, потом случается и плакать. — Экзюпери.

У неё были самые настоящие кошачьи глаза. Но не кошачьи зелёные глаза с щёлками, вместо зрачков, а как у людей, когда говорят, что у них кошачьи глаза, с коричневыми крапинками по всей радужной оболочке, сгущаясь к краям, и с большим круглым зрачком. И оттого, что зрачок был круглый, глаза казались доверчивыми и ласковыми. Она была совсем как большая кошка, только маленькая, как иные девочки бывают совсем как маленькие женщины. И потому её называли кошечкой. Я пишу о ней, чтобы как можно дольше сохранить её в своей памяти, так как она находилась у нас всего несколько дней и память о ней, как и всякая другая память, быстро сотрётся.

Главное не заглядывать в глаза, если не хочешь привязаться. Тогда протягивается невидимая ниточка, и ты уже связан друг с другом. И уже бывает больно разорвать эту ниточку. Отчего говорят: они привязались друг к другу. Так и я привязалась к маленькой кошечке, когда заглянула ей в глаза. Она сидела, вся уместившись на том маленьком кусочке, между перилами и ступенькой, куда я загнала ее утром. Она, наверное, решила, что это единственное место, где можно сидеть. Уже темнело. Но в полутьме я разглядела её, и сердце моё сжалось. И с утра до этого часа сумерек прошло много часов. А она всё сидела, не шевелясь, и два кусочка хлеба лежали рядом. И мне стало как-то не по себе. Я сказала ей: «Ты ещё здесь?» Она поднялась и, перебирая лапками, запела так громко, заглядывая мне в глаза, так ласково, как будто ей уже совсем хорошо и ничего не надо. Как будто мы давно уже с ней знакомы и я никогда на неё не кричала. Ну прямо как дети.

А случилось это так: В. утром вышел на площадку и увидал кошку. Он стал гнать её и стучал палкой по перилам. От страха она забилась в ящик и непрерывно кричала. Наверное, её охватил ужас перед неведомым и неотвратимым.

Мы пустили её в дом. Надо было видеть, как она пела и перебирала лапками, сжимая и разжимая ладошки, ей одной понятными зигзагами прохаживаясь по полу. Ей непременно нужны были люди. Без них ей было скучно, не хотелось играть, а хотелось залезть туда, куда нельзя. Но люди вокруг оказались холодными и жёсткими. Её не пускали в комнаты, её ругали за то, что она лазила на стол и на батарею. У неё был только стул, тряпочка под стулом и игрушка — мышка, привязанная к ножке стула. И она набрасывалась на мышку, играла с ножками стула, обруганная, отовсюду выгнанная. Она совсем была ещё ребёнком и, как все дети, быстро забывала горести и легко переходила в выдуманный ею, вымышленный мир. Спала она на стуле, согревая собою холодную кожу, или на полу, на тряпке, прижавшись спиной к шкафу.

Её почти не гладили — боялись, что грязная и чем-нибудь заразит, и она очень этому удивлялась, тянулась мордочкой и лапкой, ожидая ласки. Трудно найти более ожидающего ласки живого существа, чем она. Для неё это было важнее еды.

Скучно ей было жить, и часто за её весёлостью я замечала грусть и недоумение. Чтобы не грустить, она всё чаще ложилась спать, и на большом стуле одиноко лежал свернувшийся комочек. Когда я к ней наклонялась, она сквозь сон издавала звук, похожий на вздох и на восклицание, высовывала розовый носик, как будто улыбалась и как будто хотела сказать: «Ах, пожалуйста, не будите меня. Мне так хорошо, когда я сплю».

В первый день было совсем хорошо, но на следующий день пошли огорчения за проделки, которые взрослые не могли понять, и кошечка значительно погрустнела.

Она всё больше сидела под своим стулом и не выбегала на каждый шаг. И каждый раз словно хотела сказать: «Ах, боже мой, как вы можете сердиться, когда я такая славная и мне так мало нужно, чтобы было хорошо и весело».

Но люди сердились больше и больше и хмурились. И почти никто — кроме меня — с ней уже не разговаривал. На третий день она стала провожать меня в коридор до комнаты и прятаться за холсты, предлагая поиграть в прятки. А мне было некогда. Правда, а почему взрослым совсем всегда бывает некогда поиграть?

А вечером мы её отдали. Перед этим я пустила её в комнату. С какой осторожностью и любопытством она вошла! Комната ей показалась очень большой. В следующую минуту она уже сидела на кресле и осторожно лапкой трогала ветку лимона и долго смотрела, как он двигался и замирал. Наверное, соображала — как тут пристроиться поиграть. И мне становилось всё более жалко отдавать этого весёлого ласкового ребёнка, так оживившего наш дом. Я ещё не научилась понимать, что она говорит, поэтому не могу передать это здесь. А разговаривать она очень любила. Она умела становиться на задние лапы и, задумавшись, поджимала передние, ну совсем как заяц. Несколько раз я её наказывала, но не лупила — не могла я этого.

Один раз сняла с батареи, на которую она ходила через стол. Взяла за шиворот и держала, высоко задрав. Она висела очень покорно и тихо, но, как мне показалось, совсем без страха. И очень быстро поняла, что это — за батарею, и старалась соскочить с неё, заслышав мои шаги. Но, правда, за украденную селёдку мне хотелось дать ей затрещину, но она так быстро промчалась у моих рук, что мне не удалось и дотронуться до неё. Очень сообразительная была кошечка.

Перед самым расставанием я решила её немного подчистить. Принесла блюдца с водой, посадила на стул и стала протирать глазки и рот. Она не ожидала подобной ласки, удивленно вертелась, но всё же была довольна, что ею занимаются, трогают ей уши, тормошат мордочку.

У меня даже не осталось ее фотографии, и только памятью служит тряпичная мышка на верёвочке, которую я берегу.

Да, я забыла рассказать, какая у неё расцветка: у неё были белые лапки, нос и грудка и большие красивые уши. Белые усы. Но лучше всего все же были глаза — совсем как у кошки и почти человечьи.

А теперь ей хорошо. Она живёт у ласковых людей. Спит на постели в ногах у хозяйки, и любимая её игра — с разбегу броситься на штору и, уцепившись получше, раскачиваться на ней.

* * *

Это чудо. В этом есть нечто божественное. И каждая мать чувствует бесконечное радостное удовлетворение перед совершившимся чудом. Перед младенцем. И старушка, глядя на своего пожилого сына, испытывает то же радостное удивление свершившемуся чуду, через неё. Вот почему в женщине больше творческого начала. И это чудо может сделать каждая, и это истинное чудо, не шедевр, картина, а чудо, подобное богу, творившему мир. Пришла Н.С. У неё родила жена сына. И она все-таки стала причастной к этому. И в глазах, особенно в глазах, появилось что-то материнское. Говорили обо всём (о литературе), а «это» светилось и присутствовало.

Бывает и так: города — мечты, о которых много знаешь, много прочитано, рассказано, о них мечтаешь, как о прекрасных книгах; бывают города — отмечаешь по карте, но бывает и так: едешь мимо и видишь старинный профиль церквей и монастырских стен, строгий силуэт куполов на валу и прилепившиеся домишки к нему и больше о нём не знаешь и знать не хочешь, а он становится близким и желанным. Так и среди людей.

Но случается, что ездишь несколько лет мимо, а потом вдруг самый смешной случай — и ты житель этого города. Так было с нами. С окраин Севера, с Урала мы копили в себе такую любовь ко всему русскому, что Владимир как-то вдруг воплотил в себе, собрал все мечты. И даже если он не отвечал всему, надо было выдумать, но не отказаться. Мы остались жить в нём на самом переломе лет. У нас не было никого, но мы были вдвоём и нам было от всего весело и радостно. И даже опасения жительства были только опасения, которые не заглушали радости. Мы хотели — Россию, и она, казалось, всё нам должна дать. Мечтать и <u>желать</u> — это ужасно важно.

* * *

Бывают минуты, когда вдруг со страшной ясностью видишь свою жизнь. Эти холодные беспощадные минуты случаются особенно по утрам. Вдруг проснувшись. Ясно и страшно, что вся эта жизнь с её мелкими заботами бессмысленна, страшна и губительна. Губительна для того внутреннего смысла жизни, который ты считаешь важным. Сердце и ум наполняются тоской. Как в дурном сновидении, пытаешься столкнуть с себя эту тоску, но бесполезно. И ум перечисляет неумолимые доказательства противу твоей жизни. И ты полон готовности всё перевернуть. Но начинается день — и ничто не меняется. И ты пытаешься заглушить этот голос в разговорах, в вине, в лучшем случае — в работе. И опять чего-то копошишься, делаешь не то, что считаешь нужным и важным, а что считается нужным и важным всеми. Как хочется отвернуться от всего этого мусора, тряпок, мелочей.

Временами с завистью смотришь, как другие пошли по общему руслу, и здесь только не надо думать, и все будет, хорошо.

Когда мы начинаем ходить на работу, мы разрешаем себе роскошь вечерами читать интересные хорошие книги. И это так необыкновенно хорошо — усесться в кресло под лампой и будто слушать разговор. Тонкие умные люди, как Сэлинджер, Экзюпери, рассказывают тебе свои мысли. И ты умнеешь, молодеешь от соприкосновения с ними. Ты даже на столько-то лет возвращаешься назад, когда верил в возможность счастья и ума для себя.

А ещё мы разрешали себе роскошь хорошей еды. И это тоже очень приятно — как будто игра в хорошую жизнь.

Всё это как компенсация за ту нелепую работу в каком-то гараже от легковой машины под не смолкающий шум мотора — раскрашивание на щитах автомашин и букв. Ни мыслей, ни эмоций — одно ожидание конца дня. Нет, неправда. Иногда даже удовольствие от самой работы, если всё ладится. Удовольствие что-то делать и не думать при этом, не решать.

<14 октября 1964 г.>

Когда я умру, ничего этого никому не нужно будет. Кто-то, торопливо читая, будет рвать листки, частицы моего сердца, чувств, отделываясь от воспоминаний и мыслей, но без этого я буду ещё несчастней и умру ещё скорее.

Я растерянна — как выразить, какими словами передать, в чём изобразить эту сказку, поэму, этот гимн красоте — нашу осень. В чём и как всё это соединить, от печальной берёзы до далёких лиловых лесов, с серым небом, каждый клочок которого поёт как струна. Потом всё это перекрыть сеткой голых схлёстанных веток со сгустками красных пятен рябины и устелить жёлтым и чистым листом. Там есть бугор, поросший берёзами. В такой золотой клетке Есенин писал своё «Отговорила роща золотая».

«Каждый век, приобретая новые идеи, приобретает новые глаза». — Гейне

<7 октября 1964 г.>

Октябрь стоит светлый и ясный. Тихие полусолнечные дни. Опадает последний лист. Сохнет трава. И редеет до густых вишнёвых тонов кустарник. Невольники своей работы, мы живём мимо самого главного, мы упускаем то, чего нельзя упускать! В старину творцами были люди странные, обездоленные, в рубищах. Они не укладывают-ся в рамках обычного. И так и надо. Условности довлеют над нашей волей, условности и избалованное тело. То, что называется опуститься — есть единственный путь возвы-шения. Но время идёт. <u>А МЫ СЛИШКОМ МНОГО РАБОТАЕМ, ЧТОБЫ ДАЖЕ ДУМАТЬ</u>. Опустошается душа, и мозг, и воля. Это лишено смысла. Как это изменить?

<21 октября 1964 г.>

Луна нынче светила так ослепительно и ярко, что радостно было смотреть на неё. А с вечера она, неесте-ственно большая и жёлтая, будто изнутри излучающая свет, поднималась из-за дома, и небо вокруг неё было свет-ло-тёплое. И всегда в эти минуты мне вспоминалась дерев-ня с одиноким домом и из-за чёрного плетня блеск луны — необычный и неестественно яркий, каких никогда не бывает в городе.

Если проследить свой день с самого утра с его мелкими делами и заботами быта, ухаживанием за своим телом и предметами, без которых нельзя обойтись, включая сюда работу, нужную постольку, поскольку она оплачивается и дает возможность опять-таки умножать заботы о теле своем (еда, одежда, удобства жизни), то открывается кар-тина страшного изнуряющего расходования энергии, духовных сил, растрачиваемых попусту и некомпенсируе-мых так как растрачиваются они не по назначению. Свободным остается только поздний вечер с 10–11 часов, но к этому часу переутомлённый и раздражённый неинте-ресными раздражающими делами ум не способен воспри-нимать духовной деятельности, которая живёт в тебе с утра, которая, как роса в засуху, питает твои чувства и душу, но высыхает в течение дня, не давая ростков. Значит, должна быть гроза, ливень, чтобы пустить в рост её внут-ренние силы, живущие внутри, как побег, из которого может развиться наверх мощная ветвь.

* * *

Страшная катастрофа — гибель мира, как будто мощ-ный взрыв, выкинула её из привычной затянувшей колеи жизни, (и с высоты своего одиночества и горя) и с этой высоты через образовавшуюся пустоту она с страшной отчётливостью увидела свою жизнь со всеми её путаными извилинами, закоулками, мусором. Как пилоту видится земля с ленточками рек и бугорками лесов, так она увидела и легко прочла карту своей жизни. И первый раз за всю жизнь непонятное, путаное (как дорога в лесу, где цепляешься за каждое дерево) стало для неё ясным и понятным путём, приведшим к трагедии. Она с высоты видела свою жизнь с самой молодости, и института, и первого знакомства, и громадной непонятной удивляющей её самою силой счастья и любви и начавшейся бедой.

Когда это случилось — пришёл домой страшный чёрный человек — с исковерканным водкой, непохожим на самого себя лицом, — она никак не ожидала этого. Это был не уличный скандал, когда прохожий пьяница бросает в тебя матерной руганью и ты оскорбляешься, ищешь защиты дома — это был её дом и самый близкий ей человек, и защититься ей было не у кого.

В его несвязных оскорблениях было страшно мутное желание оскорбить и унизить, злоба затемнённого мозга, в котором мелкие обиды слились в одно дикое желание — отомстить.

Он бросал вещи, швырял предметы — на, возьми, получи. Было страшно, что такая беда, раз придя в дом, может опять и опять повториться, что ничем она от неё не защищена. И никогда уже не может быть вполне спокойна и счастлива. Это случилось после самых счастливых, радостных дней отдыха и веселья. И что самое страшное, что он был не он, что он почти не помнит, а тем более не чувствует оскорбительности происшедшего, а она не может забыть всего стыда и горя. И знает, что единственный выход — уйти, но сделать этого не может — это слишком страшно и нелепо.

<25 октября [1964 г.]>

Скрипит дерево об дерево, как будто кто-то открывает большую дверь. Кто-то входит и выходит постоянно. Лес прозрачный и лиловый. Слышны выстрелы, лай собак и удары топора. Берёза — точно большой кистью положены белила.

Вчера ходили по новой дороге на Братонеж. Эта деревня вырастает перед нами постоянно как в сказке (так неожиданно) и имеет необычайную звонкую красоту нетронутости молодых порослей и светлого озера. Дома и стога теснятся по склону к озеру, и всё это как бы нарочно скомпоновано только нами. Нет нигде такой своеобразной гармонии.

<[Декабрь 1964 г.]>

Декабрь месяц. Тёплый южный ветер. Голые тротуары и силуэт веток под ногами, мечущийся на ветру. Весна. Но не веришь ей, и нету радости. Так и в жизни — не вовременные радости не радуют, оставляют в недоумении.

Видела «Русский лес». Глубокое волнующее впечатление. Захотелось, подобно Вихрову, пересмотреть, проверить свою жизнь. Что же произошло?

Смотрела и наполнялась силой. Бесхитростный и большой силы человек. Вот так прожить жизнь. Нет, даже не эти мысли, мысли о том, что сила леса для меня всегда была одной из самых волнующих, непреходящих. Самое исконно русское от Толстого до крестьянского мужика не может существовать без леса. И это русское, однообразно широкое, может быть, обогащает меня. Как можно копошиться в мелочи, если не удаётся жить большой жизнью, надо говорить о большом, надо знать о большом, надо любить всё, что есть большое. Русский лес и человек, рядом вместе это громадно и неразрывно. Идти навстречу своему страху.

* * *

Лунная ночь. Две тени звериные на снегу. Красота ночи, точно картины. Все впечатления выпуклы и художественны. Высокое мастерство гравюры создалось от этих ночей. Тени снега на заборе и на досках.

«Как чисто на воле!» — это я воскликнула, выйдя на крыльцо. Белая чистая зима стояла вокруг. Самые неприглядные вещи, которые летом никак не отмечал глаз, оказывались глубоко художественными и прекрасными: и переплетённые голые ветки черёмухи, и поломанный забор, и старые дрова, очерченные поверху снежным стартом. Поленница дров, забор, сарай стоят на фоне снега. Снег лежит на всех выступах и карнизах и, как на гравюрах, подчёркивает все предметы. Пятна цвета поют, как только что положенная краска на белом листе бумаги.

Просто белый снег, просто серое небо и чёрные, иссиня-чёрные голые ветки. Даже галок нет. Чем же это волнует нас, чем же трогает за сердце? Может быть, именно простотой и похожестью на детские рисунки, которые нас волнуют неповторимостью и непонятной для взрослых простотой изображения. Простота и ненатуральная наивность окружающего — вот что главное в природе зимы, преображённой белым. Так и писать надо. Всплески кисти — голые ветви, сгустки краски — дома, жгучие бордюры лесов и кустов. Положил белил на забор — снег. Махнул серым — небо.

Я ходила удивлённая вокруг дома: а почему же мы не пишем? Так всё хорошо и просто.

<[Конец 1964 г.]>

Суздаль. Боголюбово. Собор на Нерли.

Сижу в клубе. Радио о чём-то толкует. Вдруг рояль. Новизна и чистота большого помещения. Случайность и новизна обстановки всегда приводит меня в состояние лёгкости и радости существования. Как будто в кино, кадры из окна, выпуклы, художественны. Снег, забор, перспектива домов — чужих, увиденных впервые. Голуби на карнизе, женщина за забором чистит снег, кажется, они живут одинаковой органической с природой жизнью. Хочется пробраться в каждый дом и подсмотреть эту жизнь. Ты сам как зритель отчуждён от быта, от желаний, ты только зритель, как в театре.

Тишина чёрного большого помещения и удивительно покойно — дома так не бывает никогда. Цвет некрашеного дерева, фанеры — чудно жив и пластичен. Очень живописен, оставаясь локальным. Так можно в живописи попробовать как приём любое пятно.

<[Январь 1965 г.]>

Новый год. 1965-й. На улице метёт тёплая пурга. Южный ветер дует в окна. Ходят люди, довольные и неторопливые. Все хотят быть счастливыми в этот день. А в нашем саду чёрные липы обводятся белым бордюром по стволам и веткам, и много, много снега. Я черпаю рукавичкой снег и рассыпаю его. Он тоже очень добрый сегодня и совсем не жжёт. Мне тоже хочется быть счастливой, я хожу и улыбаюсь, как эти чужие люди. Мне кажется, они по-настоящему довольны и не притворяются, и у них всё хорошо.

Хочется со всеми здороваться и поздравлять с Новым годом, как в деревне. Эх, в деревне сейчас хорошо. Бело и мглисто. И так покойно. Не надо бежать в магазин, всё, что дома есть, всё твоё. Печка. Тёмный двор, куры толпятся у двери, и коза Розка, привязанная за рога, жалобно кричит, как только войдёшь, — она просит хлеба. Да и просто ей скучно и тоскливо.

Самое тяжёлое время для нас — это начало зимы, ноябрь и декабрь, когда на деревьях не остаётся ни одного листа и они все свои чёрные ветки устремляют к небу. Помню не рассветающие дни, они всё убавляются и убавляются, и нет никакой надежды, что это прекратится. А потом всё закроется белым, как могильный обряд, и нервы не выдерживают ожидания. От тоски и отчаяния некуда деться, потому что природа исчезает. Ты как будто без воздуха, его неоткуда глотнуть, потому что всё умерло. А до весны так далеко. И только с Новым годом появляется надежда, что весна всё-таки придет. И как я ни убеждаю себя осенью — надо потерпеть — всё начинается сначала каждый год. Каждый год умирает кто-то близкий, нужный, знакомый и дорогой до трепета, а рождается кто-то другой. И горечь этих утрат за жизнь накапливается всё большим грузом, и его всё трудней скинуть, чтоб встретить новую любовь, чтоб встретить новую весну. Мне всегда очень больно расставаться с минувшим летом и осенью.

Все синицы с нашего двора слетались к нам. У них были прозрачные голоса, как будто звенели где-то хрустальные подвески. Голоса как стекло или весенняя капель. Они клевали мясо, вывешенное за окно, и становились очень смелыми. У них были чёрные головки, шарфики и строгие чёрные галстуки через лимонный жакет. Было очень холодно. Все синички сидели на окне, и голоса у них стали совсем прозрачные и тихие, как далекий перезвон, как постукивание сосулек при входе во дворец «Снежной королевы». А вслед за синицами, когда солнце совсем встало, появилась целая орава воробьев, и они затеяли драку. Когда отогреются, непременно подерутся. И подняли страшный галдёж. Только и слышно вперемежку постукивание клювами, и писк, и «чевик».

Мужики говорят: «Леший баню в лесу топит», — когда весной пар идёт

Пришвин пишет свои поэмы о природе как знаток, как исследователь. Он может объяснить каждое явление.

Не так мы, художники. Сокровенность жизни природы открывается нам между тяжёлым сосредоточенным трудом. Радость подсмотренного чуда равна не радости театра, а буквально радости чуда, которую испытывают ещё только дети, когда находят новое.

Увиденный заяц, работа муравьев, деловитый стукач-дятел — это как вспышки света. Это как будто постигаешь два искусства — искусство красок (и пластики, широких и больших) и искусство поэзии слова в маленьком и чудесном. Фокус зрения то суживается до бесконечности, то расширяется.

Но можно же удивляться и радоваться, как чуду, вдруг открывающемуся тебе в пути.

За рекой подымалась туча густого тёмного цвета. Небо от неё становилось громадным и вставало боком, река вся замирала, делалась иссиня-чёрной, лиловой. Странно светлели берега в этой тёмной кайме, а песок и дома казались ослепительно светлыми: Томительно долго шло её наступление, пока завеса тёплого душного воздуха не пускала её, затем туча начинала дышать, и вдруг что-то срывалось в ней и стремительный ветер срывал всё на своем пути, поднимал весь песок с дороги и берега и перебрасывал через деревню, нёс в поля. Ветлы взвивались светлыми всплесками, туча синела и становилась мертвенно холодна и страшна. Шёл ураганный ветер.

Так вот написать момент этого наступления тёмной громады, когда все краски в природе перевернулись.

<5 января 1965 г.>

Снег, снег и снег. Идёт с утра, Вьюжные светлые тени перебегают по сараю. Как белые приведения.

Это была большая, светлая комната с тремя окнами. На третьем этаже. У стен стояли яркие плакаты. Невообразимый беспорядок. Нагромождённые и перевёрнутые стулья.

Я приходила сюда как в свою мастерскую, и мне было очень хорошо от тишины одиночества. Как только вступала за порог, мой душевный камертон настраивал меня на размышления, нет, вернее, на какую-то удивительную способность фантазировать и внутреннюю возможность творить.

Синие сумерки за окном. Они возникают внезапно и внезапно гаснут. Они как аромат цветов. Надо всё бросить и бежать к ним навстречу в эту преображённую улицу, где всё поёт и звенит, где голубой снег и голубое небо и никаких теней. Но я хожу по дому, и в эти синие сумерки непременно находятся дела — мелкие и ненужные, но их надо сделать. Я стараюсь побыстрей их сделать и всё поглядываю в сияющие синевой окна. Они становятся всё гуще и красивей, как разрастающийся мыльный пузырь. И всё-таки я не могу поймать момента, когда сумерки погаснут. Я смотрю — за окном темно и скучно. Ах, я опять опоздала всё бросить и выбежать на улицу на этот миг счастья. (Это у меня с детства.) Мыльный пузырь — прекрасный сказочный образ.

<Январь 1965 г.>

Я не берусь спорить о рациональности и разумности вырубок и засаживания их сосенками, всё это легко доказать.

Я знаю только одно твёрдо, что не только мне, но и следующему за нами поколению не дождаться такого леса, таких высоких, таких стройных, белых, воспетых всеми берёз, такой удивительной светлой глухомани, которая в час рассвета переносит в страну детства и счастья, как бы тяжело вам ни было. Что это аккумулятор, до отказа заряжённый энергией, силой, волей к работе, которыми обогащается каждый, кто прожил там день.

И никакие деловые высаженные рядами сосны не заменят вам бесполезных и красивых берёзовых рощ, неожиданных и прекрасных групп, которым позавидовали бы мастера прошлого, занимающиеся разведением садов, молодых белоногих подростков — берёз вдоль светлой тропы, бог весть откуда взявшихся и выросших среди озимых полей, это всё уйдёт безвозвратно, и люди горько будут жалеть, черстветь и забывать. Можно ли говорить о бесполезности красивого человека?

В лесной деревне крестьяне говорят: «Да что вы — они сами растут, сколько ни руби». И действительно, вы видите, как берёзовый строй занимает оставленное под парами поле и мелкими шажками младенцев наступает на отступающие отмели. Запас невероятной энергии заложен в этом зелёном царстве, но есть и предел, перейдя который лес неумолимо отступит, обезлесиваются деревни, исчезают остатки жалких кустов. Это значит, сила его иссякла.

И сколько ни уверяйте, я не могу привыкнуть и внутренне не содрогнуться, когда вижу грузовики с аккуратно сложенными четвертованными стволами, везомыми, чтобы быть сожжёнными ненасытным драконом — городом. Ива средняя растёт 30 лет. Наша привычка верить в разумность распоряжений лишает нас критического подхода.

Причем выбираются самые большие и удобные для вырубки участки леса, а не болота, где это можно оправдать. Фотографии здесь бы много показали.

<11 января 1965 г.>

Церковная живопись удивляет своей пластичностью, чистой красотой красок. Художники отыскивали для святых особый мир, особую красоту, в которой не мог жить и существовать человек, и изображали их не в психологии ликов, а в дивном сотканном из красок условном мире, в котором могли жить только святые. А теперь мы удивляемся силе красок, тонкому вкусу и благородству художников. Они искали красоту нелюдскую.

Подвал был так глубок, что я испугалась и, прежде чем спускаться, ещё раз спросила, кто там живёт. Подвал был так глубок, что лестница спускалась круто вниз. Спичка осветила во тьме еле намеченную дверь на дне колодца. Я никогда не спускалась в такой подвал. Сбитые полузасыпанные снегом ступени. Чернота и яркий квадрат двери в снежную ночь. Она светилась (это когда тухла лампочка). Дверь стучала глухо, не как наверху. Наконец, её открыли. Два тёмных тамбура. В комнате было очень тепло и влажно-тяжко. Я была поражена такой тяжкой запущенностью и чем-то страшным, как от подземелья. Квадратная, не очень низкая комната. На полу, напротив двери, на каких-то собранных одёжах лежал мальчик-подросток. В головах подобие тёмной подушки, и на нём много всяческих одежд. Ничего — ни простыни, ни одеял. Пухлое лицо, щёки горят. Волосы очень светлые. Видно, что болен.

В головах — громадная, страшная, будто разрушенная печь кверху конусом. Кирпичи прокопчённые, чёрные, полувывороченные (на картине это показалось бы невозможным). В её чёрном чреве — страшный чайник.

Голые стены — непонятно, крашены или нет. Вверху под потолком два квадратных отверстия, тщательно заставленных от холода. Два больших хороших этюда случайно на стене. Это жилище художника. Кровать смятая, под серым одеялом кусок ярко-красного, ватного. Торчит ящик с рисунками и набросками. Низко лампочка, со всех сторон завешена обрывками газет и обёрточной бумаги (видно, очень давно). Свет горит весь день. Окна ниже земли.

Мы смотрим наброски, раскладывая их на полу. Мальчик вертелся — ему было тяжко. Потом совсем проснулся, вытащил из-под бока книгу. Попросил пить. Голос хриплый, простуженный. Ему и в голову не приходило жаловаться, что его разбудили и не дают спать. Он привычно и легко лежал, как в уютном доме на чистой постели, и от этого было страшновато. Потом смотрели его рисунки — хорошие, интересные и просто художественные. Он фыркал и говорил, что это чепуха. Потом взялся нарисовать ещё лучше: начал по краям два дерева, но середину не осилил, лёг — устал: «Не получается», — сказал. А взрослый художник поставил свою работу, пронизанную таким светом и жизнерадостностью, залитую радостью и солнцем, что такое можно было написать только в этом подвале, как мечту о счастье. От неё не хотелось отрывать глаз, хотя это был первоначальный набросок. Краски смеялись и перекликались, как на стеклышке луч солнца.

Странных светлых и радостных полтора часа я провела в этом подвале. Может, оттого, что мне было очень тяжело? И так просто было с этими людьми. Может, оттого, что это было в подвале?

По потолку кто-то топал и бегал, но никто не обращал внимания. А может, оттого было хорошо, что веяло талантом, как весенним ветром?

И опять при встрече с этим человеком мной двигало беспокойство, похожее на предчувствие возможности чего-то недоброго. Какая-то грубая сила, необузданная и тяжёлая, была в нём. Это было совсем не то, а вопреки тому, что о нём говорили, — как о скромном поющем молодом чело-

веке. Его телогрейка, шапка, грубое тёмное, небритое лицо
и не то недоброжелательные, не то испытующие глаза, его
«здрас-те» в проброс — всё это настораживало, и каждый
раз мне скорее хотелось увидеть Наташу и узнать, что с ней.
Мне казалось, он или болен или чем-то обозлён.

Ветер повернулся. Будет весна. Не весна света, а весна
человеческая.

Навстречу солнцу. Человек или идёт к прекрасному,
или уходит от него. Борьба. Я в молодости гораздо ближе
была к прекрасному. Оно было во мне самой. Встреча с
людьми — его расходование. Это не слова, не доказательства, это просто восприятие красоты мира.

<[Февраль 1965 г.]>

Февральское солнце грустно светит. Снег почему-то
очень пушистый, такой пушистый, как шёрстка котёнка.
Свет солнца желтовато-розовый, раздумчивый. Поперёк
его еле голубеет старая лыжня. И вдоль всего этого розового настила тени идут длинные-длинные, вечерние; чёт-
кие у основания и расплывчатые у верхушек. И от этих
полдневных вечерних теней и розового снега кажется всё
сказкой. Очень чистые белые дорожки тоже грустят.

<25 февраля [1965 г.]>

Ясный, нежный день. Небо блёклое, но солнце светит и
идёт — нет, не идёт, а летает — лёгкий и редкий снежок.
Он летает редко и весело, как маленькие бабочки. Если бы
«Маленький принц» с далёкой планеты увидал это, он
очень удивился бы. Наверное, ему бы понравилось это.
Когда я читаю это («Маленький принц»), я думаю, что
мало верила в прекрасное и настоящее, и оно год от году
ускользало, как будто я всё становилась взрослей и, наконец, совсем выросла, и тогда «Маленький принц» стал
вызывать во мне грусть и боль, как воспоминание детства.
В эту зиму я почти ни разу не смотрела на луну. Как можно
жить, не видя луны? Я запомнила её только однажды,
когда луна только что родилась и была ещё тоненьким и
слабым месяцем: он светился на очень светлом небе и
запутался в инеевых ветках, толстых, голубых и лиловых.
И кусты были лиловые, а земля голубая, а небо зелёное.

И лишь месяц был светлым и жёлтым. Он был совсем маленьким и радовался всему на свете, и смотреть на него было радостно. А потом я опять ничего не видела, пока не прочла «Маленького принца», и только тогда вспомнила про луну и что я слишком мало верила в прекрасное.

Как же Экзюпери мог написать такое, хотя был лётчиком? Надо просто очень верить.

<7 марта [1965 г.]>

Солнце. Воробьи вдруг все вместе поднимают весёлый шум, как дети, и не поймёшь, кто что хочет сказать. Но от этого шума всё звенит и поёт.

Фантазия — как цветок. Если его не поливать водой, он начнёт чахнуть и погибнет, если даже это будет самый красивый и самый сильный цветок. И надо стараться, чтобы вода была очень хорошая, и тогда цветок-фантазия так красиво расцветёт, что можно будет обрывать цветы, а на их место вырастают новые. Но если засуха — погибнет самая красивая фантазия.

Зима и холод. Но если спуститься на соседнюю планету — планету Весна — и посидеть полчаса на весенней скамейке... Деревья только что распускаются, и очень тепло.

Осенью я непременно познакомлюсь с гномиками. Они живут под землёй, но если очень тихо, выбираются наружу. Они плачут, если обидишь божью коровку и раздавишь муравья. Один тихо сказал: «Что вы делаете?» Они запрягают божьих коровок цугом и играют в прятки с муравьями. Они любят осень — потому что всё цветное.

Фантазия — это робкая птичка, её спугнёт грубое ненужное слово, и она улетит высоко. Как ужасно трудно приручить фантазию! А как приручить фантазию, чтобы она спускалась на протянутую руку? И не боялась? Как попасть в её таинственную страну — ведь на Земле так много шума и так много грубых слов. Вот задача — как приручить фантазию. А детей она не боится, поэтому дети всегда смеются, счастливы. Почему Экзюпери больной летал на самолёте и погиб — иначе он не мог.

<21 апреля 1965 г.>

Мы пришли на обсуждение. Дом был полон торжественной тишиной. Все тихо сидели. Было много знакомых лиц, но благодаря торжественности момента, они оглядывались не улыбаясь, как на чужих, и ты тоже смотрел на них, будто не узнавая и не здороваясь, так как здороваться казалось здесь неудобным. От этого сразу возникла неловкость и скованность не только рук и ног, но и в голове.

Приступили к выборам. Председатель, очень обходительный холёный человек, который почти что один из всех чувствовал себя как дома и свободно и ласково разговаривал, зачитал список из 7 человек. Кто-то предложил дополнить до 10, чтобы исходя из этого вести голосование. Но он не понял и стал объяснять, что в правлении достаточно 7 человек. Несколько человек из публики пытались ему объяснить, что он не так понял, и по рядам шел небольшой шум, под который и другие заговорили. Он всё не понимал и оставил 7 человек, предлагая проголосовать в целом. Голосовать могли только члены Союза, и это сразу разбило настроение объединённости. Председатель всё так же кругло и ласково стал перечислять по фамилиям, и, предчувствуя скорый конец собрания, покрикивали: «Оставить». Особенно громко выкрикивал один нечлен, который во всем пытался найти смешное, и это его развлекало. Члены голосовали.

Все видели, как хорошо подготовились устроители собрания, как предрешены выборы и список, и всем хотелось скорей отделаться. Потом выбирали ревизионную комиссию и несколько времени спорили, какой сделать состав — 3 или 5 человек. Всё же сделали пять. Опять голосовали. Вслед за этим выбрали счётную комиссию для тайного голосования. И так как голосовать тайно могли только члены, все остальные должны были временно покинуть помещение.

Прения прошли благополучно, так как была весна, многие только приехали с этюдов, загорели, подобрели, и никому не хотелось вспоминать дурное. В головах у них были пейзажи, берёзы, остатки снега и всё то, что только что ругали и к чему они завтра же опять вернутся, потому что весна уже завладели ими.

<[май 1965 г.]>

<u>День первый</u>.

Пора самая нежная, неожиданная. После запоздалого холода робко раскрываются листики. Нежно и доверчиво, как детские глаза. Вдруг увидела, что мир хорош. Железная дорога, как всегда, ведёт к жизни, к надеждам. Труднее всего кончать жизнь на железной дороге — захочется жить и уехать.

Переменить всю жизнь на походный лад.

Девчонки в красивых плащах и туфельках, завитые и хорошенькие (новая деревня, сельская молодежь), и рядом поражают выражением тупой заботы и напряжения женщины в платках и с сумками. Лица их загорелы, и напряжённость делает их одинаково некрасивыми.

13 мая после тёплой ночи распустились берёзы. Зацвёл кустарник. Река с зеленеющими ивами. Как пастораль. Молочная вода. Это такая радость. А большой дубовый лес стоит чёрный и мёртвый, не верит весне. Так на старых лицах трудно вызвать улыбку.

По краям железнодорожного полотна рабочие — женщины с лопатами, на босу ногу. (Главное — научиться терпеть.)

Молодые танцующие берёзки. Вдали церковь Колокши.

Прямо на вокзале, напротив, — страшное, вымершее — вокруг. Здание — какой-то химический завод.

За Колокшей пошли зелёные поля с луговой водой и дальним голубым лесом. И небо простых жёлтых белил.

Перед Ундолом побежали по холмам жёлтые дорожки. Как в детстве.

Кукушки голос таинственный и странный. Лес встретил нас таким птичьим концертом, слаженным и весёлым, что сразу стало легко на душе. Тихо было в ёлочках, и вдруг лес зашумел тихо и мощно, как прибой. Птицы пели слаженно, оставляя время то одной, то другой, как-нибудь каждой хотелось послушать. Вдруг в неожиданной тишине вступала тихая робкая птичка и делала свое «дзик-дзик».

Переходили большую воду с жёлтыми цветами. И всему этому придавал несколько печали голос кукушки, беспокойно перелетающий по деревьям. Без неё было бы слишком трескуче.

Самое лучшее время, когда перед деревней сидим на белой берёзе среди травы, берёзовых серёжек и предгрозового неба. Откуда мы могли знать, что часом позже мы будем отхаживать мертвого мальчика, который утонул в пруду?

Сперва нам встретился чёрный бык, который замотал на нас головой, загудел, и надо было уходить на другую дорогу (это было как плохое предзнаменование). Потом мы пришли в дом, где хотели остановиться, а молодая хозяйка передумала. Очень грустно было уходить из дома, в котором так вкусно пахло деревом и чем-то неуловимым, чем пахнет в очень чистых деревенских домах.

Мы пошли, и тут-то нам сказали: «Утонул Коля Ш.» «Где?» Первая мысль была не ходить, потом идти непременно. Но пришла трусливая мысль — не вмешиваться, не поможешь. Тут мы увидели группу людей, странно покачивающих что-то, и на это что-то склонены были с томительным вниманием все головы. Больше не было никаких мыслей. Мы так быстро пошли вперёд, что перед нами расступились. На большой, набухшей от воды простыни, как в люльке, лежал мальчик и мерно и плавно покачивался. Все молчали. Лицо почти белое, только синие губы, которых никогда не видела, полуоткрытые глаза. Скорей, что-то делать. То, что они делают, — ужасно.

Я бросилась к нему. Тело было ледяное и всё гибко податливое. Тонкие руки и ноги. И такое пластичное и красивое, как только может быть у детей. Оно гнулось, как что-то совершенно мягкое. «Надо делать искусственное дыхание», — пытаюсь положить его на траву. Несколько голосов сразу: «Только не кладите на землю, нельзя на землю», — и обратно тащат на простынь. Сдираю с себя плащ и швыряю на землю. «Это не земля — плащ». Кто-то подбрасывает ещё зелёный кожух, потом одеяло. Смотрю, язык не запал. Сама удивляюсь своему невероятному спокойствию. Открываю рот, упираясь в зубы. Глаза с такими ясными зрачками, как у кошки. Открываю их солнцу. Они такие же ясные серые, с белыми белком. Выливаю воду и начинаю делать искусственное дыхание. Кто-то подаёт нашатырный спирт. Тело ледяное. «Трите, трите его ноги, живот». Кто-то пытается тереть. Дыхание, бью по щекам. Белая русская голова. На колено — воды нет, скорей молоко из желудка. Долго это длится. Мать временами не выдерживает. Прижимает к груди, кричит: «Коля, Коля!» Отнимаем, начинаем сначала. «Смотрите, порозовели губы». Я и сама вижу близко, что щеки будто стали покрываться загаром. Отчаянно делаю дыхание. И хочу, хочу страстно, успеваю представить себе, как он вздохнет, как двинутся его глаза, думаю, как это должно быть. И чувствую, как все верят в это чудо, что оно должно совершиться, но чудо не совершается, мальчик всё так же лежит недвижим, и так же мягко его тело, как резина. Уже больше не верю ни во что, но всё делаю дыхание. Подъехал кто-то на мотоцикле. «Надо на бок». И начал энергично делать движение ногами, и опять в толпе прошел шорох надежды. Мать плачет, утирается. «Колей, Колей, вставай! Почему ты не остался у бабушки вчера, знать, это твоя судьбина». Заходит большая туча. Подбегает молодая женщина: «Надо делать искусственное дыхание, и что вы ногами-то вертите. Продуйте рог». К матери: «Лида, дуй в рот, да сильно, свой воздух». Лида дует, но воздух из носа выходит наружу, выбрасывая остатки молока. Глаза становятся красными. Мне хочется уйти, но я не могу отойти от всего этого. Идёт большой мужчина, лицо суровое, все будто сжатое в кулак. Это отец. Подошёл, поглядел поверх всех, сказал: «Да», — и отошел. Ни бросился, ни дрогнул внешне. Удивительно, как все сурово встретили эту смерть. Никто почти не плакал. Только больной дед вдруг временами издавал какие-то звуки и странно семенил по земле. Какой-то старик все выкрикивал: «Не кладите на землю», — и подтыкал под него одеяло. Пошёл дождь. Мальчика отнесли в ближний дом. Потом мать несла его, прижав к груди, всё ещё голенького, будто спящего.

Беспомощная эта толпа при появлении нового человека все надежды возлагала на него и всё ждала чуда.

Так надо, чтобы случилось чудо: чтобы ребёнок вдруг закашлял, заплакал, забился, и его, одев одеялом, понесли бы домой. Но он не сделал этого. Не сделалось большой радости. Все расходились боком, пряча глаза. Как будто каждый был немного виноват в этой смерти. Горестное сознание, что люди не знают, как надо спасать человека от смерти, не знают простых вещей, которые надо знать, что они многого не знают, что надо знать, чтобы лучше жить. Как это может быть? Почему не приезжает лектор, доктор, чтобы рассказать о многих простых и нужных вещах? Люди в деревне научились хорошо одевать своих детей, покупать дорогие вещи, оклеивать обоями стены, но они не знают, как надо лечить от поноса, что делать с утонувшим ребёнком, почему опасно класть грелку, если болит живот, почему нельзя есть из общей посуды и заболевшему утираться одним полотенцем со здоровым. Кто-то же должен научить их этому.

Ночь наступила ясная и тихая. Посередине неба лежало длинное облако, зацепившись за луну. Край его сиял, и небо вокруг светилось дивно. Щёлкал и стрекотал соловей, а напротив в доме горел свет всю ночь. Там была беда.

<u>День второй.</u>
Ясное утро. Тяжёлая голова после бессонной ночи. Равнодушие и пустота. Соловьиное царство. Берёзы, большие, с коричневыми серёжками, и маленькие, в зелёных изумрудинах, и сиреневая вода прямо в траве. Как пролитая чаша, что бывает только весной. Малиновка на голой ветке выделывает своё коленце. И соловей среди бела дня, не дождавшись ночи, выдаёт всю свою удивительную песню. Соловья надо слушать близко.

Живём у хозяйки, которую зовут то обмывать покойника, то укладывать в гроб, и мы ждём её, чтобы ужинать. И всё это отношение к жизни, которое в городе показалось бы невозможным, здесь, в деревне, оказывается нормальным, и мы чувствуем, что так должно и никого не может обидеть. (Класть в гроб могут, оказывается, только вдовы.) Съезжаются родные, несут венки, несут ещё что-то. Дед, который плакал на берегу, сбивает гробик.

Мальчики пошли вдвоём. Коля, побольше и посмелее, первым вошёл в пруд, а второй стоял по колено. Коля зашел по пояс, потом по грудь, потом обернулся, сказал что-то и скрылся под водой, а руки поднял, должно быть, мерил глубину. Руки исчезли сразу, и второй ждал, не выплывет ли он. Но он не выплывал, и второй оделся и пошёл на другой край деревни к товарищу и сказал, что Коля утонул. С товарищем они вернулись на пруд и ещё посмотрели. Потом второй, тот, что тоже купался, пошёл домой и встретил свою мать. Она заметила, что он странный, и спросила: «Что с тобой?» Только тогда он сказал: «Колька утонул». Мать уже помчалась к родным. Встретились дядя и тётя, приехавшие из города. Они бросились к пруду, разделись и стали искать. Нашли, где дяде было по шейку. Мальчик лежал на дне.

День третий.

Скорбное лицо матери, склонённое над гробом, прекрасное в своей великой скорби. Извечное скорбное лицо страдающей матери, как на картинах Возрождения. Чёрный платок. Строгий мальчик в гробу с неестественно сложенными ручками, нежный рот, маленький острый нос и так плотно сжатые глаза, что не верится, что я ещё вчера в них заглядывала.

После пасмурного дождя неожиданный, розовый вечер. Страна берёз на холмах, совсем юных в зелёных свечениях, розовые в серёжках, а кругом поля. Вечерняя служба. Церковь в берёзах. Зелёный вход. Чистые старые плиты в кайме травы. Своды потолка, гулкое пение, чёрные фигуры редко стоят, чистота. Нереальность, как в зачарованном сне. Пение откуда-то сверху, переливается. Вечернее солнце на толщинках окон медленно ползёт. Стоишь и как бы перестаёшь существовать. Совершенно найден образ. Лёгкие условные фигуры на стенах, не похожие на живых людей. Батюшка, стремительный в своей рясе, с современной стрижкой, что-то среднее между попом и командиром. Лицо открытое, и видно, что весёлое, с короткой рыжей бородой.

День четвёртый.

Лесная речка выбегает на дорогу. Тени от моста по реке и песку. Меж перилами бежит в золотых прожилках мозаика — вода в живых блёстках. Жёлтое дно, жёлтый песок. Соловей защёлкал, и тихо, нежно засвистал, и послушал себя.

Месяц май, коням сено дай, сам на печку полезай.

Долго шли по высоким полям до Копнина, отдыхали в сосновом лесу на свежем жёлтом бревне.

Копнино всё на холмах, всё такое же, только строят дальше шоссе. Деревня вдали и три крайних цветных дома: красный, синий под белой крышей и серенький, некрашенный — наш. Колодец с журавлём и край светлой реки.

Вошли в дом, ставший родным. Увидели хозяйку, и так от этого стало хорошо и весело, что подумалось: как же можно было так долго не видеться? Она на огороде копала землю. Лицо замотано до глаз платком — старое и грубое, набрякшее. Пришли в дом — она тут же помолодела, по крайней мере, лет на десять. Это бывает с очень добрыми простыми людьми.

Дома на поле меж деревень. Сперва думали — баня, теперь детсад или ресторан. Строили года три. «Сколько кирпича наворовали. Теперь рады, что крышу покрыли».

Мужики воруют всё на кубовой. Прозвали ресторан «Клязьма», всю зиму пили. Всё трактористы, всё мужики. Придут в кубовую — Яшутка спит. «Есть вода в баке, нет — не знает, а взорвёт бак, и полетит всё».

Воровали и продавали всё: картошку, комбикорм, пеньки (раскололи и увезли). Привезли патоку обливать солому, патоку гнали на самогон. И так всю зиму. Кубовая механизирована, а воду привозят из реки рядом.

Три женщины: тетя Наташа, лет 60, худоватая, быстрая, глаза с хитрецой, прикрытые, всё с усмешечкой; Лиза — крупная, крепкое лицо, нос несколько орлиный, крепкий рот, глаза на загоревшем лице совсем синие. Боевая, ничего не боится. Третья — наша хозяйка — Аннушка, маленькая, худенькая, всегда готовая рассмеяться громким весёлым смехом. Все три рассказывают о мужиках: «Да хуже наших мужиков нет. Все водку пьют. Они говорят — мы на работе отдыхаем, а работаем дома. Распустили их. Вот в другой тракторной бригаде — так крепко держат. А у нас только на калым и работают».

Скотные дворы на песке. Неухоженные голодные телята. Никак не наладят пасти и подвозить подкорм. Стадо большое, а пасти негде, на ту сторону запретил директор. Оставил на покос. Так и ходят вокруг деревни.

Раньше был Малофеев, были им недовольны, а теперь вспоминают.

А в оставленной деревне хоронили мальчика. Со всех дворов собирали столы, лавки, посуду для поминок. Все знали, что так должно и хорошо. Поминки — это сборище чуть не всей деревни. Закуска, еда, водка. Потом остались родные — опять столы. Пошли разговоры о том о сём. Ведь многие давно не виделись.

<u>День пятый.</u>

Пять дней нашего беспокойного путешествия. А была ли весна? Да, была. Были берёзы, прозрачные и наивные. Были вспышки зелёных листьев на озимых полях, были серёжки на длинных голых ветвях, были пушистые «жуки» цветущей ветлуги, нежные, светлые, медовые. И опять берёзы, берёзы — в кругу, полосой, в одних лишь ветвях. И в этих берёзах мы — затерянные и растерянные. Беспомощные писать то, что нас окружает. Холод сковал всё: мысли, чувства, весна стала не взаправдашней. И всё-таки она наполняла нас волнением и потребностью писать. В автобусе чувства улеглись — думалось об образе. Как писать? Из всего этого хаоса весны надо отобрать, что ты сейчас увидел самым нужным, и делать, делать это самое нужное.

<u>День шестой.</u>

Вчера, то есть на шестой день «нашего» путешествия, шёл вечером ливень. Он хлестал в окна свирепо и весело потоками воды, шумел ветром и пугал своим неистовством, наполняя собой кромешную темноту, но он принёс откуда-то с юга тепло. А мы сидели в городе в хорошей светлой комнате, где ничего не протекает, и радовались, что ничего не протекает. Короче говоря, мы сбежали. И, пожалуй, первый раз в жизни променяли природу на город. Мы испугались холода. Но вот уже на следующее утро, когда душистый воздух пахнул в открытую форточку, поднялась тоска: «А всё-таки отступать нельзя». Воробьи за окнами, за неимением каких-либо других птиц, заменяли своим отчаянным криком весь лесной концерт.

Чёрный липовый сад покрылся за ночь светлыми крупными шишечками и порозовел. И вспомнилась деревенская благодать. Первый шаг с кровати — и на крыльцо, вдохнуть удивительного воздуха, увидеть траву и небо и... кур — всё хорошо. И даже слушать спросонок лошадиный топот ног нашей хозяйки — тоже хорошо. Наша хозяйка — это по характеру командир в юбке. Но командовать некем, и она беспощадно командует сама собой: от печки до крыльца — раз, со двора в переднюю — шагом марш, и так каждое утро. Но странно: это даже не мешает сладко спать и грезить.

Да, мы сбежали от беды в деревне, от дикого холода. И вчера ходили на «Гранатовый браслет». И как же всё это показалось ненужным и пустым перед той трагедией, свидетелем которой мы оказались в деревне. Сколько там было истинного горя, сколько там было глубины человеческих отношений. Лев Толстой прав — вот где надо черпать искусство.

А берёзовые перелески в зелёном пуху — не приснилось ли нам всё это во сне? Про весну очень трудно писать, и весну очень трудно писать красками. Она неуловима и вся наполнена более чувствами, чем определёнными красотами. Это молодость всей земли.

А высокие пустые поля с нежным кустарником и небом, небом и небом? Но мы отступили за забор большого города — ах, как это стыдно. И где же наши этюды?

<20 мая [1965 г.].>

У дождя же нет точного расписания, поэтому мы приехали на вокзал чуть ли не за час, когда серая красавица-туча тихо подходила к городу. А воздух млел и нагревался жаром земли.

У электрички нас немного помучили и при первых каплях дождя пустили в вагоны. Так весело было смотреть на подвижные ручейки на стёклах, смотреть на стремительный блеск молний где-то за городом, на бегущих редких пассажиров и знать, что не надо никуда бежать.

Вагон весело говорил. Всем стало весело. И привычное чувство освобождённости от быта, от города. Хоть несколько дней побыть в природе.

И что осталось от вчерашнего дня: весёлый бег капель по вагонному стеклу, ручейки воды и светлые капли, взапуски гоняющиеся друг за другом, потом серая пелена ливня, потом ошеломляющий тёплый воздух, такой душистый, как будто его надушили. Пахло тополями, распускающимся смородинным листом и ещё чем-то, чего невозможно было определить.

Почему деревня Митрофаниха? Её надо было назвать Соловьихой. Соловьи пели здесь на каждом кусте, и щёлкали, и свистали, не считаясь ни с днём, ни с погодой. Митрофаниха — деревня, которая стоит на краю берёзового царства. Берёзовая сила настолько здесь велика, что не помогают самые усердные вырубания, начиная слегами и кончая вениками для овец. Берёзовый строй вновь подымается каждую весну, и весёлый берёзовый молодняк маленькими шажками наступает на поля.

Она одним концом вклинивается в лес, а другим упирается в шоссе, делая посередине резкий изгиб. У края её бежит маленькая речечка, всегда холодная и быстрая, растёт ивняк, и большая луговина всегда заболочена. Осенью там вырастают копны. Дорога по деревне грязная, а после ливня вся залита водой, а речечка разлилась, вышла на луговину и стала очень красивой и видной.

Мы идём по этой преобразившейся дороге, пробираемся по размытой дамбе, через которую хлещет пруд. Мы счастливы и упоены теплом, ароматом и соловьями.

<[23 мая 1965 г.]>

23 мая — это десятый день. Бьёмся с не под силу сильнейшим врагом — северным ветром. И он побеждает нас. Загоняет опять и опять в траншеи — в дом.

Вечером у хозяйки сидела женщина. Они пришли из церкви. У женщины было белое, какое-то обескровленное лицо и большие выпуклые чёрные глаза, которые она медленно, именно медленно переводила с предмета на предмет, и они как бы нехотя поворачивались. Казалось, она на всю жизнь ужасно устала. И в глазах была тоже усталость и спрятанный испуг. У верующих теперь бывает такое выражение. За чаем хозяйка обмолвилась что-то о немецком плене. И женщина эта так же устало рассказала одну из тех, наверное, многочисленных историй, которые без волнения нельзя слушать.

Рассказывала она так, как только умеют у нас люди из деревни. То есть всё внутренне переживая вновь, и не слушать её было нельзя. Немец пришёл к ним без боя. Сперва было много бомбёжек. Они прятались в погребах и под полом. После одной такой бомбёжки, выйдя утром на улицу, увидела, что вся деревня полная немцев. Немцы бросились по домам отбирать, что только можно. Было холодно. От шубы оторвут рукава или полу (накручивали себе на ноги). Вбегали в хату, первое, что кричали: «Матка, дрова!» Не понимали, что русскую печь надо протопить и закрыть, заставляли топить сутками; от этого сгорело много дров. На улице сдирали платок, шубу, рукавички, снимут валенки — пойдешь домой босиком. Стали затем надевать всё самое худое. Одёжу закопали. Закопали всё, что можно, из еды: сало, мясо. Детей немцы ненавидели. Однажды она пошла за водой, надела рукавички, и рукавички совсем детские. Немец встретился: сорвал рукавичку, примерил — мала. Подумал, сорвал другую, положил в карман.

Однажды созвали их на собрание. Стоит немец и переводчик. Объявляет: «Завтра в 6 часов вечера всем собраться — будут очищать деревню. Кто не пойдёт, на месте будет расстрелян». Все закричали, что не уйдут из своих домов, пусть лучше расстреляют. Уходили — меж собой сговаривались. А на следующее утро вытащила она санки, посадила двоих на санки, третья пошла пешком, лет восьми девочка. Ночью вытащила одежду. Достала мяса, картофель, хлеб. И «он» погнал их. «Он» — это немец. За четыре дня они прошли 70 километров. Ночевали где-то в домах. Прямо на полу, вповалку, на соломе или так. Лишь бы спать. Остановились в деревне. Староста расставил их по домам к другим хозяевам. Надо есть, а есть нечего. Весь свой хлебушек и мясо съели. Стали голодать. Она пошла сбирать.

Через две недели немец их пригнал обратно, думал дальше двигаться. А деревня, где они жили, была передовой линией фронта. По реке Оке. На той стороне наши, на этой немцы. А их деревня ближняя к Оке. Пришли в свою деревню. У неё дом был хороший, большой. Немцы не пустили обратно. Она выбрала самый захудалый брошенный домишко. Поселилась в нём. Ночью ходила на свой огород, откапывала мясо. Пока копала, сколько раз обмирала. Даже ухитрялась пробираться в подпол. «Немцы бестолковые, не догадывались». Да свои доказали, два шпиона было, «вот кого бы я расстреляла». Стало опять плохо. Через некоторое время опять немец собрал на собрание и объявил, что завтра в 6 часов всем собраться, кто не пойдёт — будет расстрелян.

Набрала она что могла. Одела детей, вывела корову, привязала к тележке. Как-то корова у ней ещё сохранилась. Вышел немец, отвязал молча корову, повёл обратно. Девчонка забыла платок. Пока усаживала остальных детей, послала девчонку за платком. Она вбежала в избу, как на неё заорут. Девчонка закричала, прибежала обратно. А по деревне шум, крик. «Как вот когда стадо гонят». Кто идти не мог или был болен, расстреливали, так и не похоронили родные своих, оставили лежать.

Гнал их немец до Эстонии. Есть стало нечего. Вошь развелась. Как они добрались, не знает и сама. Перед Эстонией погрузил в эшелоны.

В Эстонии привезли их в лес. Стоят бараки за колючей проволокой. Поместили их туда. «Ой, да разве всё расскажешь. Я только коротко». Там всё было. Заболела воспалением лёгких, попала в больницу. Потом окрепла. Стала сбирать. Умер мальчик от голода (об этом не стала рассказывать — не смогла). Через какое-то время стали так умирать, что не успевали убирать. (Да, пока гнали до границы — ночевали по нашим деревням. Были сознательные, кормили, а были и такие, которые не давали ничего, да и говаривали: «А не надо было уходить из своей деревни»).

Тех, кто ещё был живой, привезли в Таллин (кажется) и поместили в доме — «мыза» он, кажется, назывался. Туда стали приходить эстонцы, брать на работу. На работу брали одиноких и здоровых. А её с детьми не брали. Потом пришёл эстонец, взял её. Хозяйство большое. 14 коров, 6 свиней и прочая домашняя скотина, рожь, покос. Стала там работать и жить.

Утром вставала: доила коров, выгоняла в загон, мальчика — 4,5 годика — и девочку 8 лет оставляла пасти. Сама убирала молоко, шла в поле. Работала столько, что по ночам не спала, так руки болели. С вечера засыпала, а ночью ходила по комнате. Всё бы ничего, кормили хорошо, что и сами ели. Мясо, рыба, молоко, сыр — всё, что было, всё ешь. Да только хозяин с хозяйкой уж очень ругались меж собой. Хозяйка была лет на двадцать старше, из богатого дома. Взяла бедного, видно. Они ругались по-своему. Она не понимала их. Но для неё было это большое расстройство. Сын хозяев Ревель скрывался от немца и от войны в лесах, много эстонцев ушло в леса. Первое время они скрывали от неё, боялись, докажет, а потом он стал приходить при ней. Иногда ночевал. Забирал еду и снова уходил.

Однажды во время сенокоса хозяйка запилила мужа, он бросил всё и ушёл из дома. Неделю не был. Приходилось справляться вдвоём. Через неделю пришёл, заперся в комнате. «Анна, иди зови папу точить косы», — кричит ей хозяйка. Не хотела сперва, но пошла. Лежит. «Пойдёмте, поточите косы». Он по-русски говорил. Стал говорить ей, что жена его попрекает, говорит, что ничего здесь его нету, потому он и ушёл. Но косы точить пошёл. Потом на праздник разругались, и хозяйка ушла. Всё свалилось на плечи

Анне. Пришел Ревель. Сидели с отцом, пили. Потом началась драка. Она была в поле. Бегут дети. «Мама, Ревель и папа подрались». Бросилась в дом. Начала со стола хватать и прятать ножи. Отняла у Ревеля табурет. «Папа» кричал, потом ушёл. А Ревель наложил в сумку сала, хлеба и ушёл в лес. Задумала Анна уйти от них. Ей сказали — без работы не останешься. (Да разве такая останется без работы.) Сказала хозяину, он побежал к хозяйке. «Анна уходит от нас». Она в слёзы. Так и осталась опять. Так шла её жизнь.

Однажды немец издал приказ — всем русским съехаться на сборный пункт. Она косила — пришёл хозяин. Сказал, чуть не плача. Всё бросила. Пошла домой. Хоть и обноски, а начала стирать, готовиться. Наложили ей в мешок еды всякой. Пришёл Ревель. Запрягает лошадь, сам смотрит, нет ли немца. Отвёз хозяин её на сборный пункт. А там беженцев видимо-невидимо. Собрали их и отвели в порт. Ни охраны, никого не осталось. Сидят день, другой, неделю. Еда кончилась. Подошёл мужчина. Стал советовать уйти в леса. А здесь, говорит, вас погрузят на пароход и потопят. «Да пусть, уж разом лучше». И никто не пошёл. Прошло ещё несколько дней. И вот от голода поднялись все и пошли по улицам Таллина. А город пуст. А до этого ночью был страшный налёт. Вдруг впереди «наши, да, это наши серые шинели». Всё смешалось. Солдаты кричат им: «Теперь вы будете живы, вы свободны». Кто масло, кто хлеб даёт. «Вот когда я побыла в раю». И первый раз за весь рассказ голос её сломался. Потом всех переписали и отправили в Россию. Она попала во Владимирскую область.

Во время рассказа всё так же медленно поворачивались её глаза и только при рассказе о бранчливых хозяевах эстонцах лукаво щурились, морщились губы и сквозь привычную грусть возникало подобие когда-то такой весёлой улыбки.

Ей хотелось на родину, в Тульскую область. Не пустили. Кто-то начинал хлопотать разрешение. «Я решила спросить у бога». Написала три записочки: «Разрешение», «Без разрешения» и «Навечно остаться здесь». Положила за икону, помолилась. На утро достала записку «Навечно остаться». Сразу стало покойно от принятого решения. «И хорошо, что осталась. Дети в городе, выучились, работают. А там бы пропадали в деревне». Так и живёт на Лакинке.

В бараке, в маленькой комнатке на 10 метров. Сын женился. Родился ребёнок. Хлопочут квартиру, чтобы разъехаться на две семьи. Недавно перенесла тяжёлую операцию желудка. Опять спрашивала у бога, да или нет. Операция прошла хорошо. «А есть бог, для меня есть, я верю». И стала пить чай.

<25 мая [1965 г.]>

Шумит ветер в деревьях. Светит солнце. И пахнет так, что голова идёт кругом. Первое отношение к природе оказывается вернее, более искусством, чем потом. Передача просто природы берёт верх над образом природы. Надо найти в сюжете образ. Без этого не стоит начинать писать. Когда пишешь, нельзя сбиваться на случайности, всё время мыслить образом. Отсюда решение и формы, и цвета.

Кошка открывает сама дверь. Прежде слышен скрип и скребки. Потом в образовавшуюся щёлку появляются белые лапки. Они тянут громадную дверь на себя, и она поддаётся. Кошка отдаёт все силы на это усилие.

<26 мая [1965 г.]>

Утро, покрытое росой. Тишина и ясность. Одна росинка горит красным огнём. Воробьи и я радуемся этому утру. Кругом берёзовый лес. Прозрачный в весеннем утре. Идут коровы и овцы и тоже радуются. Северный ветер стих.

Виктор копает грядку. Я бы тоже покопала, но у меня болит спина. Я смотрю, как воробей сидит на голой яблоне и крутит хвостом.

Вот, кажется, и закончилось наше путешествие в природу. Сижу в огороде, на копушке. Смотрю на грядки с землёй, на еле приметные всходы свеклы и лука, отдыхающие под тёплым днём. На не распустившиеся ещё вязы. И небо под ними с громадными красивыми облаками, кругло подымающимися в высоту. И облака, и вязы — всё это удивительно и ново, впервые в году.

А таких громадных раскинувшихся вязов, должно быть, нет больше в целом округе. Стволы у них старые и корявые, один светится насквозь, но вершины круглые, как веер, упираются в самое небо. За ними канавка и низкие светлые крыши.

Я гляжу на всё это и знаю, что родней и лучше ничего нельзя найти на свете. Это значит, что стих северный ветер.

Я хочу вспомнить всё хорошее, что случилось с нами здесь, несмотря на ужасный северный ветер. Он дул целый день, а ночью наступила тишина и мороз.

Все эти дни приходил отец того мальчика и приносил молока. Принесёт, выкурит папиросу, посидит — поговорит немного и пойдёт. А вчера принёс двух лещей! Был день получки. Он, видно, сильно выпил. Был расслабленный и добрый. Наивные круглые глаза на загорелом большом лице были неожиданно грустные.

В деревне особенно видишь, насколько бабы ловчей, живей и восприимчивей мужиков. Даже тяжёлая работа не может в них убить весёлого и живого интереса ко всему окружающему. Мужики ходят тяжёлой и медленной походкой, а работа у них легче женской.

‹27 мая [1965 г.]›

Нашли в траве майского жука. Он цепко и страшновато уцепился за пальцы, прополз и расправив коричневые крылья, поднялся в воздух. Плавно, как самолет, сделал разворот, поднимаясь вверх, и уселся на берёзу.

Недалеко от того места, где мы писали на поляне, лежала повергнутая наземь большая сосна — не бурей или ураганом, а человеческими руками. Часто можно увидеть в лесу среди берёз этих опрокинутых великанов. Пришёл старик, распилил её на куски и стал обтёсывать.

Он рассказал, что сосны эти недавно осенью спилили на шишки. Лесничеству даётся план на заготовку шишек. Государство оплачивает сбор. Вот лесник и спилил, да в своём лесу не спилил, а в совхозном. Старик же уже ствол обрабатывал для себя.

Разные мысли приходили в голову. По виткам ещё светлого ствола легко было сосчитать её возраст. Ей было 40 с небольшим лет, и 50 см в радиусе. Отмахала она на диво хороша. А за молодым березняком виднелось ещё несколько таких же. На большой луговине, где полднует стадо. Уж там-то ничего не вырастет, а стадо лишилось хорошей тени. С точки зрения городской логики полезности и вредности много было неразумных и, на взгляд городского человека, просто преступных вещей. Сосны в наш технический век рубят, чтобы собирать с них шишки. «А как же иначе?» — говорит старик. Вдоль лесной речечки безжалостно вырубают деревья, ивы большие, 30-летние, ободрали — сдача государству коры, весь берёзовый молодняк вырубается на корм овцам (да и коровы иногда не брезгуют). И всё это у самой питающейся ключами речечки, у самой деревни, которая живёт этой речкой. Не говоря о больших вырубках в лесу, которые в конце концов засаживаются сосной с тех самых опрокинутых сосен.

И вот перед нами большак. Уходит за высокий бугор прямо в серое небо. А небо синеет и сумерничает. Здесь особенно вольно дышится. И манят вдаль владимирские просёлки. Взял бы палку и ушёл бы куда глаза глядят. Но этой настоящей воли на пустынном большаке, когда тебе кажется, что ты освобождён от всех обязанностей, всего на десять минут. Потом подходит автобус и кончается необычное. За окном стекла нет ни воли, ни простора и серого низкого неба, ни величия и вечности российских просторов, когда для тебя и сейчас, и сто лет назад ничего не значит, когда под таким небом русский мужик уходил от татар.

Мы уезжали, когда распускалась черёмуха. Её горьковатый пьяный запах врывался в автобус, и вся низина у дороги мелькала людьми с громадными букетами. На мосту стояли девочки с такими охапками, почти что в свой рост. Дивишься, как это многообильное деревце выдерживает такое нашествие из года в год.

Накануне отъезда ходили «задами». Это был первый тихий вечер. Дорога на «задах» у любой деревни особенно поэтична. Она идёт за усадьбой с картошкой и садами. Всегда чистая, сухая, не заезженная. Она разделена двумя зелёными бороздами, поросшими чистой травой. Есенинские берёзы, и зелёным подолом шумит ветер, всякий кустарник и черёмуха. В промежутки между ними видны дома — в лощине зелёные, красные, разные в вечернем солнце, лоза и речки и дальше на бугре поля. В промежутках между домами идут коровы, женщины, девчонки. А на этой дороге тишина, нет ни души, и ты всё видишь, всю жизнь, а тебя никто не замечает. На «задах» более всего сохранились черты нетронутости старой поэтической деревни, где ходили влюблённые пары, где пели по вечерам песни, а теперь некому ходить, молодых вовсе нет. Лесные — тихие, больше ходят в одиночку, говорят тихо, даже скотина не орёт, мужики с получки пьяные, молча разбредаются по домам.

В прудке утонул мальчик, молча его похоронили, и молча страдает семья. Речные — шумные, матерщинные, мужики и бабы ругаются — кто кого переругает, река полна кишащих ребятишек — с подростков до 3 лет, и никто не тонет. Кричат все. Мужики играют у магазина в карты, и выигравший ставит бутылку. От их ора становится страшновато. Скотина крикливая и хитрая.

Река полна своих не совсем легальных промыслов. Она приучила к смекалке, риску и хитрости. То на вечернем берегу копошатся мужики — это откуда-то пригнали лес. Вырастает штабель. На другой день исчезнет. То на связанных лодках привезут свежего сена, то с сетью уедут на рыбалку. Кроме дневной работы и домашней полно ещё дел. Деревня живёт своей речной жизнью.

Если ещё немного сказать о Митрофанихе, то там бригада из 13 человек женщин работает на поле. Из них каждый год уходят на пенсию. Кто их сменит, неизвестно. Мужики не в счёт. Они или механизаторы, или работают в правлении. Нюра Малышева, наша соседка, через два месяца тоже уйдёт. Она худая и быстрая. Шаги большие, сутуловатая и немного на бок плечи. Лицо круглое и несколько задранное кверху. Громко разговаривает и добро тут же путает со злостью. Очень любит задорно кого-нибудь окрикнуть. Здесь заведено «пугать».

<9 июня [1965 г.]>

Мы сидели в тени берёз, и нам было жарко, а кругом играли солнечные зайчики, и трава пахла мёдом. Это наступило лето.

Где-то в глубине души растёт тайная убеждённость о необходимости сделать со своей жизнью что-то совсем неожиданное, новое, непривычное. Чтобы понять, возродить всю полноту ощущений жизни и природы. Что без этого не произойдёт тот категорический перелом, который так назрел уже. Что поиски в искусстве должны совпасть с поисками в жизни. Как могло придти в голову Чехову,

больному и немолодому, уехать на Сахалин на лошадях
через всю Сибирь?

Лето наступило неожиданно за холодной, безжалост-
ной весной. Мы вошли в него, будто проснулись после
тяжкого сна, из тяжкого небытия городской жизни.

<12 июня [1965 г.]>

Цепелёво. Опять река. Пасмурное утро. Серые берега,
серая река, серое небо. Тихая лодка на привязи и бег воды
кругом.

Если меня спросят, что бы я хотела написать, я отвечу:
«Обыкновенный русский пейзаж».

Сегодня мы ушли туда, где красная дорога широко идёт,
не стиснутая полями. Кругом высохшие жёсткие луга.
Шуршит низкая трава. На песчаных холмах пасутся низкие коричневые сосны. В солнечные дни всё это становится раскалённым.

И вдруг омут с чёрными соснами и тоскующим ольша-
ником в лиловой воде. На повороте открывается вид на
прекрасный разворот реки. В ней опрокинулись кусты и
дальний синий лес. Это двойное изображение рождает
плавные широкие линии. А гладь реки, подёрнутая серым
небом, как вечность. Всё это синее, серое и зелёное глубоко, как Бетховен.

Всякое, даже небольшое путешествие рождает ту благо-
словенную лёгкость и остроту впечатлений, появляющую-
ся только в пути, с которой начинается творчество. Мы
вышли из Митрофанихи жарким летним утром. Мы уди-
рали от праздника в другую деревню, а попали ещё на
больший. Ослепительное новое шоссе домчало нас до
Копнина. На высоком холме оно казалось самым высоким
в окружности. Мы вылезли из автобуса. Такие далёкие
поля, такие дальние дали открывались во все стороны, что
казалось, дальше и нет. Белые дороги разбегались вниз, а
ещё дальше вся в синем блестела Клязьма. Впереди круто
вниз по краям корявой, размытой весенней водой дороги
спускались копнинские дома и рассыпались на склоне, а
правее по дальним склонам кучками брошенных лиловых
и зелёных камешков — Харитоново и Федотово. И совсем
далеко на фоне неба вырисовывались стройные вязы

далёкого Цепелёва. Дальше Цепелёва идти было некуда. Там начиналась Клязьма.

Деревни всегда так удивительно связывали нас со стариной. Все их расположения рассказывают со старинным простым смыслом об умении людей устраивать своё жильё по берегам рек и маленьких ручейков, связывая их цепочкой дорог. Смысл полей и лесов, смысл жизни трудной и радостной раскрывается перед глазами.

В деревне зашли в дом в узком тесном переулке, где жизнь почти что ушла. На скамье сидела женщина, черты лица которой неузнаваемо обмякли и завяли. Лицо её то болезненно напрягалось и готово было заплакать, то становилось такой неземной доброты, как у святой. В этакую жару она сидела в тёплом платке, зипуне и валенках в галошах. Кровь уже не грела её. Она вспомнила нас, поговорили немного. Наверно, сто лет назад так же сидела здесь точно так же одетая другая женщина, дожидаясь смерти.

Но только теперь её лечили, делали уколы, и это ожидание растягивалось на несколько лет. Потом вышел хозяин, похожий на старого злого волка. В избе у них на кухне было так темно и тяжко, будто сто лет назад. Нам захотелось уйти, и мы от этого тяжёлого впечатления, где вся жизнь этих двух сосредоточилась на болезни и отчаянном цеплянии за жизнь, ушли как можно быстрей и перемахнули через деревню так быстро, как только могли наши ноги. И почувствовали, что мы и молоды, и счастливы.

По «задам» вышли на белую дорогу на Копнино посреди молодой зелёной ржи. Впереди бугор с небом. Пока шли, всё оглядывались на деревню. Дойдя до половины, увидали другую впереди, а та скрылась за бугром, и дорога опять казалась длинной и заманчивой. Деревья, по-летнему тёмные, густыми шапками наседали на дома. Дома харитоновские некрашеные, дорога поросла травой — обеднела деревня, заглохла.

Цепелёво. Колокол 264 пуда и новый на 400 пудов. Новый колокол с Болдина везли на двух брёвнах всем округом мужики два дня. Два здоровенных каната привязали и стали поднимать опять же мужики, а мужик, который должен был прикрепить его, сидел на колоколе и вместе с колоколом поднимался кверху, и когда колокол подняли, он прикрепил его. Новый колокол звонил так громко, что слышно было в Собинке.

А прежний колокол тоже был хороший, но кто-то подложил под него (под язык) металлическую трость, и когда ударили — колокол треснул. Трещина становилась всё больше и дошла до верху. Какой-то богатый мужик дал денег и заказал новый в Москве на 400 пудов. Это рассказал дядя Саша. Он тоже из рода Кузьмичёвых. Когда-то они жили все вместе в том доме, где теперь живёт Аннушка (дом был ещё старый).

Только это ещё не было краем деревни. Вниз почти к самой реке шла слобода. Потом дядя Саша женился и отделился, построив рядом себе дом. Теперь этот дом выкрашен тёмно-синей краской, а крыша покрыта оцинкованным железом и на солнце бывает светлая-светлая. А Миша, брат его, женился на Аннушке и привёл её в родительский дом. Мишу убило на войне через три года после свадьбы. Стариков похоронила Аннушка. Так она стала хозяйкой этого дома. У Аннушки было уже тогда, когда Мишу убило, три девочки: Тоня, Валя и Верочка. Как она с ними жила одна и воспитала, спокойно невозможно слушать.

Это была робкая милая девушка, которая всё смеялась, а когда ее обижали, даже по пустякам, — плакала. Когда Мишу убили, она была на сносях и думала, что теперь всё пропало и не жить ни ей, ни дочерям. Старуха свекровь была ещё жива. Дядя Саша тоже был на войне и попал в плен. Его не загруженный книжными впечатлениями ум сохранил яркие и образные впечатления его странствий. Он стал в деревне как бы европейски образованным человеком. Рассказывает он об этом обаятельно и весело, как всё, что он рассказывает. Их таскали по всей Европе, вплоть до Норвегии, до Осло.

«Сперва я не знал, как делать ни табакерки, ни мундштуки. Потом нас из Риги перегнали в Норвегию, барак был большой, чуть не сто человек. Из всех стран. Все занимались ремеслом. Немец идёт. «Воздух», — кричат. Все инструменты раз, раз, прячем, сидим. Пройдёт. Видит, ничего нет. Опять всё вытаскиваем. Делаем».

<21 июня [1965 г.]>

Мы опять в пути. На Ундоле пришлось вылезти из-за ливня. Он стремительно мчался нам навстречу. Красная Охота с чудесным лесом осталась несбыточной. Сидим на вокзале. Так тихо, что капает вода и гулко гудит по пустому вокзалу.

Потом два старых интеллигента (это мы), огорчённые дождём, решили зайти в столовую. У самого входа на мой голос откуда-то выскочила маленькая рыжая собачка, немного такса. Помню, голова у неё была примочена дождём. Она так трогательно и подобострастно о чём-то просила нас, так топталась на месте и виляла хвостом, что надо было иметь очень жёсткое сердце, чтобы не откликнуться. Я её звала в столовую. Она доходила до двери и дальше не двигалась. Видно, не раз гнали. За обедом мы выпили пива и оставили хлеба и даже кусочки мяса для собачки. Но когда вышли, дождь прошёл, а собачка убежала. Я походила вокруг и посвистала, но её нигде не было. Я думаю, она хотела подождать, но её кто-нибудь прогнал. Так мы и пошли с грустью в сердце и с сытыми желудками.

Опять огород с засаженными грядками, лопухи у колодца и полное небо туч, золотого солнечного света и тишины и покоя. И не хочется думать о завтрашнем дне и о неудачах. В такие вечера веришь, что всё получится.

Ивы обдирают повсюду. Вот уже второй год. С заречных лесов перебрались в поля. Одинокие ивы по овражкам, охраняющие ключевую воду, стоят с ободранным стволом. Они ещё зелёные, но обречённые. На них жутко смотреть. Они напоминают оскальпированную голову. Десять копеек за килограмм. Это очень выгодно. Погибнут? — Отвечают: конечно, погибнут. Из них потом хорошие дрова будут. Это вторая выгода. Ивы — на корьё. А где же смысл — сохранение водоёмов и защиты деревьев и лесов? Недавно встретили лошадь с телегой, гружённой связанным корьём, и трое мальчишек. «Это вы что везёте?» «Корьё». «Так это вы ободрали серебристую иву в поле?» «Мы». «Женя, а ты ведь состоишь в обществе защиты лесов?» «А это разрешается», — без запинки отвечает он. Что можно на это ответить?

Ивы большие, по 30-35 лет. Значит, если даже их не будут обдирать, теперешние дети не увидят их в своей родной стороне лет до тридцати. Как это совместить, как это понять? Вся сторона эта полна маленьких ключевых речек. По берегам их извилистых лучей растёт ивняк.

Среди них прекрасные большие ивы. Ивы и вода — всегда вместе. А вот теперь ив не будет. Если бы ещё выборные деревья. Но подряд все большие ивы. С этим невозможно примириться. Что это — недоразумение или планомерное уничтожение деревьев?

Итак, дети наших дней не увидят скоро больших сосен, так украшающих наши молодые леса и чудом в них сохранившихся (их рубят для сбора шишек), не увидят больших прекрасных ив у прудов и речек, чей поэтический образ хранится в каждом воспоминании детства (их губят на кору). Они могут увидеть их уже взрослыми 40-летними людьми. Вы скажете, это сентиментальность? Но ведь любовь к простой иве — это тоже любовь к своей родине.

Вот опять Аннушка. Вот опять милый большой дом. Она никогда не знала, что кто-то с кем-то имел блат и связи, где-то по знакомству доставали продукты.

В этом году ей легко. Она работает телятницей. Сперва может показаться, что она любит болеть и жаловаться. Но она, как ребёнок, жалуется на боли и работает при этом как мужик. «Ой, что-то у меня болит вот этот бок. Вот, вот в этом месте». У неё почти всегда что-нибудь болит.

Когда мы уходили, она долго стояла на крыльце, сложив руки и долго глядела нам вслед, пока дорога не сворачивала далеко за огородом и не уходила в бок за бугор. Скольких она так проводила за свою жизнь по этой дороге. И точно так же одиноко кивал серый домик в три окошка.

Утро. Солнце и я. Мои холмы светлы и душисты. Моя река тиха. И я счастлива и могу просидеть так целый день, только чтобы никого не было. Как странно. Счастье — это беспечность. Просто беспечность. Рыбы играют в реке и нежно всплескивают. Так знаком этот поворот реки. Весь в дымке. Серый, строгий, как у японцев. Камень под водой рябит воду — завтра он образует островок, мой островок. Красные берега с голубым ивняком лежат в воде. Лодка спит на песке. Эх, просидеть бы так весь день, половить бы рыбку. Но я знаю, что надо идти домой, будить В. и идти работать. Гуси плавают через реку, так дивно плавно, точно лебеди на картинках. Пришёл косец. Слышен всплеск проснувшейся лодки.

Косцы возвращаются. Утро кончилось.

Думы с делами не сходятся — как говорит наша Аннушка.

Дом стоял на красной стороне. Воробьи поутру кричали, стараясь перекричать друг друга. Воробей-папа сидел на стальной проволоке в огороде, заменяющей верёвку и поглядывал по сторонам. Я высунулась в окошко сарая. Воробей на проволоке увидел, затрещал. Всё стихло мгновенно. Воробей-трещотка крутил головой и трещал. Я спряталась от солнца и стала подглядывать. Воробей-трещотка пересел на карниз и, вытягивая голову и поворачиваясь, старался разглядеть меня и всё трещал. Я не дышала. Он перескочил на проволоку, покрутился и что-то сказал. Прилетела воробьиха, тоже что-то сказала, и опять раздался радостный крик воробьев.

Видели — иволги на дубу. Они жёлтые и очень тонкие и суетные. Старались отвлечь нас, должно быть, от гнезда.

<17 июля [1965 г.]>

Человек не может жить без мечты. Моя новая мечта родилась пасмурным утром на серой, но такой радужной реке. От разгарного лета, раннего утра, чувства одиночества и свободы. В лес в палатки хоть бы на две недели. Ни дома, ни людей, четыре человека и никаких этюдов: река, лес и мы. Вот радость, вот здоровье. Ночь дышать необъятным июльским летом, утра от тумана до дождя захлёбываться ароматом. И просто чёрт знает что. Праздность, и воля, и радость. Так всё утро, что ни делала, казалось, уже в лесу.

[Рассказ Аннушки]

Это началось давно — июньским утром воскресного дня. Мужики собрались попилить бруски на отделку: Миша и Сергей — брат. А её послали за пол-литром, после, за обедом, выпить. Она пошла в магазин в соседнюю деревню. В магазине никого не было. Продавщица Рая отпускала вино. Зашёл Миша Ш. — Анютин муж. «Что, решила погулять? Набирай больше!» «Ну, чтой-то. Пойдём к нам, мужики выпить решили». «Набирай больше, скоро не будет. Немец войну объявил, по радио объявили». «Ну, чтой-то!» Побежала обратно. Дома рассказала мужикам. Сперва смеялись, не верили. Потом заговорили кругом. А в 5 часов пришёл нарочный с подстанции за Мишей. Так и не выпили. (Он работал на подстанции дежурным — был выходной. Но пришлось идти.) Наутро в понедельник возили навоз. Нюша (её все звали Нюшей) возила навоз. Ехали обратно в деревню. Жеребец был молодой. «Жеребёнок разбил было. Семён-напарник — всегда дурной был, всё норовил обогнать. Жеребёнок понёс. А рядом сидел чужой мальчонка. Они любят кататься. «Пожалуй, разобьёт тебя, спрыгивай!» — взяла его на руки и сбросила. И сама — деваться некуда — тоже спрыгнула, да так удачно, даже не упала. А была на сносях уже Верочкой. Жеребёнок запутался в вожжах и упал. А уже въехали в проулок. А в проулке всё дерева: берёзы, осины, дубы. Он упал, чуть не доехав до берёзы. Через проулок, как раз шли бабы и мужики на обед. Мужики подошли и стали распрягать. А один и говорит: «А Мише твоему повестка пришла». Она заплакала, забыла про жеребёнка и пошла домой. И только теперь по-настоящему поняла, что случилось. Мать была дома, плакала, уже знала. Миши не было. Горе горем, а дела делать надо. Пошла доить корову. Бабы по дороге спрашивают: «Нюша, что ушибла?» А я ничего не ушибла. Я и забыла про жеребёнка. А плакала уже о другом. Пришла домой, а Миша уже дома — ему сообщили. Двоих первых из деревни забрали. Стали сбирать сумку, а я не могу, сижу на кровати и плачу. Как сейчас помню: собрались родные, вот так за столом сидят, а я здесь на кровати сижу и плачу и думаю — не жить мне теперь. Двое детей уже было: Тоня — старшая. Валя — вторая, и младшая, Верочка, ещё не родилась. А рождались чуть не каждый год.

Пошли провожать на сборный пункт, а я не могу — поясницу схватило, и стала на ноги падать (с тех пор и поясница болит), так и не проводила. А до Лакинки пешком (раньше всё пешком ходили). Так и вернулась назад.

Думаю — проживу год-полтора, пока хлеба хватит. А у Миши своя дума: «Приду инвалидом — примешь?» А народу, народу в деревне было — не то что теперь.

Начался покос. Ходила косить со свёкром. Как солдатке — выделили пай. Ходила сама его метить. А далеко за Тоймигой, по трассе, на мхах. Помню, уж собирались на завтра. Сгребали в копны и подтаскивали. Отец говорит:

«Хватит, остальное завтра». А я: «Да давеча нынче всё уберём». Всё убрали, пришли домой — ничего. А ночью как поднялись боли. Позвали акушерку. Недели две пролежала. Да так до родов тихонько ходила. В Копнино за хлебом (за Мишу паёк давали) еле-еле ходила. Каждую ямку обходила. А уж рожала 30 августа, дома. Бабы бегали всю ночь, кого позвать — никого не было. Кого-то привели. В ту же осень умерла мать. Похоронили. А она грузна была, на руках не несли, на подводу. Еле собрали народ — похоронить. Вымыли после обеда, всё прибрали. Оставаться одной страшно — осталась Нюшка Самохвалова на ночь. Сама на кровать с девчонками, Верочка — в качку, Нюшка на полу. А бабы говорили — кто тебя тронет такую молодую с тремя детьми мелкими, живи — не бойся. Как ворота запирать будешь, твори молитву: «Аминь, аминь, святой дух, помилуй меня!» Первое время творила.

На следующую ночь осталась одна — так и стала жить. Поставили мне на постой военных на неделю. Человек шесть. А Миша уже ничего не писал. Последнее письмо послали в Ригу, в августе. «По дороге попала бомба в эшелон. Много убитых и покалеченных, а я пока жив. Кто-то бережёт. Залегли во ржи. Попали в окружение».

Всё начальство. Им хотелось почище. А у меня всё просто, свободно. Стали смотреть карточки. «Где твой-то?» «Вот». Взяли на руки Тоню. «Я твой папа. Видишь, на карточке звёздочки, и у меня». Она смотрела, смотрела: «Нет, не мой папа. У моего папы вот здесь, — показала на щёку, — пятнышко тёмное».

Зимой поставили возчиков. Они привозили дрова. Таскали в деревню верёвку какую-то — меняли на картошку.

В колхозе работала, соединившись с одной ещё солдаткой. У неё сынишка был. День одна сидит с детьми, другая работает, день — наоборот. Потом открыли ясли. Верочку стала носить в ясли. А старшие сами весь день бегали. Соседка Белова тётя Катя с мужем Сергеем (таких соседей мне уж больше не видать). Так они, считай, Верочку чуть ли не воспитали. Верочка звала его папой. Прибежит: «Папа, дай хлебца», — он никогда не отказывал. А когда пришла первый раз в дом и увидала его — думаю, какой страшный мужик, как с ним можно жить. Ругается, матерщинит. Он и в доярки меня устроил. Всё говорит: пиши и пиши заявление. И написала. А заявлений было много, и все солдатки. А он где-то в конторе работал. Так бабы потом так и говорили: «Это Сергей за тебя голос подал, а то не быть бы тебе дояркой». Так с 42-го года и стала дояркой. Вот только первый год не доярка.

Это теперь я немного отошла, а когда Тонька училась, всё сердце изнылось. А коровы тогда не было.

Корова была старая, а молодая — бруцеллёз! Взамен дали корову. До октября подержали. Сена не было вовсе. Денег-то неотколь взять было.

Четыре года не было коровы. Это уж было после войны. Тонька пошла учиться в Орехово. А во время войны было легче. Девчонки были маленькие, пайка хватало.

Приехала Тонька с Алтая: «Мама, я пойду замуж». У меня сердце так и зажалось. «Ой, Тонька, у тебя нет ничего!» «Что ты, мама, вдвоём легче».

Тоньке купили «майское» пальто, в нём она и училась, и зиму, и лето, в нём и на Алтай поехала. Верка училась в 8-м классе, а зимой ходила в няньки к преподавателям. Уроки учила в школе и домой приходила только ночевать.

Тоньке послали деньги. Купила пальто жатое, оранжевое. Радости было сколько!

Так Верочка всё и прислуживала. Вот откуда такая любовь к труду.

***

Двое лежали в палатке. Уже два дня шёл дождь. Слышно было, как плескалась вода. Туристский поход срывался.

Приходили пионеры в поход. Расположились на бугре над рекой. Собирали костёр. Ушли через два дня. Оставили горячий пепел и остатки срубленной для котла берёзы и дубка. И берёза и дубок тут же росли, окружали поляну. Значит, что поход — то два-три молодых дерева, значит, через два-три года останется голый бугор. Вчера мы увидали эту берёзу, вскинувшуюся высоко над рекой, через два дня пришли, а берёзы нет — её срубили на котёл.

Мне почудилось, что я рано на рассвете просыпаюсь и вижу озеро, всё в дымке и тумане. Такое тихое, как только в сказках бывает, и этот образ стал мечтой озера Братонеж. Но мечта не сбылась. Не сбылась, потому что мы пали духом от усталости и испугались пути. Опять отступили, дав себе слово быть там. Но слово не сбылось.

Если бы я тогда не оговорилась. Он бы сам побоялся и предложил другое. Может быть, всё лето пошло бы по другому руслу. А вечером накануне мы были там. Через прекрасный густой лес. Лес, наполненный не только красотой этого вечера, но полный воспоминаний осенних и весенних, полный белых берёз, которые мы писали поздней осенью, и к костру нашему подходили пастухи. Один, лицом похожий на Рублёва, так хорошо говорил о политике — как только в деревне умеют (уж не помню, что). С ясной зелёной лужайкой, где жила ящерица в норке под кочкой, и мы кормили её жуком, с дорогами, недавно ещё золотыми озёрами чистейшей весенней воды. Теперь этот лес был душен и звенел комарами. Большая просека — всегда манит вдаль, ещё лес, болотистый луг, поворот — и тихая деревня вокруг озера-чаши. Улица — берег озера. Вечернее солнце. Мальчик на пороге мастерит что-то. Забытая механизация. Тёмный дом с завалинкой и девочки, тоненькие как веточки. А из окна — голова старухи, умной, хитрой, суровой. Старуха улыбается, даёт напиться, а озеро блестит и манит лунной загадкой.

Но мы прошли мимо. Мы отступили. Я помню осень и туман. Это был год прекрасных открытий, прекрасных планов и помыслов. Берёзы на Городке были как мечта. А дни стояли прозрачные, лёгкие от туманов, с тихим солнцем. (Это была хорошая осень. Первая осень без театра. Нам казалось, что всё увиденное мы претворим этой же осенью в картины.) И вдруг туман, туман, как молоко, как вязкое желе, в который хотелось упереться руками и оттолкнуться. В такой туман кружится голова и хочется выйти из него. И мы пошли в этой подвешенной кисее, которая колыхалась над нами. Мы шли, шли и ничего не видели. Только три метра дороги впереди. И пришли... совсем в другое место. Так гениально сбиться с пути среди бела дня! Пустырь. Высокие голые вязы. (А леса за ними не видать.) В тумане фигура. Узнали дорогу и краем леса вошли в неведомую страну золота и серой мглы. Помню: всё казалось необычным, путаным, как в лабиринте. Непонятным, загадочным. В глухоманном лесу стало сыро и вязко. И вдруг мы в деревне. В этот же миг туман вздохнул и приоткрыл веки, и мы увидали чудо-озеро, лучше которого, наверное, уже не увидим. Оно казалось необъятным. Три светлые ивы на берегу, под ними конь, а дальний берег ещё плавал в тумане, и золотился, и розовел. И всё это было как в прекрасном сне о синей птице с молочными реками и кисельными берегами. И всю эту нежную туманную мглу повторяла вода.

<3 августа [1965 г.]>

Я люблю южный ветер. Опять одинокий берег и река. Если сесть на короткую жёсткую траву у самой воды, поджатые ноги, прикрытые летним платьишком, загорелая рука больше похожа на мальчишескую... — и это уже не я, нет. Южный ветер веет, и мне опять 10 лет, и всё впервые — и плеск тёмной воды, и сумерки облаков, и в светлом небе высокие птицы. Нет ни меня, ни современности, есть извечность этой воды и неба, и есть радость жизни, и есть мечты. Я так сижу, и как будто не было ничего, ни 1937-го, ни всей игры в ничто, а только я и радость, красота, жизнь.

И вот это уже не женщина, а девочка, вот страшный поезд, нары, вот северный берег и северный ветер.

И много проходит картин перед глазами. А берег, я и небо всё так же. И дует южный ветер. Я люблю южный ветер. Сенокос. Мы на сене. Белая ночь и южный ветер.

Мы ужасно молоды. Мы поэтому счастливы, и мы ничего не боимся. Ни мужчин, ни мокрых ног. И сама я как мальчишка.

Уж, видно, так: если ты родился романтиком, так и останешься им на всю жизнь. И если даже тебя будут бить по голове, ты останешься романтиком. И берег реки, и небо, и южный ветер будут самым большим счастьем.

<9 августа [1965 г.]<

Совершили маленькое путешествие. Вышли без вещей. Радостно на всё глядеть. Медленно, полем, через лесок. Ветер гонит облака. То тень, то солнце. Деревня Новосёлы. Берёзы по краям. Обыкновенные русские берёзы. Дорога — рожь и гречиха и кусочек тучи. Вот и Русь. Деревня большая. Узнали дорогу. Хотели на Крутояк. Никто не советует. Раньше шёл путь на перевоз. А теперь всё заросло. Целый кусок жизни замер в том месте, как пришла цивилизация.

Я представляю, как идут, идут люди по зелёной пойме летом, среди жёлтых стогов — осенью. Идут нарядные, идут убогие. Вьётся тропа на красивую реку, на перевоз. Идут и едут в город.

А теперь зелёной поймой через кусты только мы идём, да навстречу нам женщины с укоса. Идут, недоверчиво поглядывают.

Пришли к реке. На счастье, моторка разворачивается. Прямо к нам. Не возьмут: полна лодка рыбаков. Посовещались. Перевезли. И оказались мы на пустынном и чужом берегу, где никогда ещё не бывали. Идём чужими холмами. Весело стало. Справа сосны. Слева на глинистом обрыве деревня Спаська. Ещё недавно она стояла над рекой и в тихие вечера гляделась в воду. А река вдруг отошла, и осталась Спаська вся в кустах, заброшенная. Обязательный перед деревней луг. Футбольные ворота. Входим. Удивительна русская деревня. Как на выставке, стоят дома, деревья, палисадники. И ни души. Замечаем женщину у амбара. Что-то делает, на нас поглядывает. Узнаём всё, что нам нужно. Как только можно узнать в деревне. И дорогу на Крутояк через лес по тропе, и поворот налево после скамеечки к деревне, и дом, где живёт тётушка знакомого художника. Всё это так удивительно просто, ясно, толково.

Находим дом, второй после поворота. Закрытая двойная дверь. Кажется, никого нет. А так хочется уже попасть в этот тихий дом, как раскрыть незнакомую книгу. Стучим. Тишина. Потом шаги. Открывает старая женщина. Лицо чужое, глаза чужие, помутневшие. Несколько вопросов и ответов, и мне становится боязно, что дверь закроется и мы останемся одни. Но что-то добреет в её глазах. «А то, может, зайдёте?» «Да нет, спасибо, мы пойдём». Ещё несколько слов. «Да зайдите». И мы заходим.

Неповторимая и чем-то ужасно знакомая изба. Стол у входной двери. И длинная скамья. Тёмные стены. Окно сбоку открыто в зелёный сияющий мир. Напротив тёмный шкафчик и коричневая перегородка и печка, на которой висят детские вещички. Посередине вход в чулан (кухня).

Неизъяснимое удовольствие получила я, очутившись в доме. Покой и отдых, которые нигде больше не получишь, как в хорошем ухоженном деревенском доме, в котором всё идёт изо дня в день лет 50, а то и более. Было славно сидеть — тело почувствовало усталость. Хозяйка вдруг заволновалась. Домывала какую-то кастрюлю, бросала и подходила к нам. А нам бы весь век, казалось, так сидеть. Оказалось, у неё живёт мальчонка-внучек. А дочь во Владимире. И у неё несчастная жизнь. И как только речь зашла об этом, она вдруг обрела себя, успокоилась, села на скамью, и потекла её речь, живая и яркая, о дочерней беде, о мальчонке, о покойном муже.

И пока она говорила, всё больше добрела и казалась нам совсем знакомой. Деревенский дом — как картина, которая раскрывает перед тобой целую историю жизни.

Её рассказ — это её духовная жизнь. Вся потребность в духовной жизни, в творчестве, все силы души, не растраченные на чужие судьбы, взятые из книг, вкладываются в этот простой рассказ, который для них является и итогом, и смыслом, и значением жизни. Рассказывая, она принесла нам молоко, поставила стаканы. «С хлебом или с пирогом?» — спросила, разрезая батон. И молоко с холода, и «пирог» не казались никогда так вкусны.

Потом мы прошли в переднюю, посмотрели фотографии. И когда вышли на крыльцо и посидели на лавочке — и палисадник с молодыми тополями, и дом, и зелёная улица, и сразу за деревней лес показались нам родными, уютными и всегда нас ждущими. Мы посидели и пошли дальше, смотреть, на каком бугре стоит Крутояк.

Мы опять шли через незнакомые холмы и сосны, и женщина под бугром подняла на нас лицо и сказала, что на нашем пути будет низина и что там будет трудно пройти. Жёлтая тропа, какие бывают только в наших лесах, всё бежала и бежала перед нами по выжженным полям, по молодому сосняку, по дремучему лесу. И казалось, что 5 лет назад, и 10, и 20 лет назад всё так же бежала жёлтая тропа и так же расступался и смыкался за нами прекрасный лес, и от этого легко и весело было идти. Собирать грибы, разглядывать ягодник. А потом лес кончился. Стояла лавочка, журчал ключ, над желтой рожью плыли облака, и дорожка сбегала по чёрным кустам всё налево — и вниз, и там стоял Крутояк. А над рожью мчались самолёты, хищно выгнув спины. И солнце светило на нас, на самолёты, на рожь. А потом стало совсем тихо и сумрачно. Сумрачно от гигантских невидимых ив в три обхвата. Меж ними сверкало и искрилось — это Клязьма. Берёзы со всех сторон сбежались и покачивались. Они ещё были совсем молодые. И в этом зелёном море стояли цветные, разные домики, тени и солнце играли на них. Голубые и жёлтые окошки.

Это совсем было не похоже ни на какую деревню. Здесь, казалось, можно было только отдыхать и ничего не делать. Но жёлтая тропа всё бежала, и сказочный Крутояк остался позади, как мираж, как видение. И мы опять шли, и закатное солнце слепило нам глаза. И нам хотелось вернуться назад, но не было там дома за закрытой дверью, который стал родным. Мимо мчались мотоциклы, река за кустами плескалась и вскрикивала. Здесь шумно отдыхали, здесь ловили рыбу, здесь добывали грибы. Намечался город.

Ещё одна деревня — Переборы. Вся красота её заключалась в одной красной линии лицом к солнцу и к реке. Все её богатые нарядные дома выстроились, как на парад, все они хвастались своей отделкой и покраской. И даже двухэтажные выходцы [из] дореволюционной жизни на каменном первом этаже не вырывались среди прочих. Они в ряд со всеми одинаково хвастались. Мы посидели в тени чёрной баньки. Мы уже скучали по глухомани. Наш путь должен был лежать назад через лес по лесной стороне Клязьмы. Там мы были бы дома.

‹28 августа [1965 г.]›

Прощанье. Река всё так же бежит в своих берегах. Солнце светит и слепит глаза. Но как оно стало низко. Блестят отмели, и не верится, что это скоро всё умрет и придёт зима. А на берегу всё лето лежит перевёрнутая лодка. Смотрю на тихие сараи, и мне хорошо и уютно. Всё оказывается очень просто. Просто цыплёнок родился уродцем с оттопыренной лапкой. Просто хозяйка думала, что он скоро умрёт. Когда он был совсем маленький, он сидел под наседкой. Потом все как умели бегали за наседкой, и он бегал, работая крылышками. Был весел и любил поесть. Потом цыплята стали вдвое больше, а он всё был маленький, и стали бить уродца по голове. Он забивался в крапиву и кричал. Потом приехала маленькая девочка и просто стала жалеть его. Кормила и носила на руках. Он привык и вечерами кричал у крыльца. У него была ободранная головка и страдание в глазах. И тогда взрослые заметили, что он печален и его надо убить. Потом очень просто пришёл парень и тоже пожалел цыплёнка, взял и ударил топором голову. И так просто всё кончилось, цыплёнка не стало. Никто не кричал. Но не просто было забыть его головку и страдающие глаза. Но почему-то долго нельзя было привыкнуть к тому, что его нет.

<15 марта [1966 г.]>

Подул южный ветер. Если он будет дуть с неделю, начнётся великое наводнение. Все громады снежных пластов вдруг подымутся и превратятся в воду. Боже мой, как мне грустно и одиноко.

<30 марта [1966 г.]>

Проехали Болдино. Дорога на Сушнево, Братонеж. Тоска моя садится вместе со мной в поезд. Огонёк едва теплится. Сколько надо проехать, чтобы вернуть былую благость, радость? Наверное, надо проехать пол-России. В чём найти пищу для душевной силы? Костёр в лесу — младенец, его надо беречь, как маленького, пока он не окрепнет. Так и огонёк в сердце своём надо беречь и питать.

Работать, работать, как у Чехова, тогда всё можно пережить. Как можно больше работать.

Белые берёзы, белый снег и сквозной переплёт ветвей. Ярко освещённый вагон. Ночная тьма отражает пустые кресла, занавески и окна противоположной стены. Рельсы отражают и мнут эти отражения. Их неподвижный покой только сверху, а внутри корёжатся столбы станционных окраин, обглоданные бока платформ, выхваченные фонарём куски земли. Мир там, в ночи, за окном вагона. Но если заслониться от света, видна вся чернота ночи и собственная голова. И уже не плывут неподвижные пустые важные кресла, точно генералы. И не знаешь, люди как кресла или кресла как люди. Спит старушка, уперев кулачок в губу, спит молодая женщина, мелко откинувшись на спинку. Не спим лишь мы. Нас раздирают миллиметры, нас раздирает красота вагона, нас раздирает жизнь на две половины. А где же новая жизнь? Неужели опять сомнут вагоны все надежды, неужели опять тёмная волна захлестнёт и потопит душу, мысли, свет? Я тону. Я не могу плыть и бороться с течением.

<Апрель [1966 г.]>

Стынет холодный вечер. Все странно обнажено в природе. Семь часов, а светло и беспощадно. Дует северный ветер. Всё обнажено, как будто содрана кожа.

Пять часов утра. Светло. Ручьи — белые льдинки. Воробей кричит громко на одной самой громкой ноте. Галки на карнизе так галдят. Я задираю голову. Это песнь утру, весне, любви. Галка кричит, а хвост трепещет в восторге. Это песнь. Голуби ходят по дорожкам очень тихо. Потом вдруг всё стихнет и так станет тихо, как будто не проснулось ещё. Дым стремительно мчится вверх. Весна света. Весна воды и весна человеческая, просто весна. Весна солнца. Весна света пришла, как всегда, голубым и мерцающим. А весна воды долго была скована холодами. Кто-то жестокий держал её в неволе. И они две — воды и тепла — совпали и пришли вместе: лавиной лесной воды и потоками тепла и солнца.

Лесная вода... Это как стадо оленей, выпущенных на волю. Ручьи, дети оленьи, мчатся наперегонки, всё сшибая и унося с собою, всю зимнюю жизнь, всё голубое и белое, и большие великаньи лосиные следы стираются ими. Это большое счастье — застать в лесу, как пошла лесная вода, это увидеть рождение весны воды. Это счастье мне привелось увидеть однажды.

Два дня уже царствуют весна воды и весна солнца. Между окон влетела и билась красная бабочка.

Луна розовая и нежная. В тёмной комнате она входит в окно и квадрат на полу. Говорят, преступления бывают ночью — нет, луна великий миротворец, столько в ней покоя и мира, но город со своим шумом и электрическим светом пугает её. Она не спускается на землю и летает высоко над домами в светлом небе.

<1967 г.>

Дом, в котором мы живём десять лет, имеет три этажа. На каждом этаже по одной квартире. Всё остальное принадлежит театру.

Мы — третий этаж. За 10 лет здесь сменилось не менее 20 жильцов, кроме нас. Мы тоже меняемся, но остаёмся.

<[10 февраля 1967 г.]>

Сегодня пятница, 10 февраля. Всё началось с четвертинки, которую принёс В. Он захотел выпить. А это значит, что вечер пропал и мы поругаемся. Мы поехали к Х (*Лев Елисеев*). В окне маленький свет. Как всегда, дверь в квартиру открыта. В двери комнаты маленький обернутый красной тряпицей ключик. Открываю и стучу одновременно. И спрашиваю: «Можно?» Заглядываю. На диване кто-то спит. Разбираю: на голове платок — тётя Таня. За шкафом хихикает мамаша. Настроение у неё отличное. Улыбается. «Х. ушёл с утра, не знаю, куда. Ещё не приходил». «А как эти дни?» «Не выходил из дома. Всё дома сидел». «Пил?» «Ну конечно» — смеётся. «А она? — (на тётю Таню), — тоже у вас?» «Ну да. Она его главная помощница. И вдвоём пили, и втроём, и вчетвером. Но тихо, хорошо. В магазин сам не ходил. Посылал. — (Пауза). — Вином его снабжали». «Деньги отдал?» «Отдал, всё отдал. И долг тоже. Сегодня первый день вышел. Ну, надо же и погулять!» Ещё несколько дежурных слов, и уходим.

На улице мороз и мгла, как в январе. За эту зиму много раз мы проделывали этот путь. Помню вечер, когда Х. болел и им с В. страшно хотелось выпить. Я не разрешила. Ушли домой. В. устроил мне скандал. Пил весь следующий день, мотался по улицам и мучил меня.

Сегодня пятница, и я вспоминаю прошлую пятницу. (Такое совпадение.) В. опять хотел выпить. Мы поехали к Х. За дверью — тонко и громко: «Можно! Можно!» Входим. «А-а!» — кричит и приветствует руками и ногами. «Ты пьян?» «Ужасно. В дугу», — и лезет обниматься. Глаза сонные. На полу его рыжее пальто, чёрная шапка и шарф. Валялся. «Оставайтесь». Второй художник — маленький очкарик — в пальто, в шапке и в носках. Собирается уходить (спал на диване). Забыл надеть ботинки. Жаль, напомнили. Х. болтается. Просит вина. Рассказывает про бар. В. сердится. Тоже хочет выпить, но Х. невозможен для компании. Я сижу. Не знаю, как уйти. И беспокоюсь, что выкинет Х., когда мы уйдём. В двери — фигура. Лицом очень похож на Х., но совсем другое. Как скверная маска.

Глаза оловянные. Сухой и тощий. Ругается матом. Брат. Х. ощупал карманы. Пусто. «Чего ты пришёл?» Тот лезет драться и ругается. Толкнул. Х. потерял равновесие. Сел на кровать. Вскинул поживевшие глаза. Что-то подумал, встал. «Ну, бей, ну, ударь!» Тот — тыр-пыр — попрыгал рядом. Отошёл. Мы собрались уходить. Он живо стал гнать брата. Хотелось с нами. Мы ушли.

У остановки сопит. Догнал нас. Рад. Не шатается. И тут же: «Пойдём, я вас угощу». Вдруг запел песни. Мимо девушки — нацелился на них глазом. В. шокирован, пошёл назад. Уговариваю Х. — не идёт. Хочет с нами. Наконец пошёл. Опять дома. Собрал 70 копеек. Не раздевается. В. сочиняет, что пойдём занять. Он покорно ложится в пальто на диван. Как наказанные дети. Руки на груди. «Так и буду ждать». Догадался, что мы хотим отделаться.

Позднее узнали: мы только за дверь, он — в «Юность». Знакомая официанточка. Стакан вина. Встречные два мальчишки. Бутылка на троих. Потом домой — нас нет. Собрался к нам. На улице милиционер: «Куда идёшь? Иди домой, а то заберём». Делать нечего. Теперь уж окончательно домой и спать. А мы поехали домой и ругались, за то, что В. пил в одиночку. (Прошлая зарплата и 6 рублей долгу.)

<[11 февраля 1967 г.]>

На следующий день.

Следующий день. В. пьян. Я прихварывала. Я прихварываю — он пьёт. Так повелось. Мне от этого ещё больней и хужей. Было скверное настроение. В. метался, метался. Потом исчез и привёз Х. После вчерашнего трезв и серьёзен. Поначалу мне не хотелось ни говорить, ни пить. Потом разошлись, стали вспоминать богемные случаи из нашей жизни. В. колючий и взъерошенный, когда пьёт. Х. чем пьяней, тем веселей и открытей. Как вдохновение, пьянство находит на него.

Я усмехаюсь и больше слушаю. Да они и не дают мне говорить. Так устанавливается равновесие в нашей маленькой компании. Я только придерживаю, сколько могу, быстроту исчезновения бутылок.

Пришла Фая. Худая, бледная. Чёрная причёска. Все черты острые. Сперва сердилась. Но всё приготовила. Как-то через силу. «Она всё сделает. Угостит». Появились консервы. Картошка. Две бутылки. Вдруг Х.: «Знаете, здесь тесно, как-то тяжко. Пошли!» Его уже несёт куда-то. Вышли все на мокрые улицы. К нам пить чай. Вдруг В. (всё от него). Опять спор. Привести к нам Фаю. В. — за Фаей. Слава — на вокзал. Мы с Х. ждали. Фая пришла, улыбается. Слава увидел, обозлился, как последний деревенский мужик, и без шапки (я отняла) умчался домой. Всем стало скверно и стыдно. Фая загрустила. Собрались расходиться. В. уговаривал её и возмущался. Один Х. смеялся — мудрее всех. Опять пили. Я решила — всем вести её домой. Вдруг Х. (он сильно опьянел): «Я не пойду — останусь». Оставалось недопитое вино. Я потихоньку спрятала его. Х. решил, что я не доверяю ему комнату. Обиделся и стал как мальчишка. Долго уговаривала и утешала. «Ты найдёшь такие слова, которых ни у меня, ни у В. нет. Ты нужен нам». Заулыбался. «Кажется, ты меня уговорила». Пошли. Опять чёрные улицы. Х. так захорошелся, что беда не в беду. Пришли. Дверь закрыта изнутри. Молчание. Долго уговаривали. Х. громко дурачился. Фая осталась ночевать у соседки. У В. — психоз. Дома заорал диким голосом песню. Всю злобу перенёс на соседей. Дико стучал в стену кулаком. Я закричала на него. «Ты что на меня кричишь?» — ужасное лицо. Всё говорил: «У неё было такое радостное лицо. Вы не видели. Она была такая просветлённая». В. — шумит. Х. — шумит, бросает свои штаны. А в них кальсоны. Я рассердилась. Затушила свет. Да, забыла. Завтра в 9 часов договорились к Славе. Х. остался ночевать. Как всегда, разобрала на полу постель. Х. простыни лежат отдельно. Он уютно, по-домашнему располагается на полу. В. заснул сразу. Как провалился. Мы курим и говорим. И опять курим. Хорошо ночью говорить. Темно. День окончен. Новый не скоро. Ни пить, ни есть не надо. Даже смотреть не надо — темно. Не надо следить ни за собой, ни за другими. Лежать так уютно и освобождённо. Только огонёк сигареты кружится. Это — как птицы на проводах. Я вижу лишь смутное движение рассказывающей руки. Ей тоже так свободно двигаться в темноте. Перед этим столько шума и наигрыша, и вдруг всё снимается, столько искренности и простоты. Весь налёт сползает, остаются хорошие мысли. Хорошие воспоминания.

* * *

«Матушка Кураж» — Брехт.

Это жизнь простого человека, попавшего в необычные условия. И только. И это как удар плетью. Это выворачивает наизнанку. Всё здесь просто, как всё на войне. Любовь, несчастья, самоотверженность, а жить надо. А разве тётя Маня не матушка Кураж? Разве она не выкручивалась, и не тащила свой фургон, и не оберегала своих детей? Не спасала их от беды? Но она рисковала, а риск есть риск. А разве матушка Кураж не рисковала каждый раз? А немая Катрин несла свое замкнутое чистое сердце. Конец, как в каждой хорошей пьесе, должен быть неожиданным. Какой театр отчуждения? Это мощнейший реализм.

А тётя Маня родила сына в поле. Последний раз Х. рассказывал. «Я помню, как хоронили дедушку. Все пошли, и я пошёл. Было много снега. Я шёл и проваливался. А я опять шёл. Потом меня вернули. А отца хоронили, когда мне было семь лет. Мать в чём-то меня упрекала. А я ей сказал: «А помнишь, к нам ходил вахмистр?» А она испугалась — разве ты помнишь? Был навес и там много сухой рябины. Не знаю, кто её собирал. А потом она исчезла и появилась вата. Делали ватные верёвки. Женщины зимой собирались и делали верёвки. И ходил вахмистр. Что ж, она была женщина, а мужа не было. А потом ещё один ходил. Я помню, как я помогал вытаскивать кровать во двор. А кровать была такая длинная». «И ты всё это сказал ей? Пожалуй, это жестоко». «Я нарочно сказал, чтобы она меня не упрекала: какой ты сын, ты не помнишь ничего. Вот я и напомнил ей. А потом, я помню, мы садились на бугор и смотрели на небо. А там было зарево. Это над Москвой. Большое зарево. Помню, до семи лет я сикался. А потом нет. Я даже тебе это рассказал».

Потом заговорили о творческой даче. Если мне подать заявление, то могут послать. Потому что я чуть не прошла на зональную выставку. (Очень по-дружески): «Обязательно подавай. Тебя пошлют. Всё равно куда — в Горячий Ключ или на Академичку, лишь бы послали».

Пьяный угар как-то быстро соскакивает с него. Сон тоже. Только спичка снизу странно освещает лицо. И красная сигарета кружится в рассказывающей руке. Мне дремлется и слушается.

«Жрать было нечего. Мы бегали в поле и рвали травы, какие-то корни. Потом начали воровать кур. Ну, я тебе рассказывал. А однажды мы забрались в сад к одному мужику. Он за нами погнался. Мы через забор. А один маленький был мальчик. Он застрял на заборе. Мужик его поймал и избил, страшно избил. Он еле приполз домой. Так мы ночью переловили у него всех кур и петуха. Свернули им головы и повесили перед домом на верёвку. Тут мы ни одной не съели. Так они и висели несколько дней. А потом (это уже в городе) мы повзрослели. Был базар, под домом как раз. Тётки с молоком в четвертях. Один идёт: «Почём, мамаша, молоко?» — а с чердака уже верёвка с петелькой. Петельку накинул. А сам бежать. Тётка: «Ах, ах», — а четверть уже плывет кверху. А ты бежишь по пожарной лестнице на чердак. И мы сидим там и пьём молоко.

А потом ребята стали делать облавы. Однажды я стоял на стрёме. Потом решил: больше не буду. Ребята посылают — не пойду. Помню, в канаве дрались. Взрослые идут — не обращают внимания. А мы сцепились. Он кусается. А я его кулаками. А ребята стоят, смотрят. Я его избил. С тех пор меня оставили в покое. А ребята все ворами стали».

Я прошу: «Ты В. не напоминай про Фаю — что-то он очень к сердцу принял». «Нет, не буду».

Зажглись фонари — 6 часов. «Ну, наше время истекло», — это я, а он: «Стоит ли спать — через час магазины откроют», — никогда не изменяет себе.

Но всё-таки мы засыпаем. А потом не хочется просыпаться. Будильник на девять — звонит. Я злюсь, что его завела. Хуже всего, если проснётся Х. Он не умеет говорить тихо. Как маленькие дети. Скрипучим непроснувшимся голосом он громко: «Вить, а Вить, сходи в магазин» — или: «Витя, ты зачем мебель передвигал?» И мы все смеемся. Я нарочно ворчливо: «Спать, спать надо». Но спать всем хочется, и мы опять засыпаем.

Это утро было необычным. Ночная история звенела, как нескончаемая струна. Х., несмотря на мои слова, шутил и дурачился. В. нервничал, но тоже смеялся. А я была регулятором движения. Я решила, что В. лучше не ходить, мне тоже, а Х. с его собачьей жизнерадостностью и чутьём сделает именно то, что надо. А что надо сделать, никто не знал. Мы отправились все втроём на улицу. Он ушёл. Мы ещё походили, интеллигентски порассуждали и купили маленькую. Х. скоро пришёл. Говорит: «Слава спал», — он его разбудил. «Фаи нет. Слава смеётся — говорит, что всё в порядке».

Тут мы уселись за стол. Что-то было поесть, и начался тот весёлый пустой разговор, который кружится, как снежинки зимой, не зная, куда опуститься. И четвертинка допита, и расходиться не хочется, и вдруг Слава. Я открывала. А очень сердита была на него за Фаю. Обидел ни за что хорошего человека. Холодно он: «Можно?» «Заходите». «Я принёс долг (проигрыш)». Беру со злорадством. «Заходите». В комнате вдвоём с В. нападаем на него. Он показно самоуверен, как все слабые люди. Мы резко, и он резко. Сейчас совсем поссоримся. Х. вскочил, приплясывая завертелся около нас, что-то говорил. Как только он умеет. И мне действительно показалось, что стоит ли уж так ругаться, уж так ли мы правы. Вчера он говорил: «Со мной не пошла, а с чужими пошла». В. поднял её с постели. Она подвела его, сама того не ведая. А виноват-то В. Х.: «Нина, дай мне взаймы 3 рубля. Ну подумаешь, на три рубля больше». Я даю. Уже хочется помириться. Уже обида не такая обида. Уже со смехом вспоминаем вчерашнее, а ещё позднее забываем, что сидит где-то один человечек и ему скверно и одиноко. А мы, виновники, смеемся. О, как нам хочется смеяться, чтобы забыть это. И мы забываем. Слава разошёлся — не пищал и показывал приёмы борьбы. Маленькое его тело хорошо тренировано. В., большой и неловкий, увлечённо подчинялся. Х. непременно тоже хотел показать какой-то приём и всем мешал. Я его усадила на кушетку. Он мне: «Я знаю один прием. Только я забыл, какой», — и опять порывается встать, потом подчиняется. День тоже пьяный. И комната пьяная. Потом Х. начинает петь. «Пой, пой, у тебя хорошо получается». Он так доволен, что у него хорошо получается.

Наступает вдохновенье пьянства. Он поёт, забывает (он всё поёт, всё забывает). Он спрашивает: «Я правильно это спел?» И «Фигаро» под радио поёт. И, как дети, не может делать плохо, оттого что очень искренне всё делает. Потом ходит за мной по квартире, просит ещё три рубля. Просит упорно, жалобно и самозабвенно. Я долго не соглашаюсь, торгуюсь, подыгрываю. Потом мы отвлекаемся и говорим совсем о другом. Но эта идея уже не оставит его до ночи.

Он всё открытей, веселей и хитрит, как ребёнок. Становится беспричинно весело и хорошо. И все такие друзья. Мы долго говорим на кухне, и даже о том, что надо кончить пить и жить трезвой жизнью. А В. со Славой изучают приёмы. Потом появляется ещё бутылка. Её уже припрятываем. Слава танцует «Цыганочку». Х. тоже хочет и танцует долго, до упаду, спотыкаясь и падая, но всё так же по-детски весело. Мы втроём смеёмся так, как долго уже не будем смеяться. Мы упиваемся смехом. Потом начинается импровизация арий и дуэтов. Потом Слава говорит: «Гоните меня». Потом набирается сил и тащит за собой Х. Я пою его крепким чаем, очень крепким чаем, чтобы немного оживить. Они уже в пальто. Х.: «Я иду-у до-омо-ой», — (после танца он измождён и дремлет несколько минут на стуле и громко сопит. Но это всего несколько минут. Потом он опять в своей обычной беспечной подвижности). Х. поёт — уходить ему не хочется. Да и никому не хочется.

Тянется за сигаретами. Я даю ему прикуривать. Спичка гаснет. Зажигаю новую — опять гаснет. Меня одолевает смех. Оказывается, прикуривая, он так сильно выпускает воздух носом, что спичка гаснет. Все смеются. Х. смущённо и довольно улыбается. Схохмил, сам того не желая. Наконец они прощаются и уходят. Остаётся странная пустота и тишина, как приказ «стоп» на полном ходу.

Завтра зарплата. Она меня тревожит, как всегда. Смешно. Но я уже не могу не волноваться, как бы чего не случилось. Это оттого, что часто его выручали из беды. Но это потом. И выручая, всё больше понимала, как легко он может попасть в беду.

<5 марта [1967 г.]>

Зарплата. Х. приходит часов в 6 вечера. Что-то торжественное в нём. Очень чист, очень выбрит. Почти трезв. Думается, что он решил не пить никогда. Он с деньгами ходил по городу и не пил, может быть, полных часа три. Мы о чём-то толкуем. «Я тороплюсь. Мне надо домой. Мать ждёт. Я обещал». «Ну, посиди немного». «Давай выпьем», — в глазах знакомая искорка— предвкушает удовольствие. И вдруг начинает пить жадно и много. Быстро пьянеет. И через всё помнит — надо идти домой. Чуть ли не три бутылки исчезают одна за другой. Одного его отпускать уже опасно. Везём домой. В троллейбусе он со всеми разговаривает и всем говорит «ты»: «Эй, парень, садись, что ты место в проходе занимаешь». Или: «Витя, утащи апельсин у той вон девицы». И парень, и девица никак не могут понять, что может быть весело, что хочется с каждым поговорить. Все эти люди хмуро едут домой. Х. начинает говорить со мной. Рассказывает, какая татуировка у него на груди. «Ты знаешь, у меня плоская грудь». Но мне тоже почему-то неудобно громко говорить в троллейбусе.

Вылезаем. Мне очень хочется скорей отвести его домой. Вдруг: «А, Лёва!», — «А-а, Иван Петрович!» Почти обнимаются. Оказывается, давным-давно работали вместе. Иван Петрович непременно хочет, чтобы Х. написал его портрет со всеми орденами. Об этом они толкуют уже минут 15. Мы делаем вид, что уходим. Мы зовём, мы уговариваем. Всё напрасно. Х. счастлив, что встретил его. Ему хочется всё взять от этой встречи. Но у него деньги в кармане, и мы его тянем домой. Пошли. Вдруг сзади: «Лёв, Лёв». Он боком, боком. Хочет удрать. «Ой, это тётя Таня. Теперь не отвяжешься». Она бежит, как колобок катится, через дорогу и нагоняет нас у двери. Х. держит дверь — не пускает её. Дома — мать злая. Она с четырёх часов ждёт его с деньгами. А нам так весело. Х. поёт: «Кто врёт, что мы, брат, пьяны? Мы веселы просто, ей-богу». Я тоже пою, и мы хохочем. А она: «Вот вы смеётесь, а я не могу». Она прямо с завистью говорит это. Бутылка столичной на столе.

Тётя Таня — пьяная-пьяная — это родная тётка, сестра матери. Она пьёт запоем, и когда пьёт, то переселяется к Х. Пьёт она дня три-четыре. И исчезает. Какую жизнь прожила эта старушка? Как они вытягивали своих ребят во время войны? Мы выпиваем и толкуем со старушками. Я — с тётей Таней, В. — с матерью. Толкуем одушевлённо и радостно. Х. сидит у окна, умиротворённо и нежно посматривает. Ему нравится, что мы так говорим. Но это ненадолго. Всё выпито. Нам тягостно и хочется домой. Тётя Таня кричит: «Поговорим, как коммунисты. Мой муж погиб на фронте, а её (т. Мани) — в деревне, а мне пенсия 20 р., а ей — 25. Почему мне пенсия 20 р., а ей 25? Мой муж погиб на фронте», — глаза её расходятся, рот раскрыт, и похожа она на идиотку. Х. становится скучно, он ставит чай. В.: «Пойдём домой». «Идём». «Я вас провожу», — начинает одеваться. Мы выходим. Он бузит. Требует сигарет. Смотрит на В., как обиженный ребёнок (он его одёрнул). Потом он стоит в дверях и лает. Лает он хорошо. И вообще он похож на большую необученную собаку. Она может лизнуть вас в нос, съездить хвостом по лицу и сбить от радости с ног.

Мы заворачиваем за угол. А Х. три дня тихо и чинно сидит дома и пьёт. Бесполезно тогда приходить к нему за чем-нибудь другим. (Вспоминается осенняя история, когда я утащила его насильно к нам в 7 ч. утра. Это надо рассказать.)

<[14 марта 1967 г.]>

Числа, наверное, 14-го зашел к нам Х. Он был пьян. В тот день они сидели с кем-то и выпивали. Кто-то бросил ножом в рюмку. Она разбилась, и вино пролилось. Он очень спокойно и хладнокровно начал вынимать осколки из рюмки и процедил сквозь зубы остатки вина. Бросавшему стало худо, и он завалился на кровать в сердечном припадке. Х. несколько раз возвращался к столу. Нож был большой, а бросавший был другом. В этот вечер много пили. В. пошёл в магазин. Он тоже что-то нервничал. Он стал нервничать последнее время. Мы дожидались. О чём-то болтали, что — потом и не вспомнишь. Я что-то убирала в комнате. Х. нервничал и говорил: «Скоро придёт В». Он действительно скоро пришёл, и мы уселись за стол. «Хорошее состояние» Х. было обманчивым. Возбуждение быстро сменилось опьянением. Но есть разговоры, чай. И часов в 11 В. пришлось ехать на вокзал. Мы опять дожидались. Разговор зашёл о севере.

Север для всех — как светлая мечта. Мы об этом часто говорили. Х. на своём любимом месте — в углу на диване. Я напротив — в кресле. Так, особенно по ночам, мы долго можем проговорить почти до утра. Когда сваливается с плеч проклятая забота о вине, становится легко и свободно. Вспоминается и говорится всё, что можно вспомнить и сказать. Часы отдыха. Тут Х. неистощим в своей энергии бодрствования. Если только не перехватит вина. Он весел, добр и временами неожиданно мудр.

В. возвращается. Распиваем маленькую. В. очень хочет спать. Разбираем постели. Х. — на полу. Матрац, простыни. Две книги под подушку. Я усаживаюсь в кресло. Х. по-турецки на полу и как дома. Пепельница под боком. Курим, и хочется ещё поговорить. В. уже спит. Ещё чай. Я тушу свет. Ложусь, и так славно лежать в темноте и болтать. И я говорю: «И чего я раньше не легла? Так хорошо лечь». А луна, февральская, но уже весенняя луна бродит по комнате. Только видней рука, что-то раскуривающая, и папироса.

А среди ночи вдруг загремела крыса, и Х., сопя, вскочил, бросил ботинок. «Крыса! Я слышал, как она шла от шкафа. Вить, Витя! Она нападет на меня, она отгрызет мне нос!» Откуда взялась крыса? — Непонятно.

На следующий день, хоть я и не хотела, мы не разошлись. И опять потихоньку пили до самого собрания. И мне вдруг так не захотелось идти. Я поняла, почему мужчины так поступают. Всё притупилось. Только бы сидеть. Но В. надо идти.

⟨Весна [1967 г.]⟩

Лето ворвалось сразу — потоками солнца, силуэтом, тенями голых веток на сухом асфальте, таким ясным и горячим, красивыми девушками в красивых плащах, детскими звонкими криками. Новыми звуками — тоненькими детскими голосами, которые на всю зиму улетали, и итальянский страстный голос о любви звучал по всему дню. Стремился поток солнца и счастья. И город был большой тюрьмой.

***

Утро. Снег. Солнце. Шла девушка. И из недр её лилась музыка. «Тра-та, тра-та, тра-та-та-та». Глинка, «Краковяк». Мы обогнали её. Но долго звенел хрустальный звук. Как жаворонок в солнечном небе. «Тра-та-та-та».

Когда я была девочкой, был один человек. Он был стар, но незащищён, как ребенок. И это было трагично. Мы были дружны. Он приходил в клуб, было много людей. Однажды ему стало плохо. Я защищала и помогала ему, как могла. Но иногда мне становилось не по себе отчего-то. По-моему, у него было большое настоящее чувство. Когда люди несчастны и одиноки, им хочется очень любить. Я не могла его любить. Он был лет на 30 старше меня. Я ходила, как маленький сфинкс. У него были удивительные глаза. Когда ему обрили усы, он плакал, как ребенок, и закрывал рот. Он, конечно, погиб. Мы работали в инкубаторе и воспитали цыплёнка-уродика, которого надо было убить. Уезжая, подарили ему. И его обвинили в воровстве (из цыплёнка выросла большая курица) и сослали на прииск. Он погиб там очень скоро. Мы были большими друзьями. Вся наша семья. Звали его Лев Николаевич. Но последнего долга перед ним я не исполнила.

***

Вокзал. Девушки за билетами. Поезд дальнего следования. Мальчишка смеётся. Небо с круглыми облаками. Чистые, светлые просёлочные дороги. Строгие сосны. Всё кругом зелёное. Воспоминания редких поездок.

Входили робкие. Толстая женщина с лицом раскрашенным и очень напоминающим поросёнка. Наверное, заведующая магазином. Своё семейство рассадила, как будто командовала целым штатом подчинённых.

Слова вянут, касаясь бумаги. Некошеные ромашковые луга. Поезд всех тащил задом наперёд. Цветы голубые, синие, белые по краям железной дороги. Странные леса с молодым подлеском. А потом станция. Люди, люди. Вокзальное помещение. Расписание поездов. Ощущение навесомости.

Автобус, полный людей. Чужих вязниковских людей. Чем меньше город, тем тише, плавней живут люди. Ближе и общительней друг к другу. Толстая кондукторша, которая улыбнулась, как знакомым, — вместе обедали. Старик громко возмущался, зачем девчонки красятся, мол, пожилым можно.

Автобусная станция. Субботняя толкучка. Растерянность незнакомого места. Диспетчерская. Спрашивали, как доехать до поворота. Кто-то спрашивает: «А дальше как?» «Пешком». «Зачем им ехать, разве не видишь, они туристы. Немного порастрясти накопления. Там лесок...» Через паузу: «Ягоды поспели» — чтобы смягчить намёк. Всё счастливо в этот день. Водитель оказался здесь. Везёт нас до поворота. Кого-то спрашиваем на ходу. Все охотно рассказывают.

В диспетчерской: «Там Каменка — не заблудитесь». — «Так всё по Каменке идти?» «Зачем по Каменке, можно и по тропе». Все смеются.

И вот мы идём по Каменке, хмурый день. Тендряковское небо, тяжёлое и холодное. А мы идём, и хмарь поезда, который тащил нас задом наперёд, постепенно проходит. Рвём цветы. Дали низкие, хмурые. Чёрные леса на краю земли. Мы и впрямь туристы. Голосуем. Машины не берут. Дорога в больших мощных берёзах. Как они ухитрились сохраниться, и кто их насадил когда-то? Только диву даёшься, как это до них не добрался расторопный топор мужика. Проходим Большие Липки, потом Малые. Потом сидим на просеке, где пахнет теплом земли и действительно поспевает земляника. За поворотом на краю бугра примостилась деревня с белою церковью (уютно прикрылась охапками деревьев, как гнездо, полное птенцов). Белая церковь. А ниже пойма. По ней вьётся Клязьма. И дали синие-синие без конца. Белая церковь, как большое дерево, шлёт нам привет. Деревня Станки. Ждём автобуса. Едим печенье из магазина. Мальчишки вьются, как вьюны, пыля на дороге. Опять спрашиваем и опять идём. Автобус сломался. И наконец Клязьма. Широкая в этом месте и прямая, как расстеленный холст, вобрала в себя весь свет и краски неба и осветила окрестный пейзаж.

Дорога вдоль реки. По другую сторону поднялся большой бугор, и большие пышные берёзы разбросались на нём, так славно и просторно — искуснее не рассадишь. Местами тонкие ёлочки. Сидим на берегу, закусываем, смотрим, как ребёнок тащит рыбку за рыбкой. Хочется жить на этом берегу вечно. Простучал катер, весь опрокинувшийся в тихой вечерней воде со всеми своими трубами, поршнями и капитаном.

А мы идём в деревню. Мы никого не знаем в ней. Но на душе так спокойно и весело, как только может быть при входе в русскую деревню. Вернее, мы знаем очень многое: в каком-то доме жили наши знакомые художники в прошлом году. Разве этого не достаточно, чтобы быть уверенным в ночлеге, привете и сытном ужине? Всё счастливо в этот вечер. Первая женщина в деревне у скотных дворов, и тоже у неё останавливались наши ребята. В старом пиджаке, на голове платок — косынкой. Чёрные жёсткие волосы на пробор. Лицо суровое, улыбается невесело. Чёрные глаза в прищуре. Вот уже и знакомы. Но нам непременно нужно тех, других. Узнаём, как зовут. Вот поворот тропы. Дома в один ряд. По другую сторону овраг с чёрными вязами. Банька утонула в овраге. Жёлтый куст роз как огонёк светится. Идут двое. Спрашиваем. Одна — хозяйка. Почему-то кажется знакомой — маленькая, худенькая, с усталыми глазами. Входим в огород. Боже, куда мы попали? Полно людей. Молодёжь оживлена, шумлива. Собирается на рыбалку (ведь суббота же). Мы немного погрустнели. Ведь не до нас. В глазах круговорот от мелькающих шумливых лиц. Кто надевает сапоги. Кто штаны, ищут телогрейки, котелки, лук, картошку. Мелькают женские лица. Идёт хозяин с сетью. Лицо француза. Живые тёмные глаза. Лоб собирается в морщины, то разглаживается и собирается в какие-то поперечные морщины. Лицо скалилось и смеялось. Такой поток веселья и радости предстоящего отдыха не мог не захватить нас. Он подхватил нас. Мы стали знакомы и дружны. Расспрашивали о рыбалке, советовали, что взять. Появился смешной старикан с удочками. Спорили о червях. И, одевшись в самое смешное, старое, латаное, они исчезли за калиткой, унося с собой свои и наши чувства. Нет ни у кого лучше, чем у Толстого, сказанного о русском мужике.

***

Эта искренность как-то была спугнута и вновь уже не могла возникнуть. Какими-то своими тайными путями всё осталось так же, но появилась сдержанность.

«Вот с танцами у меня не ладится», — сказал и пошёл в раздумье (надо ли было говорить?). И вот тут-то надо было сказать что-то тоже простое и искреннее. Но Вал. Ив. банально-весёлым голосом: «Ну, многого захотели?» — «Почему многого?» «И инженерство, и охота, и спорт». Но тут же сама почувствовала банальность всего сказанного и засмеялась: «Я шучу». Но не вышло шутки. И вот именно здесь впервые не сработал контакт. Обоим стало по-разному неловко. Но она-то не то хотела говорить, а сказала от смущения перед слишком простыми искренними отношениями. Чтобы прикрыть свою ответную искренность. Обычный избитый приём прикрыться самому себе. После этого стало сложнее разговаривать. Как будто «надо ли было говорить?» возникало постоянно (контроль, красная лампочка).

Как странно бывает в человеческих отношениях. Над всем обычным, привычным, необходимым струится поток невидимых волн электронов — этот поток охватывает нескольких людей или двух; и над обычным идёт особый свет тепла и душевных струн, возникает желание сказать то, что другим не говоришь, и пополняешь свой душевный запас силой жизни. Это очень чуткий аппарат срабатывает не так, рычажки и контакт нарушен. Остается — «Здравствуйте» — «Прощайте» — «Как дела?» Для этого тоже нужны мужество, вера и искренность.

***

Как-то мы были на даче в Подмосковье, ст. Новая Быковка (?). Домики и всё хозяйство расположено в сосновой роще, с деревьями прямыми, как мачты. Секрет этих стройных деревьев был прост: все стволы были на учете, рубить их запрещено. Чтобы спилить дерево на своей земле, надо было спрашивать разрешения, и добиться его очень было сложно. А не пришла ли пора сосчитать сосны на нашей земле? Не расточительство ли это — рубить их на шпалы да и просто по нужде именно в тех местах, где их осталось считанное число? Лишь потому, что там нет дач, а стоит деревня и людям тем некогда думать о красоте, но скоро будет время. И видя теперь в молодом леске несколько раскинувшихся больших деревьев, знаешь, что срок их до первых обильных шишек.

<29 мая [1967 г.]>

После ночной работы возвращались домой в 3 часа ночи по улицам уснувшего города. Чуть светало. В свете зелёных фонарей небо было как сиреневая вода, и свет в нём нарастал, пульсируя. Зелень молодых майских кустов светилась неоновым светом.

В проулках застыли тёмные массивы домов. Потом фонари погасли. Деревья, ивы, лишённые цвета, прекрасными и пластичными формами угадывались в этом сером мглистом мире. Душистый воздух, тротуары, полные чистой воды от недавнего ливня, и тишина. Уставший мозг дрогнул и оказался способен мечтать и радоваться, как в детстве. Как странно, что человек сталкивается с такой красотой нечаянно, в работе или несчастье. Обидно это. Но не в этом дело. Мы шли и грезили о прекрасном. И не о себе — о людях: чтобы прямо на улицах среди домов были устроены прекрасные площадки и крытые павильоны для спорта, чтобы волейбол, теннис, пинг-понг были не исключительным явлением, а совсем для всех, бесплатно. Везде люди скучно живут. Хочется видеть людей, сидящих на скамеечках, играющих в мяч, а не бегущих куда-то. Поменьше кино, побольше хорошего спорта. Насколько счастливей станет молодежь, насколько моложе станут взрослые. А высоко над горизонтом на крышах домов — кафе, рестораны, не прокуренные и зашарканные, а чистые, прожжённые солнцем. И странно, в этом ночном городе с тенями деревьев это казалось совсем возможным, легко достижимым, необходимым.

***

Я высовываюсь в окно, и сквозь красоту инденелых лип на меня несется мат. По понятной деликатности это считается непечатным. Но, товарищи, ведь это лишено смысла. Мат висит в воздухе, как тяжкий удар. Мужчины, юноши, дети, женщины — так это что? Или это нормально, и мы ненормальны?

***

В иные дни так хорошо думается. Особенно в праздники: не надо никуда торопиться — и если дома тишина. За окном течёт человеческая река. Но она не мечтает. А я гляжу на наш сад и мечтаю засадить его ягодами и цветами. Говорят, что человеку надо совсем немного земли ещё при жизни, чтоб сажать в ней цветы и деревья и любить посаженное.

Как-то мы посадили под окнами ёлочку, но мальчишки всю весну катались по ней на велосипедах, и она погибла. Потом мы посадили кустики сирени и мальвы. Сирень хорошо принялась. Но с крыши начали сбрасывать камни и обломки кирпичей, что-то перестраивали и закидали всё камнями. Сирень долго торчала из-под груды обломков, мёртвая. Потом кто-то обломал и палку. А так как мусор не убирали и вовсе, то всё оказалось погребённым. И вот когда я вижу семена, я вновь мечтаю рассеять их по мокрой весенней земле.

‹18 июля [1967 г.]›

День первый.

Уехали в четыре часа дня. Шли через лес. Отдыхали на опушке и боялись идти в деревню. У хозяев приехали гости. Не берут. Всё натянуто. От неловкости отношения стали холодными. «Молодые» — гости. Великолепный хохлацкий экземпляр. Большой, сильный. Просто весёлый и неглупый. Шутили, разговаривали. Как нечаянно столкнувшиеся люди в поезде, которым завтра друг до друга не будет никакого дела. Спали за печкой. Хорошо. Наутро бродили вокруг деревни. Солнце, ветер. Волнение неустроенности. Старый дом потерял всё обаяние.

День второй.

Приехала хозяйка — соседка тётя Маня. 70 лет. Живость и бойкость. Собранность одинокого и занятого человека. Злая, зычная и обаятельная.

Пили чай и опять ходим. Спать легли рано. Ночью бессонница. Утро ясное и тихое. Ощущение западни не покидает меня. Полное отсутствие желания писать. Нервы дрожат. Полдня ходили. В обед уснули. Апатия. После обеда пошли писать. Прогнала гроза. Тучи прекрасные, но пейзаж, как клетка, и величия нет. Вечером церковь и небо прекрасного серого цвета. Сделала маленький набросок карандашом.

День третий.

С утра на этюды в некошеные луга. Отгородились от деревни, и стало отрадней. Обаяние полевых цветов, волнуюсь, но этюд не идёт.

Бегали по ледяной речке. Ощущение — как будто опускаешься в колодец. Стояла на солнце, сжигалась, и настроение отличное. После обеда на речке — рисунок моста. Простудилась в дурацкой ледяной воде. Бока болят.

День четвертый.

Заканчивали этюд полей. Тяжко было от жары и от вчерашнего солнца. Стояли в соснах. Мучительно заканчивала этюд. Не знаешь, где поставить последние акценты.

Хозяйка ушла. Обедали одни. Не отвлекались друг от друга. Утомительно. Отдыхали и валялись. Раскисли. К вечеру — на берёзу (этюд). Плохо. Берёза великолепная, но решения не нашлось. И всё ни к чему.

День пятый.

Плохо спим. Жарко и бессонница по утрам. День тяжкий. Голубая мгла. Солнце — как громадная печь. Погибали. Дышать нечем.

Берёзы (этюд) на зелёной траве. Всё холодно. Бездушно. И вдруг вопрос: а зачем, зачем это писать?

Ну и денёк. Только после захода солнца наступил отдых. Обрывки серых туч на небе. И прохлада. Ходили вокруг деревни. Ржаные поля. Обочины в цветах. Берёзы. Церковь. Стали рождаться смутные образы. Когда-то весной мыслилось о лете величественно и широко. Небо в облаках, земля. Панорамно, но по-новому плоскостно и, может быть, мозаично.

День шестой.
После обеда пошли на реку. Писать мост. Мыслилось хорошо взять, широко, по-вламинковски. А получилось скучно, схематично. Композиция, и линейная, и цветовая, не решена. Поэтому все усилия напрасны.

Стадо чуть не сшибло. Пошли домой. Вымотались ужасно. Сидеть бы и разговаривать с хозяйкой. Лишь бы не думать о работе.

Хочу уехать. Скучно и тесно мне здесь, а материал есть.

День седьмой.
Пасмурно. Чуть солнце сквозь дымку. Мягко всё, интимно. Земля зажила другой жизнью. На сером небе пошли левитановские серые облака. Хочется наивно и крупно писать. Даже такие облака.

День восьмой.
Проснулась в пять часов с ужасной ясностью: «Надо бы сегодня уехать». Но собраться — не успеть. И тема на вечер — церковь. Боже, сама себе враг. И этот последний день оказался роковым.

Пошли умыться в проклятую реку. Потянулась к воде. Поднялась ужасная боль в спине. Тяжко мне стало. Упала духом. И опять пошли на этюды в овраг. Ничего не идёт. Хожу как заведённый солдатик. Вечером — церковь — синяя на светлом небе. Нашла решение, а почему-то не пошёл этюд. Это от болезни. Вечером сборы.

<26 июля [1967 г.].>
День девятый.
Поднялись в 5 часов. Спина губит меня. Настроение ужасное. Поплелись по знакомой тропинке с мыслью,

чтобы никогда не возвращаться. Вот теперь лето для меня кончилось. Хожу как старуха. А я так люблю двигаться быстро и резко. В этом всё-таки немножко молодости. Как я не хотела сюда ехать! Это как предчувствие.

Надо иметь одну идею. Мы пытались совместить несколько. Беречь В. от солнца. Я сказала себе, что это главное. Его уберегла, а сама заболела. А мне болеть нельзя — я одинока и беспомощна становлюсь.

В десять часов утра мы были во Владимире. Приехать бы днём раньше — я была бы счастливым человеком. Каждый день решает всё. Каждый день не повторяется и уходит в вечность.

И пошли дни больные и тяжкие. Пропало ощущение времени и себя. Тяжкое ожидание. Тяжкие мысли. Страх боли. Через два дня поехали в Цепелёво. После запоя В.

***

Странно: люблю я серую реку со скучными берегами, её тихий и вольный ход. Волнуют меня скупые очертания берегов, и силуэты лодок, и отражение неба в большой воде, а взять да писать эту серую скупь не соберусь и трушу. Не знаю, как за неё взяться. Приходят в голову мотивы и сюжеты. Хочу писать. А берусь за куски, к которым холодна и равнодушна. Ничего не получается. А река плывёт мимо: вечная, волнующаяся, вдохновляющая. Эту загадку хотела разрешить в этом году. Да не сбылось.

***

Цепелёво — как отрада, как жажда отдыха, как в жару, в засуху припадёшь к ручью и пьёшь, и плещешься, и смеёшься.

Два дня отдыха. Бродили по берегу Клязьмы. Облака купались в реке. Тонули, исчезали, возникали вновь. Вечером ушли на старицу с девчонками. По чистой белой тропинке среди чёрных дубов. Что ж, если воспоминания приносят, проходя через боль, радость, почему же не вспомнить то, что было радостью, счастьем, волей, любовью? Ведь это всё было. Помимо солнца, кусали мухи, била лихорадка работы, надежды сменялись разочарованием, и это было счастьем. Мешали люди быть вдвоём, быть самими собой. Все это было, и это было счастьем. И всего этого не стало и, казалось, и не было, но тропинка каждым кустом, каждым поворотом раскрывала эту книгу о счастье, о том, что было. За каждым поворотом этюд, за каждым поворотом счастье. Но тогда мы не могли, потому что не умели. А теперь?

Не надо идти по этой дорожке. Это страшно. Это табу.

Потом старица. Потом заросший пруд в чёрных дубах со строгими очертаниями, как на работах Бенуа. Шорохи. Ужи. Водяные крысы. Вечер. Домой. Через солнце длинные и самые необыкновенные лавы на свете. Река, как небо под тобою; река, как небо над тобою. Сколько оттенков, сколько благородства в её серых, густых тонах. Опять мечты. Как выразить её простор, её человеческую живую прелесть в узких тёмных берегах? Река и небо. Лавы и мы. Я, кажется, ухватываю сверху, как распластать лавы, отмели, облака. Сбоку слить небо и воду.

Но не сбылось. Не могу перешагнуть свою телесную оболочку со своими болями и тоской. Не могу освободиться, не могу переступить.

Переступить, надо переступить и понять что-то высшее, поверить в себя. Поверить, что этот домик со светящимися окнами и скучным деревом на темнеющем небе есть красота.

Эту прекрасную реку я опять не изобразила, а делала скучные, ненужные, плохие этюды. Почему? Что нужно для этого? Ходить и думать. Набрасывать и сочинять. Забыть, что мне 50 лет, набрасывать, как в 20.

А здесь я забываю. Здесь все люди принимаются, как они есть. И никто не ждёт от тебя иной ценности, кроме человеческой. Так вот в чём дело! Верить себе, верить людям, верить природе во всей её простой безыскуственности. Зачем вычурность? Надо всё сызнова понять. Господи, помоги мне. Зелёное есть зелёное, синее есть синее.

<23 [августа 1967 г.]>

Конец цепелёвской эпопее. (Опять не вставала рано. Утром в постели тяжко и тошно). Сегодня уезжаем. Что успели в эти дни? Верочка в саду, лежащая. Расплывчато и тускло у меня. В. схватил характер не тот, но чёткий. Танька на красном ковре. Грубо, жёстко, но решительно. В колорите — неточные, приблизительные вещи. Контур грубый. Представляю: большую массу тела пятном с подкладкой

пастозно, чтобы цвет дышал, как луг, к фону. А получается
сухо, рисуночно. Боюсь смеси. Надо заранее всё решить.
Дома повторить работы. Отыскать цвет в совершенстве.

Жаль — люди прошли мимо меня, как туман. Психовала.

Труженик — Алёнушка. Верочка — светлый человечек
со своим счастьем материнства. Маленький Андрюшка.
Великолепная троица.

<27 сентября [1967 г.]>

Акиньшино. Я знаю, такой созерцательный вечер не
повторится уже. День приезда — день большого размышления и созерцания самого себя. Чем бы был Экзюпери,
если бы он не был лётчиком? Вечера между вылетами с их
отрешённостью от быта, близость опасности держала его
ум в состоянии ясновидения и углубления в себя и через
себя в жизнь. Всё его творчество подчинено этой напря-
жённой и освобождающей ясности. Так и мой первый
вечер, вечер перед вылетом.

День в машине среди пьяных поглупевших мужчин.
Радостность и грусть осени, врывающейся в окна. Люди после
замкнутой жизни. И оторванность от того, от чего трудно
оторваться. Смутная тревога — ошибка, ошибка. Мучаюсь
чувством — не туда еду, не то делаю. Мечтаются дали зелёных
и лиловых полей, цветущих осенних перелесков, пластов
серого неба; нет этого ни откуда еду, ни куда еду. Тоска, что
хочется всё бросить и уехать назад. А ты знаешь, почему?

Хочется освобожденности. Она иногда касается, как
ангел крылом, но нет — опять улетела. Переступить надо.
Переступить — а я не могу. Силы инерции тянут, как камни.
Позднее прозрение — это страшно. Покой тихого вечера,
привет чужих людей, где нет ни в прошлом, ни в будущем
связи. Домотканые коврики, чёрные окна, тишина. Новые
силы командуют тобой. И ты отдыхаешь, подчиняясь им.
На комоде — куклы, их неподвижные глаза и застывшие
ручки сперва бессмысленны, потом таинственны и жутки.
Если смотреть очень долго, они непременно оживут.

Были ли у меня в детстве куклы, и было ли детство?

Освободиться, чтобы размышлять, размышлять
искренно и мужественно.

Нельзя тянуть одну ноту без конца, она в конце концов
оборвётся. Меня тянули, тянули, и всё оборвалось.

Детство не знаю, было ли, но была мама, и я её очень любила. Она хотела сделать прекрасную душу и сделала, но где же ей существовать?

Надо сказать всё до конца и потом порвать. Откуда взялась уверенность, что я имею право на счастье? Оно точнее и точнее определяется во мне. Уничтожить всё, чем жил, разбить все иллюзии и всё начать сначала. Я живу, как будто заново учусь ходить.

Вот пишу и думаю: «Надо спать», — не потому, что нечего писать, а потому, что почему-то надо. Кажется, в нас обоих происходит это.

Казалось, раньше делала так, как надо, а надо было наоборот. Вот ещё, ещё подумать — и что-то поймёшь и решишь такое важное. «Жизнь Ивана Ильича» Толстого.

Он говорит — всё забудь, нельзя забыть ничего. Надо объяснить, надо понять. Он не хотел, когда я молила, всё объяснить.

Вот и кончился покой — вот моя тревога и беда. Понять, понять хочу. Понять — значит простить. Потерять свою правду. Он вышибает из-под меня камень за камнем. Помнишь, ты начала заниматься живописью, чтобы не умереть? А теперь чем? Одни чувствования, скованные ложным «можно» и «нельзя».

Моя душа полна такой жаждой и внутренним сознанием счастья... Вот так и не скажу ничего до конца.

Хорошо, что тихо и кругом чужие люди и чужие смешные и милые вещи: рыбки-игрушки, безделушки. Кто-то выдумал, что это плохо. А сюда, к этому тихому комоду тянутся и свои, и чужие, чтобы заполнить пустоту. Спать. И фотографии с наивными рамками, и даже постаревшие рыночные цветы. И занавески ришелье, и цветы, и иконы наивных святых ликов.

И тихо. Забиться в такой дом и думать, думать, чтобы жизнь остановилась, тогда ещё что-то поймёшь.

***

Господи, хочу иметь комнату, где можно бодрствовать всю ночь и писать, и никто не сказал бы: «Ложись спать». Всю жизнь: «Надо, надо!» — а не: «Хочу, хочу!» Вся жизнь — долг. А где же отдушина? — В вине, в пошлости — пожалуйста. А в духовности — не могу. Или: значит, мало хотела?

<9 октября [1967 г.]>

Завтра, наверное, едем. Почему? Не знаю. Думали, уверены были, что до 15-го. И вдруг всё переменилось. Правда, идут к концу картонки и краски. Может, так и надо? А мне казалось, что я что-то стала понимать. Ещё немного — и начну писать. Скованность в технике, неясность во впечатлении. Акиньшино родило прежде всего протест против Акиньшина. Где же тут найдёшь образ. И, по-моему, пока было чувство протеста, этюды были лучше.

А потом осень постарела и стала умирать у нас на глазах с каждым днём всё более и более. Да, наверное, осень пропала для меня. Протест и борьба с внутренними раздорами столько отняли сил.

Я уже не могу для себя решить и непременно сделать. Задумала ехать в город — взять большой планшет и краски — и не поехала. Если бы съездила, мы завтра не уехали бы. Значит, я во всем виновата сама? Решаю, а поступить так не могу. Иногда мне кажется: сделать усилие — и всё пройдёт, как прежде. Но винтик сломался — не срабатывает.

Сегодня целый день с 10 утра до 6 вечера простояла на этюде. И только принесла домой, поняла, как надо его делать. Надо находить цветовые темы, как весной. Весной сочиняла и получалось, осенью смотрю на натуру — и ничего не выходит.

<7 ноября [1967 г.]>

Красная Охота. Седой замёрзший лес. Плачет, оттаивая, лес, слышно, падают капли на холодную землю, блестят на ветках. И я плачу. Иду и плачу, вытираю украдкой щеки. Экие глупые глаза, зачем они плачут? Иду и плачу о том, что не вернёшь, о том, что не сбылось, о своем большом неизбывном одиночестве.

Солнце подымается, прорезает острыми лучами лес, земля желтеет под этими полосами, в тенях кусты, седые, как туман. Очень светло в лесу и на опушках. Лиловый голый лес осин и берёз, жёлтая трава стелется мятым ковром. Солнце слепит. А спину морозит.

А потом белые стволы берёз, белые узоры ветвей. Пустая тихая деревня. Никого. После лозунгово-красной городской шумихи невероятными кажутся эта тишина, оливковое безлюдье, никем не прибранная чистота и свет, свет, обильно льющийся с неба. Мы идём совершенно одни, как в сказке, как в грустной сказке.

Хотелось, чтобы не было конца пути-дороге, и не то что очень весело, а лучшего не придумаешь. С солнцем вставать, с солнцем идти и с солнцем ложиться. И чтобы стелилась перед тобой равнина полей, прозрачный лес, блестели реки и вилась бесконечная дорога, которой нет конца, как нет края земли.

Но дорога привела нас к деревне, и мы подошли к дому, который был когда-то домом радости для нас и любви к людям. Он был пустой и тихий, как и соседние дома. Занавески на окнах загадочно тихи. Ключ в щели меж брёвен. И мы вошли в этот тихий пустой дом. В нём тоже светило солнце, чистый белый пол. Чистое крыльцо. Ясная простота деревянных стен. Неслышно появилась чёрная кошка с жёлтыми глазами встречать нас. Она никогда не появлялась к чужим. Она знала нас, наши голоса, и её появление всегда волнует меня, как знак большой дружбы и доверия. И рыжая собака Тайга сперва залаяла, а потом подбежала и, склонив голову, застыла под рукой. И глаза её, грустные и взволнованные, говорили, что она тоже верный друг. «Ты помнишь меня, Тайга, ты не предашь». Тихий дом тоже не предаст, он стал как родной. И фотографии людей на стенках, детские и взрослые, тоже как родные. И двор, и окошко 20 на 30, в котором умещался весь мир, всё солнце, весь блеск реки. А потом река, светлые берега, малиновый ивняк и бирюзовые разводы отражения, серые излучины кустов. Опять сказка. А потом уже люди, водка, и всё пропало.

Почему у меня такое чувство, что всему пришёл конец? Он, наверное, пришёл.

‹12 ноября [1967 г.]›

Как погано на душе. Так скверно и пусто, как будто меня били публично. 10-го вернулись в город. В. устроил мне скандал. Толком не могу понять, почему. Так неожиданно, непонятно и невовремя. Сорвал зло за мелкие обиды. А главное, помешали выпить. Как он не может понять, что убивает во мне человека, что не могу я переносить и прощать, а должна терпеть.

Вспомнила озеро в дубах. Замёрзшее тонким, тонким льдом. Сквозь него видна река, отражения кустов и неба, и палки со свистом мчались вдоль воды, долго крутясь. Невероятно, как во сне. Палки свистели тонко, как пули.

У меня была головная боль и тоска. Но по сравнению с позднейшим было хорошо. Зачем он устроил мне скандал? Он причинил столько обид, а вспоминает что-то десятилетней давности, и тогда, когда болит голова. Эх, не хочется обо всей этой мерзости писать словами. Пакостно.

Да, и всё-таки было хорошо ходить по благодатной земле.

<19 ноября [1967 г.]>

И 13-го вечером мы сбежали. Вернее, я почувствовала такую потребность уехать, что стала просить отпустить меня. Болело сердце и душа. А он не пустил. Говорил, что будет волноваться. Уехали поздно. Было тепло, пахло дождём. Опоздали на автобус. Голосовали часа два. Наконец приехали в 12 часов ночи домой. Ужасно было. У меня случился припадок бешенства. В. терпел и на следующий день тоже терпел. Вечером стало тяжко, как перед казнью. Пошли к Л. спасаться друг от друга. Нет дома.

Нечаянно увидала его в магазине. Предложил ехать в Москву. Зашёл к нам. Пили. На следующее утро зашёл, и мы на вокзале. И ещё двое художников. Москва — серая в дожде, но такая тёплая. Два музея в день. К вечеру были больны от усталости. Как меняются лица у них в музее: у Ю. и Л. становятся взволнованными и даже красивыми. Они — художники.

Хотели вернуться в тот же день. Куда там. Не могли. Ночевали у родных Юкина. Спали поперёк дивана. Смешно. Следующий день — опять два музея. И поезд. Выкачали себя до отказа. Даже тяжко было. Ни разговоров, ни мыслей. В ресторане ужинали и выпили. Хотелось сидеть долго и глядеть на светлые столики. Но мы ушли. И разъехались по домам. Следующий день опустошён и долог. Я настраивалась на Цепелёво.

Утром встала в форме. Вдруг В. — не поеду. Не хочу. Не надо. «Поезжай один». «Не поеду. Поезжай, если хочешь, одна». А знаю, что собирался. Знаю, что в городе будет пить. Уговорила. Поехали. Он хмурый и злой. Дикий человек. Не могу понять.

Весь вечер пьёт и злится, что не поехал один. Господи, что же с этим делать? Ведь я отпускала его и с удовольствием оставалась в городе.

И вдруг подул северный ветер. Значит, зима. Значит, всему конец. Значит, не простит мне ноября целую жизнь.

Сейчас поздно. Северный ветер дует в окна. В. храпит, опившись и оглушив себя. А у меня завтра будет болеть голова от напряжения, от обиды, от горького стыда за низкую жизнь.

Знаю — нельзя курить. Обкурилась.

Вот и вся сказка.

Все мысли об этюдах, впечатления музея погрязли в семейных дрязгах.

Как он не может понять, что со мной что-то случилось. Я больна стала, меня надо беречь.

Прочла о лете. Точно несколько лет жизни прошло. Жизнь, куда ты уходишь? Сколько было надежд, мыслей, мечтаний всего лишь два месяца назад.

В., что ты делаешь со мной и с собой, и что я делаю с собой и с тобой? Ну, наломали мы дров за эти полмесяца. Даже страшно. Не поломали ли себя?

А ветер дует, дует. Пришла зима.

<24 ноября [1967 г.]>

20-го вдруг ветер стих. Вышли и попали в очарование ранней зимы. Река в белых берегах тиха и ласкова. Красные и бурые кусты того берега застыли в ней, не дрожа. Снег зеленоватый в воде. Местами сине-сизые ивки и тепло-жёлтые кусты. Уснувшие на берегу лодки кверху днищами. На каждом повороте реки хочется остановиться и писать.

Тот берег неподвижен и тёмен. Но все ласково. Дождавшись неминуемости, успокоилась природа. Состарившись, она уже не грустит.

Обведены снегом ветки. На фоне реки и лиловых кустов того берега тонкий узор ветвей и серёжек. Гравюра. Тем для гравюры — уйма. Эх, Лёвка, тебя бы сюда. Какой материал.

В этот день я написала плохой этюд. Взялась за тему гравюры. Перевести на живопись не смогла. Но вспомнить эту тему отрадно.

Мои думы мешали работать. Что-то бродит во мне, не находя выхода. Борются два: 1) лирическое, живописное и 2) грубое, графическое, почти не живописное, решения.

22-го — за домиками прятались от ветра. Этюд — серый домик с ивкой. Вышло скупо, но в характере. Пожалуй, самый серьёзный этюд.

23-го. Лодки на воде, на них снег. Раздражает, что пишем одни темы. Мало смотреть на натуру — плохо, много смотреть на натуру — опять плохо. Домой привезёшь — окажутся стёртые, безликие.

А сегодня, 24-го, был ужасный день. Да, вчера дома пыталась воспроизвести впечатление реки с дальним берегом. Кусты тёплые, буро-бордовые, в воде чуть светит жёлтое солнце, от него блики. Так славно, а ничего не вышло.

А сегодня был ужасный день. На Городке дул северный ветер и шёл снег. Палитра покрылась белым. Краски не разводились. На гладкой картонке не закрашивались.

Я бесилась и ничего не смогла сделать. А Витя, оказывается, спокойно работает. Мажет потихоньку, и получается. Он даже не представляет, что делается порой со мной. Он не может вообразить, какой сгусток боли рядом. Какие страшные мысли приходят. А ему лишь бы не мешали. Вот и сейчас: голову на подушки и спит.

Страшное чувство: я не то, не там, не так делаю. Я не успеваю ощутить, что хочу сделать.

Громадный костёр разожгли. Я стояла у костра и коченела, а он вдали. Весь в снегу. И ничего — мажет. Он труженик.

На обратном пути оглянулась g сгусток веток, меж ними белое, и почувствовала, как делать: ветки пишешь и меж ними, и опять ветки короткими и густыми мазками. Цвет составить заранее, и так славно должно получиться. И всё выйдет, только не торопясь нарисовать.

Я потеряла веру в себя, даже композицию не знаю, какую взять. Всё кажется, не ту. И это особенно началось с осени в Акиньшине. Я почти всё время писала не то, что хотела. Таскались вдвоём. Я занималась им, и он сдвинулся, а я, оказывается, потеряла, что имела.

Мне очень нравились иные темы, радостно нравились, и я не могла сказать: «Я буду писать это». Так и не написала. Это искусство не прощает. В искусстве не должно быть компромиссов. А у меня в жизни одни компромиссы с собой и с людьми. Надо быть Брехтом, и смолоду. Я же приспосабливалась всю жизнь. Кто-то воспитал во мне [способность] подчиняться обстоятельствам, а жизнь ещё усугубила это. Только ранней-ранней молодостью я пыталась делать так, как чувствую. Но никто не сказал мне из старших делать именно так. Считали — у меня дурной характер, у меня был замечательный характер. А потом куча бытовых предрассудков XIX века, а потом «Кукольный дом» Ибсена.

Нет — в театре была самостоятельность и было содружество двух людей, дополняющих друг друга. А в жизни я всегда была беспомощна и робка. Но театр восполнял это. Я слишком горда и слишком ущемлена, и слишком много было иллюзий. Театр давал всё: делал меня полноценной в работе и через работу с людьми приносил радость удачи и радость товарищества с В.

Я потеряла контакт с людьми — мне с ними скучно.

<[26 ноября 1967 г.]>

Сегодня, 26-го, мне стыдно за себя. Придиралась, завидовала, металась с темой. Был солнечный воскресный день. Громадные сиренево-белые льдины шли по реке с зелёными ободками. Доходили до лав, и жёлтые берёзовые жёрдочки резали их на маленькие части. Зрелище захватывающее. Природа в эти моменты переходов прекрасна. Река дерзко и весело боролась с зимой: ещё день, да мой. Жаль, не стала писать (злилась за это весь день). Долго не могли оторваться. Мостик, такой лёгкий, начинал дрожать всеми палочками и шататься, но всё стоял, принимая льдину за льдиной. Девчонки собрались на берегу. Самые отважные спускались на лёд. «Не бойся льда осеннего».

Кромка берега жёлтая от солнца, лиловый снег. И жёлтые лавы. Ах, как хорошо.

И красные кусты того берега. Как это написать? Всё надо наврать — и выйдет. Меж светлыми льдинами тёмные мелкие — сало. Ждать год — это слишком долго!

Помни, что не сделал сегодня, не сделаешь никогда. На что не решился сегодня — пропало навек.

Многие видели ледоход. Но кто видел из городских жителей, как становится река? Как весело и дерзко борется она за свой последний солнечный день. Как ослепительно блестит снег. Как по синей воде ползут большие светлые льдины и с разбегу ударяются в хрупкие «лавы», которые начинают сперва вздрагивать, потом мелко дрожать всеми своими берёзовыми жёрдочками, а льдины проходят через эти зубья и мчатся дальше мелкими весёлыми льдинками. А надо всем этим светит солнце. Снег жёлт и лилов. Красные кусты того берега. И девчата, визжа, спрыгивают на молодой лёд.

И не на городских улицах, а в просторных краях, далёких от железных дорог деревнях.

<[27 ноября 1967 г.]>

27-го ехали домой. Автобус. Перниковская церковь, тёплая, тёмная, пересечённая длинными ручейками берёз (как ручьи дождя на стекле). За Митрофанихой склоны, дали синие, лиловые и снег. Хорошо. Но как делать? Печальный суровый русский настрой. Билибин решает их очень поэтически и очень верно. Ундольские дали. Ундольская (суворовская) церковь и за ней даль. Тепло, как Суздаль.

Вечером В. пил. Я загрустила. Хотелось уйти из дома. Но не ушла. Запущенный дом требует внимания, а надо постараться выбраться из проклятого круга и начать писать. Хочется написать лавы и ледоход.

<Декабрь [1967 г.]>

В тот необычный декабрьский вечер луна сквозь нарисованные на небе ветки светила тихо и торжественно. Вот уже неделю дул южный ветер, и сад стоял, полный воды и талого льда. Полный воды, как глаза полны слёз радости, долгих и крупных. По дорожкам стояла вода, и в ней на голубом дне чёрной краской, как чернилами, нарисованы были стволы лип.

И рядом с нами жили художники, писатели. Искусство Врубеля, такое романтическое и изящное, разве возникло не от общения вот с этим лесом, в котором ничего не похоже на правду и который нам не привиделся? А в сумерки он тихо застывал и таял своими очертаниями. А ведь это всё было.

А в каждой клетке-комнате сидят и пьют, и по «Бродвею» гуляют юноши и ругаются матом. Слушайте, давайте помечтаем.

(1967 г. МАТЕРИАЛ ДЛЯ ГАЗЕТЫ, ОДИН ИЗ НЕМНОГИХ В АРХИВЕ Н.С.ЛУГОВСКОЙ ДОКУМЕНТ, НАПЕЧАТАННЫЙ НА ПИШУЩЕЙ МАШИНКЕ)

«Нарушители» существуют.

Нестареющая проблема тишины вновь на повестке дня. Вопрос об активной борьбе за тишину: на производстве, на улицах, в жилых домах, о рациональности этой борьбы не вызывает уже никаких возражений.

Это стало законом жизни народа, таким же непреложным, как, например: не рвать цветов с клумб, не ходить по газонам и т.д.

Давно забыты автомобильные гудки — тихо шуршат машины (от резкого гудка невольно вздрогнешь), в парках не кричат громкоговорители, гуляющие не орут песенки, — бережное отношение к тишине становится потребностью людей.

В городе много промышленных объектов и заводов — иные очень крупные. Они живут напряженной внутренней жизнью: выпускают продукцию, перевыполняют план, но вы проходите мимо и вам не приходит в голову, что здесь находится производство — ничто не нарушает жизни города.

Но, как говорится, нет правил без исключения. Таким печальным исключением оказалась швейно-трикотажная фабрика им. XX съезда КПСС по ул. Гагарина. Мощная вентиляционная установка сконструирована с наружной стороны здания. Грохот мотора, заключённого в железный короб, сотрясает воздух и главенствует над улицей, над театром, над жилыми домами, над прилегающим к фабрике городским садом с 6 ч. утра до 11 ч. ночи.

Центр города, оживлённый городской транспорт, пересадка с троллейбуса на троллейбус, скученность людей (самая многолюдная часть города) требуют особого внимания к соблюдению уличных правил и тишины.

Рядом драматический театр с его оживлённой театральной жизнью: в этом году театр особенно богат гастролями иногородных коллективов. В антрактах зрители рвутся из духоты помещения на улицу, но здесь их встречает упорный, как будто нарастающий гул. Хорошо бы зайти в сад, где нет пыли и толчеи, и отдохнуть на садовых скамейках, но здесь мотор ещё оглушительней, да и скамеек нет (их постепенно перенесли в другой конец сада любители тишины).

Кроме того, с территории фабрики на дорожки сада время от времени вытекает тёмная струя воды из специально вделанной в ограду трубы. Тёмные лужи держатся несколько дней — по-видимому, отходы производства.

«Во многих городах бывали на гастролях, а такого не видывали», — говорят приезжие актёры. (Скептики скажут: «Строится новый театр», — ну что же, и в старом будет ТЮЗ.)

Но по-настоящему в безысходно-тяжёлых условиях оказались жильцы соседнего дома. Они просыпаются утром, встают, уходят на работу, приходят с работы, готовят ужин и. ложатся спать под упорный, оглушающий своим постоянством шум вентиляционного фабричного мотора. Кажется, что гудят стены и пол, особенно по вечерам. Лето в разгаре, но в доме закрывают окна и форточки, затыкают уши, но неумолимый шум проникает в помещение. И это с 6 ч. утра до 11 ч. ночи, без перерыва на обед, а в конце месяца и ночью.

Однообразная продолжительность шума действует сильнейшим утомлением, угнетает нервную систему настолько, что ждут по часам, когда затихнет мотор.

«Ах, как тяжко бывает. Иногда так устанешь, что бросаешь всё и уходишь из дома до позднего вечера. Приходится свою жизнь соразмерять с этим шумом. И не дай бог заболеть, — говорят жильцы. — А в прошлом году было тихо. Только этой весной фабрика отличилась нововведением».

Совершенно очевидно, что такое положение продолжаться не может, что это является грубым нарушением общественного порядка. Дирекция фабрики обязана оборудовать своё производство так, чтобы оно отвечало всем требованиям общепринятых норм жизни.

ПОТЕРЯНО ЧУВСТВО МЕРЫ
[ЧЕРНОВИК СТАТЬИ. КОНЕЦ 1960-Х ГОДОВ.]

У нас научились выращивать превосходных людей и разучились сохранять гармонию естественности в растениях. И вот из молодых посадок начинают образовываться стройные подростки с изящными стремительно растущими.

молодыми ветвями. Чтобы деревцо не тянулось, его обрезают год и два. Но вот пора робкого рахитичного детства прошла, и из тощего деревца получился красивый, сильный подросток. Вот теперь-то только расти и красоваться. Но нет. Чьи-то равнодушные жестокие руки безжалостно обхрястывают буквально полдерева в самой его красивой части, чтоб вырастить толстоногих, крупноголовых уродцев, утерявших всю прелесть дерева. Зато-де его никто не сломает. Да на такой обрубок ни мальчишка не полезет, ни птица не сядет, и от них с досадой отворачиваешься. Надо иметь художественное чувство меры и находить другие способы сохранять деревья, а не срубанием их пополам.

Искусство парковых насаждений является настоящим трудным искусством со своей историей развития и законами. Во всех областях нашего сов. искусства мы широко пользуемся «наследием прошлого», отбирая лучшее и создавая новое. Но в области парков предано забвению многое, чему научились наши предки. Каждому приходилось попадать в старый парк при музее или в доме отдыха или видеть его на картинах. Вспомните, какое волнующее чувство охватывает вас при виде раскинувшихся причудливо деревьев, задумчивых аллей, живописных лужаек, обрамлённых искусно составленными группами деревьев, где рядом с голубоватыми серебристыми ивами возвышаются мощные клёны и дубы, на фоне нежной зелени берёзы вырисовывается стройная тёмная ёлочка и алая рябина, где не устаёшь любоваться многообразием и красотой природы, так естественно сгруппированной, что забываешь, что всё это сделано заботливой любящей рукой человека, знающего и понимающего своё дело.

Неужели мы не в состоянии сделать наши сады и парки ещё прекрасней и лучше старых! И невольно напрашивается вопрос, каким образом столь важное дело, дело «молодого поколения» наших зелёных насаждений попало в чьи-то холодные равнодушные руки, стригущие всё под одну гребенку. Что это? Подражание подстриженным «английским» паркам, где всё доведено до высочайшей искусственности, где задачей досужего ума садовника стало придать растению любую форму, кроме естественной, или это равнодушие и, извините за резкость, недомыслие и незнание своего дела?

Но вот что произошло одним прекрасным утром в саду между драмтеатром и базаром. На дорожках появилась безобразная громадная куча веток и обрубленных стволов, точно целая лесная порубка, а в глубине газонов, вместо стройных красавцев тополей, гордых и сильных, нелепо торчали, пряча за соседей обрубки, укороченные более чем вдвое изуродованные калеки.

Где и когда вошёл в жизнь и укоренился этот бездушный обычай стричь все деревья (мало сказать стричь, разрубать надвое), какое бессмысленное отношение к делу, какое равнодушие к природе и красоте кроется за всем этим?!

[1960-1970-е гг.]

Уставшему человеку нужна религия, надо смириться перед болезнью и начать жить нормальной жизнью, признавая её (болезнь). Нельзя, чтобы болезнь отняла всё сильное, что во мне есть. Надо это преодолеть. Человек инстинктивно сторонится несчастья. Несчастный человек остаётся один.

Самопожертвование, в чём? Нужно ли оно? Больной человек становится несчастным и эгоистичным. Что от чего происходит? Он хочет, чтобы о нём думали, а инстинкт самосохранения отодвигает от него ближних.

В деревне у простых крестьян нет этого. Почему? В чём они сильнее нас? Какая сила заставляет их жить и жить и быть жизнерадостными?

Благословенная тишина по утрам, в саду свистят ласточки и детство. В ночи воспоминаний вдруг приоткрываются окошко. Детство. Соломы златятся в ряд. Я лежу и гляжу в слуховое окно. Искры солнца на соломе и в окне, одиночество и тишина, и ласточки с пронзительным свистом мимо меня. Иногда они так близко, что кажется, заденут крылом. Но ты здоров, молод и тоска твоя светла. Каждый день в час заката я забиралась сюда от людей. Страсть к одиночеству? Это слабость? Иногда отдых от вечной борьбы, которую ведёшь среди людей.

Панорама открытая и простая, всё венчает собой чёрный, иссиня-чёрный дальний лес и небо, в котором заключается вся красота Руси.

Как только начинаешь мыслить романтическими сказочными образами природы (как Гоген в своих решениях таитянских картин), так сразу подход к натуре преображается. Без всякого нажима видишь, что ёлка синяя, небо красное, а земля лиловая. И никакой погрешности к натуре в этом нет.

А небо сегодня необыкновенное. Всё в обрывках туч. Река темнющая. Один бок её сине-лиловый, середина лиловая, а другой бок черно-зелёный, и на его фоне стоит домик с белой крышей. И всё это положено такой тёмной краской, почти без белил, а звучит. И через всё это спешат лодочки, торопятся — домой привезти ягодников. А за рекой грозовые тучи грозят громом. Косяки дождей плывут мимо, и сквозь них просвечивает бирюзовое небо и ослеплённые солнцем дальние тучи. Даже голова кружится. Хорошо!

Если не волнует содержание — сочини форму. Сочини цвет. Чёрный цвет как основа. Заливать тени. И в него вводить рисунок и цвет яркими цветами. Сочетание работающих и не работающих красок. Береги мотив, который будит фантазию. Он лучше всего удаётся. Напротив, просто списывание — не даст результатов.

Бетховен — так должен звучать цвет. Когда его слушаешь — возможны сильные краски и грозные сочетания.

Ундольские поля.

День прошёл, как брошенный в колодец камень. Упал на дно, и даже свет звезды не долетает до него. Бездарный день, без труда, без вдохновенья.

Опять поразила песенная грусть озимых. Стояла на лавах: у реки неисчерпаемые силы колорита. Она может быть всех оттенков, от бирюзовой до малиновой. И нежно-зелёной, и бурой, и красной. Всё в ней порождает цвет: и небо, и берега, и отражения, и дно. И всё вместе складывается в такой богатый колорит, просто неисчерпаемый.

Луна, точно в озеро, погружалась в прохладу облаков и выплывала в подводное царство.

Прошлое. Детство на Малознаменской.
Большая квартира.
Марфин брод.
Желтуха.
Лето в доме отдыха и белочка.
Большой белый гриб и поступление в школу.
Вишенки.
Ночной поход на вокзал для встречи с отцом.
Свидание.
Лето на Волге.

В Марфином броде фабрика стояла на том берегу и по вечерам вся отражалась своим красным зданием в притихшей воде. Было очень красиво. От станции шёл большак. Мне кажется, что никогда я не встречала такой русской, немного тоскливой и суровой дороги с ответвлениями тропинками. В грязь там ужасно скользили ноги. Мы разувались и шли босиком.

Счастливы те люди, которые провели детство вблизи природы. Чтобы ветки яблони стучались в окно, чтобы шуршали осенние листья под ногами и тишина не мешала слушать, как играет дождевая вода. У меня было московское детство, из окна школы я смотрела, как расцветали деревья в школьном саду, и мне казалось, что я не вынесу и сердце мое разорвётся от желания, бросив всё, убежать навстречу надвигающейся весне. Но я продолжала сидеть, и слушать, и учить, и из последних сил сдавать последний экзамен. А может быть, нужно было всё бросить и убежать?

Редкой радостью, слишком редкой были встречи с природой. А человеку нужно, чтобы ветви яблони стучались в окно, чтоб шумел ветер, чтобы тишина была наполнена звуками дождя и всплесками ручьёв.

И вся жизнь моя наполнена жадным томлением бросить всё и уйти.

Поле со стогами за рекой. Синяя туча, синяя вода. Берёзы, свесив свои зелёные ветви, не дышат. Тишина. Забвение пред грозою.

Берёза на озимых и синем небе. Трепещет и радуется. Последние дни. За лесом церковка. Летят журавли. Седая дорога.

Река как цветная гравюра. Коза Розка. Тётя Наташа и гуси. Кусок лодки и причал. Жёлтое солнце.

Дорожка прямая на той стороне. Лавы берёзовые. Чёрная кошка. Наседка и чёрный цыплёнок. Дом, в котором мы и его обитатели.

Палатка. Лавы. Река. Вода. Солнце и ветер. Если бы человек не мог мечтать, он умер бы.

Волны ударяют о лодку. Река плещет. Ветер западный, по течению. Лодка против течения не подымается. Лодка большая. Дно широкое, точно брюхо кита. Полно воды.

Песок на той стороне и опять река. Я увидела, как впервые, реку и берег. Я могу радоваться жизни и кому-то рассказать. Я очень, очень хочу рассказать.

Звериная тоска по этому раздолью. Удивительная благость раннего утра. Тишина. Мглистая серость заречной стороны. Гуси, точно лебеди на реке. Далёкий вскрик пастуха. И опять тишина. Тепло. И гладь реки у ног в бесшумной лодке. Играющие у берега рыбки. Нежная голубизна воды и неба. Строгие контуры одиноких лодок, как большие отдыхающие существа. Проститься с этим радостным одиночеством и уехать. Зачем?

[ЧЕРНОВИК ПИСЬМА]

Вы поступили недостойно порядочного человека. Вы оскорбляли и обливали помоями людей, не сделавших вам никакого зла и поэтому не имели на это ни основания, ни права. Воспользовались случаем вылить накопленную в душе злобу.

Вы не пошли оскорблять людей, которые сделали вам зло, потому что боялись их, а вылили все угрозы и бешенство своё на других, заведомо зная, что они не будут делать скандала и не станут с вами драться, и зная, что наутро уедете.

Так поступают трусы. И как трус вы сбежали от человеческой и моральной ответственности. Сами должны понять, как это называется. Я должна была это сказать вам.

Но дело сделано: вы оскорбили людей и оставили по себе тяжкий след. Счастье для вас, если это не ваша сущность и вы сможете осудить себя сами и понять, как низко пали вы в тот вечер.

И что надо много пересмотреть в своей жизни.

Иначе все ваши фразы о благородстве и оскорблённом человеческом достоинстве, которыми вы так любили щеголять, только поза и фальшь.

***

Что за удивительный сфинкс — простой народ, он знает без книг истины, до которых по книгам другие доходят годами. Он просто живёт, как птица, и иначе не может. Он просто весь погружён в заботы сегодняшнего дня и делает это как можно лучше (Мстёра, Спаська).

Нет такого места, куда по приезде второй раз, на второе лето, вы не заметите убывания, оскудения лесов, кустарников и даже отдельных деревьев. Лес сдаётся, отступает перед натиском разнообразнейших потребностей, требующих его живого тела. Пионеры, кора, кустарник — отдали шишки, корзины, дрова, против этого незаконная порубка ничтожна. Городок Осовец тает с каждым годом.

30 сентября — день рождения мамы. 25 октября — день рожд. Жени и Оли. 27 декабря — день рожд. Саввы. 20 января — день рожд. Виктора. 20 мая — д. р. Наташи. 27 июня — д. р. Витюши.

<7 января [1968 г.]>

К вечеру зашёл Х. и К. Почти трезвые. Смотрели работы. Мой «Ледоход» не понят. Я расстроилась и бросила его писать. У В. нравятся работы. Скинулись по рублику и «поехали». Хорошо говорилось. Х. пошёл опять и исчез. Долго ждали. К. не дождался, поехал домой. Я заволновалась. Уже в 11 ч. В. с актёром пошёл его искать в милиции. А он болтает под столбом с приятелями. Привели. Бутылка при нём. Страшно доволен, что так нелепо вышло. Вот характер. Потом В. захотелось спать. А нам хотелось поболтать. Пошли на кухню. На кухне хорошо ночью болтать. Нам хотелось обсудить какой-то «философский» вопрос (не помню — что). После трескучей болтовни пошёл серьёзный разговор. Ходили по кухне. Захожу в комнату. В. сидит на постели. Руками за голову. Не спит. Мешаем. Вижу, что обозлился. Смеясь, уговаривали его. Было хорошее лёгкое настроение. Нет, ни в какую. Разогнал нас. А не надо нас было разгонять. Нехорошо от этого стало. Не просто. Х. ушёл в лунную ночь. И я бы пошла в лунную ночь. Но нельзя. Эх, чёрт, почему нельзя делать простые весёлые вещи, как бродить по ночному городу?

<[Весна 1968 г.]>

Когда мы жили в Петрушине весной, я уставала за день страшно (очень болела нога), заваливалась на ночь на нашу смешную постель, с подставленными стульями и похожую на берлогу, и засыпала, как проваливалась. Спала крепко, с какой-то сладкой дрёмой, без просыпа, а утром поднималась рано и бодро и всё успевала, завтракали рано и уходили около 9 часов. Сидели так: я — посередине, В. — сбоку, а Л. — у окна. Вели с тётей Дуней степенный разговор и подсмеивались друг над другом. Потом собирались. Я натягивала на себя всё что можно. Всегда опаздывала, и меня дожидались на скамейке и подсмеивались надо мной. Я брала свой здоровый планшет и делала с ним несколько шагов, потом Л. снисходительно: «Ну, давай я понесу». «Понеси», — и с удовольствием менялась. Так начинался наш поход: через овраги, через тропы и воду по шоссе в берёзовую страну, в большие широкие овраги, там, где родник под дубами, где осины горели на солнце и из серых старых берёз струился берёзовый сок розовыми подтёками. Там писалось, может быть, и плохо, но жилось весело.

По вечерам в Петрушине подымалась необыкновенная громадная жёлто-оранжевая счастливая луна. Она, как колобок, катилась по синему полю. Над голыми лесами, над разливом, и сверху издалека было видно, как она отражалась в воде. Мы каждый вечер выходили смотреть её.

У Л., оказывается, много терпения. Он спал на полу, над головой кричало радио. А он был в отличном добром настроении. Он вообще очень добр, если так можно сказать: по идее, добр ко всему и любопытен. Пока нет у него денег или нет его денег в вашем кармане (тогда он может стать утомительным и злым). Но это не на этюдах. Однажды он рассердился. Я заняла вечером его постель. Я дурачилась. А он, наверно, решил, что я издеваюсь. Сидел долго на стуле, не принимая шуток и отвернувшись, опустив свои широкие плечи в серой кофте. Потом вдруг молча встал, надел рыжее пальто и ушёл на бугор. Его не было до темноты. Потом пришёл и лёг. Целый вечер спал.

Наутро я встала с чувством вины. Ушла на бугор. Пришла умилённая радостной красотой. «Эх, и хорошо же там! Такое утро!» Мне хотелось сказать, что я очень жалею о вчерашнем и не хотела злить. Но он зло и с издёвкой: «Ах, отлично, отлично. У Нины всё прекрасно». Мне стало обидно до слёз. Я даже завтракать с ним не могла. Потом он сказал: «Ты же видела, что я устал. Я ушёл на бугор и лёг там». В это утро на улице я ещё что-то грубое сказала, вроде: «Заставь дурака богу молиться, он лоб расшибёт». Зачем?

В это утро Л. стал просить денег, чтобы уехать в город. Я и тут была резкая, грубая и злая. Правда, я боялась, что он запьёт, но не так и не то надо было говорить. Надо находить слова для самой души, и они есть, но почему-то мы боимся этих слов, и они умирают при самом рождении. Мы сидели в прозрачном осиновом лесу. В. ушел писать. Рядом бил родник, а мы ругались. Добрей надо быть ко всем и всегда. Я говорила, что я не верю ему, что он запьёт, что лучше я сама вечером с ним поеду, а он, что надо верить людям, что ещё хуже, когда так говорят. «Я не про этот случай говорю, но иногда я назло запью». Я: «Не дам. Не могу я дать тебе денег». «Нина, я обещаю тебе, я приеду сегодня или завтра утром. Я увидел сегодня эту красотищу, что тут делать без этюдника?» «Ну хорошо, поезжай, сколько тебе?» «Пять рублей». Мы идём к В. «Ну, что вы, насовещались?» «Я еду», — говорит Л. В. (деньги у него) даёт пятёрку, и Л. уходит по бугру туда, где берёзы горят на солнце красным огнём. Опираясь на большую палку, он уходит, и я иду писать. Но мне грустно. Я чувствую, что не так я говорила, не имела права.

Он приехал на следующее утро со Сл. и не пил ни глотка. Но куда девалась красота вчерашнего дня? Дул северный ветер. Пошёл снег. Мы полдня сидели в избе. Потом всё-таки пошли. У Сл. была температура. Он надел бабкины валенки с галошами. А в дыры торчали белые портянки. Он смешно в них шлёпал. В лесу опять пошёл снег. Я опять разводила костёр, и мне никто не помогал. Снег шёл сильный, крупный. Было здорово. Писали рядом. Л. выбрал место. Пронзительный ветер. Я начала с задержкой, но никак не шло дальше. У Л. получилась акварельная техника. И не плохо. Мы много с ним озорничали. Я отнимала краски. Он делал строгое лицо, но шутку всегда принимал. Сл. писал отважно, но плохо. Домой пришли поздно. Л. опять тащил мой планшет. Купили водки. Все захмелели. Сл. был в восторженном состоянии. И пока с ним болтали (с ним иногда занятно) и бегали смотреть на оранжевую тёплую луну, Л. потихоньку ещё принёс бутылку. Я ворчала, как старая баба. Зачем? Опять из страха и недоверия к людям. Но на это никто не обращал внимания, и всем было хорошо.

Следующий день на шоссе. Вербное воскресенье. Чёрные богомолки шли мимо нас. Они то ворчали, то умилялись. Я начала широко, но скисла — недобрала. Вся вторая половина этюда — никуда. Холод меня парализует. У

Л. — нормально. У В. тоже. Потом не выдержали — грелись у костра. Собирали строчки. Л. ухитрился где-то найти бутылку и набрать берёзового сока. Вечером проводили Сл. на поезд и остались опять втроём. Втроём было привычно и легко. Мы хорошо друг друга понимаем.

Л. всё шутит и балагурит, а однажды он сказал. В. говорил, что в моих этюдах есть чувство искусства, а в его нет. А Л. вдруг почти резко: «Если бы у нас у кого было чувство искусства, давно бы был знаменит». Вдруг вместо жалости я увидела в нём его мудрость жизни, его взлётов и падений, его запоев. Может быть, это даже и непосредственней, чем тянуть общепринятую лямку долга.

Л. хотел ехать вечером. Пообедали. «Может быть, поедешь завтра, а сейчас погуляем?» «Меня завтра Ж. ждал работать. Гулять мне не хочется». «Ну, смотри». И вдруг: «Идея — пойдём в Митрофаниху за большими этюдами. А то мы когда-то их привезём. У нас ведь вещей много».

И пошли. По просёлкам. По знакомым летним местам. Дубы. Большая луна. Сумерки. Заманивает новизна. По берёзовой тропинке, но перелескам. Справа деревня. Дом тёти Поли. Предпасхальная чистота. На стенах большие картоны. Как старые хорошие друзья. Я снимаю. Ребята связывают. Назад по шоссе. Совсем темнеет. Тихо и ясно.

Сидим у обочины. Курим. Глядим в чёрную воду. Холодновато и звонко. Говорить не хочется. А хорошо. Устали очень. У меня странное состояние. Кажется, могу идти целую ночь в этой темноте, ни на что не глядя, ни о чём не думая, упираясь взглядом в мужские спины. (Зов бродяги.)

Наутро рано-рано я встала. Хотелось приготовить чай.

И опять Митрофаниха напоила нас теплом и ароматом первых весенних дней. Снег весь стаял. Тёплая тёмная земля, крепкая, как печёный хлеб, вся в холмах и овражках. Голые ивы, вязы, как узоры, разбегаются по ней. Заборы, баньки. Опять за каждым сараем, прячась от ветра, найдёшь мотив, который наполнен образами весны.

<[1 мая 1968 г.]>

1 мая. Ах, как не хочется вставать. Я вскакиваю рано. Надо успеть забрать Х. до семи часов. Идея удрать всем из города меня так захватывает. Идея весёлых вольных дней всем вместе по полям и лесам. Я как всегда опаздываю. На

остановке ни людей, ни троллейбуса. Бегу через дорогу. А утро такое свежее. Ногам так легко бежать. Настроение отличное, озорно-приподнятое. Наконец еду.

Дом. Подъезд. Дверь. Мне немного не по себе. Ну как же: ни свет ни заря мчусь забирать, украсть парня у водки. Пересилить этот пьяный угар. Думаю — спят. Дверь открыта, тихие голоса. Захожу. Все трое за столом. Х., М. и мама. Стаканы. Они уже выпивают. Но мой азарт на таком накале, что я не могу бросить свою идею. Х. забыл вчерашний разговор. Но он уже знает, что от меня можно ожидать. «Ты чего?» Мне неудобно. «Мы же договорились ехать. Пойдём, пойдём скорей». «Ну, подожди». Он тянется к бутылке. Я отбираю. Он хватает стакан. Я отбираю. Видно, состояние у него мутное, но умилённое и ласковое ко всем людям. Для меня сейчас главное вытащить его из этого дома.

Мы на улице. Нам немножко смешно и весело. Ведь это так необычно. В троллейбусе: «У нас с М. договор: я просыпаюсь, отодвигаю занавеску. Он видит из своего дома — значит я проснулся, дверь открыта. Он р-раз — и к нам. Мы сидим и выпиваем». Смеёмся. Я думаю: «А как же он говорил, что гонит и ненавидит М. Значит, врал? Или действительно зимой у него было решение изменить что-то в жизни? Нет, он не врал. Он действительно разгонял всех. Он действительно делал гравюры. Он гнал всех, а они шли, шли. И все шли пить, за день там бывало за десяток людей. И все пили в этой удобной открытой квартире.

Я вылила водку. В. в гневе ушёл по оврагу. Исчез. Х. посмотрел на меня такими удивлёнными глазами и так просто сказал: «Зачем ты это сделала?» (Боже, как мне было стыдно.) «Зачем ты это сделала? Разве плохо мы сидели и выпивали?» Он ещё говорил хорошо и верно. А главное, очень добро. Потом: «Ты как старуха из сказки о золотой рыбке. То тебе мало и это мало».

Потом искали В. Он принёс водки. Вечером выпили, и всем стало хорошо. Ночной разговор не ладится. В. гонит спать. Спали так: я на постели, В. на полу, Х. — за печкой.

В последний день: они искали выпить, я не отдыхала, а следила за ними. Потом на берегу лежали на солнце. Потом швыряли палки в глубокий-глубокий омут. Х. скинул рубаху и стал похож с шестом на греческого бога.

Потом опять выпили на Красной Охоте. Последний раз — вода из колодца, в котором скрипит ворот. Вечерело. Свежело. В поезде — отчуждение. В городе — в столовой обед. Он нёс рюкзак на одном плече. У дома. Решили еще выпить. У нас выпили наскоро. После праздников осталось неудовлетворение друг другом. В зарплату В. жил у Х.

В то утро 1 мая я привожу его домой. Он немного ошарашен, немного пьян и доволен. Его воли нет. Есть только наша. Надо всё успеть. Крепкий чай. Рюкзаки. Вокзал. Очередь за билетами. Х.: «Я схожу на станцию». Я боюсь его отпускать. Он стоит с вещами. Глаза просящие. Посылаю к нему В. Он тоже не отпускает. Идём к поезду. И вдруг в вагоне: «Я должен сходить». Надо его проводить. Но он идёт один. Идет долго, за какие-то составы. У меня мысль — удрал. Его нет. Поезд закрывает и открывает двери. Я не выдерживаю. «Вот, не мог его проводить? Он же пьяный. Он удрал». Вдруг где-то далеко — фигура длинная. Мы кричим: «Скорей, скорей!» Неуклюже бежит. И — чудо — поспевает. Стоим в тамбуре, курим. Мне стыдно, что я сорвалась. Но ведь столько усилий и столько впереди для троих веселья. Х.: «Давай купим старый журнал». Денег у него ни копейки. Всё покупаю я. И даже билеты в троллейбус. Х. с удовольствием и беспечностью ребёнка отдаётся чужой воле. Он находит кроссворд. Мы весело его решаем. Сидим где-то у входа. Народа много. За окном мелькает бурое, рыжее, зелёное. Недорешив кроссворда, выбираемся из поезда.

Вот она, Красная Охота. Вот колодец. Х. — к нему. Опускает ведро, и ворот скрипит, скрипит. Как в сказке о «Маленьком Принце». Х. пьёт много и жадно. И мы идём по тропинке в голом лесу по мокрой вязкой весенней земле. Переходим большую воду. Х. показывает: «Вот как надо бежать — быстро-быстро. Ноги не успевают намокнуть». И действительно, быстро, на носках перескакивает воду. У нас так не получается. Я промокаю, но это неважно. Важно другое: важен лес, мы в лесу, и всем нам хорошо. Но я не рассчитала свою силу. Х. томится, и это меня беспокоит. В. тоже думает о вине. Это предчувствие меня сковывает. На берёзовой порубке мы делаем привал. Едим. И Х.: «Ох, хорошо бы выпить». Видно, слишком долго весной его отрывали (я, конечно). Но славно на поваленной берёзе. В. командует завтраком. Я прилегла у берёзы. Х. снял своё рыжее пальто и развалился во всю длину, отдыхая всем телом. И предчувствие начинает меня томить. Не доходя Митрофанихи, сворачиваем в лес на Братонеж. Спорим. Пройдём или нет. В лесу сухо и почти жарко. Я снимаю пальто. Потом беру и Витин рюкзак и бодро его тащу. Я тащу. Рюкзак становится всё тяжелее. В.: «Давай понесу». Х.: «Нет-нет, пусть несёт сама». Я опять несу. Так мы играем довольно долго, перепрыгивая через лужи. Х. уходит вперёд. В. забирает у меня рюкзак. «Ну вот, так я и знал». Слышу — притихли. Всё-таки ему тяжело идти.

А лес такой знакомый. Вот прекрасные берёзы, вот поляна, где когда-то мы писали. Давно, давно. Вот просека, вот последний березняк перед Братонежем.

Когда-то это была наша тайна и наша обитель. Теперь мы отдаём эту тайну другим. Мы делимся ею и теряем её. Последний ручей. И луг перед озером. За бугром виднеются домики. Озера ещё не видно. Здесь всегда особый братонежский настрой. Такого больше нет нигде. У пустого дома у молодой липы мы делаем привал. Озеро голубое, но с бурлинкой. Дует ветер. Если идёшь по мосткам, кружится голова. У домов много людей. В. заходит к соседней бабушке за молоком. Но у неё умерла корова. На скамье молодёжь. «Где бы здесь молока?» «А вот хоть у нас». В доме кто-то спит, молодая женщина у корыта, мы подсмеиваемся: «Разве можно в праздник работать?» Х. поглядывает на неё. Мы отдыхаем, с удовольствием избавились от ветра. Болтаем какой-то вздор. Выпиваем три крынки молока с булкой. Молоко холодное. Особенно много пьёт Х. Я всегда удивляюсь, сколько он пьёт. Обходим озеро кругом. На скамье женщина. Озеро, ивы, дальний берег — всё прозрачное и невесомое. Как у японцев, но русское. У женщины находим большую бутылку и идём на единственный колодец. Женщина спрашивает, кто мы друг другу. Мне смешно. Просто нам хорошо и кажется, что мы родные. Мы долго ищем колодец — родник за деревней под старыми ивами. Он не похож на другие. Вода близко-близко, как в реке. Достанешь рукой. Они набирают воду в бутылку и пьют, опять набирают и пьют, наконец, Х. кладёт к себе в карман полную бутылку. Мы устали. Хочется лежать на очень зелёной траве у ив. Идти ещё

долго. Решаемся и идём молча. Х. впереди, быстро и решительно. Мы сзади, немного сбоку. Я смотрю на
Братонежскую долину, которая сейчас исчезнет. Ивы, рас-
качивая сарафанами, пританцовывают на зелёном лугу.
Это я всегда хочу писать. Ивы светлые-светлые. Но вот лес.
Густой молодой ельник. На тихой поляне — привал. Х. —
на пальто и застыл. Рюкзак под голову. И опять, как дома.
Он везде, как дома. Я под ёлками на самом солнцепёке
улеглась на пальто. Так близко от глаз растущая трава и
муравьи. Так далеко над головой небо. И вдруг самый
сладкий сон сморил меня. Разбудил В.: «Чего вы спите?
Надо идти. Я не хочу лежать, а вы как хотите». И стал
бродить по кустам. Я села. И так жалко стало. Сейчас
самое важное было: лежать под ёлкой тихо-тихо и наби-
раться сил. Но я опять стала делать не то, что надо. Я стала
будить Х. и бросать в него палочки. Палочки попадали в
него, раздражали и будили. «Нина, не бросай в меня палки.
Не надо». И я устыдилась. Действительно, грубо. Мне
совсем этого не хотелось. И куда В. торопит?

Мы идём через лес. Потом по вырубке, которая недавно
была роскошным берёзовым лесом с чёрным можжевель-
ником. Потом по федотовским полям, которые всегда нам
нравятся. Нравятся и сейчас. Настроение поднялось.
Прошли деревни. Федотово. Харитоново. Сколько хожено!
Наконец, Копнино. Весенний звон снежных и прозрачных
дней. Место, где мы писали этюды, неузнаваемо. Всё заросло. И как-то стало маленьким. Был колодец. Разлив.
Ослепительный снег. Прозрачные жёлтые ивы. Вспоминается этюд Х. Белый, синий, голубой. Жёлтое ведро на
колодце. Было воскресенье. Мешали мальчишки. В. работал истово. У Х. были радостные глаза. Ему хотелось поиграть, как ребёнку. Тогда я не принимала шуток. У меня
не ладился этюд. И он разочарованно отходил. А бродили
мы по глубокому снегу, проделывая дорожки. Нет, это
неверно. Мне тоже было очень хорошо. Я уже научилась
перебарывать себя. Теперь мы быстро прошли деревню.
Она нам была не нужна.

Вот поворот. Поля, где когда-то бушевал весенний поток.
Дорога. Дом. Цепелёво. Мы в доме. Устали. Аннушка дома.
Улыбается своей детской улыбкой. И старик тоже дома. Я
так надеялась, что он на праздник уйдёт. Он пьян и болтлив.

Начинаем готовить. Я — X.: «Умойся, вымой руки». И вдруг: «Не буду, не хочу». Я удивляюсь, не понимаю: «Почему? Ведь это так хорошо!» «Пусть я буду поросёнок». Вдруг В. грубо: «Что ты к нему пристала, не хочет — и не надо». Я обиделась. Как я жалела, что не надо проходить ещё 10 км. Дома было хуже. Старик говорит что-то. Появилась водка. Пить начали стаканами. Со своими глупыми обидами я упустила главное. Всё пошло помимо меня.

У X. стало отличное настроение. В. хмурился и хотел ещё пить. Из-за стола пошли по деревне искать водку. Ветер. Свежо. Все устали. Аннушка ушла на работу. Старик гудел и всем надоел. В. вошёл в дом. Мы с X. на поляне дожидались. Но я никак не могла перебороть своего раздражения. А разве это было главное? Главное было то, что мы здесь, в деревне, втроём, что кругом весна и что хочется писать этюды. В. был в восторженном состоянии (на него иногда находит), всё ему очень нравилось. И зелень, и кусты, и овраг. Я отмалчивалась. Меня всё раздражало. И перебороть этого уже не могла. Злая сила уже владела мною. В. достал четвертинку. X. даже особенно не огорчился. Наверное, ему было просто хорошо. «Где пить будем?» — спрашивал он. «Давайте здесь, на природе. Что там этого старика слушать». А я: «Нет, лучше дома. Подождём. Скоро Аннушка придёт». «При чём тут Аннушка?» Я молчала и злилась. Я уже злилась на то, что им хорошо. И как на зло — «Давай из горлышка!» Они лежат, пьют, блаженствуют и меня будто не замечают. Я стою над ними. «Тебе оставить?» «Оставить». Мне дают бутылку. Я держу её в руке. И чувствую, что должна выразить свой протест, чем-то безобразным и неожиданным. И выливаю водку на траву. Она, проклятая, так долго льётся. Они лежат и смотрят. Я бросаю бутылку и отхожу. Внешне всё это резко, грубо, а внутри содрогаюсь: что я делаю? Я уже понимаю, что сделала непоправимое и все дни это будет висеть над нами. В. идёт, почти бежит через овраг. А X. снизу глядит такими искренними и грустными глазами. Он просто смотрит на меня как на друга, человека: «Зачем ты это сделала?» Я молчу. Зачем я это сделала? Если бы я могла ответить. Я уже обо всём жалею. Я ему так благодарна, что он не ушёл.

Мы с ним у каких-то слег. И ему, и мне жаль пропавшего дня. Жаль, что так случилось. Он ещё что-то говорит.

А мне так стыдно. Ведь он очень верил мне, в мою справедливость. Мы долго с ним бродили. Искали В. Меня ничего не радовало. Это была непоправимая потеря веры. Остальное всё очень просто. В. достал водки. Напились. Дразнили меня. Радость исчезла.

<[2 мая 1968 г.]>

Второй день. Никто не поминал об этом. Было пасмурно. Пошли на Городок. Держались настороженно. Я пыталась всё загладить. Но молчала, а именно я должна была заговорить, объяснить, почему так вышло. А из незалеченной ранки образовался струп, мозоль. Я струсила. Потом мы уехали в Омофорово. Увидели красоту. В. захотелось писать. А мне захотелось обойти весь свет и смотреть на весну.

Потом под дождём ждали автобуса долго-долго. Мёрзли. Потом: обед, вечер, разговоры. Я, наверно, занялась Аннушкой. Читала письма. Мужчины в той комнате рано легли, что-то говорили. Уже в темноте я легла. Я чувствовала блок против себя. Это нарушало дружбу.

<[3 мая 1968 г.]>

Следующий день был радостно солнечный. Мы вышли и, пройдя Городок, пошли по дороге в поле. Берегом Клязьмы. Воля и простор. Какие-то ручьи переходили, перепрыгивали. Очень трудно передать этот день. Он очень полный, но в нём нет сюжета. Дорога чистая-чистая. Длинный рукав старицы. Две большие утки. Гоним — не уплывают. Зовём — чуть не плывут к нам. Потом спрятались на том берегу. Мы далеко обошли. Сделали на них облаву. В. с одной стороны, я с другой — залегли, а Х. пошел в нападение. В руках палки. Он чуть не наступил на них. Одна поднялась, одна пошла из кустов на него. От неожиданности он закричал, бросился назад. Утка тяжело поднялась. Как было досадно!

На второй и третий день приходила Тайга. Она помнила меня, и я радовалась ей, как другу. Я таскала ей хлеб и всё приговаривала: «Тайга, рыжая, красавица» и пр. Я говорила, и она меня понимала.

Вот опять Клязьма. Поворот, и из-за поворота байдарки, одна за другой, иные с парусами. До этого с Городка мы долго наблюдали их. Как они шли на нас под парусами из тихой старицы и с поворота попадали в сильное течение, спускали паруса и шли на вёслах. Они — эти лодки — были так радостно довольны, что, казалось, счастливей нет на свете. Проезжая, они кричали: «Какая деревня? Сколько до Собинки?» Разное кричали. Байдарки были неотделимы от праздника, от весны, от нас. Берегом Клязьмы по вымытой бархатной дороге мы шли всё вперёд. Принимались дожди, светило солнце. Казалось, на наших глазах расцветали деревья. Дубы становились малиновыми, ивки — жёлтые. Местами совершенно красные кусты, как на картинах Гогена. Мне было чудесно. Я беспрестанно восторгалась. В. томился жаждой работы. Х. помалкивал. Иногда уходил в сторону и мелькал за деревьями.

Дошли до поворота, опять пошёл дождь. Всё-таки что-то нам мешало быть очень дружными. И всё-таки было очень хорошо. Мы пошли назад. Солнце ударяло в спину, и вся расцветающая роскошь пыхнула на нас своим красным весенним светом. Это был день всеобщего цветения.

Тропки. Кусты. Мокрая трава. Большая туча заходила сзади. Туча с громом. И вдруг моторка к нашим ногам. Садимся. В. и Х. впереди. Я сзади. Так и запомнились их спины — серая и рыжая, темнеющие от дождя. Хлестал ливень. Лодка, точно на плохой дороге, прыгала на волнах. Река кипела. Полчаса дикой езды под ливнем. Потом солнце. Деревня. Берег. Лодочник мокр до нитки. Ищем водки, чтобы отблагодарить его. Все возбуждены и довольны.

Хороший был вечер и неповторимый, как ничто неповторимо.

Мы стояли на широком лугу и глядели, как перевозили туристов-велосипедистов на ту сторону. Как грузили мужчин, женщин, мальчишек. Они переговаривались. Сил, казалось, бесконечный запас, сил и жизнерадостности.

Эх, как хорошо было на этюдах! Тогда мы все хотели вместе каждый день. Мы были настоящими товарищами.

А пока мы стояли на берегу, я мысленно возвращалась к пройденному дню, опять необыкновенная вымытая дорога, длинная, как бесконечность, берег реки, байдарки и красные распускающиеся деревья. И я уже жалела, что лодка выхватила нас из-под грозы, а теперь светило солнце, а мы бы шли втроём и всё было бы как в сказке. Я недаром об этом жалела. Х. тоже хотелось идти. В. был доволен, что приехал.

А лодочник подошёл к нам, бросил свой мотор: «Привезут», — и мы пошли по очень зелёной траве под бугор. «Подождите меня. У меня там есть кусок пареного кролика». Он был радостен и весел, как и мы. То, что он сделал для нас, было необычно, и он стал как другой человек. Он принес кролика и воблу, настоящую маленькую воблу. Достал ее у зятя. «...Я говорю, дай что-нибудь закусить, и он достаёт и даёт мне воблу». Водка, горячая, как кипяток, обжигает наши желудки. Вобла поделена на четыре части. Запах и вкус ее великолепен. Кролик нежен, как кролик. И нам очень хорошо. Нам так хорошо, что хочется, чтобы на этом кончился день. Но мы идём обедать. Дома пьяный болтливый старик. Я вспоминаю лодку, ливень. Я поворачиваюсь и вижу насквозь исхлёстанного дождём лодочника в чёрном халате, его красное и смеющееся лицо. Я говорю ему что-то, но рёв мотора всё глушит. Я смотрю вперёд и вижу две спины, застывшие и неподвижные. Мне хочется, чтобы они повернулись и что-то мне крикнули, но они как сфинксы, эти спины. После обеда мы идём бродить, меня спрашивают, куда, но, скованная своим дурным поступком, я говорю: «Как хотите», — и они, делая круги, подбираются к тому дому, где продают водку. Прямо напротив прекрасная радуга, как ворота в рай. Она разгорается всё ярче. Мы толкуем о её цвете. Вдруг окно над нами нараспашку. Смешное молодое лицо вмешивается в разговор. «А почему с другой стороны опять лиловое? Ведь спектр состоит из семи цветов». «Нет, из пяти». Они спорят, рассуждают. «Слушай, — говорит Х., — вынеси нам стаканы, мы у тебя на крыльце выпьем». — «Сейчас». Я против. Меня шокирует такая воля. Но меня уже никто не слушает. Мы усаживаемся на крыльцо, стакан, закуска. Юра учится в Москве на физика. Выпивается водка. В. (мой благоразумный В.) делает знаки, чтобы купить ещё. У меня делаются злые глаза. «Не надо, — говорит Юра. — Пошли к нам. Кое-что есть». В доме. Две пожилых женщины. Подозрительно на нас и укоризненно на Ю. «Ничего, ничего, — он смеется, — все в порядке, Тётушка, достань капустки. Принеси-ка этого». «Этого» — кислушка, она мутна, и сознание тоже мутнеет.

О чём-то толкуем, как будто умном. Выходим. Жена Юры чёрненькая, смешливая девочка.

И, о ужас: мои мужчины до безобразия пьяны. Кислушка. Остатками ума В. говорит: «Пошли домой». Нас с удовольствием идут провожать. «А я не пойду. Мне здесь нравится». Все уже вышли. Мы вдвоём: «Ну пойдём, пойдём». «Да не пойду. Ещё у них есть, да? Я останусь, такие приятные дамы». «Пойдём, пойдём, мы только погуляем». Х. не отходит от дома и от дам. Он пытается их обнимать. Он хочет вернуться. «Нина, требуется ваша, помощь». Тяну за рукав, сержусь. Наконец: «Мы завтра придём, понимаешь?» «А мы придём?» Я к дамам: «Мы завтра придём к вам?» Дамы, с опаской в глазах: «Да, конечно». За деревней Юра и чёрненькая со смехом убегают. В. крутится, как подбитая муха, вокруг себя. Х. вырывается и грубит. Так меня толкает, что я падаю навзничь на мягкую от пыли дорогу. Скорей, скорей увезти их из деревни! Темно. Впереди фигура В., большая и нелепая. Он злится, что я с Х. Имею ли я право бросить его? Куда он пойдёт и что наделает? В. падает ничком на дорогу, но подымается и опять кругами движется к дому. Х. подаётся в ивовые кусты и исчезает в них. Расстояние всё растёт. Я бросаю В. и почти бегом назад. Иду напролом по кустам. Сидит на корточках. «Зачем ты пришла, ты всё испортила». Я бегу к В. «Витя, подожди. Х. отстал». Ничего у меня не осталось от чудесного дня. В. сидит, обмякший. «Я лягу». Валится на подстеленный матрац. Старик пьяный поёт. Х. поёт с ним. В пьяной отличной форме. Лицо покраснело, глаза светятся, и рот в бесконечной улыбке. Как-то хищно открыты зубы. Хватает Аннушку, и они танцуют. Она смеётся, такая кроха рядом с ним.

Я чувствую, что он не только отдыхал, но и наблюдал меня и что-то его раздражает, и мне больно и грустно слышать это. «Ты всё говоришь с одинаковым лицом». Мне что-то хочется сказать, что я не притворяюсь, что я просто тревожилась эти дни, но мне неожиданно это, и я молчу.

Мы идём спать. У В. болит рука. Он мотает ею и стонет. Мы уговариваем его лечь на постель. Он не соглашается. Х. забирается за свою занавеску. Я тушу свет. И уже в темноте: «Понимаешь, когда близко общаешься с человеком, как мы сейчас, грустно становится. Вот ты, ты сердишься, когда не надо сердиться, а не сердишься, когда надо. Это я называю чувством справедливости. У тебя нет чувства справедливости». Мне обидно и горько это слушать. Ведь я спасала их от водки. Я была напряжена. Я не отдыхала, как хотелось бы. Значит, задача не по силам. Я не выдерживаю. Эх, уйти бы куда-нибудь побродить. Я не выдерживаю. Я почти кричу. Я даже вскакиваю с постели: «Не нападай на меня! Ведь мне тяжело эти дни. Я не отдыхаю. Я мотаюсь между вами. А вы пьёте». Это капитуляция. У него хватает доброты замолчать, и мы спим.

<19 мая [1968 г.]>

Последний вечер 16 мая. Получилось всё скверно и досадно. Дома у нас. 12 ч. Оба пьяные. Требовали водки. Нет, сперва ласково просили. Не могла я отпустить ни того, ни другого — не имела права. И поехала сама на вокзал. Такси туда и обратно. Быстрота и оперативность. Но ресторан закрыт — работает до 23 часов. Опять в такси. Спрашиваю — взять больше негде. И вот я пришла домой. Тихо. А уходила — В. что-то кричал, как дикарь. «Эх-эх-эх потеха». Тонко и жалко это получалось. Я зашла на кухню — пожаловалась соседу. «Ведь, главное, не поверят». «А вы не уговаривайте. Пусть завтра сами проверят». Захожу. Л. полулежит на диване, раскинувшись на больших подушках, как патриций. В. сидит. И какой у мена был жалкий вид. Как я робела и как они меня презирали. Эти два пьяных мужчины. Л.: «Я так и знал. Я сам пойду. Ты ничего не сумела. Не надо было браться». В., как бык, глаза в пол. «В., что же ты молчишь?» «Я лягу спать, и на кровать». Л. растерялся немного. «Ну вот, он сбил весь мой энтузиазм. Уж и не знаю, что мне делать, сердиться на тебя или нет. Пожалуй, не буду. Давай лучше спать. Брось мне что-нибудь». Но я разобрала постель, как всегда. Потом: «Спокойной ночи». Но это всё неважно. Мне запомнилось другое. Утром вдруг добро и просто: «Только не ругай Витю». Как странно, разве я так много ругаюсь? На вокзал мы пошли все втроём и посадили всех в поезд. У первого же ларька они выпили бутылку вина. Но я ничего не говорила. Я была рада, что Л. пришёл в форме и не опоздал. Большего я не могла сделать.

Как-то шли вчетвером от Х. Я со Сл. впереди, они сзади. Сзади толковали о Блоке. О поэме «Двенадцать». Мне хотелось включиться в спор. Но Сл., воодушевленный вином, морозом, неожиданностью знакомства, не умолкает ни на минуту. Он толкует о живописи, о своей жене, о нашем содружестве, он до того радостно-наивен, что нельзя его не слушать. Я никогда (давно очень) уже не думала, что так славно бежать вприпрыжку и скользить по скользким тротуарам от фонаря к фонарю, ныряя в темноту. Говор и смех искрятся алмазами, как снежинки на снегу. У Х. было время зимой. Он пытался что-то изменить. Он мечтал о поэме «Двенадцать», долго носил книжку. Толковал о ней с восторгом и вдохновением. Он жил сумбурно, но всё с чувством протеста, с надеждой вырваться из окружения. Знакомство с Т., с нами вызывало у него чувство другого мира и желание вырваться в другой мир. В это время он много и часто говорил о конфликте с мамой, с братом. Он пытался гонять брата и прочих «гостей». От этого ходил радостный и вдохновенный, приходил пить чай и говорить, говорить. Не сердился, когда отказывались выпивать. Он где-то спасался. Приходил умилённый и философски возвышенный. Философия в его голове складывалась во что-то наивное и мудрое одновременно. Читал толковые книги. Игра в отнимание вина была ещё мила и принималась, как должное, в нашем доме. Потом на этой высоте не удержался никто. Вино стало побеждать и меня, к стыду моему. С двумя мне было не справиться. И высокому стилю начинающейся дружбы мы изменили. Мы часто стали ходить к Х., натыкались на брата, на тётю, на пьющие компании, и В. стал требовать вина так же энергично, как Х. Уже беседа казалась скучной без подстёгивания. Это долго как бы было незаметно, а потом стало грустно, и частица за частицей уходила радость. Оставалась привычка встречаться и пить.

Я помню, как Х. приходил зимой очень пьяный и как-то буйно возбуждённый. Он набрасывался на В. (который всегда спал), наваливался на него, переваливался через него на кровать, задирая ноги. Кричал, тормошил, делал вид, что дерётся. Он всячески выражал всю радость встречи. И не хотел тогда ни водки, ничего. Потом устало сидел или что-нибудь рассказывал. Пил чай, крепкий до горечи, и говорил: «Нина, налей мне ещё чашечку». Потом время подходило к 12 часам. Он смотрел на часы: «Я ещё успею, мой троллейбус будет в первом часу», — и опять чашечка чая. В. уставал:

«Если хочешь поспеть — иди». Не выдерживал и ложился на диван. И тут же начинал сопеть. Мы смеялись: «В. уснул». Х. кричал: «Ви-ить!» «Не буди его — пусть спит». «Ну, мне пора. Проводи меня». Я провожала его до двери. И, прощаясь у открытой двери, он ещё что-то вспоминал и говорил, и я уже: «Иди, иди, ты опоздаешь». И он шёл по лестнице всегда очень легко, пружиня сильные ноги. Как будто не был пьян. А иногда он не шёл на троллейбус, и мы просиживали до 4-х часов. Он говорил, говорил. Ему просто надо было, чтобы возбуждение алкоголя улеглось. Однажды он рассказал, как шёл по следам двух людей. Была тёплая зима. Как я завидовала его воле и его праву бродить ночью по улицам. Не бояться и никуда не торопиться.

<22 июня [1968 г.]>

Красная Охота. И птицы меня встречали, и цветы меня встречали, и лиловые сосны, и синие тени леса меня встречали. И колодец поманил рукой, да иван-да-марья закивали головами. Одним словом, это была Красная Охота. Это было лето. А воздух, напоённый всей роскошью лета...

Чулан. Утро. В высокое окошко бьёт луч солнца, прямой, как луч, и бесчисленные пылинки движутся в нём, как и тысячи лет назад. Очень маленькие и большие, похожие на звезды в небе. Это маленькое небо живёт своей вечной жизнью. Первый древний человек, разгадавший тайну луча, от себя, без прочтения книг, был великий учёный. Жёлтые доски потолка с тёплыми подтягами, постель на полу с цветными подушками и ватным одеялом, большое гостеприимство дома, луч солнца в окошке, двор, все щели светятся, ещё луч тонкий-тонкий, ловлю его, и весь он помещается на ладони, нежный, светлый. Кажется, что сейчас его почувствуешь, как что-то плотное. Всё это может быть началом хорошего рассказа. Потом вставать. Летнее платье. Сидя на полу. Бугор. Солнце. Озеро.

Тайна чулана никому не ведома, и теперь её уже не к чему рассказывать. Мечта, красивая, как всё извечное в жизни.

Щенок на берегу. Маленький чёрный щенок, как чудесно он ласкался. Он падал, сваливался на землю, вытягивал ножки, опрокидывал себя на спину. Всё: лапы, уши, зубы, морда — были у него нежные и мягкие. Всё его маленькое тело освобождалось от всяких усилий. Полная отдача ласке и игре. Я легла на землю и обнимала его, он прижимался к шее, к рукам, терся бочками, потом отступал и налетал на мои волосы, хватал их и тянул их, но так, чтобы не было больно. (Он вспомнил мать, как я вспомнила ребёнка.) Он отдавался ласке так, как только ребёнок может сделать, и я, как мать, прижимала его к мокрой груди. В игре он успевал лизнуть мокрый лиф, ткнуться в грудь, прижаться к шее, куснуть за волосы. Казалось, он целиком мой и любит меня больше всего. Нежные молочные глаза.

Через полчаса он забыл меня и так же ласкался к чьим-то чужим ногам и рукам. И те руки были для него опять самые дорогие. Я поняла человека.

Какое это счастье — лето. Сидеть утром на выжженных холмах и смотреть на серую утреннюю даль, ещё не проснувшуюся, ещё всю в тумане. Земля предо мной разлеглась своими плавными холмами с такой отдачей наступающему дню, как влюблённая женщина. (Как Хемингуэй сказал: мучается до тех пор, пока не найдёт самую настоящую единственную фразу, и тогда рассказ потечёт сам собой.)

А лежать за околицей в ромашковом лугу и смотреть, как небо набирает грозу. Как громыхает где-то за серыми облаками.

Земля тёплая и сухая, как протопленная печь. И иссохшие травы, как сено.

А птичка кричит: «Спать пора». А с бугра видна широкая пойма, сине-мутный, дымом покрытый лес. Когда-то здесь был разлив, было утро, пронзённое солнцем, была я, и мне было так весело. И это незабываемо. Всё покрыто тонкой тихой грустью. Грустью увядания, размышления. Это осень.

В чём же счастье жизни? В том, чтоб не терять чувства любви. Любви к жизни. Волноваться и радоваться золотому восходу солнца, радоваться крику грачей и свисту ласточки, несуразному лепету ребёнка.

Как сохранить себя для чувства любви? Почему оно умирает в человеке ещё задолго до того, как сам он превратится в смерть? Мелочи жизни. Мелочи души, мелочи взаимоотношений делают душу неспособной любить и видеть всё то прекрасное, чем богата жизнь. Почему моло-

дость так способна увлекаться? В ней ещё не создалась
привычка к убогим мелочам, которая создается жизнью,
всем бытом и складом жизни. Изо дня в день незаметно
для себя происходит перемещение внимания с самого
главного, важного, от любви ко всему живому и создавше-
му всё — природе (не ханжеской религиозной любви, а
любви органической, радостной, как только могут любить
очень молодые люди и все животные, как любят солнце и
тепло птицы) — к мелочным холодным интересам, при-
думанным людьми, к деньгам, тряпкам, тщеславию или
просто к нищенской жизни и мелочной борьбе с нею. И не
замечает человек, как из молодого любящего существа
превращается он в старого, душой холодного человека с
мёртвыми глазами, с презрительной улыбкой, с сердцем,
способным только к одному — чувству жадности, скаред-
ности и стяжательству или голому тщеславию.

‹Январь 1969 г.›

Свирепые морозы стоят целый месяц. Я слышу, как
шумит последний троллейбус на повороте и медленно
затихает. Последние скрипы шагов гаснут, как спичка.
Кто-то спешит в тёплый дом, полный уюта, радости и любви. Это непременно так кажется. И кажется, стоит выйти
на улицу, и ты тоже поздно зашагаешь по морозной земле:
скрип-скрип в тёплый дом, где тебя встречают радостные
глаза.

Когда это началось, я не знаю, что нам стало плохо втроём. Мы как будто выпили, изговорили и познали друг друга
до конца. Подкрадывался разлад. Я прилагала все усилия,
чтобы держать равновесие. Началось с того, что X. стал
лихорадочно пить. Предчувствуя разлад, он хотел выжать
всё (так казалось). Он приходил и, сердясь и кляня, нападал
на меня: «Вечно ты, Нина, тормошишь. Давай выпьем». В.:
«Давай выпьем. Не смотри ты на неё». Потом ко мне, вкрад-
чиво и ласково: «Ну, Нина, где твой ящик? Посмотрим,
сколько там денег. Ну же». Я тянула, хитрила. Они сердились. Так повторялось очень часто: через день, через два. И
я оказывалась в ловушке между двух мужчин, которые требовали, пьянели и начинали между собой ругаться. Это
было самое тяжкое. Всему есть время. У дружбы есть тоже
срок и возраст. Дружбу надо беречь и питать.

<19 января 1969 г.>

Я оставила В. работать, а сама ушла в мастерские. Накануне мы ругались. Я целый день провела у бригады живописцев, смотрела, как они работали. Я мало говорила и мало шутила. В голове пусто. Я просто жалась к чужой живой жизни. К вечеру Х.: «По рублику, по рублику». Он злой, напряжённый. У него в гипсе нога. Он странно медлителен и рассчитывает движения. Вечером мы скинулись в мастерской. Был Мишин — поэт. Всем стало весело, и даже Х. повеселел. А я глупо сказала ему оскорбительную вещь. Каким злым ледяным взглядом посмотрел он на меня. Я была неправа. И мне так не свойственно обижать людей. Я хотела загладить вину: звала к себе, звала к себе, как редко зовут. Но они не пошли.

<Февраль 1969 г.>

Дни стали очень большие, пустые и бесстыдно-голые. Давно бы им пора прикрыться сумерками, укутаться синевой, а солнце всё еще светит на края домов жёлтым электрическим светом (как лампочка без абажура), как громадный прожектор, безжалостно высвечивая проёмы окон и железо водосточных труб. Темнота наступает быстро, как на юге (как будто на весь мир включили синий свет, как будто раскинули синий подол), и сразу становится видным небо, чёрные ветки, и светящийся ослепительно серп луны, и звёздочка вправо от него, такая яркая, что не верится, что она настоящая.

<Лето 1969 г.>

Сенокос. Ощущение, как только вышел из избы и вдохнул первый глоток воздуха, душистого до одури.

Туча справа, серая и тихая, как завеса, через дорогу деревья, за ними копешки и сарай — сиреневый сарай. Копешки на светлом лугу. Серые стволы берёз с редкой травой под ними. Луга светло-зелёные, с цветами. Всё серебристое.

Такая чистая земля, что спичку не хочется бросить. Всё вокруг: берёзы, травы, сараи — как поход в детство. Всё напевно и нереально. Деревня в берёзах и берёзы в деревне.

Заброшенные дороги в цветах. И голубые, лиловые фигурки женщин. Я иду по земле некошеных трав.

Опять сладостное утро. Розовые берёзы, лиловые ромашки, золотистые листья. Стрекот птиц, и надо всем этим как будто ангельский голос — иволга на своей дивной флейте выводит, высвистывает всё одну фразу — хвалу жизни. Господи, почему же мы ссоримся?

А за рекой на холме мычит далёкое стадо. В томной дымке всё золотое и голубое. И дальняя деревня еле розовеет своими краешками домов. И думается, почему здесь нет сестёр и мамы.

<31 августа 1969 г.>

В. уехал работать, и я одна. И сразу уже знакомая тонкая и острая тоска предчувствия чего-то ожила во мне. Всё вокруг: и небо золотисто-белое, и первая жёлтая липа, и силуэт высокой, непомерно смешной церкви в большое окно — всё окрашено ею, всё есть или было когда-то и только вспоминается или просто мираж. И я, и пустая вся растворённая квартира с раскрытыми окнами и дверями, и дневной зной — всё это как будто не существует. Всё это лишено смысла, и я сама лишена смысла. Главное — непонятно, зачем я? И, может быть, мне ехать туда, где работает В., тогда станет ясно — зачем я.

<16 ноября 1969 г. Ночь.>

Идёт дождь. Слышно, как он мерно шумит, ласково и нежно — без ветра. Так идёт дождь в тихие летние ночи. На окне блестят в свете фонаря и ползут крупные капли. Не должно быть в это время дождя. И душа моя тоскует и пустует об утраченном и несбывшемся. Хочется уйти в лес. Мне отчаянно и пусто. Пусто, как в голом саду под окном. И нигде не укроешься от дождя (тоски). У меня размолвка.

А дождь всё идёт. Даже не слышно ночных последних троллейбусов. Когда я слышу, как он поворачивает на подъёме и шумит, я знаю — там обязательно кто-нибудь едет, забытый в ночи. Тот, кто живёт ночной жизнью и ею счастлив и несчастлив...

А дождь всё идет.

<29 ноября 1969 г.>

Я так много хочу рассказать, так много, слишком много, что не расскажу ничего, наверное. Я хочу рассказать, как шёл дождь. Он шёл целую неделю. Было тепло, весь снег ушёл, и чёрная, рыжая, бурая земля помолодела. Дул весенний ветер, в талых лужах лежали тени, а в сердце не было весны. (Всё стало негативно.) Из сердца забрали радость. Это случилось ещё летом. Я хочу рассказать, как это случилось. Но это было так давно, много-много лет назад. А до этого была совсем другая жизнь. А теперь как будто кто-то умер. И опять каждый день наступает вечер и ночь захлопывает все звуки, и опять ночной троллейбус гудит на повороте и идёт дождь. Как раньше. Только дождь. Только дождь, только дождь.

Но красный конь моего детства уже не появится. Я хочу рассказать про красного коня. «Если тоска перехватила твою глотку, выйди в степь и позови красного коня своего детства, и если он не появится, значит ты стал слишком взрослым». Троллейбус гудит на подъёме, и дождь. (Только всего слишком много, и становишься многословным.) Он гудит долго, завывает, переливается как гром, особенно когда пурга. Я всё — опоздала. Я собиралась, а время шло и ушло. Теперь это отваливается от меня целыми кусками, и меня скоро не останется. У меня болит сердце. Как будто иголкой прошивают слева направо и обратно через всю грудь. Но дело не в сердце, а в тех кусочках, которые отваливаются от меня, и это невосстановимо.

Я стала разрешать себя оскорблять, и поэтому меня начали оскорблять. Я пытаюсь обороняться, но из этого ничего не получается. И робость всей моей жизни занимает все места в моей душе. А в моей душе была жемчужина, но её никто не замечал, и она пропала. И я уже не радуюсь чужим радостям. Гудит, свирепеет ветер — завтра будет зима, а я совсем одна. Нет красного коня моего детства. Только стены и стёкла дрожат от порывов. Какая тоска. Я тоскую, и плечи мои сгибаются. Что же случилось? А может быть, я всё придумала.

Бессмысленны записи, которые не оформятся в книгу, бессмысленны работы, которые не станут картинами. Не бессмысленны только люди, живые люди. Игорь, который узнал меня на улице и бросился ко мне, маленький-маленький, со своей большой радостью. А ночью пойдёт непогода.

А когда тебе говорят гадости, чтобы прикрыть собственные, с дерзостью и наглостью, и знают твою незащищённость. Ужасный свирепый порыв потрясает дом. Идёт непогода. А не всё ли мне равно, если погоду никто не использует. Зачем она нужна.

Отдать силы другому. А! Кому это надо! Всё равно. Смотри смело в глаза. Нельзя воскресить покойника.

Как он пел свои песни. Как кожу сдирают горячим.

Когда человеку уж очень плохо, он должен начать писать. Не всё ли равно, что! Если в этом спасение.

<6 марта 1970 г.>

Я, кажется, выспалась. Утро. Половина восьмого. Теперь светает рано.

Да, зиму мы проиграли. Теперь это уже ясно. Просто мы слишком много работали. Мы оформляли военный кабинет.

Работа, работа с 10 до 9 вечера. Ни одной мысли. Сколько кусочков убыло от меня за эту зиму, и это невосстановимо. Сколько я не записала, сколько я пропустила горячих, живых, болезных жизней. (Наша квартира и её жизнь.) Вчера Ира прочла на кухне несколько стихов — Цветаевой. Стих как обыкновенная боль. Пронзил мозг, пошли мысли. Но усталость стала. Работала 9 ч. Дома готовка ужина за 15 минут уносит последние кусочки энергии. Пуст, как выпитая бутылка, валишься спать. И страх, страх — который живёт во мне. Страх за выходной, за досуг. Да, зиму мы проиграли. Теперь это ясно. И «Дом, в котором я живу» так и останется не написан.

Компромиссы. Тебе мешали. Тебя не понимали. А ночи! Зачем же ночи? Зачем ранние весенние утра, наконец. Утра, когда голова свежая и разумная; ночи — мысли бредовые, тяжкие — как красный свет. Читать не могу — значит, надо писать. Это же спасенье. Как когда я начала мечтать стать художником. Жаль, писать надо было тогда, когда всё бродило, а не когда всё утихло.

<7 марта 1970 г.>

Праздники — как горькая утрата. «Что тебе твоя постылая свобода, страх познавший Дон Жуан». Научиться обходить половицы, которые скрипят. Бесшумно разбирать диван. Крадучись, полусогнуто разбирать постель. Дверь, которая не скрипнет, если её открыть очень быстро и немного и, закрывая, приподнять. Тогда она закроется плотно и бесшумно. Движением быстрым поднять руку и медленно задвинуть штору. А идти к своей постели не поперек досок, а вдоль, ступая боком. Страшно, что это проверено и привычно.

<15 марта 1970 г.>

Ощущение конца. Краха всему. Влезли в работу непосильную. Силы кончаются. Этюды весенние летят. Сама весна не для нас. Х. запьянствовал. В. заболел. Я — от напряжения одурела. Факты фиксирую, создать ничего не могу. В голове один склероз.

Живопись отошла. Два месяца труда — военный кабинет. Было страшно влезать в материал — солдафонство, ограниченность. Сейчас мозги высосаны. В душе тоска. Впереди работа. Да ещё страх за В. Плохо мы живём. Март стоит туманный, слякотный, тихий. А мне всё равно. Люди и события, которые радовали, — тоже всё равно.

1972-78

<1973>

Твой характер. Откажи тебе в какой-нибудь мелочи, и ты взовьёшься. Что-нибудь наперекор — ты запсиховал.

Это было 7 февраля, когда я пошла к глазному врачу.

Я хочу избавить и тебя, и себя от муки этих дней. Ты согласен со мной? И от горя, которое может свалиться на нас.

Этот рецидив очень меня напугал, всё, что сделано у нас, ты берёшь и отбрасываешь. Ты честный парень, но в отношении вина вдруг становишься лживым, в этот день вся твоя логика наоборот.

А если бы я не ушла в больницу и если бы ты не пошёл за молоком и не было бы бутылок? Если бы ты знал, с каким чувством я ушла в больницу, как я там страдала — успею или не успею. Примчалась домой — и не успела.

Это возврат к старому. Для нас это невозможно. А сколько ты давал слов, я хочу понять, где тут корысть?

Из-за гостей — водочный вопрос вдруг начинает подыматься. Ведь они думают, что ты не пьёшь, и едут сюда, зная, что здесь не пьют.

Саша спрашивал: «Что, Вите так хочется выпить, что он как заговорит о водке, так какой-то странный? Вроде как больной?»

Я тоже думала, что ты уже не пьёшь, а теперь стала размышлять. Если бы ты, Витя, научился презирать в себе эту черту.

Почему ты так расстраиваешься? Неужели так хотелось выпить? Что ничего не может остановить?

Витя Куз[ин] заболел, все расстроены, а ты ни на что не обращаешь внимания, и всё только одна забота. Почему так?

Так же в отношении лекарства — ведь ты начал спиваться им.

Я не могу не только поправиться, но и удержаться на той же точке. И не могу тебе жаловаться. Что-то в этом есть очень стыдное: «Мне не дала немного выпить, я напьюсь до безобразия».

Ты так уверен, что ты прав, что ты даже не извиняешься, что обманул меня.

А рассказать тебе про свою жизнь? Во что я превратилась?

Витя, ты сам-то хочешь, чтобы это никогда не повторялось? — Ведь мы бы зажили хорошо!

Мы как будто опускаемся на четвереньки, мы не может подняться выше толпы. И всё-таки нас отбрасывает это назад очень сильно. Зачем же, дружище?

Проанализируй, как это начинается. Ведь ты же чувствуешь, что устал. Скажи. Ведь надо в этот момент всё бросить и начать отдыхать. Или что-то тебя в этот день с утра раздражило?

Боже, как мне тяжело бывает, как я изнемогаю и горюю.

Витя, тебя бы сильное потрясение вывело из этой злостной привычки. Но ведь это может быть трагично. Надо справиться, не дожидаясь этого.

Неужели ты хочешь смириться, чтобы муж дурел и напивался и несправедливо нападал и попрекал жену, чтобы жена в горе горьком около него ползала?

Неужели ты можешь с этим смириться?

Попрекать её болезнями, старостью. Эх, Виктор, не можешь ты этого хотеть. И не можешь ты хотеть напиваться.

Ведь ты от лекарства в таком количестве дуреешь. Как чумной: всё путаешь, всё забываешь. Это, Витя, нельзя — это ужас, не лекарство, а наркотик.

Если вспомнишь, до этого ты лучше себя чувствовал. Сразу после больницы, когда совсем не пил.

Зачем же меня попрекать тем добром, которое для меня делаешь?

Самое главное, если быть честным перед собой, ты, Витя, внутренне разрешаешь себе выпить. А потом ты от оскорбления мнимого в такое приходишь бешенство, что забываешь и чувство долга, и порядочность. От оскорбления, что возражаю против «напиться».

Во мне всё возражает против этого уродства, это как распинание, как насилие, а ты хочешь, чтобы я смирилась.

Ты становишься так несправедлив. Человек слепнет, а ему говорят — запрещённый приём. А всё из-за вина!

Тебе нужен жестокий урок, чтобы ты мог справиться с собой. И жизнь даст тебе его. Только это очень тяжело, надо понять и избежать этого.

Я бы на твоём месте вот как сделала: идти к врачу с таким твёрдым решением избавиться. Проанализировать самому и объяснить ему, как это получается.

Так мне вдруг смешно всё и непонятно, зачем я лечилась перед этим несчастьем. Всё отодвигается назад далеко, всё бессмысленно.

После того разговора мне казалось, что ты год не будешь меня мучить, по крайней мере. А ты через месяц стал упрекать меня в болезни и в старости.

Витя, давай начистоту, без вилянья, без увёрток, не жалея себя: было тебе так тяжело, когда ты попросил выпить, откуда это началось...

Если бы с тобой можно было бы говорить жестоко.

Не начинай себя жалеть.

После больницы ты долго не срывался, а было хуже.

Страшная черта характера в тебе растёт. Деспотического непонимания и несчитания с другими. Тебя обидели, тебя не поняли, тебя не послушались.

Я знаю, что ты можешь этого избежать, но только переломить надо себя. Нога прошла, давление хорошее, а ты хуже бесишься (это уже характер).

У тебя нет маразмов, но ты от коньяка и лекарства одурел и был как Лёвка — всё путал, всё мешал, ничего не понимал.

Надо обходить усталость и беду, а ты лезешь на неё, как бык на паровоз.

Витя, ты почти избавился, и обратно пути нет!!!

Я тебе не попутчик. Вспомни наш разговор. Как ты легко его забыл. Я всё хожу и думаю об этом.

<17 января 1974 г.>

Не сказал ни единого слова.

Я даже дурно о тебе думаю: что ты хочешь мне зла.

Как же можно: я делаю всё, чтобы не пил, а он остаётся и так пошло, глупо напивается. Как это можно?

Ведь ты губишь меня. Я ночью умирала. У меня сердце останавливалось по-настоящему. Я не знаю, как выкарабкалась. А ты, вместо понимания, — одни дикие упрёки.

А уйти и ничего не сказать я не хочу и не могу.

‹29 января 1974 г.›

Нет, Витя, нам надо решать домашние дела. Я стала понимать тебя по-другому, а это для меня невозможно. Я стала дурно о тебе думать.

Было время, мы оба делали всё, чтобы вылечить тебя от пьянства. Сколько сил, времени и жертв было принесено. И вот, когда почти всё позади, когда надо сделать ещё усилие, чтобы вылезти из ямы, в которой ты одной ногой стоишь ещё, тебе стало жалко с этим расстаться? Я теперь так думаю: ты считаешь, что напиваться несколько раз в месяц тебе можно, что это не пьянство, что на этом ты удержишься.

Ты начал преодолевать такую болезнь, как диабет. Это вообще здорово, надо ещё окрепнуть, а у тебя выходит наоборот: поправляюсь — можно начинать сначала.

И вот, когда я считаю, что ты разрешаешь и извиняешь свое пьянство, я совсем не могу при этом жить. После всего, что я делала и что ты делал, и как я теперь стараюсь во всём облегчить твои болезни и всячески обеспечить тебе жизнь для жизни, понимаешь, для хорошего, я чувствую жестокое оскорбление и обиду, как будто меня бьют, когда ты нарушаешь данное когда-то слово.

Я всё не понимала, как ты можешь, а ты, оказывается, ты узаконил свои выпивки, поэтому так обижаешься на меня — за выражения оскорбляешься и таишь долго зло. И чем чаще ты пьёшь, тем хуже у тебя дух и тем чаще ты разрешаешь себе опять пить.

Присутствовать на возврате пьянства мне невозможно.

Я жизнь кладу, чтобы ты выздоровел от этого. А ты и постараться не хочешь.

Ведь каждая поездка в Ковров во мне вызывает волнение, каждый проход мимо буфета — смятение. Как же, под боком такой соблазн! То Лёвку оттуда оттаскивали, теперь тебя.

Посмотри, Витя, что с тобой делается! От первого же стакана! Тебя как подменят — злой, обидчивый, капризный. Тебе же этого нельзя — забудь про это. В такие моменты подавлена я и оскорблена очень.

Я жалею, что дала этот несчастный рубль. Мне не жаль. Но ведь ты становишься истеричкой, когда выпьешь, больным! И ты это знаешь и позволяешь себе.

От этого всё ложь: никто тебя не унижает, ты сам себя унижаешь, никто тебя не обижает, ты оскорбляешься только на вино, больше ничем тебя нельзя так обидеть.

Все конфликты решаются одним — надо исключить из себя позволение пить. И ты увидишь, как станет лучше жить. Какую свободу ты ощутишь! Неужели ты, Витя, хочешь стать в ряды пьяниц? Если да, то это уже без меня.

Если ты себе скажешь нет — ты никогда не будешь на меня обижаться.

Да ведь сегодня — не было никакого повода.

Я, Витя, устала. Я, Витя, так больше не могу. Это похоже на издевательство.

Есть такие люди: как плохо ему — он хороший, как только лучше — он становится дурной. Ты — не такой.

Но чем мы занимаемся? Ты болеешь, лечишься. Как только становишься лучше — ты впадаешь в ипохондрию и напиваешься. Потом ты лечишься от этого несколько дней. Потом ходишь вялый, ослабленный, опустошённый. Потом входишь в норму, начинаешь работать, но находишь предлог и напиваешься. Потом лечишься от этого несколько дней или заболеваешь и лечишься от болезни.

Когда-нибудь надо же понять, что мы ведём порочный образ жизни.

Ещё два года назад ты был болен алкоголем и упорно лечился. Теперь ты почти выздоровел и начинаешь вдруг возвращаться назад. Этого допустить нельзя.

Чтобы начать пить, ты начинаешь меня ненавидеть, упрекаешь меня в самодурстве, в эгоизме, в жадности, в старости — в чём угодно. И хочешь мне сделать дурно и больно. Потом, когда пройдёт запой, ты вдруг ни в чём не упрекаешь и тебя всё устраивает. Раньше — извинялся, а теперь долго не можешь простить.

Ты упрекаешь меня в старости, в том, что мы не ходим по гостям и пр., и пр.

Деньги, которые ты не имеешь. Вот у тебя появился рубль, и ты его пропил, потом обозлился, напился; на второй день опять попивал и страдал ипохондрией. Я заболела сердцем. Всё в доме кое-как. Теперь ты кое-как поправляешься. Ты берёшь в зарплату 4 рубля и покупаешь себе четыре пузырька, тебе в голову не приходит купить ещё что-нибудь. Потому что ты мечтаешь о вине. Ты жестоко упрекаешь меня в том, что я возражаю.

В те минуты я не могу говорить с тобой, я хочу говорить, пока ты спокоен. И хочу узнать правду. Может быть, ты хочешь пить и жить по-другому? Ты жертвуешь своей «радостной» жизнью для меня? Ты хочешь быть один? Я не молю тебя!

Жить в такую раскоряку я не могу, я больна. Ждать, когда меня схватит инфаркт или паралич, я не хочу.

Я каждый день боюсь твоего пьянства и боюсь катастрофы своего сердца.

Есть только один выход — бросить вино и все наркотики. Через полгода жить тебе будет в несколько раз лучше. Отношения станут простые, лгать и нападать не надо будет. Эх, Виктор, мучитель ты мой.

Ведь ещё полгода назад ты мог работать и не напиваться. А теперь хочешь всё разрушить. Опять лечение, опять психбольница, опять истерики.

Или, может быть, ты считаешь, что я мешаю твоему органичному развитию? Что же, давай решим: ты хочешь жить по-своему. Может быть, тебе будет очень хорошо? Когда хочешь — работаешь. Когда хочешь — выпиваешь, бесишься, рыдаешь, отдыхаешь, как все. Но я тебе соратником быть не могу. Когда я говорю о новой жизни в новой квартире — я мыслю именно настоящую трудовую жизнь.

Твои пьяные истерики приводят меня в ужас в отдельной квартире. Я презираю тебя за твою грубость ко мне и презираю себя за то, что ты меня оскорбляешь.

Я выдержу очень мало — и лежать в параличе, и глядеть на твоё пьянство. Нет, Витя. До самой смерти глядеть на очумелого пьяного человека — не могу.

Воля твоя умирает — от первого стакана вина. И ты неумолимо хочешь напиться и страдать от этого.

Я предлагаю равноправную жизнь, полную свободу и полную трезвость. Именно сейчас, когда ты избавился от приступов. Я только об этом мечтаю. Я не верю в возможность полупьянства-полутрезвости. На этом пути ещё никто не мог удержаться.

Или решайся на другую жизнь, если тебе действительно со мной тяжело. Может быть! Я много об этом думала. Может быть, тебе надо жить без меня. Может быть, тебе нужна другая женщина. Я не знаю. Потому что трезвый ты мне ничего не говоришь. Пьяный во всём упрекаешь, а трезвый говоришь — отдыхай.

За последние два-три месяца ты всё чаще напиваешься, уже раза четыре в месяц. Причём так себя настраиваешь, что даже не мыслишь остановиться. И считаешь врагом меня, что я тебя удерживаю. Если не хочешь бросить пить, значит хочешь жить один. Меня не будет всё равно. Тебе решать.

Потерпи, не пей хоть несколько месяцев, пока переедем и устроимся. Ну хочешь, я уеду. Может быть, тебе будет лучше. Может быть, тебе я мешаю — не знаю. Поэтому ты меня начинаешь ненавидеть.

Прости, мой дорогой, но тебе надо решать, как мужчине. Так жить больше нельзя. Как я мечтаю хоть с годик пожить спокойно, чтобы знать, что ты не подведёшь, что можно поболеть спокойно и поработать спокойно, что ты будешь радоваться и не запьёшь.

Но знай, я буду бороться свирепо против водки. Я не могу допустить, чтобы ты опять заболел.

Ты делай всё, свойственное твоему характеру, не сдерживайся, спускай пар, но ни капли вина. Это должно быть в тебе самом. Если хочешь быть вместе.

‹18 марта 1974 г.›

ЗАЯВЛЕНИЕ

от Луговской Нины Сергеевны
и Темплина Виктора Леонидовича

Мы, Луговская Н.С. и Темплин В.Л., — муж и жена, работаем художниками в Художественном Фонде с 1962 г. и проживаем в продолжение 16 лет в общежитии пристроя старого драм-театра по ул. Гагарина.

Вся творческая работа наша проходит дома, так как мастерских не хватает. В условиях одной комнаты, при общем коридоре и общей кухне, для жизни и творческой работы создались невыносимо тяжёлые условия: одна комната является и спальней, и столовой, и художественной мастерской, и рабочим кабинетом. Теснота, духота красок, скученность и нагромождение картин и книг — вытеснили из нашей жизни сколько-нибудь сносные условия для работы и отдыха. И с каждым годом — тяжелее, так как здоровье пошатнулось, а работа становится серьёзней.

В продолжение 16 лет в общежитии постоянно почти ежегодная смена жильцов — актёрской молодёжи. Среди них часто встречаются неустойчивые, тяжёлые люди (пьянство, ночные кутежи), с которыми нельзя жить в одном помещении. Сколько же это может продолжаться? Больше нет сил терпеть!

Неужели в настоящее время, когда у нас в стране строят много тысяч новых домов и обеспечивают всех работающих и даже совсем молодых специалистов нормальными жилищными условиями, неужели за долгую трудовую жизнь на поприще театральной и художнической деятельности мы не заслужили отдельной квартиры, где можно нормально жить и заниматься творчеством?

Именно теперь, когда наступает время готовиться к персональным выставкам и сосредоточить все силы на творчестве, это совершенно необходимо.

Просим войти в наше безвыходное положение и помочь переселить нас из общежития, предоставив отдельную квартиру.

<20 марта 1974 г.>

Заместителю заведующего
отделом пропаганды и агитации
Обкома КПСС
т. Рукину Ю.А.
от художников Темплина В.Л.
и Луговской Н.С.

ЗАЯВЛЕНИЕ

Обращаемся к Вам как к руководителю и человеку, который знает нас как работников театра и наш творческий сложный путь от театра к живописи, с его удачами и неудачами, с убедительной просьбой помочь нам в очень трудный момент жизни.

Дело в том, что в связи с реконструкцией старого Драмтеатра (где мы проживаем) нас переселяют.

Мы просим, чтобы при распределении площади была учтена наша профессия художников как работников творческого труда, и нам выделена квартира из 2-х комнат.

По приезде во Владимир с 1958 г. мы живём в тяжёлых условиях театрального общежития, занимая одну комнату, где приходится и работать творчески, и отдыхать.

Работая в театре и позднее, с 1963 г., в Худ. Фонде, мы много отдали сил и труда городу.

Как художники принимаем активное участие во всех областных художественных выставках и в передвижных выставках по районам области (положительно отмечались в печати), стремимся [повышать] и постоянно повышаем своё мастерство.

Жить творческой жизнью и заниматься творческой работой двум художникам в условиях одной комнаты (к тому же у Темплина — гипертоническая болезнь) крайне тяжело.

В настоящее время мы готовимся к персональным выставкам. Творческих мастерских у нас нет.

Все надежды и творческие планы мы возлагаем на получение квартиры из 2-х комнат (за долгие годы ущемлений и неудобств) и ещё раз просим Вашего ходатайства и помощи.

20/III—74 г.

Темплин (подпись) Луговская (подпись)

<10 октября 1974 г.>

Председателю горисполкома
т. Магазину Р.К.
от художников Луговской Нины Сергеевны
и Темплина Виктора Леонидовича

ЗАЯВЛЕНИЕ

Обращаемся к Вам как к руководителю и нашему депутату, так как кроме Вас нам никто не может помочь в разрешении невыносимо трудного жилищного вопроса в связи с нашим переселением из общежития старого драмтеатра.

Мы оба — художники. В 1958 г. мы поступили во Владимирский драмтеатр и живём в общежитии, занимая одну комнату.

Судьба наша сложилась так, что мы стали художниками-живописцами и перешли в Художественный Фонд. За 16 лет жизни в одной комнате в общежитии намучились и всего повидали.

Комната наша превратилась в мастерскую художников, и в спальню, и в столовую, и в рабочий кабинет. Но год от года становилось трудней: Темплин В.Л. — больной человек. Он болен гипертонической болезнью и сахарным диабетом и страдает приступами жесточайшей головной боли, когда лежит, как пласт. В это время ему нужен покой и тишина отдельной комнаты.

Единственной нашей надеждой вырваться из общежития и получить 2-комнатную квартиру было переселение из Драмтеатра (ведь права обмена комнаты мы были лишены).

Наша сложность в том, что, являясь одной семьей, мы, как творческие работники, две самостоятельные единицы, которым необходимы отдельные комнаты.

Жить творческой жизнью и заниматься творческой работой двум художникам, каждому со своей индивидуальностью, в условиях одной комнаты совершенно невыносимо.

В настоящее время мы начали готовиться к персональным выставкам.

Невозможность переселения в одну комнату, меньшую по площади, чем наша, без подсобных помещений, очевидна и подобна творческой смерти.

Мы даже физически не сможем поместиться в ней со своими книгами, холстами, которые находятся в коридоре, роялем, который стоит сейчас на лестничной площадке. Что же нам делать? Выбрасывать вещи? Для нас это будет очень большое несчастье.

Мы умоляем Вас войти в наше положение и предоставить нам 2-комнатную квартиру, где можно нормально жить и заниматься полноценной творческой работой.

Неужели за всю трудовую и творческую жизнь, отданную исключительно работе, дающей людям нашей Родины радость и украшающую их жизнь, мы не заслужили нормальных условий, чтобы продолжать полноценно работать и приносить пользу?

10/Х— 74 г.
Луговская
Темплин

***

Витя, ты совершаешь ужасную ошибку, новую роковую ошибку.

Ты излечился от болезни вина в эту зиму. И вот теперь втянулся, и уже основательно, в новую беду.

Надо тебе это доказывать? Вместо ложки — пьёшь по 4—5 флаконов.

Вместо приятного успокоения уже начинается скверное возбуждение, которое перейдёт в психоз.

Сейчас ещё можно справиться самому, но скоро придётся лечиться от этого наркотика.

Но я, Витя, уже не могу этого выдерживать, как раньше.

Я больна. Я больна сердцем. После таких дней я мучаюсь ночами бессонницей и болью, а днём у меня мутнеет зрение.

Я всё время тебя жалела, многое не говорила и плакала по ночам. Днём же становлюсь отупевшей и вялой.

Но последнее время ты совсем распустился с этими пузырьками. Получил деньги на командировку и начал пить элеутерококку. Клянёшься, божишься. День-два выдерживаешь, а больше не можешь. Обманываешь, хитришь, финтишь — как раньше с вином.

Это, Витя, может прийти большая беда! Неужели ты не понимаешь этого?

Такое количество лекарств расслабляет тебя, твой организм ослабевает. И глаза твои от этого не пройдут, и, поверь мне, я тебя предупреждаю, у тебя опять заболит нога! Заболит твоя язва, а это уже совсем будет плохо. Не думай, что ты крепнешь. От наркотиков человек слабнет.

Я была тебе в эту зиму хорошей женой. Я помогала тебе, как могла. Сколько я делала, чтобы тебе с твоим недугом было легче. Сколько я скрывала от тебя неприятностей, чтобы не страдала твоя гипертония. И действительно, твоё давление, слава Богу, всё-таки намного стало лучше.

В январе я заболела глазами. Я очень плохо стала видеть и скрывала от тебя долго (боялась тебя расстроить). Потом пошла к врачу и опять ещё долго не говорила всего (потому что у нас были дела по квартире). Потом пошла в поликлинику к Нат. Серг. Как я волновалась в то утро, это один бог знает! У врача народу много, не принимает, я вся измучилась. Она мне сделала исследование зрачков, вижу плохо, прихожу домой, а ты уже бутылку выпиваешь. Эх, ты! Как же тебе не стыдно! Это когда жена больна! (Потом пошли в подвал, я за зарплатой, а ты совсем напился.) Каково мне было! Потом ты, кажется, понял, что я больна и держался просто хорошо, а я целый месяц бегом бегала на уколы, боялась, что ты опять будешь напиваться, — так я была травмирована.

И вот в апреле я уже стала верить, что ты настолько обо мне думаешь, что никогда не разрешишь себе этого свинства. Я как-то вздохнула вольнее, я стала лучше себя чувствовать с глазами и сказала тебе об этом. Я стала смелее и веселей. А ты что же! В воскресенье не стерпел моего возражения и пошёл, пошёл.

Какую я провела ночь! Это ужасно. И это ты делаешь!

Я несколько раз думала, что вот станет плохо, стану умирать, а помочь мне некому, пьяный муж, ко всему равнодушный. Это хуже, чем одной! Витя, прости за грубое сравнение. Вот ты выпил одеколон и говоришь: «Если бы я знал, что так плохо, я бы не пил его». Так вот: случится, что я погибну или загнусь, и ты скажешь: «Если бы я знал, что так это страшно, я бы никогда не напивался и этого не допустил». Да будет поздно!

Витя, ждать этого и смотреть, как ты начинаешь спиваться, я не буду.

Я воображаю: слепая женщина бродит по дому и мучается беспокойством (если раньше не загнусь), а пьяный муж является или напивается рядом и юродствует, то-то благодать. Вот, Витя, какая перспектива! Но я этого ждать не буду.

Не могу!

Пока шла большая работа, я не говорила тебе об этом.

Ты мне дал слово ночью в понедельник больше не пить, а через день пошли пузырьки в помойное ведро. 100 рублей в месяц на погибель.

Ты посмотри на меня, что со мной делается! Грязная, страшная, потерянная, униженная твоей ложью. (А ты ничего не видишь.) Если влип, сознайся и иди лечись. Если сможешь сам прекратить — прекращай!

Если не хочешь, я уйду куда-нибудь.

Может быть, ты правду говоришь, что не можешь вместе со мной, что тебе надо жить одному, что тебе надоели мои заботы, так это давай решать.

Но так, как у нас получается, — это низко и продолжаться не может.

Когда ты не хочешь выпивать — я хорошая, когда надо добыть денег на выпивку — я и такая, и сякая. И ложь, и уловки, и обиды. Стыдно!

Виктор! Ты выздоровел от пьянства с большой моей помощью и вновь туда попадать на моих глазах ты не будешь.

Я объявляю категорическое «нет».

Я никогда не скажу — «да».

Я буду ругаться, а если не поможет — я уйду.

Я так уже делаю всё для тебя, я так отказалась от своего «я», я заболела и продолжать терпеть всё твоё пьянство я не могу.

Даже Лёва Елисеев начал меньше пить, а Витя Темплин с такими болезнями опять начал втягиваться.

Я не могу этого переносить, меня разбивает твоё равнодушие к моим страданиям.

Витя, а разговор о наших взаимоотношениях весь упирается в спиртное.

Поклянись, на полгода хотя бы, что не глотнёшь ничего спиртного — весь мир отдам тебе. Куда хочешь! Что хочешь! Где хочешь! Всё сделаю для тебя.

Есть хорошие лекарства, спасайся ими, бей себя ремнём, но не пей.

Разговор о наших отношениях — это совсем другое.

Витя, какие знакомые и друзья заменят тебе меня, неужели они есть у тебя?

Неужели ты не понимаешь, что для нашей общей жизни надо чем-то жертвовать?

Витя, как я хочу говорить с тобой как с единственным другом.

Как я мечтаю, что ты меня поймёшь и оценишь во мне мою сущность, мою откровенность, а не обидишься, чем-то оскорбившись, замкнёшься и как бы перестанешь меня понимать. Как я боюсь этой твоей черты, и как она часто стала проявляться.

Неужели мы превратимся в старых ничтожеств, которые ненавидят друг друга, и во всём завидуют друг другу, и мелко пакостят. Боже, помоги нам!

Я, Витя, очень плохо себя чувствую, я больна.

Я никак не хочу тебя пугать, я знаю, что нервы у тебя слабые, но я также знаю, что ты окреп теперь, и во многом сильней меня и что в этом году теперь с тобой можно говорить откровенно.

Надо быть мужественным и смотреть на правду, и не надо бояться. Надо нам вместе ещё пожить.

Я больна, Витя. Я боюсь, что мои глаза меня подведут, не сегодня, быть может, не завтра, а через несколько лет. Это так серьёзно, что говорить мне об этом тяжело, и очень тяжело, если я не найду отклика в тебе. Настоящего серьёзного отклика и понимания.

Очень много зависит от нас самих и от тебя. Зимой, в январе, это случилось, я не говорила тебе, боялась, потом пошла к врачу. Это было 7 февраля — а ты подвёл (я пришла полуслепая, а ты пьян, и целый день я мучилась). Потом стала колоться и долго боялась, и глазам было плохо. Но в семье было хорошо. Я успокоилась. Я стала лучше. Ты не представляешь, как каждое утро открываешь глаза и ждёшь, как ты увидишь, и видишь муть и мглу. Идём с тобой в подвал по весеннему снегу, а в глазах муть; я становлюсь мрачной. Потом, представь себе, стало проходить. Мы стали собирать книги. Я думала про себя: боже мой, всё хорошо — Витя совсем изменился, я поправляюсь. Потом вдруг эта нелепость с работой меня совсем выбила. Почему я говорю об этом? Потому что с этого момента пошёл такой перегруз, что я опять вдруг заболела. Мне показалось, что имеется такой антагонизм, такая ревность ко всему, что от меня исходит, что я сжалась в комок. А ты начал «перегружаться» лекарствами. А для меня это нож острый, погибель, невозможность жить. Не спать ночами, мучиться сердцем, и горькая обида оттого, что ты не можешь считаться с моей болезнью.

Витя, видно, пришёл твой черёд переломить себя. Как когда-то я переломила себя для тебя.

Как я мечтаю о другой жизни между нами. Как я хочу, чтобы ты понял, что мысль о слепоте приходит мне в голову. Что я хочу использовать сейчас время, чтобы что-то сделать, чтобы «это страшное» не пришло. К кому же мне обращаться? Это только надо понять, тогда и жертвовать будет легко.

Понять всем нутром, иметь то доброе ласковое внутреннее отношение ко мне как к единственному близкому.

Может быть, тебе тошно со мной стало, может быть, тебе хочется действительно остаться одному, может быть, это невозможно для тебя, для твоей натуры — возиться со мной.

Может быть, поэтому ты обижаешься, я тогда лучше куда-нибудь уеду, но не ждать же мне, когда я начну ползать вслепую. Я чувствую ещё силы бороться, но для этого мне нужна твоя помощь, твое доверие, твое согласие, внутреннее согласие и доброжелательство.

Я тебе всё рассказываю. Я хочу активно бороться: и работать, и писать, я хочу заняться физкультурой, я хочу победить свои нервы, я хочу попробовать, как йоги, превозмочь себя. Но я прошу и хочу твоей внутренней помощи. Я поняла, что без неё мне не справиться, что ты должен ради меня забыть себя и помогать мне, хоть молитвой. Я знаю, что это очень трудно, я прошла через это, и я научилась откидывать самолюбие, зависть, мелкую злость, и я радуюсь за тебя. Такое теперь нужно мне. Такое внутреннее внимание. Такое доверие, такая помощь. Надо перестроиться, понять, что мне больно, и откинуть это. (Иначе мы расползёмся, как слепые червяки.)

Никакие таблетки мира и никакие уколы не поправят меня, если я не обрету покой и совершенную уверенность в твоей душевной отдаче и в тебе самом, всякие вывихи отодвигают меня дальше назад, в болезнь, я содрогаюсь, сердце дубастит, и мне просто дурно, голова сжимается. Это всё то, что мне совершенно нельзя.

Ты должен знать, что теперь я человек больной. И старая жизнь кончена для нас. Тебе нужно многое в себе переделать, если мы хотим жить вместе. Многое переделать — это не значит всё делать для меня, но думать и помогать мне.

Если я заручусь наверняка, совершенно твоим словом и твоим решением, я так мощно мобилизуюсь, я переборю болезнь, я буду делать и жить для этого (это не значит лежать, нет, наоборот, это значит действовать). Всей силой воли своей, но вместе с твоей, я переборю.

Но это должно быть бесповоротно. Ты должен решить. Может быть, ты не хочешь (с больным ведь тяжело жить), может быть, ты не сможешь себя перебарывать для меня, я тогда лучше уйду.

Это, Витя, моя исповедь перед тобой, это очень серьёзно, и иного пути у меня нет.

Я знаю, трудно всё, о чём я прошу, но я знаю, что возможно и нужно обоим.

Иначе ты поведёшь очень скоро за руку инвалида, если не отпустишь меня!

Рядом с тем, что в этом году хорошо, черты характера. Ко мне утром — с нытьём — со своим мнением. Обида на любое мнение. Нетерпимость ко всему, что я ни делаю (даже хорошее).

Сколько можно смотреть, у кого лучше?!

Я очень больна. Надо обо мне подумать. У меня — щитовидка.

Я стала тебя бояться. Как я мечтаю о другой жизни между нами. Переломи себя, если надо, как я когда-то переломила.

Я думала, после такого письма ты скажешь себе — ну его к шутам, ко всем чертям, это винище — если оно приносит такое горе, да чтобы я, Витя Темплин, не смог справиться с этой гнусностью!

Витя! Да ведь ты же ненавидишь его, это вино!

Я говорю о жизни и смерти, о самом главном, а ты тянешь время, когда будет полегче.

Да ведь это же твоя нога тоже поставлена на карту, ведь это же обмен веществ. Твоя нога, моё здоровье, творчество — всё, а ты размышляешь и помалкиваешь. Я не понимаю, ты что, хочешь напиваться продолжать?

Я бы на твоём месте бегом побежала к врачу: «Дайте мне антабус, я не хочу пить», — а ты чего ждёшь?

Надо радоваться, что ты душевно здоров, только нужно разделаться с вином, чтобы в конце концов не свихнуться. Это исчезнет бесследно, как только ты по-настоящему заставишь себя, а прежде по-настоящему захочешь.

Ты делаешь страшную ошибку, что не желаешь сам начать жестокую борьбу против самого себя. Тихонько от этого не уйдёшь. Именно теперь, когда больницы сделали перерыв в твоих перегрузках, надо радоваться этому и начать уничтожать остатки алкоголизма.

Ты извини, но иначе бы ты так не держался. Ты хитришь — брось.

Скоро узнают врачи — и отвернутся, скоро догадаются друзья — и отвернутся. Домучаешь меня — и что? — и тогда ты начнёшь лечиться. Пересиль свое упрямство. Назови вещи своими именами.

Бритов вылечился. А Витя хочет оставить себе про запас возможность пить, буянить, безобразничать. Ругаться матом.

Ты хочешь верхом на дьяволе въехать в рай. Так не бывает.

Я хочу понять, почему ты не хочешь — боишься? Или тебе на самом деле это нравится. Ведь ты же мучаешься этим.

Для твоей ноги это совершенная катастрофа. Неправильный обмен веществ усугубляется алкоголем.

Уж тут, Витя, ты должен будешь сдаться. Прикладывать столько сил на здоровье, чтобы ты потом всё уродовал, — это не пойдёт. Надо вылечиться от этого порока.

Надрывать все органы и поджелудочную железу отравой, а потом страдать и лечиться.

Я хочу понять, в чём твоя неуверенность? В чём безапелляционное упрямство?

Как ты сам оживёшь, решившись на это всей душой.

Сделаем договор: договор, как клятва.

Вопрос этот так надо решать жестоко.

Может быть, только один уговор — вместе бороться против водки и никогда «дай выпить», и ненависти ко мне уже не будет.

<7 мая 1974 г.>

Господи, помоги мне!

Приехали в эту деревню, где когда-то было много счастья. И жизнь целого года показалась большим долгим кошмаром. Все, встречая, удивляются, как я изменилась. Не ожидала я этого! Настолько, что я хожу и шепчу про себя: «Боже, какой кошмар!»

Дом был зимой пустой. В нём были хулиганы: били стёкла, иконы и всё, что можно было бить.

Пришли 2 мая в пустую деревню. Всё, что я когда-то любила, так странно и пусто. Настроение очень тяжёлое. Надо поговорить с Виктором о моей жизни. Поймёт ли он?

Всё странно и ненужно.

Только вчера вечером летели журавли в тёмном небе. Я услыхала их и долго искала, а они клекотали бесконечно далеко и заполняли всё небо. Как будто от самого бога лилась песня. И вдруг совсем близко. И я увидала большой и неровный колышущийся клин. Мне казалось, он сделал разворот по всему небу и летел на запад, «по-птичьи окликая всех тех, кого оставил на земле». Это было прекрасно. Потом ночь. Были Миша и Нюра.

Потом утро. Люди. Степаньково — ходили за красками. И всё разговоры. Потом дождь.

Стояли на крыльце. И всё это через воспоминание кошмара зимы. Потом достала палитру. Она была великолепна! Заряжена полыхающими красками такой силы, что мне стало жутко и захотелось её оставить. Показалось, что такой больше не будет. На этой весенней серой земле она лежала, как произведение искусства, и несла в себе заряды такого темперамента и творчества. Это опять было прекрасно. А потом её счистили, и всё прошло, как улетевшие журавли. А мы почему-то пошли за молоком, а потом я помогала делать ужин. А потом позорно уснула.

И делать палитру уже нельзя было, как хотелось: т. Паша спала и В. тоже хотел спать. А меня охватило злое бешенство. Кое-как всё свалила в кучу. А завтра кое-как буду что-то мазать. И нет мне больше жизни! А мечтала над ней подумать, разложить на светлые колера. Провалы воли меня мучают. Мне бы недели две просто ходить по этой земле и ничего не делать, и чтобы никто меня не трогал.

Как же я прозевала целый день! Как же я не вынесла этюдник на улицу. Как же я не поглядела, какие мы краски принесли. Вот так-так!

А теперь надо пробираться спать, чтобы никого не разбудить. И опять хитрить и притворяться. Время — 12 ч. Боже, помоги мне! Помоги мне подняться!

‹4 октября 1974 г.›

Мы в деревне. Октябрёвка опустела. Сегодня были в пустой, совершенно пустой деревне, и странно: вся жизнь цвета и красок тоже ушла из деревни.

Я говорила Виктору, но я уже не могу настаивать. Я живу одним страхом. А главное, я забыла настрой последних этюдов — не делать скороспелок — и начала красить дежурные этюды. Плохие дежурные этюды.

А сегодня вечером пошёл дождь. Наверное, начнутся холода.

С В. почти невозможно предусмотреть логики событий и невозможно договориться о планировании жизни и дел. У него всё равно всё пойдёт кувырком и наоборот. Удивительный человек: ждал всё лето осени, а осенью попёр в работу, за уши не отдерёшь, и всё прозевал.

Оказывается, в Октябрёвке я пустила такие глубокие корни, что не могу без неё обойтись. Без неё — рационально и скучно.

<11 октября 1978 г.>

Идут бесконечные дожди. ...Идут без конца те же тучи, гряда за грядой. День сплетён из ожидания. И лето как будто прошло. И жизнь тоже.

<16 октября 1978 г.>

Покров (праздник) прошёл без снега. Это дивно. На следующий день дул тёплый ветер, сделалось тепло. Подарок с неба. Мы писали на лугу у реки.

Люди сошли с ума! Потому что спустили реку. Они рыскали по грязному илу и расстреливали щук и громадных старых карпов. Всё это скверно выглядело. Потому что люди были совершенно сыты, а рыбы в пустой реке совершенно беззащитны. Люди бегали и громко ругались. Лица их разгорячены, глаза тёмные от алчности. Выстрелы в реку гремели тяжким злым эхом. А солнце светило. Опушки таяли в золотом мареве. Травы шелестели. Пели маленькие перелётные птицы. Очень тягостное впечатление.

Захотела я написать работу далей дальних и лугов со стогом. Стог был взлохмачен, луг тепло-зелёный, а дальний бугор тёплый и строгий. На скороспелом этюде ничего не вышло. Композиция укорочена, не кончила, не ухватила. Да и солнце вышло и осветило дали. Жаль.

Хотела и вчера, и позавчера записать: делать работу по осенней палитре. Как на ней краски густы и прекрасны. На сложном фоне масляной доски. Описать невозможно, какие наслоения. Солнце — в центре — белила. Сияние жёлтых, оранжевых, красных до густых лиловых облетелых берёз; небо из синих и бирюзовых. Лимонная и нежно-зелёная земля до коричневых и чёрных, и вода, и ели — лапы, сине-зелёная палитра. Эх, ты!..

Писать в сочетании розовых и нежно-лиловых с зелёным.

<2 ноября 1974 г.>

Как будто опять можно писать! С содроганием прочла, что было на первых страницах. Господи, помоги мне!

В этот стихший вечер, когда закончился месяц невероятного, неестественного надрыва в потугах добытья квартиры, когда это ничем не кончилось, а лишь отодвинулось и стало всё равно, когда кончилось всё: и выставка с моими малоудачными этюдами, и работа к празднику (такая трудная), всё в куче, и даже потеря друзей, наших молодых друзей, которые вдруг так легко отошли от меня, и я вижу злые отчуждённые глаза — в этот тихий вечер я опять хочу писать и опять делаю вид, нет, нет... Если бы это могло быть правдой! Если бы можно было стать самой собой! И захотелось писать людей, их страдания, их покорность.

<Ноябрь 1974 г.>

Моя душа — как разбитое стекло. Она дрожит от каждого толчка. Почему так трудно сказать простые слова, Самые простые слова, Почему мы не говорим самого важного (И столько говорим ненужного?)

<Ноябрь 1974 г.>

Я объясняю тебе. Ты не прав: всё равно придётся рано или поздно решаться и сваривать трубы, только ты хочешь прежде всех измучить.

Вспомни, когда решаешь задачу из собственной жизни, необходимо быть особенно объективным.

А в этот раз ты сделал невероятное: ты запил на несколько дней. Тоска пришла к тебе с вином. Разреши напомнить, как началось. Ты начал хорошую большую работу, начал хорошо поправляться, я начала писать. Какое же ты имел основание?

Ты заболеваешь, когда пьёшь, и потому тебе категорически нельзя пить (опять психбольница).

Хоть ты раз сказал мне: «Нина, мне плохо, дай мне какое-нибудь лекарство, чтобы не пить. Может быть, я войду в норму». Так нет, наоборот: «Чего ты меня поишь! Что ты мне суёшь!»

А последний раз: если бы не зашёл к алкоголикам, ничего бы не было — не пропала неделя, не настал бы тупик, я бы не заболела.

Всё, значит, зависит от встречи с алкоголиками, а своей воли ни на грош. Иногда мне кажется, извини, из какой-то потребности делать гадость, из садизма по отношению ко мне.

Ты как будто подвиг делаешь, когда ведёшь себя порядочно. Как жертвоприношение, за что можно и побезобразничать.

Нет, это невозможно. Больной человек, диабет, гипертония — и разрешает такие возлияния. Раньше ты хоть обещал: «Нина, я брошу пить». Недавно только вытащили из беды. Ведь ты и работать не мог и вдруг так неосторожно опять лезешь обратно. И всё на полпути. Уж освободись до конца, стань полноценным человеком.

Если бы мои родные узнали, что я так больна, то они бы к тебе очень плохо относились бы.

Когда летом ты Савве сказал, что вчера перепил, он мне говорит: «Нина, зачем вы ходите к таким гостям, где так много пьют?» А я: «Какие гости? Это он один». «Как же он может, ведь он же болен. У него диабет». Он был поражён.

А дома, когда были Кузины, Витя был больной, к нему скорая помощь — а ты бегаешь, вина просишь. Они к тебе так хорошо относятся, считают благородным, а ты как плохо делал!

Ты, Витя, неминуемо придёшь к тому, что поймёшь — надо бросить пить, но не слишком ли поздно. И главное, когда я только начинаю крепко верить, что у нас налаживается жизнь и можно заняться собой и работой, когда я становлюсь человеком — бац — и по морде.

Ну как можно не думать о другом человеке? Как можно делать вид, что всё в порядке, что ты ничему не мешаешь? И что, что такого, что ты пришёл пьяный домой и не скандалишь? Ты же весь на грани скандала. Приходит человек отвратительный, мелкий, злой. По часу лежит и ругается отвратительным матом и все скверные слова адресует в меня. (Сказать, как?)

Это рядом алкоголик. Вдруг человек, а вдруг — алкоголик. И говорит: «Не обращай внимания». Ты же меня мучаешь этим, а себя губишь. Лечился, берёгся, и вдруг всё сметает. Ты стал напиваться и стал считать это нормой. Стыдно и отвратительно. Если ты не можешь остановиться, начав выпивать, — значит, это делать нельзя. Ведь в любой момент ты можешь подвести, испортить все планы. И другом ты поэтому быть не можешь. Какая-то гадюшность из тебя начинает лезть. Я не могу переносить таких катастроф, таких провалов в жизни. Мне здоровье не позволяет.

Я буду бороться, чтобы быть уверенной в жизни и в тебе, все болезни твои — это ерунда против этой угрозы.

Если бы ты мог подумать обо мне больше, чем о себе, если бы ты мог отказаться ради меня, переломить свой характер, несчастный характер.

Ведь мне после этого жить не хочется, я как будто избитая, во мне всё болит, а ты и извиниться не догадываешься, хотя бы за матерщину, ты снисходительно бросаешь: «Ну ладно, не буду напиваться». Опять образуется порочный круг. Но я, Витя, не могу. Я выйду из игры. Боже мой, боже мой! Неужели до самой смерти я должна ходить под этим страхом за тебя и за себя, дрожать, унижаться?

Неужели не дашь нам пожить спокойно?

А как бы мы поработали, ну поверь мне, как бы мы поработали. Неужели ты будешь завидовать мне, если я напишу что-нибудь хорошее; ты же и так лучше меня стал работать. А вместе — мы бы могли преодолеть много.

Ведь так мало осталось времени!

Ну зачем, зачем мне всё это терпеть? Зачем?

Ну пойми, как язвеннику нельзя есть острое, так тебе нельзя алкоголя.

Плохой ты человек бываешь, Витя.

И хоть говоришь, что не пьёшь и действительно пьёшь редко, но пьёшь ты, Витя, как алкоголик. Стремительно хочешь напиться до бесчувствия.

У тебя нет внутреннего запрета. Ты посмотри, кто с тобой рядом живет? Уставшая, больная женщина, измученная постоянным напряжением! Ведь она даже сгорбилась — эта женщина! Она делает невероятные усилия, чтобы остаться человеком, она стоически поддерживает всё нужное в доме, чтобы и она, и ты могли работать, чтобы ты не чувствовал по мере возможности своих болезней, и продолжал быть художником, и становился лучшим художни-

ком и здоровее духом. И разве это не так? Посмотри, как
ты стал работать. Неужели ты так близорук и несерьёзен,
что не видишь это? Посмотри — кто с тобой рядом! Разорви
же круг своего себялюбия, неужели у тебя не хватает благородства понять, что пришло время стать другими и думать
друг о друге; не эгоистически думать, а переломить, уметь
жертвовать, уметь терпеливо заботиться о другом человеке.

А у нас: только всё наладится, здоровье лучше (почти
не болел летом), писать стал интересно, на выставке —
благополучно, картину начал интересную (несмотря на
простуду). Нина тоже начала писать — разве это тебе не
радостно? И вот когда наступает эта крепкая жизнь, несмотря ни на что, назло всем невзгодам, вот тут ты и норовишь
совершить моральное предательство.

Жена, видишь ли, не угодила? Оказалась равнодушной
и старой. А знаешь ли, что эта жена эту неделю на ногах
еле стоит, потихоньку от тебя пьет сульфадимезин, поло-
скает горло и просто поддерживает дух в доме, чтобы не
свалиться? А ты можешь обижаться, ну ладно, обижаться
ты можешь, живой человек, но и понять нужно, сколько
мне усилий стоит часто дожить до ночи. Под утро мне
было так плохо, так стиснулась голова, так болело без
передышки сердце, а я лежала и думала: «Эх, Витя вчера
психанул, как-то он будет утром?» Я встала, пила лекарства, как-то привела себя в норму, сделала все усилия,
чтобы нормально начать день. Но не удержалась и сказала
тебе, что больна. А у меня, Витя, грустная примета, как
скажу тебе, что плохо себя чувствую, — всё боюсь, что ты
напьёшься (и это, к сожалению, часто случается).

И тебе всё-таки не по себе, что я работу начала, тебе
уже тошно. И вот ты замаялся, замаялся. Уже дома не
можешь. Пошел «погулять». Тут уж и я заметалась. Какая
уж работа! Тягостное стыдное предчувствие гнетёт: придёт
пьяный. Мне так трудно, а он себе напьётся. Так и есть!
Мало того, налакался, как алкоголик, но ведь ещё надо
куражиться, вот-де у меня — мальчишник в честь того, что
жена не годна. По чести, Витя, неужели ты так страдаешь
от воздержания или у тебя игра самолюбия?

А я думала, что после того постыдного случая на этюдах,
когда ты напился с Кокуриным и в машине попрекал меня,
что я старая и тебя делаю стариком, а ты хочешь быть моло-

дым и жить полной жизнью, и напрашивался ещё пить, а до дома еле дошёл и я волочила все этюдники, я думала, что после этого ты что-то понял. Ты всё говорил: «Нина, не думай, теперь всё по-другому, теперь я не буду напиваться». Первое соприкосновение с пьяницами — и все благие порывы попусту.

Витя, да неужто это не предательство и передо мной, и перед собой? А ведь эти разы тебе не было плохо. Ты, Витя, мог и не напиваться. Это в тебе ещё дрожь сидит. И единственное спасение и избавление от этого — научиться думать и заботиться о других. Если бы ты желал мне настоящего добра, чтобы я не пропадала, а поднялась духом, чтобы я начала писать во всю силу, а не старела, поникшая и пришибленная, ты не разрешал бы себе напиваться так безответственно. Честно говоря, это свинство!

Тебе, если хочешь стать человеком, можно только сказать всем и себе: я не пью. Не приниженно, а гордо. И мне сказать в первую очередь: «Поверь в меня, освободись от заботы, от напряжения, от ожидания. Не бойся — я пить не буду». Да ведь сказать и не обмануть! А то ведь алкоголиков ругаешь, а сам из прикрытия благополучия втихаря поддаёшь.

Витя, знай: убивать меня медленно можно, но приучить меня к своему пьянству нельзя, чтобы я «дурного ласкала и на себе таскала» и говорила: «Мой-то мужик хороший — не дерётся».

Какой-то бред. Очень, очень тяжело.

Может быть, ты действительно хочешь другой жизни, может быть, тебе нужная другая жена, как Фёдору Никитичу, ну тогда это надо решать без пьянства, не мучить друг друга. Может быть, ты не можешь со мной жить?

Разве не лучше мы стали жить? Разве не лучше ты стал работать?

И я начала опять работать.

А ты можешь всё сломать, всё разрушить, всё уничтожить.

Как же ты ко мне, Витя, плохо относишься!

Или уже ты ничего не понимаешь? Ведь ты же психически не больной, ты здоровый. Но пить тебе нельзя. Эх, Витя, Витя, как я хочу тебе добра.

Столько сил отдали лечению, столько терпения и всё разом как будто стол перевернули накрытый. Зачем, отчего, почему? Это какое-то вредительство или бред.

Витя, давай решать вместе, что же делать? Или антабус принимать? Или расставаться? Ну что-то решить надо? За что же меня обижать?

Плохой ты мужик, ненадёжный.

<24 января 1975 г.>

Эта святая ночь за окном, когда небо лилово-жёлтое, оттого что покрылось низкой-низкой мглой.

Эта светлая ночь, когда приходит туман и ложится инеем на наш сад, и липы становятся всё светлее и завтра утром будут лохматыми и удивительными, как на картинах, — этого скоро ничего не будете; не будет этого низкого окна, и не будет сада с голыми ветками, по ночам такого ласкового, и не будет белых пустых дорожек, и не будет знакомых фигур, которые заворачивают к нам в подъезд, — этого ничего не будет.

Слишком долго жили мы в этом доме. Слишком много прекрасного было в нём. И не будет такой комнаты с двумя окнами, с картинами на стенах и таким уютным беспорядком и загруженностью, чего-то такого, что тянуло сюда живые души. Комната, которая полна нами, не только такими, как сейчас, но теми, прежними. Комната, в которой работали два неистовых человека и которая рассказывает об этом подвиге работы. И о многом, о многом рассказывает эта комната. Только я уж не успею написать, слишком мало осталось времени.

Весь январь прошёл в ожидании, я тосковала по ночам, и не догадывалась, что надо записать хотя бы то, что возможно вспомнить.

И не будет книг на таких грубых досчатых полках, и чёрного шкафа в углу, и над Витиной кушеткой моей картины. Теперь я вижу, какая это картина светлая и ясная, и этим очень хорошая.

Не будет чёрных полок через всю комнату и букетов сухих осенних трав непонятного глубокого цвета, которые уж никогда не напишешь.

Всё это моя жизнь. И даже воспоминание о неповторимо-радостных вечерах сотрётся в памяти чёрного дома. О вечерах, которые давали мне жизнь и силы работать, и силы терпеть, терпеть горькую и часто постыдную жизнь, а теперь и бесполезную жизнь.

<26 января 1975 г.>

Опять — светлая тёплая ночь. Но я устала. Работали дотемна в подвале над эскизами. Прочла вчерашнее. Неужели только одни воспоминания? Нет, не может быть! Не может быть! — всё бросить и перечеркнуть. Ведь ещё много сил. Я так хочу работать. Ради чего такое забвение? Ради страха.

Комок снежный всё растёт и растёт, скоро я не смогу его сдвинуть, и он меня раздавит. Надо пустить его вниз под горку и разбить. И побежать... И бежать лёгкими шагами на встречу с солнцем.

<24 февраля 1975 г.>

Витя! Невыносимо! Сердце мое болит и разрывается.

Если бы ты думал обо мне больше, чем о себе, ты бы никогда так не пил. С раннего утра запил. Нашёл где-то одеколон и его пил.

Боже! Что же это? Ты говоришь, что заболел. Витя, надо лечиться. Зачем же лезть обратно в помойку? Ну как же это?

Может быть, ты и можешь повторять такие дни. А я, Витя, уже не могу. Я больной человек. Я не могу до самого инфаркта ждать твоих запоев.

Господи, один бог только видит, как я измучилась. Какими словами мне молиться тебе — сохранить нашу семью, а её можно сохранить, только если ты начнёшь лечиться и бросишь пить.

Как я мечтала, что на новой квартире всё начнётся по-новому. Что мы не будем больше ругаться. Что не будет больше этого гнусного врага— вина.

Витя, врач тебе поможет, надо ему рассказать, как тебе бывает тяжело, как ты тяжело обижаешься и от этого заболеваешь. И всё надо рассказать, сейчас есть новые лекарства.

Витя, почему же так: я только приду в чувство, поправлюсь немного, начну делать что-то, и тут ты должен по какой-то невероятной, но повторяющейся судьбе — заболеть. Что? Я тебя раздражаю, привожу в бешенство?

Тебе больше нравится, если я полудохлая хожу, за всё цепляясь.

Витя, неужели я должна буду уйти, и ты не сможешь расстаться с вином?

Я просто, Витя, уйду, хоть мне и очень тяжело это. Если это не остановится, я погибну.

<4 марта 1975 г.>

Ночь холодная, морозная. Я стою посередине пустой кухни, такой большой просторной кухни, и мне становится очень, очень грустно. Никогда больше не будет громкого неожиданного стука среди ночи. Никогда не звякнет засов. Никогда не будет этого длинного коридора. Никогда Л. не войдёт с шумом и гамом. Никогда я не потащу его на кухню, потому что В. спит, и в миг, быстрый как мгновенье, а долгий, как 16 лет, в мозгу вспыхивают случаи и встречи этого дома, а я стою, разбитая и несчастная, потому что больше этого никогда не будет.

А наш большой коридор с картинами! Где это может быть ещё! Я буду мечтать о таком доме, столько, сколько буду жить на свете. А может быть, вдруг что-то и найдётся. Сколько Л. приходил сюда, пьяный, несчастный, весёлый, поющий, бурный, смешной или злой.

О милый, милый дом! Лучшие годы жизни и творчества прошли здесь. Здесь я становилась художником, здесь я дерзко пёрла через незнание в страну искусства.

А в мозгу вспыхивали всё новые лампочки.

Как я всё это перестала ценить: всю красоту нашего жилища. Нет, нельзя жить иначе. Надо искать, надо искать, надо искать такой же дом.

<9 марта 1975 г.>

Витя, если бы ты знал, как я бываю уничтожена, оскорблена, замучена — такими твоими срывами, жуткими бессонными ночами, твоими запоями.

Моя голова, мои мысли путаются, я перестаю думать, соображать, тупой кол в голове.

Твою муку, твои нервы надо лечить лекарствами, заботами, но не вином. Чем больше и чаще ты пьёшь, тем хуже тебе становится.

Витя, ты знаешь это сам. Ты не пьяница. Ты человек с больной нервной системой. Пить при таких нервах нельзя. Ты знаешь это сам.

Я сделаю всё, чтобы тебе было хорошо и ничего не раздражало. Я и так много делаю. Но пить надо совершенно прекратить.

Скажи, неужели если я опустившаяся, подурневшая, не в состоянии работать, скажи, неужели тебе это не тяжело? Неужели не обидно?

Я мечтала — в новой квартире всё пойдет по-новому. Ни пьянства, ни истерии. Я мечтала всё это оставить там.

Я верила и верю, что мы переборем себя и что жить начать надо совсем по-другому.

Из разговора с врачом:

От страшного напряжения я не могу собраться с мыслями.

Я думаю целыми днями только об этом. Боюсь этого и делаю просчёты. То затыркаюсь, то придумаю куда-нибудь идти, чтобы разрядить настроение.

Состояние угнетённое у меня. Я такие большие надежды возлагаю на Вас.

Только ему сразу не следует, наверное, говорить об алкоголе. Он замкнётся, обидится, и контакт нарушится. Он считает себя не пьющим, а «это» — болезнь.

Как лучше сказать ему? Что нервы надо лечить, что и радикулит от этого? Это может быть спасением и для него, и для меня. Он не может установить связи между своими ужасными состояниями и алкоголем. Он думает, что моральный срыв ведёт за собой алкоголь, а не потребность в алкоголе делает срыв.

Я не знаю — можно и нужно ли ему сказать все жестокие вещи, которые он делает, или это не надо? Уже несколько лет всё так.

Я дошла до страшной усталости. Пишу ему письма, хочу поговорить и потом боюсь сказать ему жестокие обвинения.

Всё вдруг наоборот у него становится, вся психика переворачивается: вместо доброты — зло, обещания нарушаются. «Зачем же ты так, Витя?» «Ты думаешь, я хотел пить? Нет. Просто мне очень тяжело. Мне очень плохо». Он пьёт, и ему опять плохо. И он опять пьёт и говорит о смерти. Потом, к ночи, измученный и пьяный, засыпает, а следующий день больной, разбитый. И часто после этого заболевает или простудой, или радикулитом и пр.

Как начинается — страшная обидчивость. Обиделся — и началось.

Боюсь оставить одного, боюсь уйти.

Последний случай: не сразу согласилась, обиделся, лёг. Отказывается от желания, ранее проявленного, настроение мрачное. Весь вечер спал, ничего не просил. Думала, обошлось. На утро — мрачный. «Нин, мне плохо. Мне бы немного выпить». (Это самое страшное — целый день муки.) Отказать уже нельзя — будет ужасно. Побежит занимать. Напьётся. Надо давать — «Ах, как мне плохо. У меня всё внутри дрожит». И вот целый день придумываешь, куда бы пойти что-то делать, чтобы не напился совсем. Спасают отчасти друзья. «Я заболел, у меня что-то внутри случилось». Потом несколько дней ходит ослабленный. Потом — перерыв.

Нат. Серг. Вам подтвердит, что я уже давно в постоянном напряжении, что это не может долго продолжаться.

Вот сейчас: сама здесь, а всё волнуюсь, не случится ли что-нибудь, как он.

Я знаю — он должен лечиться, должен быть под наблюдением, на него это очень хорошо действует.

Его надо напугать моим состоянием. Он не понимает, до чего я дошла.

[КОНСПЕКТ ОБРАЩЕНИЯ К Р.К.МАГАЗИНУ]

Мы пришли, чтобы поблагодарить Вас за то внимание и чуткость, которые Вы проявили к нам в нашем деле, и просить Вас.

Это было ошеломляюще великолепно, когда нам предложили выбор наиболее удобной для работы квартиры.

Но, как говорится, казнить — так казнить, миловать — так миловать.

Только один вариант может по-настоящему удовлетворить нашу потребность в площади и свете: это планировка двухкомнатных квартир с большим коридором, хотя метраж там 29 м^2. Такая квартира будет вдохновлять каждый день.

Все варианты малогабаритных квартир при их метраже нам невозможны, потому что там не хватает дневного света.

Мы едем в Восточный район, потому что там светлые комнаты, но тесно.

Если бы Вы могли нам помочь: там сдаются дома на Юбилейной. Это было бы настоящей большой удачей в нашей жизни, большим счастьем, это была бы вторая путёвка в жизнь, которая рождает железные обязательства перед обществом и перед самим собой.

Комнаты почти такие же, но коридор делает квартиру настолько удобной для живописи, как будто специально для этого сделанной.

Большое Вам спасибо за квартиру, а там всё же тесно, не помещаемся.

Как Вы думаете, есть ли возможность рассчитывать на такую квартиру? Можно ли что-нибудь сделать, чтобы получить её?

<21 марта 1975 г.>

Я, Витя, дурно начинаю о тебе думать в такие дни.

Деньги в кармане оказались — и всё. Они тебя томят. У тебя будет портиться настроение, ты начнёшь придираться, начнёшь хитрить. Начнёшь говорить, что тебе тяжело.

Ты упрекаешь меня, что я не даю тебе денег. А как же я могу давать денег, когда ты их ни на что не тратишь, кроме как на выпивку?

Если я уйду в больницу — значит, можно напиться. Стал лгать, и выкручиваться так легко, и хитрить.

Одного дня уже мало, надо второй прихватить.

Там заваливали помойку пузырьками, теперь здесь будем заваливать.

У Натальи Сергеевны устроил какую обструкцию — вино бедному мальчику не додали. А потом всю ночь что вытворял? Истерику закатывал.

Как я мечтала, что всё изменится в новой квартире, что мы заживем по-другому. Ты справишься со своим пороком.

Скажи, что тебе нужно, чтобы не пить? Какие блага положить к твоим ногам, какую свободу дать твоей душе? Как же так — деньги есть и не нажраться!

Пошел за подарками к 8-му марта, а чем кончилось — напился до беспамятства. Это мне к празднику, вместо цветов.

Упрекаешь меня во всём том мелком добре, которое для меня делаешь, и делаешь, чтобы потом иметь право напиться. «Надо же быть иногда самим собою», — твоя любимая пьяная фраза. Так что самим собой — значит, подлецом.

Сегодня будешь смотреть на меня заискивающе и стараться угодить, а завтра, послезавтра этим же начнёшь попрекать. Господи, как твои попрёки твоим добром надоели и горьки.

Разве я не любила тебя, уж меня ты в холодности не можешь упрекнуть. Две трети жизни, наверное, вместо того, чтобы писать, мы провалялись в постели, и нам было хорошо. Это ты в этом виноват. Ты вытравливал из меня любовь.

Ты книжки читаешь, и всё о благородных людях, хоть немножко бы благородства перенял бы — нет.

Нет, Витя, ты просто ошибся — не на том женился, и меня обманул. Какой ты добрый — человек, который ни за что оскорбляет жену, не может быть добрым, а если ты и бываешь добр, то уж попрекать будешь этим.

Нет, я так жить не буду с тобой. Надо лечиться от алкоголизма.

<15 апреля 1975 г.>

Витя, беситься на меня за то, что я не сплю и что-то делаю, нельзя же.

Ты хочешь довести меня до полного уничтожения личности, доказать мне, что я ничтожество, что всё, что от меня, никуда не годится.

Витя, оставь мне просвет. Ты хочешь сделать меня женою пьяницы, чтобы я привыкла, чтобы считала за благоденствие, что ты пьёшь ещё не хуже всех.

Идеал твоей жены: покорность и исполнительность.

Ведь если бы ты ненавидел меня за что-нибудь, что-то другое требовал. Ведь посмотри, я всё сделала, чтобы тебя не раздражать.

Все наши катастрофы из-за вина, все наши скандалы, все наши беды, всё наше общение с людьми, всё наше творчество — всё упёрлось в алкоголь.

Убери этот пункт из нашей жизни, и жизнь наполнится жизнью.

Как ты гордо и просто начнёшь смотреть на художников, общаться с ними, ходить на все встречи и будешь чувствовать себя выше других. И с художниками, и со мной.

<5 сентября 1975 г.>

Короедово. Утро на пруду. Гуси. Колодец. Тропинка на колодец с осенними листьями. Зелёная-зелёная трава. Буро-коричневые кусты. Лиловый стожок. Гуси, большие и розовые, стоят на тропинке. Потом вдруг, как будто проснувшись, подымают крылья и с криком, приподнимаясь на цыпочки и пританцовывая, бегут в воду. Домик такой прекрасный, лилово-розовый. Ива тёмно-зелёная. Края светло-зелёные...

Выйдешь ночью на порог дома и взглянешь на небо, небо иссиня-чёрное и такое живое, какое никогда не бывает днём. Оно живёт звёздной жизнью. Всё в неподвижном движении, всё закручено в сказочном вихре. И самым неподвижным, грубым и посторонним — мигающая прямолинейная точка самолёта. Только здесь, в деревне, наедине с чёрным небом, познаёшь величие Вселенной и веришь в необходимость ночи — иначе как бы мог человек увидеть всю эту невозможную красоту. Только не опускаешься, а поднимаешься в ночь. А в городе — мёртвые белые фонари. Слева прекрасный ковш Большой Медведицы, впереди — тополь, похожий на гигантские сапоги — Кота в сапогах. Красная яркая звезда села в развилок.

Мы вышли на крыльцо и умолкли, испытывая волнение перед открывшейся (громадиной ночи) картиной ночи.

<29 сентября 1975 г.>

Спим в светёлке в пять окон среди яблок, пахнущих тяжёлым яблочным ароматом. Я не сказала — в начале этого месяца я была счастлива приездом сюда. Счастлива радостью в самой себе.

<1 октября 1975 г.>

Утро. Мороз. Как радостно идти по седой скользящей траве! Пастухов пёс сидит перед домом и дрожит. Коровы мычат — не гонят их — холодно. Цветной лес в лучах солнца и голубой дымок от печей. Всё древнее и живое, как природа.

<Поездка в Ленинград [После 1975 г.?]>

Рассвет над Ленинградом.

Открыв глаза, я увидала Северную реку. Взволнованное небо с очень серой, сине-серой грядой облаков, небо в просветах светлое, желтоватое, зеленовато светящееся. Кверху зелёное. Наверху обрывки отдельных облаков и по светлому прорыву летит стайка птиц. Книзу теплее. Под грядой не знаю как. Гряда сине-серая с светловатыми холодными отливами. Река светлая, очень светлая, сероватая стальная, на ней маленькая баржа. Берега тоже светлые, с отливом в зелень и в лиловое, и в зелёное. Очень низкие. Какие-то мглистые. Всё— как прекрасное видение. «Северный рассвет».

Опять рассвет. Очень серая туча боком. Из-под неё сияет свет низкого солнца — жёлто-светящийся. Полосы света внизу. Вода вся в обрывках света и тени, лилово-серых облаков с просветами. По цвету темно и густо. Сияние не попадает в реку. Отражение — из лилового, ясно-синего. Кусты и зелень почти тёмно-сине-лиловым силуэтом.

<20 января 1976 г.>

Прошел и этот день. День унизительных тревог и бессмысленного напряжения. Он окончился тихой мирной болезнью и прекрасным спектаклем Театра Сатиры пьесы Б. Шоу «Дом, в котором разбиваются сердца». Блеск, ум, цинизм разоблачения, и изящество, и вкус совершенно английский. Разоблачение друг друга и самих себя — это великолепно. Странно, мне хочется говорить не о пьесе, а о своём житье в доме, о доме, о прошлом доме. О прошлом доме, в котором горела жизнь и в котором я ничего не успела записать по живым следам, и остались лишь общие места.

Мне надо кому-то доказать, как скверно мне здесь жить, как дом похож на тесную щель, а район небольшой. Но все почему-то хотят сказать, что всё прекрасно и хорошо, потому что есть стульчак со спуском и есть горячая вода в вечно тухлой крошечной ванной. Как будто больше уже ничего человеку не надо.

С утра я мучилась бессонницей и тяжёлыми сновидениями. Мне снились люди и звери в одном помещении и приятные лица и львы за загородкой.

С утра: у В. боль в боку. Растирала его истово, потом запросил выпить. Побежала звонить Белле (договорено было перевозить подрамники). Потом дома дала 100 гр. коньяка и помчалась к Н.С. за лекарством, там ждала. Потом помчалась в контору. По дороге искала водку — нигде не было. В конторе получила деньги и на ходу поговорила с художниками. Потом выскочила и опять искала водку. Было уже 3 ч. 30 м. Потом села в троллейбус и ехала, ехала. Всё старалась столкнуть *его* внутренним напряжением. Потом выскочила и в гастроном — 2 бутылки коньяка по 100 гр. И бегом домой. Уже пятый час. Потом конфликт с В. Он сидел дома и ждал выпивки, надулся. Заставила его залезть в ванну. Сама нажарила картошки. Потом стали обедать. Уже 6 ч. вечера. Побежала в магазин и купила бутылку плохого разливного вина. В. лежал с грелкой. Сама легла. Усталость и тупость. А потом прекрасный спектакль. И жизнь увидела свою во всем её ничтожестве.

<8 февраля 1976 г.>

Витя, я могу лечь в больницу. И должна до этого тебе сказать всё, что у меня есть. Я очень обиделась. Как так можно? Моя вина, я заболела в субботу. Уже давно я скрываю, когда болею, именно поэтому, что случилось сегодня. Это так оскорбительно и стыдно. Я заболеваю, а ты тут же, с места в карьер, чувствуешь возможность начать пить.

Как ты можешь делать мне больно, именно когда я болею, когда нужен мне покой? Я долго скрывала свои болезни, а тут не успела, и тут же с вечера стала говорить себе: зачем я не скрыла, что будет завтра? Но так заманчиво было поверить и полежать.

Наступило завтра. Вскочил спозарань от бессонницы. Извини, я думаю о тебе дурно: ты уже думаешь пойти за молоком и прихватить пузырёк или два новой отравы. Как же, Нина больна, а в кармане деньги. Давно ты не ходил в магазин, Витя. И вот пошёл и сразу забыл. Ты бы хоть раз оправдал доверие. А как ты любишь говорить, что у тебя не бывает денег. Как же они могут быть, когда тут же начинается пропивание?

А как же я мечтала переехать на новую квартиру и всё начать по-другому. Как я мечтаю проснуться утром и не бояться, что ты начнёшь пить, что можно спокойно дать тебе денег, и ты принесёшь продукты, а я тем временем займусь домом. А потом можно идти куда угодно и опять ничего не бояться.

Витя, было время, когда ты болел алкоголизмом и много было потрачено сил, чтобы справиться с этим, и мы вместе справились. И вот ты вывел новую теорию: опасность для меня миновала, а время от времени я буду напиваться, а много Нина не даст. Ты только забываешь, придумав это оправдание, что на этой точке устоять нельзя. Ни тебе, ни мне. Благодаря этой твоей теории ты ненавидишь меня каждый раз, когда хочешь напиться. Потому что это разрешённое тобой хотение. Раньше, когда было плохо тебе, ты пытался обойтись лекарствами, ходил к врачу. А теперь хочешь стать хроническим алкоголиком с постоянной интоксикацией. (Так и ходишь, полуотравленный алкоголем.)

Ты мне клялся бросить пить совсем, а теперь ты и не думаешь. Тогда зачем же всё это нужно? В твоей воле начать пить или бросить. И от этого в твоей воле — хочешь, чтобы я была с тобой, и не пить; или хочешь пить — значит, не быть со мной. Ты мне скажи — я уйду сама.

Или скажи: я больше не пью — это было бы громадным счастьем для меня. Витя, молю тебя, одумайся, оглянись. Посмотри, как часто ты стал напиваться. Остановись, решись.

У меня сердце — ни к чёрту, опять началось с глазами, а ты хоть бы что. Я знаю, что если не переменится наша жизнь категорически резко, я очень быстро начну деградировать. А ты тоже, кстати.

Ты можешь перейти на наркоманию или алкоголизм. Теперь это в твоей воле. Я с тобой измельчала и одурела. Как злой деспот надо мной.

‹24 апреля 1976 г.›

Плохо и мрачно. И неверно. Видно, нельзя слишком много брать на себя. А надо подняться! Надо подняться и идти! Господи, помоги мне! Я уже погибаю в борьбе с грозным чудовищем. Так всё отбросить. Зачем это? Я не могу выразить себя. Вчера была у врача вместе с В. Я устала. Надо было ожидать. А В. сказал что-то мрачное, сказал: «Зачем ты всё это делала? Лучше бы не делала». Удивительно жестокие близкие люди. Апрель так ждали, но получилась неприятность, и он почти весь апрель пропил. Чтобы не переживать. А я не перенесла.

‹Июнь 1976 г.›

И какая кругом чистота зелёной растущей травы, что жалко сделать шаг в сторону. И это естественный душевный ход. А разве это не любовь к родине? Есенин, Твардовский, Солоухин, Никитин. Разве это не родина — картины Юкина с их мерцающей красотой? Где, когда, как возможно стало пройти все дома деревни и обесчестить, изуродовать их? Что такое «абстрактное» понятие — дачники? Это люди большого города, люди труда: учителя, рабочие заводов — надо видеть то счастье, когда открываются окна, столы перед окнами, цветы. Одеяла и детские фигурки, мелькающие между деревьями. Вековые липы и берёзы стоят вдоль деревни, река течёт за лугом. Бульдозером крушить деревья, заваливать пруды. Деревня Октябрёвка (а таких много), шесть домов и даже амбарчик, и туда приходит ткачиха. «Я так отдыхаю здесь после шума, у меня перестаёт болеть голова».

\<Август 1976 г.\>

А этой осенью сгорели два лучших дома деревни. Почему сгорели, кто виноват, кто поджёг? — никто не знает. Паломничество в город сменится скоро паломничеством из города, из каменных мешков в природу, в деревни.

Отправили бы их на покос. Сколько бы пользы принесли. Лучше, чем выкашивать цветочки с бедных городских газонов. Не поливают. Цветов не сажают. А стригут, стригут. Сердце грустит, глядя на такой «покос». Только бедная земля справится с опустошением и зацветёт трогательными полевыми цветами, ромашками, лютиками и пр. Всей маленькой радостью для городского жителя. Почему это надо уничтожать? Для заработка. Так лучше отправить этих здоровых молодых мужчин на настоящий покос. Была бы польза государству и сельскому хозяйству, чем здесь «баловаться».

\<8 августа 1976 г.\>

Короедово.

Вчера пришли. Вчерашнее «прекрасно» пропало. Было тепло и темно по-летнему. Вечер в Короедове на пруду и на реке, как на холстах Коро. Розовая луна светила за сараем, на реке фигуры, туман, купанье. Бледные всплески. Вечером в белой комнате с пятью окнами. Когда В. уснул, я почувствовала себя такой наполненной, такой счастливой и сильной, как будто ничего не было и время роковое не унесло этого лета, а с ним и силы. <u>Этот год был роковой.</u> Я другая, я спокойная, я равнодушная: мою посуду, ставлю самовары и не бегу на реку увидеть последний луч. И не чувствую отчаяния, что прошёл этот миг.

Но я лежу на половиках. За окном чернота и тишина, дует холодный ветер (но это уже не пугает). Чувство от деревни, как голодному дали кусок хлеба. Он счастлив. Всё-таки вырвалась из западни нашего нового жилья. Погибаю я в нём.

И такая большая прекрасная ночь мчится над головой. В ночи я ощущаю стремительное движение. Я — и вселенная. Я — и Бог-создатель. Господи, помоги.

Но, по правде: я уже не трепещу, я уже ничего не жду: ни тепла, ни времени, ни живописи. Только цветные полоски половиков мелькают перед лицом и ласкают глаз. На стенах фотографии чужих людей, ставших близкими. Нинка, которая через два месяца попадет в сумасшедший дом, тётя Паша — маленькая, немощная старушка — держит большую разнолюдную семью и работает, работает, работает.

Куда же пойдут люди из города в летние дни, когда Бог заберёт этих старушек, а люди сломают и уничтожат деревни? Куда? Где они напоят свои души «живой водой»?

<9 августа 1976 г.>

Ночного вчерашнего настроя уже нет. Пришла суетность.

Мы пришли в этот раз и не думая писать — только перенести вещи. Потому такой холодок в груди. Раньше не утерпели бы. Испугалась я напряжения дня. Да, сегодня надо уходить. В чём же катастрофа? Неправда. На дам я «лукавому» над собой потешаться и над В. тоже. Это лето... (Но жалиться мне нельзя.) Я хочу вспомнить всё с весны.

<24 сентября 1976 г.>

Как будто рок над нами. Не можем мы выбраться в деревню. И вот сбылось...

С перерывами, с уходами этот месяц мы были в деревне. И удача была с нами, и солнце светило нам, как никогда не светило. Мы купались в его лучах и радовались свету и деревне, и славили создателя, и постепенно работа разбирала нас больше и больше.

А сегодня обещали снег и холод. И первый раз я усомнилась в чуде. Пошли за деревню по дороге. Из-за леса долго, курлыкая, летел над нами большой усталый клин журавлей. И небо и даль наполнились этим клином. И вспоминала я старые темы с далью, с небом, с журавлями. Цепелёво... Митрофаниху... Песня осенняя Руси, песня неба, и я в смятении... Не знаю, как это делать.

Давно я берегу эти темы с далью, небом, луной.

Вечером поднялись из Октябрёвки: над полем овса, над леском, над белой сухой дорогой — большое сизое небо, и луна, тёмно-розовая, чуть склонясь на бок, глядит на мир. Мимолётное «ох, как хорошо, я бы стала писать», и идём домой.

Утром — идём на этюды. Наверху с дороги — такая даль с холмами и сжатыми полями. Каждый раз останавливаюсь. Потом бегаю по кустам в поисках сюжета. А поля, и дали, и небо поют свою песню. Что тут делать? Как тут красить? Я не знаю, и вспоминаются мне другие художники. Один парень Володя, который делал аскетические, почти сухие этюды с голыми холмами и большим небом и где-то лошадка, где-то дерево, а вечная жизнь земли над ними. Как же быть? Взять старые темы, взять песню цепелёвских заречных далей с рекой и ветвями бордовыми дуба и писать заново? — Как тут быть? А как писать заново?

О милая скромная деревня Октябрёвка! Как ты мне нужна для настоящей работы вместе с домом, с тётей Пашей, которых уж нет. Чтобы уйти рано утром и оглядеться вокруг, чтобы сбегать вечером после работы на бугор... и решить самое главное — как писать эти волнующие вещи? Вот так — у самых врат настоящей работы, а надо уезжать. И опять суета.

[НАБРОСОК ВЫСТУПЛЕНИЯ]

Трудная работа у Худсовета, бесспорно. И позиция взята трудная — на улучшение работы, на серьёзность отношения к работе, требовательность к художникам. Что значит требовательность? К художнику?

Требовательность к замыслу в первую очередь. Чтобы замысел художника, решение было незаурядным, интересным, оригинальным.

Чтобы художник вытягивал из себя свою индивидуальность, а не прикрывал её привычными, банальными приёмами. Ведь из этого родится больше всего поиска.

Считаться с личностью художника и доверять ему. Уважение к личности художника — необходимое условие для роста работы. Вот и будет видно, где перспективность, где интересные замыслы.

Художественный совет — что за название. Вдумайтесь. Он должен быть мудрым и прислушиваться, а художник обязательно должен отстаивать своё решение.

Что такое оформление, оформиловка. — Слово, внушающее уважение. Слово, произносимое с презрением.

Иначе это вовсе не перемена. И чем сложнее необычность решения — тем настойчивее он должен его отстаивать. И, наверное, надо помочь ему именно сохранить необычность замысла. Это хуже всего — если человек молчит и кивает головой.

И вместе с помощью худ. совета, а обижаться друг на друга — пустое дело.

Плохо, когда всё заурядное проходит, а интересное, сложное — отклоняется.

Больше доверять художникам. Что же случилось? — Все стали хуже работать? — Когда стоишь в ожидальне, то чувствуешь, как все томятся и мучаются тем, что не примут. Событием должно быть, когда не примут, а у нас событие — когда примут. Это положение не вполне нормальное.

Приходят мысли — чтобы прошёл худсовет, а не чтобы дело делать.

<26 декабря 1976 г.>

Дорогая Ирина[46]!

Прости, что сразу не ответила на твое письмо. Заработалась и забегалась.

Всё было впереди много времени, а потом вдруг и год кончается. Хотя причины, конечно, есть. Декабрь — невезучий месяц. Работу надо закончить к концу месяца, а у меня разболелись рука и плечо (видно, твоя болезнь), да так лихо, что не знала, как и быть. А полодырничать никак нельзя. Так и хожу, кособочась.

Умоталась и устала. Очень хотелось побывать в Москве за это время — и к вам, и на выставку автопортрета. Все говорят, было очень интересно. Не были?

---

[46] Ирина Шарова — школьная подруга, которая фигурирует в отроческих дневниках Нины, и которая тоже прошла лагеря. — *Ред.*

Плохо, когда что-нибудь задумаешь сделать, а не выходит. Наверное, я так и не поправлюсь и останемся мы во Владимире встречать Новый 77-ой в этом столетии год.

Да и Витя вовсе бросил пить, дал зарок на веки вечные (тьфу-тьфу через левое плечо), ведь ему это занятие приносило очень большой вред. И мне тоже.

Вот, друзья, какое дело. Вчера смотрели фильм «Ирония судьбы», и я вспоминала прошлый Новый год. Очень было приятно и хорошо тогда.

Если не встретимся в этом году, наши дорогие друзья, то встретимся на будущий обязательно. А он уже так близко.

Нина.

<26 апреля 1977 г.>

Гоголя «Портрет» — не о всех ли жизнях, истраченных напрасно? — Господи, почему я всё, всё пропускаю?

И вот, в последнюю ночь перед закрытием моей выставки [47], как бы завеса спала с мозга моего, и я увидала в прошлом изображении всё, что я должна была делать и предпринимать за этот месяц, так нелепо, так тупо прошедший, он раскрылся для меня в своих днях, как книга с пустыми страницами. Всё, начиная с большого и кончая мелочами, от предприятий нужных и деловых до эмоций и чувствований — было как бы заперто и сокрыто от меня, и вдруг, как в книге, я прочла, что мне нужно было делать, но ничего, ничего уже нельзя было сделать. Какие силы управляли мной в этот месяц?

Я забралась в угол и просидела в нём целый месяц, упустив все шансы (а их было так мало) на возможность выйти из тупика владимирской жизни. Теперь «окошко» закроется и зарастёт тенётой и путиной очень скоро, и всё будет, как не бывало.

<1 июня 1977 г.>

АВТОБИОГРАФИЯ

Я, Луговская Нина Сергеевна, родилась в 1918 г. в г. Москве. Образование: средняя школ. Изостудия 1937-1939 г., г. Серпухов[48]. Изостудия на общественных началах при Д[омах] К[ультуры] и профсоюзных клубах.

---

[47] Персональная выставка Луговской во Владимире в марте-апреле 1977 г. — *Ред.*

[48] Данное предложение является поздней припиской и не соответствует действительности. — *Ред.*

Работала на периферии при Домах культуры художником и осуществляла декорации к спектаклям.

С 1948 г. начала работать в системе драмтеатров художником-исполнителем, затем художником-постановщиком.

С 1957 г. проживаю в г. Владимире. До 1962 г. работала в областном драмтеатре.

Наиболее интересные театральные работы:

1. «Король Лир» Шекспира,
2. «Снегурочка» Островского,
3. «Профессия Миссис Уоррен» Б.Шоу,
4. «Пучина» Островского,
5. «Анна Каренина» Л.Толстого (принимала участие),
6. «На берегу Невы» [К.Тренёва] (принимала участие),
7. «Живой труп» Л.Толстого.

С 1950 г.— член ВТО.

Постоянно занималась живописью, изучала художников.

В 1962 г. решила посвятить себя целиком живописи и поступила во Владимирское отделение Худ. Фонда.

Годы — в напряжённом труде, в творческих поисках, поездках на этюды, работе в мастерской, в общении с художниками, чтобы наверстать упущенное.

Творческие встречи с владимирскими живописцами оказали серьёзное влияние на моё становление художника.

С 1962 г. я участник всех областных выставок, в 1973 г. — участник групповой выставки в г. Вологде.

В 1977 г. состоялась отчётно-персональная выставка за последние 10 лет в количестве 60 работ. Жанр — пейзаж, натюрморт. В результате три работы приобретены Владимиро-Суздальским музеем-заповедником: «Купавки», «Осенние листья и берёзы», «Первый снег».

В настоящее время у меня много творческих планов. Хочу работать над большими композициями и портретом в пейзаже. 1/VI —77 г.

Луговская

<1 июня 1977 г.>
ТВОРЧЕСКАЯ ХАРАКТЕРИСТИКА
на Луговскую Нину Сергеевну,
1918 г. рождения, русская.

С 1946 г. по 1962 г. т. Луговская работала театральным художником-постановщиком.

С 1962 г. по настоящее время работает во Владимирских художественно-производственных мастерских [Художественного] Фонда РСФСР.

В результате упорного труда: поездок на этюды, творческих поисков и постоянного творческого общения с ведущими владимирскими живописцами тт. Юкиным В.Я., Бритовым К.Н. и др. — Луговская сложилась как интересный художник со своей творческой индивидуальностью, своеобразным колоритом, с особым видением окружающего мира. У неё накопился большой живописный багаж.

В 1977 г. в апреле м-це открылась персональная выставка художницы (60 основных произведений за последние 5-8 лет), показавшая высокий профессиональный уровень её работ (главным образом — пейзаж, натюрморт), которая имела успех у зрителя и получила положительную оценку в прессе.

Луговская Н.С. [с] 1962 г. — участник всех областных выставок.

Участник групповой выставки в г. Вологде, групповой выставки в г. Владимире, посвященной международному дню женщины.

Персональная выставка показала, что художник Луговская далеко не исчерпала свои творческие возможности и будет много и плодотворно работать.

В работе художественных мастерских Луговская всегда отличалась добросовестностью, дисциплинированностью. Хороший товарищ.

Правление Владимирской организации СХ РСФСР считает, что Луговская Н.С. будет достойным членом Союза Художников.

1/VI— 1977 г.

<19 июля 1977 г.>
ПИСЬМО Н.С.ЛУГОВСКОЙ К И.Н.ШАРОВОЙ

Дорогая Ирина!

Получили твоё письмо. В это лето никуда мы не можем выбраться, даже писем вовремя не могу написать. Прости, пожалуйста, за молчание, не сердитесь, дорогие Шарики, мы вас очень любим и помним, но иногда всё идёт кувырком. У нас работа пренеудачная. Не можем разделаться, как будто идёшь по болоту. Такая досада.

Но повидаться с тобой — идея прекрасная; ориентировочно после 25-го июля будет свободней, а теперь мы просто работаем.

Ира, мои дела с членством в С.Х. застыли на мёртвой точке. Ты провела большую работу для меня. Осложнение именно в том, что у меня нет ни зональных, ни республиканских выставок. Только областные. Это мешает очень. Самое главное! Даже персональная (если не в Москве) особенно не засчитывается. Я много хлопотала, разговаривала, спрашивала. Потратила уйму времени, а дела — чуть. А тут ещё не могут решить, как лучше сделать; а пока решали, энтузиазм прошёл у товарищей художников.

Тем временем в г. Коврове по инициативе нашего музея открыли мою выставку. Там очень хорошее помещение, и выставка вышла культурная, хоть не такая эффектная. Сегодня были на открытии.

Вот возможность показать художникам, вернее кому-нибудь из художников. Но разве кого-нибудь затащишь туда! От Владимира — час с небольшим езды на электричке.

Потому как 57 работ производят большее впечатление, чем, скажем, три. Но где и как найти такого художника — я не знаю.

Вот, в общем, какие дела. Дней 20 она, наверное, ещё будет открыта. Рекомендация художника, письменная, конечно, тоже имеет значение немалое.

Ира, я постараюсь тебе позвонить на днях.

В Москве в Пушкинском музее открылась новая выставка, а какая? Может быть, тебе удастся узнать.

Ну, вот и все дела. Обними от нас Лену и Лёлю.

\<1 июля 1977 г.\>

Луна над городом, над домами так прекрасна и светла, так неожиданна, когда выйдешь на балкон. Надо выйти и взглянуть в сторону, и открывается новый мир: и небо большое, громадное, и фонари, и блеск мокрой дороги, и надо всем — луна, круглая-круглая, но уже чу-уть наклонившись на бочок. Ночная прекрасная полнолунная луна. И это один шаг и поворот! А перед глазами прямо — жутко прямой дом, скучный и нелепый. Как казарма, мёртвый блеск фонаря, скрежет ночной машины, добывающей песок, такая унылая картина с рахитичными невырастающими деревцами.

И этот шаг можно сделать и увидеть новый, другой, прекрасный мир. А можно и не сделать. И не увидеть — ничего.

Хочу в деревню. Как-то незаметно, неизвестно как, она стала просто мечтой, и это уже не кажется смертельным.

<28 июля 1977 г.>

Утро — рань. Но солнышко уже торопится выкатиться из-за дома. Небо блёкло, почти розово. И на каждом листочке — розовый свет от зари. Именно розовый с блеском, какой бывает лишь поздним летом. Мгновенная тишина города и свист невидимой ласточки, исчезающей в воздухе.

Грохот машины и опять тишина.

Чувствую беду. Лето почти прошло, а я так и не могу сделать решительного шага. А кроме меня — некому. Господи, помоги, научи, вразуми. Дай силы душевные, дай мудрость, дай дерзновение, дай смелость. Помоги мне. Научи.

Надо уехать, надо начать работать творчески, надо начать писать, писать и забыть о всех членствах[49].

Вдохнуть немножко поля. Немножко рассвета деревенского. Господи, помоги скинуть заботы. Идти по дороге, по деревенской тропе, и улыбаться, и радоваться, что ты есть и мир прекрасен.

<4 августа 1977 г.>

Сегодня ночью, когда небо ещё синее, но уже светится из-под земли, я увидела над домом ясную прекрасную звезду; так дивно чисто светила она, не мерцая, а рядом, чуть поодаль, другая, поменьше. И мне казалось, что только ко для меня они светят в этот час и, может быть, никто во всём свете не видит их. И что они не могут одна без другой и их двух хватает на весь небосвод. И такая ясность духа должна быть во мне, как они светят с этой ночи. Ясность духа и мудрость ума. Светите мне, звёзды, я верую в вас.

И я откидывала этот чёрный дом, съедающий небо, и под звёздами стояло озеро, и серые мглистые деревья

---

[49] Проведение персональной выставки позволило Луговской стать членом Союза Художников. — *Ред.*

повисли ветвями, и в воде, всё омывающей, чуть в движении колыхались две прекрасные зелёные звезды.

И хотелось мне броситься на землю с мольбой и молитвой, но я всё стояла у окна и глядела.

Прошло время. Небо посветлело, но звёзды всё светили, а наверху взялось длинное светлое облако.

<6 ноября 1977 г.>

Господи, помоги мне! На улице мороз, и вьюга укладывает на голую дорогу снежок по обочинам. Жуть! Голая улица, как скелет. Значит, скоро придёт зима.

<8 ноября 1977 г.>

2 часа ночи. Как хорошо за окном. Потеплело. И мокрый асфальт блестит в фонарном свете. И воздух пахнет весной. Благодарю за всё это.

<12 ноября 1977 г.>
ПИСЬМО Н.С.ЛУГОВСКОЙ К И.Н.ШАРОВОЙ

Дорогая Ириша!

Мы поздравляем тебя с днём твоего рождения и желаем столько всего хорошего, сколько ты сможешь вместить, и ещё ко всему этому здоровья, много и надолго здоровья, и пусть всегда с тобой останется та задорная искорка жизнелюбия, которая помогает тебе всё успевать, всем интересоваться и жить радушно-широко и не забывать своих друзей.

Мы крепко-крепко тебя обнимаем и целуем оба. И радуемся вместе со всеми вами, если вам хорошо.

Мы здорово увязли во всякой ерунде и болезнях. Живём, в общем... скучно. Но роптать не надо. Жаль только, никак выбраться не можем ни в деревню, ни в Москву. Сидим на приколе.

Ирина! У меня к тебе вот какая просьба: мне, оказалось, пора покупать зимнее пальто (то истаскалось). И хочется пальто с песцовым воротником. Может быть, ты смогла бы навести справку, есть ли у вас в Москве такие пальто. Если, конечно, это тебя не замучает. Может быть, кто из твоих знакомых или учеников посещает магазины и поинтересуется попутно. Но только не делай для себя из этого большую обузу. Узнаешь — черкани, пожалуйста.

Ну, вот и все дела.

Всего тебе доброго и хорошего. И всем.

Целуем,

Нина, Витя.

<15 декабря 1977 г.>
ПИСЬМО Н.С.ЛУГОВСКОЙ К И.Н.ШАРОВОЙ

Дорогая Ирина!

Как всегда, задержали с ответом. Живём потихоньку. Рука полегче стала. Гипс сменили. Но всё равно гипс.

Когда ехать в Москву — пока неизвестно. Что такое секретариат? Это художники из разных городов РСФСР, но и московские художники тоже. Но кто будет — здесь никто не знает. Так, что будет, то будет. Приедем — поглядим.

Как вы живёте? Приехал ли Толя?

Как настроение? И здоровье?

Наверное, скоро увидимся.

Витя допишет, а то у меня в левой руке мыслей не хватает.

[*Далее рукой В.Л.Темплина*]

Нина старается всё делать дома. Готовит даже обеды, а так как с одной рукой много не сделаешь, то она и кормит меня одним горохом. Жизнь идёт весело.

Ну, а если говорить серьёзно, дела её стали лучше, ну, следовательно, и настроение. Скоро «наши души будут, как напоённый водою сад, и мы не будет более томиться». «Тогда забудем горе, как о воде протекшей будем вспоминать о нём». «И яснее полдня пойдёт жизнь наша; просветлеем, как утро» (из Библии).

[*Далее рукой Н.С.Луговской*]

Вот так. Крепко вас обнимаем, дорогие наши.

Нина.

ПИСЬМО Н.С.ЛУГОВСКОЙ К И.Н.ШАРОВОЙ

Дорогая Ира!

Это опять я. По последним сведениям, секретариат будет 21/XII — совсем скоро (если ничего не изменится, конечно).

Я попыталась узнать состав художников, но не узнала.

С моей рукой я боюсь нашего транспорта, зажмут, а то бы съездила в библиотеку поискать в «Советской культуре». Секретариат выбирают на съезде или после съезда.

Эх, как же я опростоволосилась со своей рукой. Ругаю себя. Сужу строго за свою жизнь последних лет. Ничего нельзя изменить.

Шансов на поступление у меня очень мало. Но что же, доделать дело надо. Жаль усилий, на душе довольно скверно, жаль Витиных хлопот. А там кто его знает! (Я настраиваю себя на отрицательный лад.)

Дорогие друзи, значит, совсем скоро мы к вам опять заявимся. Уж не взыщите.

Всех обнимаем.

<26 декабря 1977 г.>
ПИСЬМО Н.С.ЛУГОВСКОЙ К И.Н.ШАРОВОЙ

Дорогая Ириша!
Побаловала ты нас здорово в своей уютной квартире. Хорошо было нам. Я очень отдохнула и отвыкла от всяких дел.

Мой Витя, к сожалению, простыл, пока мы бегали по Москве, и теперь высиживает дома (сегодня, слава Богу, стало лучше). Так что до Нового года мы, конечно, не сумеем выбраться. Уж теперь в январе приедем.

Ира, уж, пожалуйста, не сердись, что тебе ещё придётся забирать мои вещи из магазина. Сделай это. Такая уж получилась ситуация. Главное, сама привела нас в этот магазин.

Так как ни пальто, ни платья мы с собой не привезли, у меня смешное чувство: будто была красивая весёлая игра с переодеванием.

Вчера, 25-го, у нас был хороший день — сидели дома, читали, даже были гости: папа с тремя ребятишками, которые рьяно рисовали. А вечером смотрели «Иронию судьбы» и вновь наслаждались и вспоминали вас.

С наступающим вас Новым годом, ребятки. Крепко обнимаем. Нина и Витя.

<[После 1977 г.]>
Но всё же иногда истина проходила через меня.

Истина, получающая ясное и чёткое выражение, становится непобедимой.

Старость — это знания. Старость — это опыт.

Несколько раз мы с Темплиным возвращались к совместному творчеству. «Первая зелень». «Весна» 80x100. х. м.

Натюрморты:

«Цветы на зелёном окне» 65x82. х., м.;

«Астры» 80x92, х., м.;

«Осенний натюрморт» или «Натюрморт с яблоками» (в музее), «Первый снег» (работа находится в музее).

Первая работа в моём новом подходе и направлении — «Полевая рябинка».

«Первый снег» — приобретенные музеем, купленные в музей.

«Купавки».

«Осенние листья» 80x100, х., м.

В пору познания и исканий мы с Темплиным вдвоём очень часто и подолгу ездили на этюды, буквально забывая городскую жизнь, работу и удобства. И часто наши художественные впечатления и мысли переплетались воедино, рождая одинаковые мысли, похожие этюды. Плечом к плечу, мы не давали друг другу отступать от поисков.

Так создалась моя первая в новом раскрытии мира работа — «Полевая рябинка», которая была написана по свежим следам этюдов созданных после утомительного под горячим солнцем лета. Для этой работы я воспользовалась этюдом Темплина и его творческой помощью. Эта работа на выставке обратила на себя внимание критики, как новое видение природы. Это было началом нового пути (иначе я уже писать не могла). Я запоем делала наброски, этюды, композиции по памяти и впечатлению — «Летний дождик», «Осенние листья», «Материнство», «Окно с кошкой», «Миша и Витя» и др.

Т. е. по-разному были результаты, но всегда в новом видении. Произошло прозрение. Мир увидала в таком торжестве красоты цвета и разнообразия, чего я даже вообразить не могла.

В 1977 г. была моя персональная выставка.

<[1977 г.]>

Не взять мне тебя за руку, не увести по зелёну лугу за крайний дом на реку, не сказать: посмотри, какой берег, какой ветер, какая трава, какое счастье для нас двоих. Не посмотреть с верой в твои глаза. Ушло моё время, ушло моё счастье. И стою я одна на прекрасном берегу. Ветер с востока дует мне в лицо. Ходят по реке серые дороги. Воздух напоён ночным дождём. Жаворонки всю радость отдают песне. А я хожу по берегу, касаюсь травы и воды, дышу и думаю: а может быть, и я ещё на что-нибудь годна.

Шорохи весны. Жарко, томно и тихо. Мы сидим под сосной на краю неезженой дороги. Сосна потрескивает всеми своими иголками и веточками, но на ней никого не было.

Склонившись над муравьиной кучей, я услышала, как шуршат муравьи, таская что-то крупное и белое в свой дом. Шныркали шмели в осинах, и везде раздавался хруст и шорох, как будто по лесу кто-то ходил. Ветка в кустах резко задвигалась — это птичка срывала листок.

Птицы напевали лениво и редко, но беспрестанно.

Далеко ухал филин. Вдруг заскрипело дерево в совершенном безветрии, как будто открывшаяся громадная дверь.

Среди птичьей настройки иволга выводила свою стройную флейтовую трель, и кто-то вдруг озорно свистал невпопад. Что-то упорно двигалось под листьями — наверное, ящерица. И нарастал звон шмеля. Истерзанное городом ухо изумленно постигало эти шумы и шорохи, и. казалось, было слишком шумно.

<[1978 г.]>

Чем нас привлекают плоскостные рисунки детей и примитивистов? По сравнению с реалистическим изображением, в них больше раскрывается мир, заходит за рамку реалистического изображения. Это неосознанно пленяет нас. Дети обобщённо и освобождённо изображают, поэтому глубже, богаче. Видимый мир наполняется у них тем, что могло произойти и могло быть. И это изображается как свершившееся.

<9 мая 1978 г.>

Час ночи. На улице темень и серый тёплый туман. Фонари дают длинный пучок света почти до земли (и это очень приятно) и светят мягко, как свеча. Мокрые тротуары, и блестит мокрым блеском барьер балкона.

Откуда-то голоса, и какие-то птички в невидении тьмы коротко попискивают, повторяя один и тот же звук. То дальше, то ближе. Господи, Боже мой, я устала. Устала от этой холодной мёртвой весны, устала оттого, что изменила себе и не могу с этим смириться. Устала, потому что начинаю смиряться, что весна проходит и лето. Я закопошилась. Хорошее отношение людей меня ещё поддерживает.

<24 мая 1978 г.>

Из всего этого громадного мира на окне ранним утром оказался букетик незатейливых полевых цветов. Несколько веточек сурепки жёлтой и мышиный горошек. Но кто не знает, как пахнет сурепка! Мёдом, и лугами, и будущей рожью, и васильками, и прошлой весной, и ещё прошлой и прошлой, и детством, и радостью, и ещё чем-то: цветным весельем полей, мгновением воспоминаний, и вечностью, наверное и сотворением мира.

А мышиный горошек, что таится в тени опушек. Как лиловый огонёк на окне засиял светофором радости. Стоп! Остановись и вспомни: есть лес, есть мир тишины, есть поля и синие воды, и есть небо с купами облаков, и есть лиловый мышиный горошек, такой незаметный в лесной траве, лепесток лиловый, лепесток голубой. Авэ! И опять лепесток лиловый, лепесток голубой.

Как это нужно, чтобы не забывать, чтобы ничего не забывать.

А если его написать? Так и написать — лепесток лиловый, лепесток голубой, и жёлтая сурепка, и всё это на окне, а за окном — окна, ни неба, ни облаков, окна, окна, окна и машины на небе.

<25 мая 1978 г. Утро. [Цепелёво]>

Яблоня расцветающая стоит, как невеста, вся в розовом румянце. Утро. Мне очень грустно. Грустно безнадёжностью. Раз в год открывать для себя мир радости и настоящей жизни — это слишком мало. Всю эту весну я как будто поднимала дом, а он ни с места и почти раздавил меня. Я взяла отпуск, и В. никак не мог расстаться с бюллетенем. И мы сидели в городе. Я сделалась психом. Пять тёплых дней, проведенных в городе, — ведь это преступление. А я не могу его преодолеть. И мне грустно. Через час мы уйдём. Господи, помоги нам возвращаться сюда. Здесь люди чище, проще и ближе к Богу. А сотворения Его прекрасны.

Я сижу в саду. Кругом одуванчики и расцветающие сады. Белые вишни и розовые яблони. И трава — в бликах солнца. Теперь я радуюсь хоть чему, хоть часу.

Надвигаются «комплексы». Природу кромсают. А пока ещё поют птицы. Скворцы сладостно посвистывают. Иволга вздыхает. Даже петухи поют в это утро. А жаворонки создают немолчный далёкий фон.

<21 июня 1978 г.>

Я могу теперь сказать, что была одна прекрасная неделя в этом году (неделю назад), когда я начала писать и мыслить, как встарь, во всю мочь. Как хорошо всё-таки, что она была. Потом три дня города выбили из меня все, и я здесь опять, но другая. Как хорошо, что я рвалась сюда и вырвалась, а то уже больше никогда не было бы этой недели — весны, цветения, радости и дерзновенных надежд. Я не думала, что могу так надломиться. Оказывается, это так легко — сломать в человеке его главное.

<24 июня 1978 г.>

Проспала. Бессонная ночь. Утро — как светлый праздник. Всё неподвижно. Каждая травинка полна воды. Как не бывало непогоды и дождей.

И опять мы уходим. Хочу писать до страсти. Гармония нарушается. Зелень, травы, Боже, какие травы! Блестит, сверкает, дышит чуть-чуть. И полно радости бытия. «Если жизнь не представляется тебе незаслуженной радостью, значит, твой ум ложно направлен». Ах, как хорошо! Как трудно уходить отсюда. Не хочу!

<1 июля 1978 г.>

Встать утром рано на рассвете, когда так тени глубоки, как лесные реки. И стать листком, притихшим у ограды, стать травкой, стать нежным колокольчиком, стать самим собой.

Простые луга некошеные. Колокольчики и ромашки, Простите, что не ухватила Вашей трогательной красоты...

Сказано — не прилепляйся сердцем. А оно лепится любовию. Нежной и больной.

<5 августа 1978 г.>

Поразительно. Я заболела летом, а оно почему-то прошло. Я мечтала о лете каждый день, каждый час, каждый миг, весь июль, день за днем, а оно всё ушло. И вот вечер, ранний и длинный, воздух сух и холоден, и ты сам сух и холоден.

<[Лето 1978?]>

Прости меня, Витя! Не сердись на мои слова.

Я прошу тебя тихо и покорно, как маленький ребёнок просит игрушку, которая ему дороже всего. Давай найдём возможность, свози меня в деревню хоть на два дня. Почему-то мне трудно это произносить, как запретное или плохое, что раньше так легко и радостно было на устах. Несмотря на все мои вины, давай сходим. Я так мечтала весной, ещё в апреле, когда-нибудь уйти, потом в мае, ещё когда я была здорова. И оттого, что это не может получиться, так грустно.

<12 сентября 1978 г.>

Устало небо, устали листья, и устала я... И стало грустно, и стало томно, и всё прошло. Небо серое, серое. И покорность перед неминуемым. Мы пойдём в город. Ах, как жаль, что так скоро кончилось лето!

<26 сентября 1978 г.>

Я устала. Вот уж в последний приезд я устала. Мне стало всё равно. Я приехала на дежурные этюды. Как жаль! Ах, как жаль, что так скоро кончилось лето! Нельзя было так долго ждать. Теперь болеет т. Паша. Мы топим печь и готовим обед. Я уже не вижу, какой прекрасный спуск к колодцу, как роскошно буреют кусты и травы, как бордовым цветом покрываются старые вязы и что их можно писать кадмием красным, прямо давя из тюбика. Теперь я вижу.

<10 октября 1978 г.>

Ну, вот. Я вижу, я знаю, я чувствую — как же разучилась я писать. Этюд осенний, грустный, туманный. Прозрачные берёзы тают в светлом воздухе; так белы, так чисты они. Дальний бугор с лесом лишь угадывается, лилово-сизый. Небо светлое, тоже как берёзы, но ещё светлей, и ветка осенней листвы, но не

жёлтая, а горячая, вся просвечивает небом, напряжённая (сиена
с кадмием). И светлые травы по всему лугу, и между берёз, и за
ними. Как это передать? На этюде — что-то грубое, назойливое
и в то же время — всё приблизительно. Ах, как слабо!

И как мало времени для работы. Ушли около 12 ч.
Пришли на место около часа дня. А начали писать в два. То
побежала куда-то на другую опушку от выбранного места,
то костёр разводили полчаса кряду, то ахали, что ветер дует,
то искали, как встать. И вот когда встала — не знаю, как
писать, что хочешь, какими красками выразить всю эту
нежнейшую задумчивую песнь красок. А потом дождь. И
сколько ни торопись, ни швыряй красок — время вышло.

Ушли домой. Скверно мне на душе.

Живу, как будто жду: вот скоро уж я начну писать. И
каждый день вялость, равнодушие, трата времени.

Вот только вчера на солнечной опушке у озимых я
ожила и бросилась писать (и то побегала, посмотрела —
потратила время). Но было состояние, когда краски нахо-
дили себе место без моей помощи, а сами собой. Бывает
так: вдруг всё ясно. Однако на целый этюд этого не хватило. Где-то в середине всё спуталось.

Идут бесконечные дожди. ...Идут без конца те же тучи,
гряда за грядой. День сплетён из ожидания. И лето как
будто прошло. И жизнь тоже.

<16 октября 1978 г.>

Покров (праздник) прошёл без снега. Это дивно. На
следующий день дул тёплый ветер, сделалось тепло.
Подарок с неба. Мы писали на лугу у реки.

Люди сошли с ума! Потому что спустили реку. Они
рыскали по грязному илу и расстреливали щук и громадных
старых карпов. Всё это скверно выглядело. Потому что
люди были совершенно сыты, а рыбы в пустой реке совершенно беззащитны. Люди бегали и громко ругались. Лица
их разгорячены, глаза тёмные от алчности. Выстрелы в реку
гремели тяжким злым эхом. А солнце светило. Опушки
таяли в золотом мареве. Травы шелестели. Пели маленькие
перелётные птицы. Очень тягостное впечатление.

Захотела я написать работу далей дальних и лугов со
стогом. Стог был взлохмачен, луг тепло-зелёный, а дальний бугор тёплый и строгий. На скороспелом этюде ниче-

го не вышло. Композиция укорочена, не кончила, не ухватила. Да и солнце вышло и осветило дали. Жаль.

Хотела и вчера и позавчера записать: делать работу по осенней палитре. Как на ней краски густы и прекрасны. На сложном фоне масляной доски. Описать невозможно, какие наслоения. Солнце — в центре — белила. Сияние жёлтых, оранжевых, красных до густых лиловых облетелых берёз; небо из синих и бирюзовых. Лимонная и нежно-зелёная земля до коричневых и чёрных, и вода и ели — лапы сине-зелёная палитра. Эх, ты!

<22 ноября 1978 г.>

Ноябрь. На улице дождь, и ветер, и ночь. Радостно, что дождь. Очень тошно стало жить. Делят мастерские — нам не дают. Но дело не в том. А в самой себе, в душе какая-то пустота. Нельзя отдавать себя быту. Это грозит неизлечимой болезнью. Боже, надо найти выход. Решиться или всё сломать, или стать ещё более железной; через это начать работать опять. Скверно. Заряд из старого дома иссяк. Как источник в засуху.

<Последний черновик — 1978 г.>

Я вчера записала кое-какие мысли и примеры о работе нашей организации. Но, так как оратор я неважный, я с вашего разрешения воспользуюсь тетрадкой — это будет и быстрее, и точнее, и вразумительней.

Я хочу сказать о творческом тонусе, вернее, о пониженном творческом тонусе в работе нашего Союза, вопреки, быть может, на первый взгляд, благополучию.

Лет 5-6 назад один художник сказал в разговоре: «Вот увидишь, постепенно начнёт скатываться наш Союз с высоких творческих принципиальных позиций к коммерческому подходу в работе, производственная сторона начнёт брать верх».

Я не очень тогда поверила. Тот художник оказался прав. Процесс этот развивался исподволь и сейчас продолжает развиваться, из года в год, углубляясь, даёт корни.

Молодые художники поступают в Фонд и попадают в ритм этой новой деловой жизни и подчиняются ей, как норме. Творческая жизнь не заявляет о себе, а запрятана по мастерским, по закуткам.

И у многих молодых художников остывает потребность большого творчества, даже те, которые шли в Фонд, чтобы творчески работать, не имеют теперь времени на это.

Поэтому надо сейчас говорить о творческом духе, который уже не царит в каждодневной жизни; нет повышенного интереса к работам других художников и друг к другу, не стало творческой необходимости непременно узнать, а что делает такой-то, и поделиться самому. Радость общения исчезла.

Разобщённость, обособленность, скрытность вселились в жизни художников.

Недаром в Уставе говорится: «Всемерное содействие творческой деятельности членов Союза художников и улучшение их материально-бытового положения и культурного обслуживания», — вот в чём задача. Как это важно! А у нас?

Я так понимаю: «всемерное содействие творческой деятельности» художников — это не декларация, и не разговоры, и не выставки даже. <u>Это каждодневный мелкий, подчас кропотливый труд</u>, сознательно направленный на улучшение и защиту творческой деятельности. И это направление у нас очень ослаблено по отношению к интересам производственным. Появилось равнодушие к творческой жизни — вот что плохо. А интересы производственные потянули на весах.

Начну с самых мелких, наболевших обстоятельств.

Машина не обслуживает нужды художников. Разве это не каждодневная забота? Возможно, чтобы Лобачёв, например, тащил всю амуницию, когда едет на этюды? Проси, не проси — всё равно не дадут машину.

В прошлую зиму группа художников поступала в Союз, везла на заседание секретариата [в Москву] работы: по 5—6 штук. А у меня ещё рука была сломана. Я обратилась с просьбой. Так на меня дико посмотрели — какая ещё машина? Нет машины. Добирайтесь сами. Хорошо, товарищи и друзья художники помогли добраться. В вагоне целый угол был занят работами.

Любопытно, что по приезде обратно я узнала: машину гоняли зачем-то в Москву, причём по фондовским делам.

А несколько лет назад наша машина возила художников на однодневные этюды всю весну с возвратом (попробуйте предложить такое теперь — засмеют).

На складе катастрофически не хватает красок, а то и вовсе нет. Кокурин, например, и другие ездят в Москву за красками, а у нас при такой нехватке меняют краски в обмен на бензин; да и так время от времени подкидывают в учреждения. И никто ничего не хочет сделать. Разве это не равнодушие к творческой деятельности?

Оказывается, на 1978 г. были запланированы деньги на выставочные нужды, и осталось 1700 рублей [*зачёркнуто*: и не было ни одной персональной выставки]. Только в середине декабря судорожно схватились куда-нибудь деньги определить. Но ведь деньги надо равномерно и с пользой распределять в течение года, иначе они неразумно будут использованы и не принесут пользы. Кому их теперь отдали? Разве это не равнодушие?

Недавно стало известно, что через год закроется выставочный зал музея-заповедника. Возможно ли это? Надо костьми лечь, а не допустить этого. Не констатировать факт, а теперь же, сию минуту отвоёвывать, пока не поздно. Город остаётся совершенно без выставочного помещения. Доказывать, убеждать. А ведь этого не делается.

Творческие отчёты! Никто не усомнится в их необходимости и полезности для художника и для всего коллектива. Это истинный способ творческого общения художников, собирающихся не на собрание, а на творческий разговор. Художника это мобилизует и обязывает. Хорошо и для членов Союза — особенно молодых — найти форму отчёта в виде коротких выставок с активным обсуждением.

Работа студии — большая помощь творческой деятельности. Это прекрасная форма общения — за работой. В прошлом году нашли место — в Художественной школе. Пусть её посещаемость не будет велика, но польза несомненна для всех, а для молодёжи особенно, о молодёжи должен быть особый разговор — ибо у нас её стало много. Всё законсервировано: или усилия направлены на другое, или не хочется делать усилий. Всё это логично; как следствие — ослабление внимания к творческой жизни.

Законсервирован и Дом художника, хорошо и надолго. Дом художника должен был быть построен этой осенью, и вдруг застыл, замёрз — неизвестно, на какой срок и неясно, по какой причине. И все усмехаются. Не нужно говорить о его необходимости. Просто стыдно не иметь дома.

Творческие мастерские — вечно насущный, животрепещущий вопрос. Находились даже благодушные голоса: что мастерскими все обеспечены, а сделали проверку — оказывается, многие художники задыхаются в тесноте, а иные ещё и вовсе не имеют, например, Луговская. Надо смотреть вперёд, скоро будут и другие.

Вставки в Восточном районе не строятся, а мастерские не делаются. Хотя есть распоряжение их строить. Как это может быть?

А причина всё одна — равнодушие. Вовремя не узнали, вовремя не настояли, вовремя не хлопотали.

Так было с вставкой по ул. Комиссаровой, а теперь может получиться и по ул. Егоровой. (Теперь я помудрела, пойду сама к Магазину хлопотать и узнавать.)

Да, на ул. Добросельской стоит 2-этажный красный дом, который отстояли от разрушения. Теперь его отстраивают, но, к сожалению, не мы.

Представьте себе, его предлагали Союзу как мастерские, и Союз в лице председателя отказался. Зачем нам? — Как же можно? Я слёзно умоляла председателя дать мне мастерскую, очень я страдаю без неё. А оказывается, не надо. Это всё тоже равнодушие и отход от творческих интересов.

Наконец, последняя вставка на ул. Гастелло, я бы сказала, скандальная, которая вообще уже появилась как производственная и распределена была, минуя правление. И как бы ни ссылались на городские авторитеты, как бы чем-либо ни прикрывались — это возможно стало только теперь — и доказывает упадок творческой активности.

Я была лицо заинтересованное и потому знаю, как правление пыталось включиться в это распределение, но дирекция взяла инициативу в свои руки и так обработала документы, что правление было фактически парализовано. Об этом как-то неловко и стыдно говорить. Это упадок. Не понимаю, почему председатель не настоял на правильном распределении!

Я не говорю о личностях. Кто получил — тому крепко повезло. Но давали не как живописцам и графикам, не как членам С. Х., а как производственникам, хоть и монументалистам, работающим «для города». (И кто давал, тот убеждён, что только так и надо.)

Вот тут распределение сил раскрылось окончательно. Работать «для города».

Откуда взялся и занял такое главенствующее место в нашей жизни термин «для города» и что под ним подразумевать? В том смысле, как его стали употреблять, в нём появилось нечто порочное. Что такое «для города»? Стало возможным задать ведущим художникам вопрос: «А что вы делаете «для города»?»

А выставки областные, которые художники делают ежегодно совершенно бесплатно, отдавая свой самый дорогой сокровенный труд, разве не «для города»?

А Лукин чуть не каждый год экспонируется на выставках в Москве — разве не для города?

А Бритов получил заслуженного, а Кокурин отмечен за серию работ «Ленинские Горки», Юкин со своим превосходным творчеством — которое известно по Союзу и даже далее — разве не для города?

И, наконец, весь коллектив <u>работающих творчески</u> художников (подчёркиваю это слово) — и это всё для города.

И это очень важно уразуметь.

По Союзу наше отделение считается сильным и творческим. Многие художники участвуют на зоне в Москве, становятся членами С. Х., но не благодаря работе отделения Союза последних лет, а, вернее, вопреки ей. Потому что художники, истинно творческие художники, так устроены, что они работают и в благоприятных, и в плохих условиях с одинаковым упорством. Даже когда их гонят — они работают, так как не могут не работать. Примеров тому слишком много в жизни.

Вот почему и хочется проявления заботы, внимания, уважения к работающим художникам, а не к производственникам только.

И вот всё это сопоставляя, легко увидеть опасный для творческой организации путь — равнодушия к делам творческим и крен в производство, на котором сейчас остановилась работа нашего отделения. Опасный, потому что даже когда правление с председателем во главе постоянно стоят на защите художников — опасность скатиться на производственный денежный путь существует. Тем более сейчас.

Надо сделать рывок, большое усилие, цепь усилий, чтобы сделать поворот на 180°, на творческий курс; иначе через несколько лет творческое большое стремление отделения может быть выхолощено. Чтобы развернуться к творчеству в самом широком смысле этого слова — надо, чтобы правление состояло из сугубо творческих художников, ведущих живописцев и графиков, которые не пойдут на компромисс ни в чём. У них и головы по-другому устроены. А они выберут достойного председателя. 1) Надо уметь <u>отстаивать свои права</u> как руководителя коллектива и в первую очередь права сильного коллектива художников. 2) И надо, чтобы установка гуманного и бережного отношения к человеку стала нормой общения. Надо любить и понимать искусство, понимать художников и любить людей. Вот тогда будет отдача!

<Черновик 1978 г.>

Среди деловых качеств: надо быть гуманным.

Ведь если это собрание не формальность и отписка, если действительно художники собрались, чтобы разрешить нерешённые вопросы, это придаёт мне смелости. У меня вопрос тяжёлый, и я чувствую прямо-таки невероятную потребность сказать об этом товарищам. Если меня занесёт немного — не сердитесь. Вопрос общий, но и мой лично. Вопрос о мастерской.

Ведь каждый работающий художник — и очень большой, и не очень большой, очень много работающий, и средне работающий — имеет <u>моральное право</u> на мастерскую. Очень молодой и совсем не молодой. Именно моральное право. Оно остаётся за художником, даже когда ему постоянно отказывают. Чтобы никто не думал, что посягают на его мастерскую, речь идёт о своей мастерской, которая должна быть, но её нет.

Один очень уважаемый товарищ сказал мне весьма справедливо: недостаточно быть членом Союза, надо ещё уметь добиваться, уметь постоять за себя и требовать.

Я подала заявление о мастерской и была так наивна, что думала — будут разбирать заявление и решать мой вопрос.

Оказалось, никто ни словечком, ни помыслом не обмолвился, как будто и нет человека. А человек-то есть.

Я скажу: сколько же можно быть в подвале на улице Гоголя, топить печь, задыхаться от скверного воздуха, дышать сыростью и помойкой, которая течёт по двору? Вот уж лет шесть мы с Темплиным в ней существуем. Без водопровода, без туалета, без дневного света. При двух метрах высоты. Голова почти упирается в потолок. Холсты покрываются плесенью, а одежда пахнет подвалом. Когда пытаешься там писать и долго находишься — просто заболеваешь.

Практически перебрались в квартиру. Ведь нас — двое художников. Я дивлюсь (не смейтесь, пожалуйста), когда у людей есть спальная комната, в которой торжественно стоит кровать с подушками и одеялами, тумбочками и прочей прелестью. У меня так этого и не было, потому что комната — это вместо мастерской. Кругом холсты и картоны. Вперемежку — быт и работа — вещь утомительная и не плодотворная. Ведь это уже много лет.

Раньше говорили: вот не дают мастерские — не член Союза; теперь говорят: не дают мастерской — на производстве работаешь мало, надо дорогу молодым.

Да ведь ни о сроках жизни, ни о работоспособности даже — говорить трудно. Дело не в возрасте только. Правда, у молодых шансов больше. Да ведь мастерскую с собой не заберёшь. Останется другим художникам.

И я хочу, чтобы вы знали, что есть этот жаждущий человек, которому очень нужна мастерская, чтобы работать.

Ведь будут ещё мастерские (теперь, наверное, все обеспечены), можно ходатайствовать перед правлением. Что ж, я уж самый последний художник — хуже и нет? Как же так получается?

Вот, думала я, теперь-то я попишу, дадут мастерскую, жить станет легче.

И прескверное состояние вины собственной, за то, что тебя обошли. Так вот я должна избавиться от этого состояния, ибо оно ложно.

Я считаю не закономерностью, а глубоким недоразумением, что мне не дали мастерской, недоразумением, которое надо исправить. Что художники, которые привозят кучу этюдов и планов из поездок, терпят большие трудности оттого, что негде ими заняться, что приходится сажать холст на холст, так как негде держать подрамники, — имеют право на мастерские.

А если придут ко мне чехи в гости, что мне тогда говорить? И так удивляются: что за Союз такой — не обеспечивает мастерской? Даже стыдно.

Это смешно звучит: Маврина — на пенсии.

Пока живёшь — до тех пор работаешь.

Стоят большие холсты Темплина, больше некуда ставить.

Было долго — не обращали внимания, теперь нетерпимость настала, невыносимо копошиться среди вещей и быта — женщине особенно трудно.

[КОНСПЕКТ РАЗГОВОРА С Н.М.БАРАНОВЫМ]

Эх, и прескверно же мне! Как убитая хожу. Отовсюду слышу: ставку делят — этому дают мастерскую, тому дают мастерскую, и члены Союза, и не члены Союза получают. Те расширяются. По 40 метров, по 35 метров, а у нас вся квартира — 27 метров.

И не находится объективно человека, который сказал бы: как можно расширяться, пока есть необеспеченные живописцы, члены С. Х.? Как можно?

И никто не сказал — Луговской дают мастерскую или — хорошо бы дать мастерскую. Есть от чего прийти в отчаяние! А кто-то говорит: вот дом будут делить, тогда, может, ты получишь! Что мне стоит ещё года три подождать!

Два художника забиты этюдами, холстами сверху донизу. Вы посмотрите, как мы живём!

Хочется брать сложные темы. Где же тут работать?

В Уставе сказано: создавать все условия для работы и спрашивать активную творческую жизнь. Какая же тут творческая жизнь?

А для творчества нет престарелого возраста, есть ленивый возраст. Пока живёшь и работаешь, и запасов энергии никто не измерит. Смешно звучит, например: Маврина — на пенсии. Или: Юкин — на пенсии. Это абсурдно.

А я-то мечтала: только теперь и работать, дадут творческую мастерскую. Всю жизнь писать дома (вы же были у нас, Коля)! Натыкаясь буквально друг на друга. Больше это нестерпимо. Меня буквально распирают творческие помыслы, материала много, а требования к себе растут у обоих.

Хочется — большие работы. Хочется пересмотреть и освоить всё.

Куда же идти и кого просить?

⟨Старые черновики — 1978 г.⟩

Не хватает достаточного внимания и заботы к самому насущному и волнующему вопросу — о мастерских. Поясню свою мысль.

Строили дом — божились и клялись, что к ноябрю закончат; художники ходили на субботник, чуть ли не рыли траншеи, убирали мусор, учтите всё это, чтобы строителям было легче и быстрей строить. И что же — домик замёрз. Рабочих сняли теперь, говорят, через год, может, построят. Это раз.

В Восточном районе: строили очередную вставку по Комиссарова, все знали, все говорили — вот строят вставку ещё одну: скоро будут мастерские, и никто из руководителей вовремя не поинтересовался, не сходили в Горисполком, чтобы подтолкнуть, напомнить или хотя бы узнать. Все сидели и ждали: построят мастерские или нет. И несмотря на то, что, по архитектуре, должен был быть 6-й этаж, он напрашивался, строители подняли стенку на метр и 6-й этаж не построили — сэкономили кирпичи. Как же это могло быть?

А время идёт, приходит новая молодёжь, художники становится членами С. Х., старые вырастают из своих мастерских и мечтают расшириться.

И вот появилась одна несчастная новая вставка. Все страстно хотят попасть в новые мастерские. Я тоже весной спрашивала о ней. Мне лично говорили: кому как повезёт.

Одни, оказывается, имеют львиный куш, другие мечтают расширяться, третьи попадают в закуток, а четвёртые плачут и рыдают, потому что ничего не получают.

Всё очень напряжённо, художники даже изменились и смотрят как-то по-волчьи, все конкуренты стали, и я чувствую, что тоже начинаю смотреть по-волчьи. Потому что мне тоже нужна мастерская, я тоже имею на неё право и как художник, и как член Союза, и тоже задыхаюсь всю жизнь без мастерской и в подвале. И становлюсь подозрительной, всё мне кажется, меня возьмут и оттолкнут, и охают. И ждать уже невозможно — я и так уже очень долго ждала (работами обросла, как лесом).

Дома растут, как грибы. Может быть, от горисполкома комиссию создать, чтобы посмотрели положение художников. Вот мне кажется, на этих фронтах надо усилить работу.

Быт и творческие мастерские — тогда и творчество ещё более возвысится.

Одну вставку удалось отвоевать. Мне лично весной говорили: вот строят вставку. Будут отличные мастерские, если её дадут художникам.

Потом говорили: нет, не дадут, построят, и Магазин забирает для города. Потом опять: кажется, дадут, кажется, не дадут.

Вообще Магазин становится какой-то легендарной фигурой. Все о нём говорят, и никто не пойдёт из руководителей на приём, чтобы узнать, будет или не будет. Боятся, что ли?

И, наконец, мастерские отдают Союзу, но с какими-то недоразумениями. Опять Союз вовремя не занимался этим вопросом.

Художники даже изменились: каждый смотрит друг на друга с подозрением: а что этому дадут, не отнимет ли он у меня долю?

И я тоже смотрю и хочу узнать, а что мне дадут, потому что у меня и никакой нет, а ждать уже <u>времени нет</u>, нужна мастерская, очень много накопилось работы.

Я подала заявление весной, думала, что будут разбирать в рабочем порядке.

А сейчас подала вторично. Какое-то недоразумение вышло со списком, и почему меня там нет? У меня же нет никакой мастерской. К кому же обращаться?

***

Здравствуйте, Л.А.[50]

Я ничего не поняла. Почему меня нет — меня тоже Магазин знает. Как Вы с Вашим авторитетом не отстояли творческого права своего и правления?

Вас же правление <u>всегда</u> поддержит.

Производству никогда нельзя давать вставать над творчеством, потому что на его стороне деньги. Дай силу — и оно задавит творческое начало.

Фомичёв, заслуженный художник, вы даже кулаком по столу можете стукнуть, как равный, а тут директор Фонда или кто Вас вокруг пальца обвёл. Вам-то зачем производство? У Вас творческая власть. И вся Ваша сила в творческой поддержке. Для Вас как это неудачно получилось.

Надо же членов Союза в первую очередь обеспечивать мастерскими и улучшать их творческий быт.

Ведь на собрании фигурировал только Дик — о нём об одном было письмо.

---

50 Л.А.Фомичёв, председатель правления ВОСХ — *Ред.*

Кто-то над Вами схитрил, обвёл вокруг пальца. У производства на поводу идёт Союз художников. Возможное ли дело — кто-то дал список, а Вы вынуждены согласиться!

Да, Магазин никогда не будет так диктовать — слишком мудрый руководитель он.

Все так уверены в Вашем авторитете, и вдруг такой промах.

Не буду вдаваться во все сложности, которые возникли в связи с новой вставкой. Это власть имущим разбирать.

Но знаю только, что мастерская мне нужна как воздух.

Каждый работающий художник имеет моральное право на мастерскую. И очень молодой, и совсем не молодой.

Такое моральное право у меня давно было. Но мастерскую не давали.

Теперь, когда приняли в члены Союза, приобрелось ещё формальное право.

Разница только в том, что немолодому надо втрое торопиться против молодых. Нельзя терять ни дня, ни часу. Год идёт за три. Это не сразу можно понять. Как раз обратное тому, что иногда думают. Нету в творчестве пенсионного возраста, а есть лишь ленивый возраст. Сколько живёшь, столько и работаешь. И вот когда такое состояние, когда внутренне весь подготовился и собрался, а замыслов и материалов много, и когда есть и моральное и формальное право, а мастерской не дают, очень тяжко становится и здорово обидно.

Я была так наивна, что думала: вот как члену Союза сразу мне дадут мастерскую, ан нет. В подвале работать нельзя. Сколько же можно в вони и сырости топить печку, без дневного света, без воды и всяких удобств. Холсты покрываются плесенью. Одежда пахнет подвалом.

Дома другой художник — Темплин. Расставил свои громадные холсты. Куда же деваться? Быт вперемежку с работами — очень тяжко.

Ведь нас двое художников. Много утомления и мало продуктивности. А ведь надо иногда расставить работы и посмотреть, что и как. Очень хочется большие холсты начать. Холстами забиваются холсты. Мне уже несколько лет прямо-таки необходимо взяться за большую работу. А где с нею будешь? Ходишь измученный от замыслов неосуществлённых.

Я считаю, что произойдёт тяжкое недоразумение, если своя же организация не выделит мне творческую мастерскую.

1980-е гг.

Дико, немыслимо — по чьей-то чёрной и злой воле, не сделав ни капельки никому никакого зла, — тебя лишают всего: дома, школы, родных и свободы, и перед тобою тюрьма. Запах тюрьмы... Кто не был, тот не представляет десятками лет накопившийся человеческий тлен, перемешанный с дезинфекцией. Громадное пространство и ты один (с конвоем). Этот дом, напиханный людьми, как клопами... Страшная женщина у параши в разодранной рубахе смотрит и ругается на меня. И откуда-то из середины громадной камеры голос (нарушая законы тюрьмы) говорит: «Идите сюда. Устраивайтесь здесь». Так ласково приняла меня Бутырка. Громадная камера сплошь устлана на уровне стула досчатым настилом и сплошь занята лежащими фигурами.

<*30 июня [1985 г.]*>

Боже, я в чём-то совсем одна. Длинный-длинный рассвет. Пряный и жаркий воздух — дуновение полей. Ощущение — где-то возможное счастье — общение с природой, с землёй, с травой, с рассветом. На рассвете выйти на крыльцо. Перед тобой тишина, замирание предрассветное природы. Не колышутся деревья. Долгий миг счастья сопричастия с Богом. Кому сказать? Женечке? Жажда понимания, жажда друга.

Тягость быта. Я — не домашняя. А всё надо делать. Кабала и отупение от быта. Что-то за этими словами может открыться (Пришвин), что-то, что за замком. Творчество? В чём общение? Стремление общения, к людям.

Время — 4–5 часов утра. Продлённость своей души. И бесцельность её и тщета всего. И тут же страх быть непонятой и смешной.

<[1 сентября 1985 г.]>
ПИСЬМО Н.С.ЛУГОВСКОЙ К И.Н.ШАРОВОЙ

Дорогая Ириша! Здравствуй, дружочек!

Как-то вы поживаете? Что принесло вам лето — горе или радость?

Сегодня 1-ое сентября. Вышла утром на улицу. Солнце и радость! А девчонки и мальчишки, одетые, причёсанные и красивые, бегут ручейками в одну сторону. И скучно мне стало. Пошла за ними и пришла к школе на торжественную линейку. Двор школьный гудел, как улей, и шевелился; а со всех сторон ещё и ещё прибывало ребят, маленьких и робких, больших и отважно-стремительных. Но у всех ощущение торжественности.

Я встала в сторонке, а уйти не могу. Гляжу на эту торжественно-оживлённую толпу. На нарядно одетых родителей и преподавателей, на маленьких пёстрых ребятишек, пришедших тоже посмотреть. «И на очи, давно уж сухие, набежала, как искра, слеза». Вспомнила тебя. Ходишь ли ты теперь на линейку? Наверное, волнительно тебе. Ведь вся жизнь твоя — в школе. Подумала, что, наверное, это хорошо, так прожить. Сколько людей, сколько детей прошло перед тобою. Наверное, совсем другое ощущение жизни и себя, так сказать, в пространстве. А ведь человеку нужно быть в улье, в гуще. Наверное, человек так устроен. Отгороженность — это плохо. Вспоминала и нашу школу. Скорее, не воспоминания, а ощущения былого. И ваш дом, а главное, ваш двор, в котором мы столько проводили времени, отгородившись от Москвы. В нём было спасение от Усачёвской улицы. Но только нельзя очень увлекаться, а то проказница коварная память откроет такие закоулки, что взвоешь.

Итак, времени для размышлений в это лето предостаточно.

Не «получилось» для нас лета. У нас заболел Витя. Прихватило его основательно. И, в общем, наверное, вскоре после твоего приезда. Не уследили. Подскочило давление. И сосудики в голове не выдержали нагрузки, повредились. Следствие от этого вышло печальное. Месяц в больнице. Сейчас говорится коротко, а тогда было страшно и тяжко. Весь июнь шёл дождь, и я все дни проводила в больнице, приезжая домой на «тихий час» и на ночь. А он лежал такой беспомощный и тихий. Полмесяца не вставал. Потом потихоньку начал подниматься. Сперва садиться, спускать ноги. Всё чередом. Сейчас, начиная с июля, идёт восстановление. Он молодец. Много занимается физкультурой, ходит. Только вот речь у него пострадала немного. И он упорно ею занимается. Старается похудеть.

Всё вместе — это большая работа. И так как мы привыкли всё делать вдвоём, то и это тоже делаем вдвоём. На этом фоне нет-нет со мною случаются маленькие неприятности и болячки. Мечтать «о подвигах, о славе» нет времени совершенно.

А помечтать иногда так хочется! Мечтать можно только о будущем лете.

Когда было жарко, по вечерам мы ходили гулять в луга. Рвали цветы, смотрели, как спускается солнце за леса и темнеет небо. Цветов было очень много в этом году. Так много, что на всех хватало. Даже большие лесные колокольчики выступали из оврагов в луга. А кругом — в полях — пшеница. Она всё светлела и светлела, пока не сделалась совсем золотистой. Эти прогулки спасали нас в знойные, душные дни от пыли и шума. Тропинка, сумерки и прекрасные стихи Пушкина, Блока и др., которые Витя много читал по пути. Теперь это слилось для нас в отрадные воспоминания. Наступила осень. И скоро зима. Она не радует. Много будет забот.

Ну вот, таковы наши дела. Надеемся, что у вас всё хорошо. Крепко обнимаем вас всех.

Всем приветы. Целуем, Нина, Витя.

<11 ноября 1987 г.>
ПИСЬМО Н.С.ЛУГОВСКОЙ К И.Н.ШАРОВОЙ

Здравствуй, дорогая Ириша!

Получили от тебя письмо и поздравления с праздником. Спасибо тебе большое, и не сердись на меня за моё долгое молчание, прошу тебя. Хотя, конечно, очень дурно, что я молчала. Но ты всё же не сердись.

Жизнь какая-то суматошная и, в общем, не очень весёлая. Хотя и жаловаться я не имею права. Могло бы быть всё значительно хуже. Наверное, в самом моём существе

заложено неустройство. Быта всё больше становится. А я
его плохо переношу. Вожусь и внутренне ропщу. И так все
дни. А они бегут себе...

Лето мы провели в городе. И хорошо для нас, что не
было жары и что шли дожди. Спокойнее с дождями жить,
и не так рвёшься куда-то. Да и то: нет-нет — охватит, эдак,
тоска по иной жизни; вспомнятся «райские» дали деревенские, поля и леса. Как закопошится в груди, и заскулишь
потихоньку.

В начале лета была мысль — может быть, в дом отдыха.
Но Витя не захотел. И, наверное, прав. В мае и июне он
лежал в больнице (в двух разных) и так ему надоел «казён-
ный» дом. В это лето он часто прихварывал, хоть всё по
мелочам. В том числе и радикулитные боли. Да и сердце
барахлит. Давление скачет. Но он умеет оживать духом и
способен улыбаться. Да и терпеть научился (что весьма
важно).

Я ничего. Не могу обижаться. Хранит меня Бог от злых
болезней, спасибо ему. Бываю в мастерской. Но время провожу там бездарно. Весь пар выходит в мечты и предвку-
шения, которые иногда осеняют.

Увлекаемся плодами перестройки: в «Советской культуре» были пламенные статьи, в журнале «Огонёк» —
тоже. Переживаем и расстраиваемся от бывших невзгод.
Читала «Дети Арбата» — как будто электрический ток
через себя пропускаешь. Потом «Плаху» читала.
Произведение громадное. Построено, конечно, своеобразно. О неминуемом возмездии за содеянное когда-то зло.
Ничего не проходит даром. И гибнут невинные жертвы в
этом тупом злобном чаду. Больно отзываются в сердце эти
трагедии, и о которых прочли, и о которых не прочли.

У вас, по-видимому, не очень весело. Что с Наташей?
Удаётся тебе ещё немного заниматься с ребятами? — Ведь
это для тебя живая струя.

Ну, наш дорогой друг, прощаемся с тобой. Всего, всего
вам всем доброго! Я очень рада, что ты держишься и не
болеешь.

Всем большущий привет — Толе, Лене, Коле, Наташе,
Лёле, Игорю и ребяткам.

Целуем, обнимаем,

Нина, Витя.

***

8 ч. утра. Ещё темно и тихо. Как из подземелья — далёкий шум машины.

Если бы не рассвело... Если бы один день в году останавливалось время и в нескончаемом сумраке — тихий иней и люди в этом сумраке, внезапно встав, огляделись бы, и прозрели, и увидели всю жизнь, пронзили память до самого детства... Что ты есть? И каждая судьба, такая маленькая и такая большая, — одинакова перед Вселенной. И люди, разобщённые и бесконечно одинокие и непонятые, разобщённые общими делами, лишённые досуга и созерцания, — в сумраке и тишине почувствовали себя соединёнными и нужными друг другу.

Что может быть драгоценней непостижимости — одетой инеем берёзы в розовом сиянии? «Остановись, человек, и посмотри кругом», — вот какое название я дала бы своей ненаписанной книге. Не это ли стремление соединяет людей в храме? Под непонятные слова и красоту звуков пения — душа открывается и отдыхает в вынужденной неподвижности богослужения.

Такая глубокая зима встала надо мною. Ни морозов, ни солнца. Закутано в сумрак. За ней не видно и не слышно жизни. Тут и догорающий день, и тоска одиночества в «Докторе Живаго». Сибирская деревня. Дорога, за бугор уходящая... И колымские дни... И воспоминаний «длинный свиток». И всё это — значимо, и кому-то нужно, чтобы люди узнали и обо мне. И уже не стыдишься своих несчастий. И всему живущему есть мера и место.

Как нести эту драгоценную ношу, наполненную до краёв? Нести и не расплескать. Не споткнуться о неосторожное слово, о навязчивый вопрос, об кастрюли и половик. Как ухитрилась Цветаева М. пронести через всю жизнь эту чашу поэзии, наполненную до краёв? Эмиграция, обеспеченная жизнь, тоска по родине наполняли её и питали гот источник, который пролился стихами, мыслями. Когда она всё это потеряла — она потеряла жизнь. Сколько надо мужества, чтобы нести бремя стиха, раскрытого, разоблачённого своего «я».

Вчера видели «Покаяние». Страшно. Преследуют видения.

<3 декабря 1988 г.>

Разве мы в своей семье уже десятки лет и с другими людьми порой, не говорили, хоть и однозначно и коряво, о том, о чём пишут и говорят теперь умные, понимающие люди — длинными философскими фразами, — всё объясняющие?

Если говорили мы, то и другие говорили. Знали мы, понимали мы — люди понимали, что происходит; мы видели зло... И вдруг, как по мановению волшебной палочки, все сделали вид, что только что прозрели.

Как это смешно.

Как это трагично.

Как это нелепо.

Что же такое?

<10 января 1989 г.>
ПИСЬМО Н.С.ЛУГОВСКОЙ К И.Н.ШАРОВОЙ

Дорогая Ириша!

Как замечательно, что ты позвонила. И как неожиданно! Поговорили! Мы узнали ещё дополнительно всякие новости. Очень приятно услышать твой голос было! С днём рождения? — Мы-то его всю жизнь не отмечали. Глубоко убеждена — соболезнования надо писать, а не поздравлять с такой датой[51]. Зная свой нрав, я заранее начала «обрабатывать» наших весьма милых дам: профсоюзную и союзную, чтобы они не вывешивали меня на доску с какими-нибудь шуточными и нешуточными словами. В этом я преуспела. На доску меня не повесили. Но тут подвернулось, назло моим планам, профсоюзное собрание. И председатель профкома с тупым упрямством начал приготавливать что-то, чтобы объявить на собрании об этом торжественном дне.

Мне ничего не оставалось делать, как сказаться больной в надежде, что без меня на собрании меня поздравлять не станут. Не тут-то было. Всё-таки меня объявили. Таким образом, моя тайна стала достоянием масс. Какие же мы

---

[51] Речь идёт о 70-летии Луговской. — Ред.

бесправные, когда собственный день рождения человек не может по-своему отметить или не отметить вовсе.

Дня два при встречах на меня нагловато посматривали «иные господа художники» с явным язвительным удовольствием. Но вскоре весь этот эпизод забудут, чтобы при встрече, однако, и вспомнить. А приятные дамы вечером после собрания всё же пришли поздравить. Меня «одарили» красной папкой с подтверждением моих лет. Преподнесли замысловатую вазочку сиреневого цвета и пять красных гвоздик, что уже было совсем приятно. И поздравили меня вполне искренне и симпатично. Дамы были такие красивые, душистые, в меховых пальто; оглядели нашу комнату с книгами и картинами и невероятным количеством всюду разбросанных газет и журналов не без удивления. А мы с Витей с удовольствием смотрели на них. Вот и всё.

А вторая моя забота посерьёзней. Воспоминания о 30-х - 40-х — «роковых» приобретают такие размеры, что я побаиваюсь, что какая-нибудь сохранившаяся дама не напечатала бы своих записок и между прочим не упомянула нашей фамилии. Мне это было бы тягостно. Потому что мы об этом не рассказывали вовсе. И опять поднимется возня вокруг, ненужные разговоры и соображения.

Как-то двойственно и сложно у меня сейчас. За последние годы я как бы забыла все тяжкие события, будто и не со мной всё это происходило. И вот через литературу, а теперь и через телевизор — столько всего! И со дна души, из самых тайников, о которых уже и сам не предполагал, подымаются тяжкие образы и мысли. Как болезнь. «Воспоминанья предо мной свой длинный развевают свиток...»[52].

Ты понимаешь, это совсем разные состояния — жалеть других и негодовать за них или быть самой. Слишком много было унижений и потерь. Я совсем не хочу огласки. Мне будет очень тяжело. (Хотя, конечно, в этой куче могут быть столько однофамильцев.) Во всяком несчастье есть большой урон, в нём трудно сознаваться. А до Лихачёва я не доросла. Ты тоже при случае не оглашай нас, кроме, конечно, вашей семьи.

---

[52] Цитата из «Бориса Годунова» А.С.Пушкина — Ред.

А тут ещё «Доктор Живаго»! Недавно я с ним «познакомилась». И он мне стал таким близким и дорогим человеком. Перед мысленным взором встаёт его сложная и тонкая душа. Я вижу его сибирские похождения, его удивительную романтическую любовь, его д. Ворыкино (где они жили). И поэзия этого пустого дома, пустого захолустья, и снега, снега кругом... И горячие закаты, мглистые утренники... Необыкновенные звёзды и светящийся снег под луной... Свобода и творчество! Томление души, готовой отключиться от всего... и готовой начать писать... И его последний путь... Как будто я сама хоронила его. Пастернак... Очень он мне близок по своему мышлению и чувствованию. Когда мне очень близок автор, я хочу писать.

Ириша, прости за такое письмо (пишу ночью). А тут ещё конфликт был домашний, который навалился на меня горой.

А надо нести. Значит, надо на кого-нибудь выплеснуть, а то не донесёшь.

Подруга — Нина.

<25 января 1989 г.>

Всё приемлю и смиряюсь... Выйди на площадь, встань на колени... И покайся в своих несчастьях и бедах. Покаяние в своих бедах, в своих унижениях — это ничуть не труднее, чем в грехах, преступлениях. Скрываемое несчастье — это ложь, ложь через всю жизнь. И гордость от этого непомерная. Как горды у Достоевского его женщины.

<Среда, 2 августа [1989 г.]>

Когда я слушаю стихи великих, как Ахматова, или гляжу на сохранившиеся гениальные сколки прежних вех, ровесников моих, сумевших пронести себя сквозь ад, неразряженный заряд меня томит и мучит. Нет, то не зависть, то горечь бессмысленно прожитых лет. То горечь об измене самой себе. Нести в себе запасы взрывов, озон. Я не смогла. Я испугалась вначале. Я отреклась. И по капле уходила сила.

<[До 12 сентября 1989 г.]>

Умер Савва, но остались сестры, умерла Оля, но осталась Женя, умер Саша, но осталась Женя.

И умерла Женя...

<14 сентября 1989 г.>

Умерла моя сестра Женя, и 14 сентября её хоронили.

Непредсказуемая душа человеческая.

И умерла Женя. Оказалось, она воплотила в себе всю семью.

Оказалось, мы с ней были очень близки. Мы постоянно писали друг другу письма.

Наши встречи в Стерлитамаке, наша поездка в Алатырь, наша жизнь в Кизеле, наши встречи во Владимире.

Летние приезды во Владимир. Красная машина. Радость встреч. Поездки на красной машине. Весёлые, и смешные, и трудные свидания летом во Владимире.

И потом долго, долго не виделись.

Почему? В тисках повседневности. В погоне за этюдами. Всегда жадно хватали недостающее время, не отдавая его на развлечения. Берегли для живописи. Отказывались от радости. Зачем?

***

Дорогая наша Женечка!

Сегодня такой тёплый осенний денёк. Я вышла на улицу.

Берёзы чуть желтеют, и сухие жёлтые дорожки стучат, как асфальт. На углу стоит красная машина, и двое усаживаются в неё.

Обронили цветок люди. А когда шла обратно, ни машины, ни цветка не было.

Красная машина... Люблю я эти осенние прохладные дни.

Всё — как тихая музыка.

И солнце ласково и тихо, как улыбка матери.

Я сидела в саду и смотрела на красные рябинки и вспоминала.

Первый раз, быть может, в жизни я так сидела и вспоминала.

Ты растворила двери в прошлое.

И вот теперь я задумалась: в чём причина её неуживчивости, в чём причина конфликтов с людьми, ей близкими?

<25 октября 1989 г.>
[ЧЕРНОВИК ПИСЬМА КУЗИНЫМ В САРАНСК]

Дорогие наши друзья!

День грусти и печали — 25 октября. Всю жизнь мы посылали поздравления и телеграммы Жене и Оле — и вот пустота! Иногда вспоминали в последний день и мчались на телеграф. Волновались и хлопотали. Это было так важно и так нужно. Потом Оли не стало с нами, и поздравление Жене было воспоминанием и об Оле.

Куда деваться от памяти! Она раскручивает ленту длиною в жизнь, событий и чувств. Я вспоминаю, как мы с Женей устраивали ваше семейство в Саранск.

Почему-то мы с ней были в Москве вдвоём. И на бирже встретили режиссёра Вениаминова. Он хотел и нас с Витей забрать, но мы были влюблены во Владимир. А для вас Саранск оказался судьбой.

Когда на улице загудит машина, то я вдруг вспоминаю двух весёлых девочек Женю и Олю, которые учились играть на рояле. Учились они хорошо (как, впрочем, и всё, что они делали). Преподавал им студент Московской консерватории, Петя — маленький подвижный человек. Нам он казался самым замечательным и талантливым. Учитель — студент консерватории Петя. На занятиях присутствовали: я — слушатель, они — участники. Занятия были очень напряжёнными. Но если на улице раздавался гудок автомобиля, Петя прерывал самые напряжённые моменты и с лукавым видом восклицал: «А ну-ка, пропойте». Надо было повторить точно звук. Или: «Какая нота?» Но, бывало, машины гудели аккордом, и тогда это было ещё сложнее повторить. Нам всем становилось весело. И занятия продолжались.

Поистине, наша жизнь — миг, и мы в ней пылинки.

Иногда Женя так близко ко мне, что кажется совсем живой.

Когда на улице загудит машина, я вспоминаю двух весёлых девочек.

<29 октября 1991 г.>

Поёт Вишневская. «Я не в поле травушкой росла». Голос взволнованный, звонкий. А перед глазами былое: Магадан. Августовская ночь. Голос моей сестры. Как похожи.

Чистый благородный тембр. Мы стоим с Олей под окнами репетиционной комнаты. И оттуда звуки рояля и её голос. Под чужим небом, под чужими сопками. А сердца наши так открыты ко всему прекрасному. И от звуков песни прекрасной душат слезы. И радости искусства, и горечи, и обиды, после всего кошмара.

ПИСЬМО Н.С.ЛУГОВСКОЙ К И.Н.ШАРОВОЙ

Здравствуй, Ириша, дорогой друг наш!

Спасибо тебе громадное, насказанное, за все хлопоты и да ещё так блестяще закончившиеся!

И прости меня, ради Бога, за то, что я ещё прошу тебя и пересылкой заняться. И близко город Москва, но для меня она сейчас весьма далека.

Поверь, что уехать мне сейчас нет никакой возможности. Витя столь переменчив сейчас в своих настроениях и состояниях! Душевное состояние его не предугадаешь, и давление скачет непредсказуемо. Оставить его на целый день? Да ещё вдруг что-то задержит... Я не знаю, к чему можно вернуться. Понимаешь, я вдруг почувствовала, что мы совершенно одни. Что у нас нет по соседству друзей или просто знакомых, которые пришли бы посидеть и провести вечер, когда надо помочь, проведать больного и как-то ободрить его.

Нет, очень много симпатично улыбающихся соседей; но это общение заканчивается лестничными разговорами и справками «что дают в магазине». Вот такая штука — оказывается, мы одни.

А может быть, все люди так? А иначе и не бывает? Мы ведь тоже ни у кого не бываем. С художниками у нас близкого контакта нет. А помнишь, в Евангелии, «а кто твой ближний?» (от Луки, гл. 10, ст. 29-38). Ответ — оказавший милость (помощь). И вот начинаешь проверять: а кому ты оказала помощь, чтобы ждать ответной. А жить надо.

Что же за заболевание у твоей Наташи? Склероз сосудов? Такая ещё великолепная цветущая женщина! Намучилась она, видно, сильно с Юрой. Эти пьющие мужички... сколько же они замучивают женщин.

Крепко обнимаем, я и Витя. Всем привет от нас. Пока ещё дома всё подчинено Витиной болезни.

Ещё раз за всё спасибо от обоих.

Н и В.

<Март 1992 г.>

ПИСЬМО Н. С. ЛУГОВСКОЙ К И. Н. ШАРОВОЙ

Дорогая Ирина!

С большой радостью получили твоё письмо, хотя в нём радостного ничего нет. Спасибо, всё рассказала о своих делах и бедах. Будто повидались. Мы часто вас всех вспоминаем. Трудный у вас год. А Лена как терпит и всё успевает делать — это просто невероятно! Действительно, это Бог силы даёт!

У нас тоже жизнь трудная в этом году. И, кажется, чувства юмора уже не хватает.

Как ни парадоксально, чувства к отечеству нашему живы и в нас. И жаль нашу страну, которой уже нет, которую так бездарно раздолбали. Теперь осталось только распродать её ретивым предпринимателям всего мира.

И это бы всё ничего, когда ещё законы мироздания сохраняются и, как всегда, идёт к нам весна. Ночью весь двор блестит, как стеклянный, от подмёрзших вешних вод. А днём можно ходить в осеннем пальто, и совсем не холодно. Разве это не великолепно?

Но плоды перестройки уже добрались до нашей семьи. У Вити открылась на ноге трофическая язва. Сперва малюсенькая, теперь порядочная, и не хочет заживать уже три месяца. Появилась она 27 декабря. И омрачила нашу жизнь вконец. Не радует ничего. Всё приходится самой: хожу по магазинам, стою в очередях. Езжу в мастерскую. А на душе — грусть. Вечером делаю перевязки с разными лекарствами. Глажу бинты (ничего в аптеках нет). Вот так у нас жизнь идёт.

Скоро откроется у нас областная выставка. Я тоже отнесла туда три работки. Но в общем работа идёт плохо. Времени мало. Приходится возиться с коммерческими «работами». А они и не очень ладятся, и не продаются. И делать их так скучно.

От всей души поздравляем вас с весной и прекрасным радостным праздником Пасхой, с воскресением Иисуса Христа. И желаем, несмотря ни на что, твёрдости духа, оптимизма и здоровья. Крепко обнимаем тебя, надеемся увидеться.

Нина, Витя.

<*15 мая 1993 г.*>

ПИСЬМО Н.С.ЛУГОВСКОЙ К И.Н.ШАРОВОЙ

Дорогая Ириша, здравствуй, дорогая наша!

Как у вас дела? Хорошо, если все здоровы и веселы. Как ты сама?

А я попала в «западню».

Давно лежит это начало. Не хотелось заканчивать. Подвела меня моя «дорогая» больная нога (тромбофлебитная). И задела я её чуть-чуть подрамником. Но старая болезнь так изменила кожу, сделала её мертвой (как пергамент). И последствия — невесёлые. С середины марта (а до этого неделю я ещё что-то доделывала, что-то начинала, о чём-то мечтала. В общем, была в таком внутреннем движении, что внезапная остановка — катастрофа).

И вот я лежу, лежу, лежу... Всё толчётся на одном месте — не хочет заживать. Да вдобавок ещё очень сильно и часто болит. Глотаю на ночь всякую «дрянь», чтобы спать. И сама себе делаю перевязки — очень томительное занятие.

На бедного Витю всё свалилось. Ему тяжело. Соседи все разъехались на свои дачи... А я ничем не могу помочь. Эх, сейчас бы по улице пройтись, быстрым-быстрым шагом, подставить лицо под ветерок и посмотреть на юную берёзку... Боже, как здорово!

За окном у нас расцвёл и зазеленел целый парк. Но лирика не посещает меня. Я тоскую. И никак не могу выбраться из этого болота.

Только теперь (задним числом) начинаешь понимать, что я была очень счастливым человеком. Была здорова. И тащила на себе... Зиму тащила на себе с холодами и всеми неудобствами. Моталась по магазинам. Ездила в мастерскую. Витя болел целый месяц. И говорила: «Только бы пережить зиму. Я потом всё догоню». И сорвалась.

Прости дружок, что я так разгоревалась.

Интересно, как вы живёте? Как Наташа, и Лена, и Лёля. А главное, ты? Освоились с новой жизнью? А что делать? Всё довольно противно. Надо терпеть.

Нина.

Уважаемый пастор!

Пишу Вам это письмо и всей нашей церкви.

Дорогие братья и сестры! Именем Иисуса Христа умоляю вас молиться за меня, за исцеление мое и за освобождение от духов зла и болезней.

Я болею с 20-го марта. Три с половиной месяца болела нога. Много трудились сестры и братья. И победили болезнь. Но стали приходить новые болезни: лимфатические узлы увеличились, начали болеть руки, а затем ноги, колени, плечи. Это полиартрит. Тяжкие боли меня одолевают. Я чувствую, что не справляюсь. Тяжкие сомнения одолевают меня. Во имя Иисуса Христа помогите мне одолеть болезни и подняться на ноги. У меня не хватает сил на борьбу.

<31 августа 1993 г.>

Из записей Виктора Темплина:

31 августа Нину положили в больницу. Конец лета, начало осени. В комнате холодно, в больнице тоже.

Нина Сергеевна скончалась 27 декабря 1993 года, а ее муж Виктор Леонидович Темплин — 27 апреля 1994 года, оба были похоронены на Улыбышевском кладбище под Владимиром. Картины Луговской и Темплина находятся во многих русских и зарубежных частных и государственных собраниях.

Нина Сергеевна Луговская

**ДНЕВНИК СОВЕТСКОЙ ШКОЛЬНИЦЫ.
ПРЕОДОЛЕНИЕ**

12+

Ведущий редактор М.П. Николаева
Корректор И. Н. Мокина
Технический редактор Т.П. Тимошина
Компьютерная верстка В. В. Брызгаловой

Подписано в печать 20.10.2016. Формат 84х108/32.
Усл. печ. л.16,80. Тираж 2 000 экз. Заказ № 7933.

Общероссийский классификатор продукции
ОК-005-93, том 2; 953000 — книги, брошюры

ООО «Издательство АСТ»
129085, г. Москва, Звездный бульвар, д. 21, строение 3, комната 5

Отпечатано с электронных носителей издательства.
ОАО "Тверской полиграфический комбинат". 170024, г. Тверь, пр-т Ленина, 5.
Телефон: (4822) 44-52-03, 44-50-34, Телефон/факс: (4822)44-42-15
Home page - www.tverpk.ru Электронная почта (E-mail) - sales@tverpk.ru